Knaur.

Über die Autorin:
Luanne Rice hat in den USA zahlreiche Romane veröffentlicht, die allesamt zu Bestsellern wurden. Sie stammt aus Connecticut und lebt heute mit ihrem Mann in New York City.

Luanne Rice

Tanz im Mondlicht

Roman

Aus dem Amerikanischen von
Ursula Bischoff

Knaur Taschenbuch Verlag

Die amerikanische Originalausgabe erschien 2004
unter dem Titel »Dance with me« bei Bantam, New York.

Besuchen Sie uns im Internet:
www.knaur.de

Vollständige Taschenbuchausgabe Januar 2008
Knaur Taschenbuch
Ein Unternehmen der Droemerschen Verlagsanstalt
Th. Knaur Nachf. GmbH & Co. KG, München

Umschlaggestaltung: ZERO Werbeagentur, München
Umschlagabbildung: getty images / Jeppe Wikstrom
Satz: Ventura Publisher im Verlag
Druck und Bindung: CPI – Clausen & Bosse, Leck
Printed in Germany
ISBN 978-3-426-50196-2

2 4 5 3 1

In Liebe, für meine Tanten
Rose Scully und Janet Lee

DANKSAGUNG

Mein inniger Dank gilt Bruder Luke Armour, OCSO.
Rosemary, Roger, Kate, Molly und Emily Goettsche.
Maureen, Olivier und Amelia Onorato: in Liebe.
Jan und Rick Gaunt; Marilyn, Don, John, Danny, Emily, Nick und Maggie Walsh; Bill, Shelby, Tommy und Laura Scully; John, Barbara, Bobby, Carolyn, Katherine und Michael Scully; Bill, Liz, Jeff und Sandra Keenan.
Danken möchte ich auch Barbara und Mary Lou Beaudry; Mary Beth, Brian und Gary Holland; Howie, Mimi, Elizabeth und Michael Logee; Lucille Kennedy; und Bobby Kennedy und Mary Keenan.
Beaucoup d'amour an Mia und den BDG!
Ich danke außerdem Dr. René Horvilleur.
Jim Plumeri, meinem Lieblingskünstler.
William Twigg Crawford: Du weißt schon.
Leslie, Loulou und den Kolibris: Wo wäre ich ohne euch?

ERSTER TEIL

Aller guten Dinge sind drei

1

Es war nicht recht, ein Kind lieber zu mögen als das andere. Eines wusste Margaret mit absoluter Sicherheit: Dass nichts eine Familie schneller zu entzweien vermochte als offene Bevorzugung, selbst wenn es um Bagatellen ging. Als ihre Töchter noch klein waren, hatte sie stets darauf geachtet, dass sie abwechselnd auf dem Beifahrersitz sitzen, den Einkaufswagen schieben oder das Frühstücksmüsli auswählen durften. Damit keine von beiden behaupten konnte: »Du bist Moms Liebling.«

Als sie nun im Bett lag und auf Janes Rückkehr wartete, sah sie zu, wie Sylvie die Wäsche zusammenlegte. Ihre jüngere Tochter war dreiunddreißig, unverheiratet, aufopfernd und so gewissenhaft, dass sie jedes Nachthemd zu einem formvollendeten Quadrat zusammenfaltete. Bei dem geringsten Missgriff, wenn ein Ärmel auch nur eine Spur verrutschte, wurde das Wäschestück ausgeschüttelt und die gesamte Prozedur wiederholt.

Margaret sehnte sich nach einer Tasse Tee, aber sie wollte nicht stören. Durch ihr Schweigen hoffte sie, Sylvie die gebührende Anerkennung zu zollen. Dennoch wuchs ihre Nervosität. Würde Sylvie rechtzeitig fertig werden, um ihre ältere Schwester vom Zug abzuholen? Margaret lehnte sich gegen die Kopfkissen, es fiel ihr schwer, still zu liegen. Sie zwang sich, Ruhe zu bewahren, indem sie sich die Situation wie eine Filmszene vorstellte. Auf so manchen Betrachter hätten sie wie der Inbegriff einer harmonischen Mutter-Tochter-Beziehung gewirkt: pflichtbewusste Tochter, liebevolle Mutter und helles Märzlicht, das durch die großen Fenster strömte.

»Verflixt«, murmelte Sylvie, während sie das blaue Nachthemd aus irischem Leinen zum dritten Mal ausschüttelte. »Ich kriege es nicht hin.«
»Vielleicht solltest du es aufhängen statt falten«, schlug Margaret vor. »Probiere es doch mal mit einem Bügel.«
Sylvie warf ihr einen Blick zu, den man nur als mörderisch bezeichnen konnte. Margaret zuckte zusammen. Nicht nur angesichts der Vorstellung, Sylvie könnte wirklich den Wunsch hegen, sie zum Teufel zu schicken, sondern weil sie unbeabsichtigt die Gefühle ihrer Tochter verletzt hatte.
»Ach, Liebes, vergiss es. Es war nicht so gemeint«, entschuldigte sich Margaret.
»Schon gut, Mom.«
»Du machst das prima.«
»Danke.« Sylvie schenkte ihr ein erfreutes Lächeln. Margaret hob den Kopf, um besser zu sehen. Das Lächeln war einfach umwerfend. Sylvie, eigentlich eine strahlende Schönheit, pflegte ihr Licht unter den Scheffel zu stellen – ihre beiden Töchter hatten diese Angewohnheit, als fürchteten sie, den Neid der Götter zu wecken.
Diese natürliche Schönheit wurde nur noch durch einen messerscharfen Verstand übertroffen. Sylvie hatte an der Brown University studiert, einer Elite-Universität, und ein Semester an der Sorbonne. Jane war, zum großen Stolz ihrer Mutter, zwei Jahre vor ihrer Schwester an der Brown angenommen worden, hatte aber beschlossen, auf einen Abschluss zu verzichten. Da sie einer akademischen Laufbahn wenig abgewinnen konnte, hatte sie einen handwerklichen Beruf ergriffen und eine … Bäckerei und Konditorei eröffnet. In New York City.
Während Sylvie in Twin Rivers, Rhode Island, geblieben war. Bis vor kurzem war sie als Bibliothekarin an der Twin

Rivers High School beschäftigt gewesen, der Margaret als Rektorin vorgestanden hatte. Das Erziehungswesen war ein ausgezeichnetes Betätigungsfeld für eine Frau: Es sorgte für einen wachen Verstand, bot viel Freizeit während der Sommerferien und lockte nicht nur mit einem gesicherten Auskommen, sondern darüber hinaus mit einem ganzen Bündel von Sachleistungen. Frauen, die keine Ehe anstrebten – doch selbst wenn –, waren gut beraten, diese praktischen Vorteile nicht zu unterschätzen, wie beispielsweise die Krankenversicherung.

Ihre Töchter hatten beide nicht geheiratet, und obwohl Jane keinen Universitätsabschluss vorweisen konnte, war Margaret stolz auf die Unabhängigkeit ihrer Ältesten. Was diesen Punkt betraf, war sie ihnen wohl mit gutem Beispiel vorangegangen. Trotz Ehemann hatte sie ihre Töchter praktisch allein großgezogen.

Die Wanduhr tickte laut, und als die Stunde langsam verstrich, vermochte sie ihre Aufregung kaum zu zügeln. In der Regel kündigte das Vorrücken der Zeit medizinische und profane Dinge an: Zeit, ihre Medizin einzunehmen, Zeit zum Umkleiden. Doch jetzt war es Zeit, um Jane vom Zug abzuholen. Sie blickte zu Sylvie hinüber, die am anderen Ende des Raumes stand und immer noch mit der Wäsche beschäftigt war. Sie räusperte sich.

»Was gibt's, Mom?«

»Musst du nicht los?«, fragte sie, unfähig, ihre Ungeduld noch länger im Zaum zu halten.

»Habe ich vergessen, dir Bescheid zu sagen?«, fragte Sylvie ohne aufzublicken, während sie ein Paar gestreifte Schlafanzughosen zusammenlegte. »Jane nimmt ein Taxi.«

Margaret blieb der Mund offen. Sie beugte sich mit einem Ruck vor, als wollte sie sich aus dem Bett stürzen. Sie würde selbst zum Bahnhof fahren, wenn es nicht anders ging.

»Was soll sie von uns denken? Sie wird gekränkt sein und das Gefühl haben, nicht willkommen zu sein, sie wird …«

Sylvie warf ihr ein schalkhaftes Lächeln zu. »Das war nur ein Scherz. Ich hole sie ab.«

Margaret versuchte, das Lächeln zu erwidern, was nicht ganz gelang. Sie fühlte sich innerlich aufgewühlt, wie aus der Bahn geworfen. Es war kein Zuckerschlecken, Mutter von zwei derart dünnhäutigen Töchtern zu sein. Jane nicht am Bahnhof abzuholen – ein solches Versäumnis würde möglicherweise einen heimlichen Groll entfachen, der dazu führen konnte, dass sie ihrem Elternhaus für die *nächsten* zehn Jahre fernblieb.

»Ist der dicke Brocken fertig?«, fragte Margaret.

»Der was?«

»Die Hochzeitstorte.«

»Mom, wonach fragst du mich?« Sylvie hatte die Wäsche endlich zusammengelegt und eilte zum Bettrand.

Margaret lächelte, obwohl sie einen Anflug von Panik verspürte. Sie kannte das Wort, nach dem sie suchte, es lag ihr auf der Zunge.

»Mom?«, fragte Sylvie erneut.

Vor sechzig Jahren, als sie den Orthographiewettbewerb in derselben kleinen Stadt gewonnen hatte – wie Jane Jahre später und Sylvie nach ihr –, hatte Margaret ähnliche Situationen erlebt. Sie kannte das Wort, hatte die richtige Schreibweise im Kopf, doch die Reihenfolge der Buchstaben war ihr im Moment entfallen. Sie fiel ihr erst dann ein, wenn sie sich konzentrierte, ihr ganzes Augenmerk darauf richtete.

»Ist der …«, begann Margaret aufs Neue. Irgendetwas sollte fertig sein. So viel war klar, also musste sie sich nur daran erinnern, was es war. Damit sie ihre Frage vervollständigen konnte, ohne dass Sylvie ihre Zerstreutheit bemerkte. Sie redete sich ein, dass sie ihre Tochter nicht beunruhigen wollte, aber dahinter lauerte eine schlimmere Angst: Sie wollte um jeden Preis vermeiden, dass Sylvie sie in das gleiche Pflegeheim steckte, in dem Margaret ihre eigene Mutter untergebracht hatte.

»Wolltest du wissen, ob Janes Zimmer fertig ist?«, sprang Sylvie in die Bresche, und Margaret hätte am liebsten ihre Hand ergriffen und vor Erleichterung geseufzt. Stattdessen riss sie sich zusammen und tat, als sei die Verwirrung, die sich ihrer Gedanken bemächtigt hatte, eine Lappalie. Vielleicht hatte Sylvie sie nicht einmal bemerkt.

»Ja, genau. Ist es fertig? Mit Sicherheit, wie ich dich kenne. Du bist ein Schatz, Sylvie. Wie du dich immer um das Haus und um mich kümmerst, und …«

»Es ist alles bereit«, antwortete Sylvie ruhig und rückte ein Buch im Regal zurecht, so dass es eine einheitliche Front mit dem benachbarten bildete.

»Meine Kleine.« Margaret ergriff ihre Hand. Sie streichelte die zarten Finger, dachte daran, was für ein Porzellanpüppchen Sylvie zeit ihres Lebens gewesen war. Alle drehten sich nach ihr um, in der Schule, im Einkaufszentrum. Und mit dreiunddreißig war sie immer noch eine Schönheit ersten Ranges. Nicht, dass Jane weniger attraktiv gewesen wäre – sie entsprach nur nicht dem klassischen Schönheitsideal. Sie war ein wenig anders.

»Einzigartig«, sagte Margaret laut. »Ihr seid etwas ganz Besonderes, jede auf ihre eigene Art.«

»Steh ja nicht auf, sondern bleib bitte im Bett, während ich weg bin, ja?«, schärfte Sylvie ihr ein. »Ich möchte nicht, dass du hinfällst.«

»Beide ausnehmend hübsch, klug, begabt. Kaum zu glauben, dass deine Schwester nach Hause kommt. Dass ich meine beiden Mädchen wieder unter demselben Dach haben werde.«

»Nicht für lange«, entgegnete Sylvie nüchtern und mit ausdruckslosem, unergründlichem Blick. »Mach dir keine allzu großen Hoffnungen, Mom. Du weißt, dass sie sehr beschäftigt ist.«
Margaret lächelte. Als Kinder waren ihre Töchter ein Herz und eine Seele gewesen. Janes Geburt hatte sie glücklich gemacht, und ihre Freude kannte keine Grenzen, als sich das zweite Kind ebenfalls als Mädchen entpuppte und Jane eine Schwester bekam. Es hatte auch schwierige Zeiten gegeben … aber nun, da die Mädchen erwachsen waren und die Familie endlich wieder vereint sein würde, bot sich die Gelegenheit, einander *neu* kennen zu lernen.
»Ich finde es himmlisch«, erklärte Margaret. »Ich fühle mich wie Marmee in *Betty und ihre Schwestern*.«
»Marmee hatte vier Töchter, nicht zwei.«
»Zwei sind weiß Gott genug! Meine Mädchen haben Temperament für vier! Wer braucht schon vier, mit Töchtern wie dir und Sylvie!«
»Ich bin Sylvie, Mom.« Ihre Stimme klang alarmierend.
Margarets Magen verkrampfte sich. »Ich weiß. Ich habe Jane gesagt.«
»Nein, du hast Sylvie gesagt. Aber egal. Ich weiß, was du meinst.«
»Bist du sicher? Weil ich sagen wollte …«
»Ich weiß. Du wolltest ihren Namen sagen. Bis später, Mom. Ich bin bald zurück. Steig nicht aus dem Bett.«
»Versprochen. Ach, du bist so besorgt um mich!« Margaret lächelte sie an. Sie lächelte so strahlend wie möglich, um sich zu vergewissern, dass der Widerschein in ihren Augen zu sehen war. Sie musste Sylvie zeigen, wie sehr sie geliebt und geschätzt wurde. Keine Tochter hätte ihr mehr Zuneigung und Zeit widmen können. Sie brachte viele Opfer und hatte sich auf unbefristete Zeit beurlauben lassen, um

die häusliche Pflege ihrer Mutter zu übernehmen. Es war Margaret ein Bedürfnis, Sylvie ihre Dankbarkeit zu bezeugen, vor allem jetzt – vor Janes Heimkehr.
Niemand konnte Margaret vorwerfen, eine ihrer beiden Töchter zu bevorzugen. Sie hatte andere Fehler in ihrem Leben begangen, aber nicht diesen. Tief in ihrem Innern war sie gleichwohl davon überzeugt, dass der Mensch von Natur aus ungerecht war. Weil er immer, selbst wenn er noch so hart dagegen ankämpfte, Vorlieben hatte. Vor die Wahl gestellt, konnte er nicht umhin, sich ein Urteil zu bilden, abzuwägen und eine Entscheidung zu treffen, die – wie subtil oder heimlich auch immer – dem Herzen am nächsten stand.
Die Herausforderung im Leben bestand stets darin, sie verborgen zu halten.

Der Zug hatte Verspätung. Wie nicht anders zu erwarten war. Und nicht gerade wenig, sondern ganze vierzig Minuten. Anscheinend würde der Zug aufgrund der Bauarbeiten an den Gleisen in Kingston frühestens um halb vier in Twin Rivers eintreffen. Sylvie nahm es gelassen hin. Die Verspätung bot ihr die Chance, eine Weile allein zu sein. Sie hatte neuerdings sehr wenig Zeit für sich. Andererseits konnte sie das Wiedersehen mit ihrer Schwester kaum mehr erwarten, und dass sich ihre Ankunft verzögerte, war in gewisser Hinsicht typisch: Wenn es jemandem zuzutrauen wäre, einen ganzen Zugfahrplan durcheinander zu bringen, dann Jane.
Sie vergewisserte sich noch einmal, dass der Zug tatsächlich Verspätung haben würde – nicht nur an der Anzeigentafel, sondern *auch* beim Bahnhofsvorsteher. Sylvie war für ihre Pünktlichkeit bekannt; sie kam *nie* zu spät. Da sie noch vierzig Minuten Zeit hatte, verließ sie mit ihrem Kombi den Parkplatz und bog auf die Route 1 ein.

Durch die wirtschaftliche Entwicklung hatte sich die Landschaft um Twin Rivers drastisch verändert. Zwischen zwei Flüssen gelegen, nur wenige Meilen von der Narragansett Bay entfernt, hatte die kleine Stadt vor fünfzig Jahren harten Zeiten entgegengesehen, als die alten Webereien schlossen. Doch dann war eine riesige Maschinenfabrik in Crofton eröffnet worden, am anderen Ufer des Flusses, und in Twin Rivers begannen die Zulieferbetriebe wie Pilze aus dem Boden zu schießen.

Die alten Farmen mit ihren roten Scheunen, Apfelbäumen und schwarz-weißen Kühen mussten weiteren Niederlassungen von Burger Hamlets, Bedding Heavens und Now-Marts weichen. Der Blick auf den Williams River und den Kanal wurde durch neue Häuser, Eigentumswohnungen und Heime für betreutes Wohnen versperrt.

Die Obstplantagen, die den Kahlschlag überlebt hatten, waren idyllisch. Bald würden die Bäume in voller Blüte stehen. Der Frühling im Tal bot einen erinnerungswürdigen Anblick und Sylvie war froh, dass Jane gerade jetzt nach Hause kam und ihn genießen konnte. Vielleicht würde er den Wunsch in ihr wecken, zu bleiben.

Sylvie fuhr an den beiden Einkaufszentren vorüber, dem alten in Crofton und dem brandneuen für gehobene Ansprüche in Twin Rivers; Jane wusste noch nichts davon und Sylvie fragte sich, wie sie die Neuigkeit aufnehmen würde, dass sich Langtrys in der Region angesiedelt hatte. Sie fuhr an der Audubon Grund- und Mittelschule vorbei, die Jane und sie besucht hatten.

Danach waren sie auf die Twin Rivers High School gegangen, wo Sylvie – trotz des unbefristeten Urlaubs – als Schulbibliothekarin angestellt war. Sie wusste, dass sich ihre Mutter bisweilen fragte, ob das Leben anders verlaufen wäre, wenn sie Jane in die Klosterschule von Sacred Heart geschickt hätte,

wo die Nonnen ihr alle Flausen ausgetrieben hätten. Aber der Ärger hatte nach der Highschool begonnen.
Sylvie war der Überzeugung, dass es für alle Dinge im Leben eine Ursache gab – selbst wenn diese rätselhaft schien. Es musste Ordnung in der Welt herrschen, das Universum nach einer bestimmten Methode strukturiert sein. Ihr gefiel die Vorstellung, dass gute Taten letztlich belohnt und böse bestraft wurden. Das Problem war nur, dass die bösen Taten den guten Menschen Kummer und Leid brachten.
Deshalb war Sylvie bestrebt, stets das Richtige zu tun. Das war vermutlich das A und O einer tüchtigen Bibliothekarin: Sie liebte die Ordnung. Angesichts des chaotischen Zustandes, in dem sich die Welt befand, und der Unmenge verfügbarer Texte, Dokumente und Informationen konnte man sich auf sie verlassen, wenn es galt, das Benötigte zu finden und es wieder an seinen Platz zurückzustellen, wenn es nicht mehr gebraucht wurde. Es gefiel ihr, anderen zu helfen.
Sie fuhr an der Highschool vorbei. Da war die Bibliothek: sechs große Fenster im zweiten Stock, unmittelbar über dem Eingang an der Vorderseite des Gebäudes. Sie meinte die Bücher riechen zu können, den verwendeten Klebstoff für die Etiketten. Sie meinte die Ruhe zu spüren, die Energie, die von den Schülern ausging, wenn sie dort Recherchen durchführten und Hausaufgaben machten. Seufzend fuhr sie weiter. Sie musste vor ihrer Rückfahrt noch etwas überprüfen.
John Dufours Wagen war da, stand auf dem Parkplatz der Stellvertretenden Direktorin. Er hatte sich einen neuen Subaru zugelegt – mit Allradantrieb. Sylvie wusste, dass er nicht nur Scrabble spielte, sondern noch zwei weitere Hobbys hatte, Ski laufen und Kajak fahren. Vermutlich würde er mit seinem neuen Wagen in die Wildnis fahren. Hoffentlich würde ihm nichts zustoßen. In diesem Jahr waren einige Schwarzbären in der Gegend gesichtet worden.

Sie blickte auf die Uhr und sah, dass es an der Zeit war, zum Bahnhof zurückzukehren. Die Fahrt dauerte genau sieben Minuten: acht, wenn sie die Rotphase an der Ampel vor der Steamboat Mall erwischte. Je näher der Augenblick des Wiedersehens kam, desto mehr verkrampfte sich ihr Magen. Sie hatte vermieden, lange darüber nachzudenken. Manchmal war sie sicher gewesen, dass es nie mehr dazu kommen würde – Jane lebte nun in New York, hatte ihre Kleinstadt-Wurzeln gegen die Großstadt eingetauscht.
In Anbetracht dessen, was Jane für ihre Heimatstadt empfinden musste, konnte Sylvie verstehen, dass sie keine Lust hatte, zurückzukommen. In gewisser Hinsicht war es für alle am besten, wenn sie wegblieb. Doch im Moment befand sich ihre Mutter in einer schwierigen Situation und brauchte beide Töchter, die ihr bei der Entscheidung halfen, wie es weitergehen sollte. Sylvie war erschöpft und mit ihrem Latein am Ende.
In viereinhalb Minuten sollte der Zug eintreffen. Sylvie zitterte vor Anspannung und einem seltsamen Anflug von Angst. Unfassbar, dass Jane tatsächlich kam – sie hatte die ganze Nacht kein Auge zugetan, hatte damit gerechnet, dass das Telefon läuten und Jane ihren Besuch in letzter Minute mit einer fadenscheinigen Ausrede absagen würde. Nicht, dass es Sylvie gewundert hätte, beileibe nicht.
Aber das Telefon hatte nicht geläutet; Jane hatte nicht abgesagt. Ihre große Schwester kehrte nach Hause zurück.
Und Sylvie fragte sich, wie lange es dauern würde, bis sie wieder abreiste.

Die Bahnlinie verlief entlang der Küste, von New York nach Providence bis hinunter nach Boston. Sie führte durch Städte und Dörfer, Felder und Marschen. Wenn der Zug in Richtung Osten die Landschaft zwischen Fluss und Bucht passierte,

konnte man ihn von einem Ende des Twin-River-Tals bis zum anderen pfeifen hören.
Dylan Chadwick, der auf seiner Apfelplantage in Crofton arbeitete, hörte ihn. Immer, wenn er den Zug vernahm, stellte er sich Amanda und Isabel darin vor. Er stellte sich vor, wie sie an idyllische, entlegene Fleckchen Erde fuhren und sich die Welt anschauten, während sie gleichzeitig darauf warteten, dass er sich auf die Suche nach ihnen begab. Er erinnerte sich an jenen verhängnisvollen letzten Tag, als sie alle drei im Auto saßen und viel zu schnell durch Midtown Manhattan zur Penn Station fuhren.
Sie hätten es um ein Haar geschafft. Er hätte seine Dienstmarke gezückt, sie in ihr Abteil gebracht und dem abfahrenden Zug nachgesehen. Sie hätten ihn gleich nach ihrer Ankunft in Wilmington, Delaware, aus dem Longwood Hotel angerufen. Aber sie kamen nie aus New York heraus. Sie kamen nie über die West Thirty-three-Street hinaus.
Dylan bewegte sich humpelnd durch die Plantage, mit einer Trittleiter, einer drei Meter langen Säge zum Stutzen der Bäume und einer leichten Kettensäge. In seinem zweiten Leben als Farmer gab es keine Dienstmarken, keine Verbrecher, keine Gefahr, erschossen zu werden. Es gab nur verschiedene Apfelsorten und Wurzelableger, gute Anpflanztechniken, die Wahl des richtigen Standorts, das Stutzen, die Aufzucht an Spalieren und die richtige Bestäubung der Blüten. Dazu waren Honigbienen nötig.
Er hatte seine Pension und die Abfindung für seine Berufsunfähigkeit benutzt, um dieses Stück Land aus dem Nachlass seines Vaters zu kaufen. Er hatte erwartet, bei seiner Heimkehr mit offenen Armen empfangen zu werden, der verlorene Sohn, der dafür gesorgt hatte, dass die hundert Morgen große Plantage im Besitz der Familie blieb; er hatte erwartet, dass sich sein Bruder und seine Schwägerin über

alle Maßen freuen würden. Obwohl ihr eigener Obstgarten – eine Schenkung des alten Mannes zu seinen Lebzeiten – an sein Anwesen grenzte, hatten sie nur selten einen Fuß auf das Nachbargrundstück gesetzt. Ihre Empfindungen hinsichtlich seines Bemühens, den Traum des Vaters über dessen Tod hinaus lebendig zu erhalten, hatten sich als problematisch erwiesen.

Sie luden ihn an den Feiertagen zu sich nach Hause ein oder zu den Orthographiewettbewerben und Theateraufführungen an der Schule ihrer Tochter – was sich wiederum als kompliziert für Dylan erwies. Chloe war in Isabels Alter. Und deshalb erinnerte ihn jede Theateraufführung, jedes Konzert und jede sportliche Veranstaltung, an der sie teilnahm, an Isabel. Zwischen Chloe und ihm bestand eine besondere Beziehung – sie gründete auf der engen Freundschaft, die sie früher mit Isabel verbunden hatte. Doch bisweilen ging es über seine Kräfte, das Mädchen auch nur anzusehen, und so zog er sich zurück, nur ein wenig. Sein Bruder und seine Schwägerin bemerkten es und blieben ihm fern.

Abermals ertönte das Pfeifen des Zuges.

Dylan lehnte sich an den Stamm des alten Baumes, um zu lauschen. Ihm war beinahe, als könnte er seine Frau und seine Tochter auf ihren Plätzen sitzen sehen, in ihre Bücher oder in ein Kartenspiel vertieft. Ob Isabel immer noch Spaß an Karten hätte? Mit elf, in dem Jahr, als sie starb, hatte sie am liebsten *Herz ist Trumpf* und *Asse raus* gespielt.

Dylan wandte sich wieder seiner Arbeit zu und hielt nach dem ersten Stützgewinde für den alten Baum Ausschau; dann stellte er seine Leiter auf, kletterte hinauf und begann mit dem Ausholzen – die Zweige wurden an einer Stelle gestutzt, damit Licht hereinfiel und auch die unteren Blätter und Früchte erreichte.

Ende März war die vorrangige Zeit zum Beschneiden der Bäume – Zeit der Knospenruhe nach dem letzten bitteren Frost und vor Beginn des neuen Wachstums, Zeit, um das abgestorbene und von Krankheiten befallene Holz und die vertrockneten Äpfel zu entfernen, Zeit, so viele Bäume wie möglich auszuholzen. Dylan arbeitete häufig von Sonnenaufgang bis Sonnenuntergang – manchmal sogar noch nach Einbruch der Dunkelheit, wenn Vollmond war –, um die Plantage wieder auf Vordermann zu bringen.

Der Zeit der Knospenruhe. In der alles stillstand. Manchmal genau bis zum Frühjahr, wenn das Tauwetter einsetzte, wenn der Saft wieder zu fließen begann, doch mitunter erheblich länger.

Auf der Leiter balancierend, während er versuchte, seinem pulsierenden und sich gleichzeitig taub anfühlenden Bein keine Beachtung zu schenken, griff Dylan nach der Baumsäge. Er dachte an die Zeit zurück, als er ein kleiner Junge gewesen war und seinen Vater hierher begleitet hatte: Möglicherweise war es sogar an diesem Baum gewesen.

»Aller guten Dinge sind drei«, pflegte sein Vater zu sagen. »Man sollte drei Jahre hintereinander jedes Jahr einmal ein Drittel der überschussigen Äste entfernen. Der Baum hat mehr als ein Jahr gebraucht, bis er zu wuchern begann. Und der Mensch braucht mehr als ein Jahr, um den Wildwuchs zu beseitigen.« Die Lektionen waren lehrreich und wurden jeweils zwischen zwei kräftigen Zügen aus einem Krug mit hochprozentigem Apfelmost erteilt.

Von seinem Vater hatte Dylan gelernt, die Bäume während der Knospenruhe zu beschneiden.

Das Pfeifen des Zuges hatte Dylan heute aufgeschreckt, an diesem frostigen Märztag mit dem ersten Anhauch eines frühlingshaften Sonnenscheins. Es war nun weit entfernt, vermutlich fuhr der Zug gerade in den Bahnhof von Twin Ri-

vers ein. Er hätte gerne gewusst, wer ein- und ausstieg. Wahrscheinlich fanden Familien wieder zusammen, vielleicht in diesem Moment.
Ein paar Familien. Die froh sein konnten. Anderen war dieses Glück nicht beschieden.
Die Knospenruhe.

Jane Porter saß im Zug, die Stirn gegen das Fenster gepresst. Die Landschaft war ihr zutiefst vertraut. Sie kannte die sanft wogenden Hügel und unbegrenzten Wiesen wie ihren eigenen Atem. Es gab für ihren Geschmack zu viele neue Häuser und zu viele abgeholzte Bäume, doch sie blickte darüber hinaus auf das ungezähmte Land, die Apfelgärten und die knorrigen alten Bäume, deren Geäst sich in Erwartung des Frühlings rosa färbte.
Bei der Abreise aus New York hatte sie diesen Kurzurlaub aus einer emotionalen Distanz betrachtet. Sie flog nicht gerne, und deshalb war sie von ihrem Apartment in Chelsea mit der U-Bahn zur Penn Station gefahren und in einen Amtrak-Zug gestiegen, der eine unterhaltsame Reise entlang der Küstenlinie von Connecticut bis ins Herz von Rhode Island versprach. Ein Teil von ihr hoffte, den Aufenthalt in ihrem Elternhaus darauf zu beschränken, dass sie Sylvie bei der Unterbringung ihrer Mutter in einem Pflegeheim half und umgehend zurückkehren konnte. Dieser Teil von ihr hoffte, nach getaner Arbeit so rasch wie möglich das Weite zu suchen.
Der andere Teil, der das Schild »Vorübergehend geschlossen« an die Tür ihrer Konfiserie gehängt, ihrer Aushilfskraft bei der Suche nach einem neuen Job geholfen und auf ihrem Anrufbeantworter eine Nachricht hinterlassen hatte, die ihre Kunden an einen freundlichen Konkurrenten verwies, hatte geahnt, dass es ihr nicht gelingen würde, sich sang- und klanglos aus der Affäre zu ziehen.

Hieß es nicht, dass man nicht mehr ins Nest zurückkehren kann, sobald man es verlassen hatte? Jane war in der Provinz aufgewachsen, zu einer Zeit, als Twin Rivers noch eine ländliche Idylle war, bevor die Einkaufszentren und all die neuen Häuser entstanden, als man noch beobachten konnte, wie die Vögel ihre Nester bauten. Sie war auf die Bäume geklettert, um die Eier zu zählen, hatte gesehen, wie die Jungen schlüpften, flügge wurden und am Ende auf und davon flogen.

»Warum kommen sie nicht zurück?«, hatte sie ihre Mutter unter Tränen gefragt, untröstlich, weil die drei Rotkehlchen-Jungen, die im Mai geboren wurden, im Juni verschwunden waren.

»Das ist der Lauf der Welt«, hatte ihre Mutter geantwortet und sie in die Arme geschlossen. »Vogeljunge lernen fliegen und dann verlassen sie das Nest, um selbst nach Regenwürmern Ausschau zu halten und Eier zu legen. Sie werden flügge, genau wie Menschenkinder – du wirst schon sehen.«

»Ich werde dich niemals verlassen«, hatte Jane an jenem Tag geschworen.

»Du wirst«, hatte ihre Mutter erwidert. »Genau wie es die Natur vorgesehen hat.«

Jane hatte angesichts der Worte ihrer Mutter störrisch den Kopf geschüttelt, so wie sie immer reagierte.

»Nächster Halt Twin Rivers«, ertönte die Ankündigung des Schaffners im ganzen Zug. »Twin Rivers, am vorderen Ende des Waggons. Vorsicht beim Aussteigen, und danke, dass Sie mit Amtrak gefahren sind.«

Jane erhob sich und zog ihre Reisetasche aus dem Gepäcknetz über ihrem Sitz. Dann holte sie vorsichtig die große Tortenschachtel herunter. Steif von der Fahrt, schlang sie den Rucksack über eine Schulter und begann, sich den Weg zum vorderen Teil des Waggons zu bahnen. Als der Schaffner ihr

seine Hilfe anbot, schüttelte sie den Kopf. Sie war daran gewöhnt, alles aus eigener Kraft zu bewältigen; sollte er seine Hilfe jemandem anbieten, der sie benötigte.
An der Zugtür legte sie schützend die Hand über die Augen, blickte auf dem Bahnsteig hin und her. Nur wenige Leute waren gekommen, um jemanden abzuholen; sie entdeckte Sylvie auf Anhieb. Die Gefühle drohten sie zu übermannen. Ihre kleine Schwester.
Jane hatte Sylvie seit zwei Jahren nicht mehr gesehen, doch sie hatte sich kein bisschen verändert: blond, strahlend, eine auffallende Erscheinung, wie ein Filmstar. Aber dessen war sich Sylvie offenbar nicht bewusst: Mit ihrem langen geblümten Kleid und dem blauen Wollmantel kleidete sie sich immer noch so altmodisch und unauffällig wie in der Zeit der Weltwirtschaftskrise.
Sylvie kam näher und wartete auf dem Bahnsteig vor der Zugtreppe. Jane stellte ihre Reisetasche ab und entledigte sich behutsam ihrer Tortenschachtel, bevor sie beide Arme um ihre Schwester schlang. Sylvies Haare dufteten nach Orangenblüten. Ihr Gesicht war gerötet und ihre Wangen waren nass. Genau wie Janes. Beide wischten sich verstohlen die Tränen an den Schultern der Schwester ab, dann hoben sie die Köpfe, mit trockenen Augen.
»Dein Zug hatte Verspätung«, stellte Sylvie fest, und bemühte sich, es eher beiläufig als vorwurfsvoll klingen zu lassen.
»Ich weiß. Tut mir Leid.«
»Hattest du eine gute Reise?«
»Ja, danke.«
»Was ist denn das für ein Aufzug?« Sylvie lächelte verhalten, während sie an Janes schwarzem Lederärmel zupfte.
»Ähm, meine Jacke?«
»Machst du auf jugendliche Rockerbraut? Oder versuchst du, die Knallharte zu mimen?« Sylvie lächelte, um ihren Worten

den Stachel zu nehmen. Das entsprach einer langjährigen Tradition in der Familie Porter.
Jane erwiderte das Lächeln und verkniff sich die Antwort, die ihr auf der Zunge lag: »Und was ist mit dir? Willst du noch wie ein Landei aussehen, bis du vierzig bist?« Sie hob ihre Reisetasche und die Tortenschachtel auf; Sylvie machte keine Anstalten, ihr eines von beiden abzunehmen. »Wie geht es Mom?«, erkundigte sich Jane auf dem Weg zum Parkplatz.
Sylvies Lächeln schwand. »Nicht besonders. Bei dem Sturz hat sie sich eine Platzwunde am Bein zugezogen, ziemlich schlimm. Und da sie zuckerkrank ist, besteht immer ein erhöhtes Infektionsrisiko. Außerdem hat der Arzt, der die Wunde genäht hat, Bemerkungen über die blauen Flecken gemacht.«
»Vielleicht kommt er seiner Meldepflicht nach und verpfeift dich bei den Behörden.«
»Das ist nicht komisch, Jane!«
»Ich weiß, tut mir Leid!«, erwiderte Jane schnell, aber Sylvies Wangen und Lippen wirkten verkniffen, ein Zeichen dafür, dass sie gekränkt war. »Ich weiß, dass sie bei dir in besten Händen ist.«
»Um sie pflegen zu können, habe ich meinen Beruf an den Nagel gehängt.«
Jane nickte. *Kein Kommentar,* ermahnte sie sich. »Es sollte ein Scherz sein«, sagte sie stattdessen. »Das war dumm von mir. Lass uns nicht streiten.«
»Und dabei sitzen wir noch nicht einmal im Auto. Kaum bist du zu Hause, geht es schon los.«
»Ich weiß.« Jane spürte, wie sich die Anspannung zwischen ihren Schulterblättern ausbreitete. »Es tut mir aufrichtig Leid.«
Sylvie nickte. Sie öffnete die Heckklappe des Wagens und Jane warf ihre Reisetasche hinein, behielt die Tortenschachtel

jedoch in der Hand. Beide streckten den Arm aus, um die Tür zu schließen, und Jane sah ihre Hände, Seite an Seite nebeneinander: Sie hatten genau die gleiche Größe und Form. Geschwisterhände. Sie hätte Sylvie gerne noch einmal umarmt, sie nie mehr losgelassen. Da sie in der Anonymität der Großstadt lebte, vermisste sie Verwandte, die in der Nähe wohnten. Sie vermisste die Blutsbande der Familie. Aber mehr noch als alles andere vermisste sie ihre Schwester.
»Wenn du mit Mom sprichst, solltest du dir jedes Wort genau überlegen«, sagte Sylvie warnend. »Rühr nicht an die Vergangenheit oder irgendetwas in der Richtung, ja? Aufregung ist das reinste Gift für sie.«
»Ich rege sie nicht auf.«
»Gut. Weil sie das nicht verträgt.«
»Prima.«
»Ich nehme an, dass die Schachtel eine Torte enthält.« Sylvie warf einen flüchtigen Blick auf Janes Schoß.
»Richtig.«
»Hast du *vergessen*, dass sie Diabetikerin ist?«
Jane antwortete nicht. Zu ihren frühesten Erinnerungen gehörte das Bild, wie sich ihre Mutter Insulin spritzte. Sie entsann sich aber auch, dass ihre Mutter gelegentlich einen Keks, ein Stück Torte oder Kuchen aß. Nicht oft, aber manchmal.
»Ich wollte ihr etwas mitbringen. Es ist das Einzige, was ich selber machen konnte ...«
»Sie ist furchtbar vergesslich – sie würde nie an ihr Insulin denken, wenn ich es ihr nicht verabreichen würde. Ihre Füße sind in einem jämmerlichen Zustand. Und dazu kommen die Schwindelanfälle. Daher hat sie auch die Prellungen und blauen Flecken. Es geht bergab mit ihr, Jane ...« Sylvies Stimme stockte.
»Wir werden eine Lösung finden, Syl.« Jane blickte ihrer Schwester tief in die Augen. Diese Verbindung zwischen ih-

nen hatte es seit jeher gegeben, und sie bedurfte keiner Worte. Worte erwiesen sich bisweilen sogar als Hindernis. Deshalb stiegen sie schweigend in den Wagen. Sylvie suchte einen Sender im Radio, der klassische Musik brachte. Jane stellte ihn genauer ein, wandte ihr Gesicht zum Fenster und hielt die weiße Tortenschachtel auf ihrem Schoß fest.
Im Vorbeifahren musterte sie die Fenster der Häuser und Autos, die Gesichter der Passanten auf der Straße. Sie konnte nicht anders. Kaum war sie zehn Minuten in Twin Rivers, tat sie bereits, was Sylvie missbilligt hätte. Jane wusste nicht, wohin sie schauen sollte, aber ihre Gedanken kehrten unwillkürlich in die Vergangenheit zurück.
Falls Sylvie ihr den Wagen leihen würde, würde sie morgen nach Crofton fahren.

2

Margaret setzte sich im Bett auf, das weiße Weidentablett auf den Beinen, und betrachtete die köstlichste Torte, die sie jemals gesehen hatte.
»Sie ist zu scheu zum Essen.« Sie verschränkte die Hände wie zum Gebet.
»Schön«, berichtigte Sylvie.
»Ja, natürlich.« Margaret betrachtete das Kunstwerk. Es sah aus wie ein Vogelnest. Braune miteinander verwobene Zweige und Gräser, Stäbchen aus gesponnenem Zucker, die an den Rändern und auf der Oberseite herausragten – und drei blaue Eier, die darin lagen. »Ein Rotkehlchennest.« Sie blickte Jane an. »Und du hast es den ganzen Weg von New York hierher gebracht?«
Jane nickte. Sie sah schmal aus. Ihre Haut war blass, beinahe durchscheinend. Die glatten Haare waren kurz über den Schultern gerade geschnitten. Sie waren beinahe schwarz, von der gleichen Farbe wie die dunkelsten Zweige im Vogelnest. Neben ihr schimmerte Sylvies blonder Schopf.
»Kaum zu glauben, dass es gebacken ist«, sagte Margaret. Sie bohrte den Finger in den Tortenrand, schien ernsthaft erwartet zu haben, kratzendes, trockenes Gras vorzufinden, als sie auf weiche Zuckerglasur und Kuchenteig stieß. Sie schickte sich gerade an, ihren Finger abzulecken, als Sylvie ihr mit einem Papiertuch zu Leibe rückte.
»Sylvie!«
»Dein Zucker ist heute ziemlich hoch, Mom.« Sylvie wischte ihr den Finger ab. »Du wirst dich darauf beschränken müssen, den Anblick zu genießen.«

»Was soll das bringen, wenn man eine Torte nur *betrachtet*?« Margaret sah Jane an, gekränkt und peinlich berührt. »Warum hast du dir überhaupt die Mühe gemacht, eine Torte für mich zu backen, wenn du wusstest, dass ich sie nicht essen darf?«

»Ich dachte, gegen ein Stück sei nichts einzuwenden.«

Ein wortloses Familien-Palaver folgte. Blicke, die zwischen den Töchtern ausgetauscht wurden, ein flehendes Lächeln auf Margarets Lippen, ein Schulterzucken von Sylvie.

»Also gut, ein Stück. Ein schmales«, gestand Sylvie ihr zu.

Jane waltete ihres Amtes. Mit dem silbernen Tortenmesser, einer filigranen Erinnerung an Margarets Hochzeit mit dem Vater der beiden Mädchen, schnitt sie gekonnt ein hauchdünnes Stück ab und legte es auf einen Teller. Dann teilte sie größere Portionen für sich selbst und ihre Schwester aus, wobei sie darauf achtete, dass Sylvie eines der blauen Eier erhielt.

»Eine zwei Tage alte Torte hat auch ihr Gutes«, schmunzelte Jane. »Sie lässt sich wesentlich besser schneiden.«

»Mmmm.« Margaret ließ die Glasur auf ihrer Zunge zergehen. »Schmeckt herrlich.«

»Stimmt«, pflichtete Sylvie ihr bei.

Jane lächelte zufrieden. Die drei aßen schweigend. Margaret hatte seit langem keinen solchen Leckerbissen mehr genossen.

»Eine Frage«, sagte Margaret. »Wieso liegen drei Eier im Nest?«

»Keine Ahnung«, antwortete Jane. »Wahrscheinlich habe ich dabei an Zugvögel gedacht … die wegfliegen, in weite Ferne, aber irgendwann nach Hause zurückkehren.«

»Zwei würden mir eher einleuchten. Ein Ei für dich, eines für Sylvie. Meine Küken.«

»Küken.« Sylvie lächelte ihre Schwester an. »So hat Mom uns früher schon immer genannt. Erinnerst du dich?«

»Aber warum ausgerechnet *drei* Eier? Wo ich doch nur zwei

Töchter habe.« Margaret sah sich genötigt, diese Frage zu stellen, obwohl sie nicht genau wusste warum, irgendetwas bereitete ihr Kopfzerbrechen.
»Eins für Jane, eins für mich und eins für dich«, schlug Sylvie vor.
»Vermutlich wegen der ausgewogenen Komposition«, sagte Jane.
»Ja«, stimmte Sylvie zu. »Das ist schließlich ein künstlerisches Meisterwerk.«
»Oder eins für das verlorene Baby«, warf Margaret ein.
Jane antwortete nicht. Sie hob weder den Blick noch hörte sie auf, ihre Torte zu essen. Margaret sah, wie sie geistesabwesend die goldgelben Krümel mit dem Rand der Gabel aufsammelte und in den Mund schob.
»Habe ich es nicht gleich gesagt? Der Zucker ist Gift für sie«, meinte Sylvie vorwurfsvoll. Sie nahm Margaret den leeren Teller aus der Hand und stellte ihn mit einem lauten Scheppern auf den Schreibtisch. Dann ging sie schnurstracks zur Frisierkommode hinüber, die für die Nutzung in einem Krankenzimmer umgerüstet worden war, und kramte in einer der Schubladen, auf der Suche nach dem Test-Set.
»Ich fühle mich ein wenig benommen.« Margaret war froh, sich an einen Stapel Kissen lehnen zu können. Sie waren mit Daunen gefüllt, weich wie Wolken, die weißen Kissenbezüge mit Lochstickerei versehen. Sylvie wusste, dass Margaret ein Faible für weiße Bettwäsche hatte, und nahm auf die Vorliebe ihrer Mutter Rücksicht. Margaret seufzte, spürte, wie sich der Raum drehte. Sie wusste, dass ihr Zustand weniger mit dem Zuckerspiegel als vielmehr mit der Spannung zwischen ihren beiden Töchtern zu tun hatte, die sie unterschwellig wahrnahm.
»Mom.« Jane stellte ihren Teller hin und ergriff Margarets Hand.

»Entschuldige.« Sylvie schob sie zur Seite, um bei Margaret die Insta-Test-Lanzette anzusetzen.
Margaret schloss die Augen. Warum hatte sie die Frage gestellt? Wie kam sie überhaupt darauf? Sie hatte zwei Töchter – alles, was sich ein Mensch nur wünschen konnte. Sie sah sich wieder als Zehnjährige, mit Lolly, ihrer heiß geliebten Babypuppe. Ihre Eltern hatten sie zu einem Picknick auf den Watch Hill mitgenommen. Sie waren Karussell gefahren, hatten in den Wellen gespielt und Zitroneneis gegessen. Plötzlich war ein Gewitter heraufgezogen und ihre Eltern hatten sie derart zur Eile angetrieben, um trocken ins Auto zu gelangen, dass Lolly liegen geblieben war, auf einer Bank im strömenden Regen.
»Ich habe sie zurückgelassen«, sagte Margaret zitternd.
»Wen, Mom?« Jane hielt noch immer ihre Hand.
»Lolly. Meine Puppe. Könntest du sie für mich suchen?«
»Dein verlorenes Baby?«, fragte Jane traurig.
»Hör auf damit!«, sagte Sylvie.
Jane ließ sich nicht beirren. »Natürlich suche ich sie für dich.«
»Sie soll auch ein Stück Torte bekommen.« Margaret lächelte.
»Natürlich«, versprach Jane.
»Schaut euch das an, zweiundvierzig«, sagte Sylvie und streckte ihnen das digitale Messgerät zur Begutachtung entgegen. »Zu hoch. Ich bin froh, dass wir alle ein Stück Torte hatten, aber von jetzt an wird wieder strikt Diät gehalten, einverstanden?«
»Klar«, erklärte Jane. Sie drückte Margarets Hand, dann stand sie auf und reckte sich. Dabei rutschte das T-Shirt aus der schwarzen Jeans, entblößte einen Streifen Bauch. Margaret streckte die Hand aus, um sie zu kitzeln, und Jane lächelte.
»Das habe ich immer gemacht, als du klein warst.«
Jane nickte. Ihre Blicke trafen sich und Margaret hatte das wi-

dersinnige Gefühl, in die Vergangenheit zurückzukehren, zu Janes Geburt … ein Säugling, eine Babypuppe, zum Leben erwacht. Margaret hatte jede Gelegenheit genutzt, sie in den Armen zu halten. Sie hätte sie am liebsten nie mehr aus der Hand gegeben. Wenn sie in die dunkelblauen Augen ihres Kindes sah, hätte sie schwören mögen, darin die kollektive Weisheit aller Frauen seit Anbeginn der Zeit zu entdecken. Kein Baby hatte jemals einen so klaren, kühlen Blick besessen. Und er war Jane noch heute zu eigen …

»Du bist eine alte Seele«, sagte Margaret.

»Bin ich das?«

Margaret nickte. Wenn sie ihrer ältesten Tochter in die Augen sah, spürte sie, wie sich die Welt drehte. Sylvie sagte kein Wort, aber Margaret merkte, wie sie sie beide beobachtete. Ihre Töchter waren bezaubernd – klug und erfolgreich. Aber ihnen schien es an Selbstsicherheit zu mangeln.

Margaret schrieb sich selbst die Schuld daran zu. Sie hatte in gewisser Hinsicht dazu beigetragen, sie gegenüber anderen zu benachteiligen. Zum einen durch die Wahl ihres Ehemannes. Der Vater der Mädchen war … ein unzulänglicher Mensch gewesen. Ein Handlungsreisender, ein attraktiver Windhund, der nach Lust und Laune gekommen und gegangen war. Meistens gegangen. Margaret hatte schon nach kurzer Zeit festgestellt, dass sie mitarbeiten musste, um den Lebensunterhalt der Familie zu bestreiten. Als Absolventin der Salve Regina hatte sie die Ordensschwestern um Rat gebeten. Sie hatten ihr vorgeschlagen, Pädagogik zu studieren, das Examen als Lehrerin an einer höheren Schule abzulegen und gleichzeitig als Teilzeitkraft zu unterrichten, vielleicht an einer regionalen Schule.

Genau das hatte Margaret getan. Sie hatte sich zum Graduiertenstudium an der University of Rhode Island eingeschrieben und eine Tätigkeit als Aushilfslehrerin an der Audubon

Elementary gefunden. Da ihre Mutter zum Glück in der Nähe wohnte, konnten die beiden Mädchen die Nachmittage im Haus ihrer Großmutter verbringen. Margaret wusste nicht, was sie ohne ihre Mutter angefangen hätte …

Die Mädchen hatten eine wunderbare Kindheit gehabt, so viel war gewiss. Als Jane elf und Sylvie neun war, verließ der Vater die Familie endgültig. Margaret wusste um die Narben, die seine Abwesenheit hinterlassen hatte – doch mit Sicherheit waren sie nicht schlimmer als diejenigen, die durch seine Anwesenheit entstanden waren. Seine Alkoholexzesse, Weibergeschichten, sein Verschwinden, unterbrochen von den fortwährenden Auseinandersetzungen zwischen Margaret und ihm; ständig mussten die Kinder ihre Mutter trösten, wenn sie wieder einmal weinte.

Margaret tröstete sich mit dem Gedanken an die grenzenlose Liebe, die ihre Töchter von ihr und ihrer Mutter erfahren hatten … und an die Glanzleistungen, die sie sowohl in der Schule als auch bei allen anderen Aktivitäten an den Tag legten. Dass Jane mit einem Mal aus der Reihe tanzte, hatte alle überrascht.

Als Margaret nun in Janes blaue Augen sah, fragte sie sich, was für Dinge sie wohl gesehen haben mochten. Manhattan schien Lichtjahre entfernt, eine völlig unfassbare Wahl für eine Frau, die als kleines Mädchen so sehr den Vögeln und der Natur zugetan war …

»Wo hast du gesteckt, mein Kind?«, hörte sich Margaret fragen.

»Ich habe mein eigenes Leben gelebt«, erwiderte Jane sanft.

Sylvie atmete hörbar aus.

»Aber jetzt bist du zu Hause«, fuhr Margaret fort.

»Ja, das bin ich.«

Damit schien alles gesagt. Niemand sprach mehr. Margaret war zufrieden. Sie schloss die Augen, schmeckte immer noch den Zucker in den Mundwinkeln, dachte an Lolly. Sie hatte sie geliebt. Niemand würde jemals erfahren, wie sehr sie ihre Puppe vermisste. Und wie viele Tränen sie damals, in der ersten Nacht, um sie vergossen hatte …

»Darf ich mir den Wagen ausleihen?«, fragte Jane.
Sylvie stand an der Spüle und wusch die Kuchenteller ab. Sie hatte das Becken mit Lauge gefüllt und die Arme bis zu den Ellenbogen eingetaucht.
»Ich weiß nicht, ob du mitversichert bist.«
»Mitversichert?«
»Die Versicherung ist auf Moms Namen abgeschlossen.«
»Aber du darfst den Wagen fahren?«
»Ja, weil ich zum selben Haushalt gehöre.«
»Wenn das so ist.« Jane lächelte. »Ich habe immer noch ein Zimmer hier. Woher will die Versicherungsgesellschaft wissen, dass ich nicht wieder eingezogen bin? Notfalls könnten wir behaupten, dass ich hier ebenfalls wohne. Was ist aus deinem eigenen Auto geworden?«
»Das habe ich verkauft.« Sylvie reichte ihrer Schwester einen Teller zum Abtrocknen. »Als ich mich von der Bibliothek beurlauben ließ, war mir klar, dass ich den Gürtel enger schnallen musste.«
»Du hast doch so sehr an deinem Auto gehangen.« Sie hatte von ihrer Schwester vor drei Jahren ein Foto als Weihnachtsgrußkarte erhalten, das sie am Steuer eines grünen MGB-Oldtimers mit heruntergelassenem Verdeck und einer roten Nikolausmütze auf dem Kopf zeigte.
Sylvie zuckte die Achseln. »Moms Wagen reicht aus. Wir kommen überall damit hin. Das Cabrio war sowieso nicht gerade praktisch.«
Jane trocknete das letzte Geschirr ab. Sie hatte sich gewundert, als sie erfuhr, dass sich Sylvie ein derart ausgefallenes

Auto angeschafft hatte: britisch, extravagant, ungewöhnlich und unpraktisch. Aber es freute sie, dass gerade Sylvie sich diese nostalgische Luxuskarosse geleistet hatte, und nun tat es ihr in der Seele weh, zu hören, dass sie ihr Prachtstück verkauft hatte.

»Also was ist? Hast du was dagegen, wenn ich mir den Kombi ausleihe?«, fragte Jane abermals.

Sylvie stapelte die Teller im Geschirrschrank. Ihre Lippen waren zusammengepresst, als suchte sie krampfhaft nach einem Vorwand, Jane den Wagen vorzuenthalten. Jane stützte sich auf den Frühstückstresen, wartete.

»Nein. Es ist dein erster Abend zu Hause … ich dachte, du wärst müde. Aber bitte, bedien dich.«

Jane schnappte sich die Schlüssel und ging zur Tür. Sie holte ihre Lederjacke vom Garderobenständer aus Eiche und schlüpfte hinein. Ihre Brust war zusammengeschnürt und sie wusste, dass Sylvie auf eine Einladung wartete.

»Wohin willst du eigentlich?«, fragte Sylvie. »Es wird bereits dunkel …«

»Nur eine kleine Spritztour. Mich ein wenig umschauen«, erwiderte Jane, die Hand auf dem Türknauf aus Messing. Wenn sie sich umdrehte und Sylvie in die Augen blickte, würde sie ihre Schwester auffordern müssen, sie zu begleiten. Ihr Herz begann zu hämmern. Sie spürte, dass Sylvie ihr Kreuzverhör gerne fortgesetzt oder eine Warnung angebracht hätte. Aber sie drehte sich nicht um, und bevor Sylvie ein weiteres Wort über die Lippen brachte, war Jane zur Tür hinausgeschlüpft.

Der Vollmond ging auf, eine silberne Scheibe, die durch das Geäst der Bäume schimmerte. Dylan arbeitete trotz der späten Stunde, wollte so viel wie möglich schaffen, bevor der Saft erneut zu fließen begann. Er hatte den Tag damit verbracht, abgestorbene und kranke Äste zu kappen, hatte Zweige ent-

fernt, die andere überwucherten, Zweige, die schnurgerade nach oben oder nach unten wuchsen.
Selbst in der Dunkelheit konnte er nach oben spähen und im Mondlicht erkennen, dass der Baum, den er soeben gestutzt hatte, nun eine annehmbare Form auswies, ohne ein zu dichtes Gewirr von Zweigen irgendwo im Schutzdach der Blätter. Die Wiederherstellung einer Apfelplantage war ein Unterfangen, das große Ähnlichkeit mit der Wiederherstellung der Ordnung im Universum besaß. Es erinnerte ihn an den Idealismus, den es brauchte, um das Gesetz zu verteidigen. Es galt, die wild wuchernden, verworrenen, gefährlichen Elemente zu brauchbaren Mitgliedern der Gesellschaft zurechtzustutzen. Dylan konnte sich gut an die Zeit erinnern, als er selbst noch solche Ideale hatte. Eine Art kosmische Mischung aus Hoffnung und bodenloser Naivität.
Er klappte die Trittleiter zusammen, hängte sie über die Schulter und machte sich auf den Heimweg. Der Boden war noch hart und wenn er auf Wurzeln trat, schoss ein messerscharfer Schmerz an der Rückseite seines verletzten Beines empor. Manchmal meinte er die Kugel noch immer zu spüren – Metallsplitter steckten bis heute im Oberschenkelknochen fest. Er ermahnte sich, nicht zu klagen, sondern sich Isabels Schicksal vor Augen zu halten. Rückte man damit nicht alles in die richtige Perspektive? Seine Gedanken überschlugen sich, er fühlte sich überdreht nach einem weiteren Tag auf der Leiter, ohne eine Menschenseele zu Gesicht zu bekommen. Hätte er diese vermaledeiten Selbstgespräche auch dann geführt, wenn er jemanden zum Reden gehabt hätte?
Er überlegte einen Moment lang, ob er seinem Bruder einen kurzen Besuch abstatten sollte. Sie wohnten in derselben Straße, nur eine Viertelmeile voneinander entfernt. Die Familie stand sich nahe und Dylan hatte seine Position als älterer

Bruder immer ernst genommen. Sie hatten gewiss schon zu Abend gegessen; Eli war vermutlich gerade mit dem Abwasch fertig und Sharon würde Chloe bei den Hausaufgaben helfen.

Und genau das war der springende Punkt, der ihn zurückschrecken ließ und ihm bewusst machte, dass er nicht in Stimmung war für eine Stippvisite, zumindest nicht heute Abend. Der Anblick von Chloe – wenn sie völlig aus dem Häuschen war wegen ihrer Geschichtsprüfung, ihrer guten Noten oder was sonst in ihrem Leben vorging, oder wenn sie Geige übte und überschwänglich »Onkel Dylan! Hör dir das an! Mozart!« rief – war bisweilen mehr, als Dylan zu ertragen vermochte. Heute war so ein Tag, bedingt durch den Frühling und die Erinnerungen an Isabel, die in der Luft lagen.

Als er Schritte vernahm, ging Dylan langsamer. Er spähte umher und überlegte, wer in seine Obstplantage eingedrungen sein mochte. Jeden Herbst stahlen sich Jugendliche herein, um Äpfel zu stibitzen; im Sommer kampierten sie manchmal unter freiem Himmel, benutzten das weitläufige Anwesen als Liebesnest. Im April, wenn der Schnee ein für alle Mal weggetaut war, rasten die Motocross-Fahrer hindurch, rissen mit ihren röhrenden Geländemaschinen die Erde auf. Aber jetzt war erst März. Noch zu kalt.

Der Mond stieg höher, stieg über die Wipfel der Bäume, und Dylan entdeckte den Bock. Virginiahirsche und Schwarzbären trieben sich auf seinem Besitz herum. Bei milder Witterung fraßen sie die Früchte direkt von den Bäumen, im Winter gruben sie im Schnee nach gefrorenem Fallobst. Dylan hielt den Atem an, als er nun den mächtigen Hirsch beobachtete.

Normalerweise waren sie in Gruppen unterwegs, aber der Bock schien allein zu sein. Wo steckte sein Rudel? Dylan zählte die Sprossen an seinem Geweih: Es waren zehn. Ein

großes, ausgewachsenes Tier. Stolz stand der Hirsch da, seine Silhouette zeichnete sich gegen das Mondlicht ab und er sah Dylan unverwandt an. Zwei männliche Wesen, die sich mit Blicken maßen. Wem gehörte das Territorium eigentlich?
Im Gebüsch raschelte es erneut, und eine Hirschkuh mit zwei Jungtieren tauchte auf. Der Bock wich zurück, bewegte sich im Kreis, drängte sie in die schützende Deckung. Dylans Bein brannte wie Feuer, seine Schulter schmerzte vom Gewicht der Sägen. Er blickte der Hirschfamilie lange nach, bis seine Sicht verschwamm und er sich fragte, ob er sie überhaupt gesehen oder das Mondlicht ihm nur einen Streich gespielt hatte.
Der Mond war jetzt hart und weiß, die Konturen schärfer, als er am klaren dunklen Firmament emporstieg. Seine Mutter hatte den Märzmond immer den »Raben-Vollmond« genannt. Sie liebte ihn, weil das Krächzen der Raben das Ende des Winters signalisierte und weil sie Raben mochte. Sie war nicht nur Biologielehrerin an einer Highschool, sondern auch eine außergewöhnliche Persönlichkeit, die ihren Respekt vor der Wissenschaft mit der Liebe zur Legende in Einklang zu bringen verstand.
»Die Sprache der Raben oder vielmehr das Krähen ist sehr komplex«, hatte sie ihm erklärt. »Jedes Krächzen hat eine andere Bedeutung, was auf die tief verwurzelte Intelligenz des Vogels hindeutet. Raben sind loyal und ihrer Familie treu ergeben. Sie ehren ihre Vorfahren, bewegen sich frei und ungebunden in der ganzen Welt, arbeiten am besten im Verbund – oder als Mitglied einer Ratsversammlung. Sie gelten als Boten, die auf ihren Schwingen die Seelen von der Dunkelheit ins Licht tragen.«
Dylan stand reglos da, betrachtete den harten Rabenmond, kniff die Augen zusammen und lauschte. Ringsum hörte er die jungen Laubfrösche quaken; in der Ferne vernahm er den

Ruf der Raben. Er wünschte sich, es möge wahr sein, dass die Seelen auf ihren Schwingen getragen wurden …
Plötzlich hörte er ein Auto. Sein Anwesen grenzte an eine wenig befahrene Landstraße. Vielleicht war es Chloe, die von der Mutter ihrer Freundin Mona nach Hause gefahren wurde. Als er auf die Lichtung zusteuerte, sah er Scheinwerfer.
Der Wagen fuhr im Schritttempo. Er spähte in die Dunkelheit, sein Blick fiel auf etwas Blaues, die Silhouette eines kleinen Kombi. Die Fenster waren geöffnet; er konnte Musik hören. Emmylou Harris. Er sah eine Frau am Steuer, dunkle Haare verdeckten das Profil, ein Arm hing im geöffneten Fenster, ein Ellenbogen in schwarzem Leder glänzte im Mondlicht. Für den Bruchteil von Sekunden wurden ihre Haare zurückgeweht und ihm war, als hätte sie den Kopf umgedreht und ihn entdeckt. Er erstarrte, genau wie der Hirsch. Ihre Blicke trafen sich, dann gab sie Gas und fuhr schneller. Obwohl er sie nie zuvor gesehen hatte, kam sie ihm irgendwie bekannt vor.
Während er seinen Weg durch die Apfelplantage fortsetzte, sah er immer wieder den Ellenbogen vor sich, der aus dem Fenster ragte. Kühl und glänzend, blau-schwarz, auf dem Sprung und bereit, die Flucht zu ergreifen: wie die Schwinge eines Raben.

Jane fand das Haus.
Sie war seit Jahren nicht mehr vorbeigefahren, deshalb hatte sie sich aus dem Internet mittels MapQuest die Wegbeschreibung ausgedruckt. Sie musste lediglich den Familiennamen, die Stadt und den Bundesstaat eingeben: »Chadwick, Crofton, Rhode Island«, und schon hatte ihr Computer eine perfekte Straßenkarte nebst Routenplaner ausgespuckt. Sie konnte sogar eine Luftansicht abrufen.

Im Lauf der Jahre hatte sie bei zahlreichen Besuchen im heimischen Rhode Island den Namen im Telefonbuch nachgeschlagen. Sie hatte eine Karte vom Twin Rivers Valley gekauft und die Straße am Rand der ausgedehnten Grünzone – Apfelgärten und ein Staatsforst – ausfindig gemacht. Und sie war an dem Haus vorbeigefahren. Unmittelbar vor ihrem Umzug nach New York. Sie war lange fort gewesen – vierzehn Jahre – und hatte den Weg beinahe vergessen.

MapQuest hatte sich als Geschenk des Himmels erwiesen: Sie hatte eine Luftaufnahme des Hauses entdeckt, das sich an das Ende der Auffahrt schmiegte und am Rand einer riesigen Obstplantage lag, mit Bächen und Tümpeln und Millionen wild wuchernder Apfelbäume. Die Suchmaschine war durch den Namen »Chadwick« in Verwirrung geraten, von denen es mehrere in Crofton zu geben schien, einschließlich einer Biologielehrerin, Mrs. Virginia Chadwick. Des Weiteren Eli und Sharon Chadwick, und jemand namens Dylan, der in der gleichen Straße wohnte.

Es war Elis und Sharons Anwesen, nach dem Jane heute Abend Ausschau hielt, als sie die menschenleere Landstraße entlangfuhr. Ihre Hände am Lenkrad zitterten. Der Duft von Apfelblüten erfüllte die Luft – Blüten, die sich jeden Moment öffnen konnten, silbrig-rosa im kühlen Mondlicht, während das Fallobst vom Winter auf der Erde zu gären begann. Der Geruch war würzig, scharf und genauso alkoholhaltig wie Apfelwein. Sie fühlte sich wie berauscht bei dem Gedanken, an einen Ort zurückzukehren, den sie eigentlich meiden sollte.

Sie warf einen flüchtigen Blick auf die Plantage mit den knorrigen, wunderschönen alten Apfelbäumen, deren Wurzeln tief in die Erde reichten, als hoffte und betete sie, dass all diese Bäume sie von ihrer Rastlosigkeit befreien konnten.

Ein Mann stand dort und sah sie an.

Bei seinem Anblick drohte ihr Herz auszusetzen. Er war groß, bärtig und sehr schlank, mit breiten Schultern. Das Gewicht einer Leiter und einer Säge, die beide im Mondschein glitzerten, schien schwer auf ihm zu lasten. Er spähte angestrengt in die Dunkelheit, als wäre er der Hüter der Plantage.

Janes Mund war trocken und sie hatte das Gefühl, als wäre sie soeben beim unbefugten Betreten eines fremden Grundstücks ertappt worden. Der Mann hatte keine Miene verzogen, aber vermutlich missbilligte er ihr Verhalten tief in seinem Inneren genauso, wie Sylvie und ihre Mutter es getan hätten.

Sie gab Gas und brauste davon, vorbei an einem baufälligen, offenbar nicht mehr benutzten Obststand. Als sie die Adresse endlich erreichte, das Anwesen, das sie in Gedanken oft besucht und bei MapQuest in Augenschein genommen hatte, klopfte ihr Herz so heftig, dass sie an den Straßenrand fahren musste. Mit laufendem Motor parkte sie vor dem Barn Swallow Way Nummer 144 und sah hinüber.

Das Haus war immer noch klein und weiß. Und es hatte immer noch dunkelgrüne Fensterläden. Aber es gab auch etwas Neues: Eine Girlande aus Hagebuttensträuchern an der Haustür. Der Postkasten war nun blau gestrichen und trug die Inschrift »Familie Chadwick« in hübschen weißen Buchstaben. Im Erdgeschoss brannte Licht. Ein Fenster im ersten Stock war hell erleuchtet; es hatte rosafarbene Vorhänge. Jane betrachtete das Haus lange Zeit; es sah aus, als lebten dort nette Leute. Ihr Atem ging beinahe wieder normal.

So normal jedenfalls, wie Janes Atem sein konnte; er schien immer wieder ins Stocken zu geraten, irgendwo zwischen Mund und Herz, als wäre innerlich etwas Wichtiges entzweigegangen, was sich nicht wieder kitten ließ. Sie dachte unwillkürlich an eine Uhr, die vom Sims gefallen war: Die Zeiger bewegten sich allem Anschein nach und kamen im richti-

gen Tempo voran, aber nur rasselnd – als sei ein entbehrliches Teil abgebrochen und hätte sich im Inneren verfangen.
Auch jetzt spürte sie wieder dieses kleine Klicken, deutlicher als jemals zuvor. Das Einatmen schmerzte im gleichen Maß wie das Ausatmen. Sie wusste, dass in ihrem Inneren etwas zerbrochen war, vor langer, langer Zeit. Humpty Dumpty – das kleine Männchen, das von der Mauer fiel und in tausend Stücke zersplitterte – war immer derjenige Kinderreim gewesen, dem sie am wenigsten abzugewinnen vermochte; sie hatte nicht glauben wollen, dass manche Dinge nicht mehr reparabel waren, nicht mehr heilten.
Hier sah die Welt sehr heil aus.
Janes Anwesenheit würde niemandem helfen. Sie war selbstsüchtig – sie konnte die Stimme ihrer Mutter hören, die fragte: »Willst du so selbstsüchtig sein? Willst du das Leben aller Beteiligten ruinieren?«
Nein. Die Antwort lautete nein, das wollte sie nicht. Das hatte sie nie gewollt. Deshalb war sie Konditorin geworden, um Menschen glücklich zu machen und ihnen das Leben zu versüßen. Um Hochzeitstorten, Pasteten zum Erntedankfest, Napfkuchen für den ersten Schultag und Gebäck für den Kaffeeklatsch, vor allem aber Geburtstagstorten zu backen. Fantasievolle, köstliche, traumhafte Geburtstagstorten, mit ausgefallener, künstlerisch gestalteter Dekoration: Regenwälder am Amazonas, Märchenschlösser, Ozeandampfer und drei Eier in einem Vogelnest …
Die waren Janes Spezialität.
Sie bog in die Auffahrt ein und wendete. Dann blieb sie noch einen Augenblick stehen, blickte zu den rosafarbenen Vorhängen hinauf. Sie hätte gerne gewusst, was für einen Geburtstagskuchen Chloe von ihnen bekam. Chloe – so lautete ihr Name.
Sie holte tief Luft, dachte an den Mann im Apfelgarten. Sie

fragte sich, ob er Eli oder Dylan war. Wie auch immer, sie hatte seinen Anblick als beruhigend empfunden. Allem Anschein nach war er ein achtsamer Mensch …
Menschen brauchten jemanden, der auf sie Acht gab.
Während sie langsam die Straße entlangfuhr, ertappte sie sich dabei, wie sie mit den Augen die Lichtung absuchte, auf der sie ihn gesehen hatte. Sie hätte ihm zugelächelt. Aber er war nicht da. Deshalb fuhr sie ein wenig schneller, wollte zu Now-Mart, bevor der Laden schloss.
Sie wollte eine Puppe für ihre Mutter kaufen. Als Ersatz für diejenige, die sie verloren hatte …

3

Jedes Frühjahr brachten die verwilderten Katzen Junge zur Welt. Chloe Chadwick war der Ansicht, das sei mit das Beste, wenn man am Rand einer Obstplantage lebte. Die Katzen kamen nachts aus ihrem Versteck, um im Mondlicht zu tanzen; ihre Eltern hatten ihr weismachen wollen, dass die Katzen lediglich auf die Jagd gingen, sich an ihre Beute heranpirschten. Aber Chloe wusste, dass ihre Eltern sich täuschten. Sie pflegte die Katzen von ihrem Fenster aus zu beobachten und war fest davon überzeugt, einem absonderlichen, magischen, malerischen Katzenball beizuwohnen.

Im Lauf der Jahre hatten Chloe und die Katzen friedlich nebeneinanderher gelebt. Sie konnte sie nicht als ihre Haustiere bezeichnen – wenn überhaupt, war es eher umgekehrt. Die Katzen hatten ihr einiges beigebracht: auf Bäume zu klettern, Vögel zu beobachten, zu essen, wenn sie hungrig war, und mucksmäuschenstill zu sitzen, ungeachtet dessen, was in ihrer Umgebung vorging und was sie in ihrem tiefsten Inneren empfand.

Sobald sie von der Schule heimkam, füllte sie eine große Backform mit Trockenfutter. Das Geräusch lockte viele Katzen an, und sie schossen wie der Blitz aus dem hohen Gras, aus den Stechpalmenbüschen, unter dem Wagen und hinter der Scheune hervor, strichen um ihre Knöchel.

»Hallo, ihr.« Sie stellte die Backform auf den Boden. Die Katzen miauten laut, stießen einander beiseite. Sie sah gebannt zu und hoffte, dass es ihnen schmeckte. Einige verschlangen das Futter gierig, andere schlichen sich davon.

»Du kannst nicht erwarten, dass die Katzen deinem Beispiel

folgen und Vegetarier werden«, sagte ihre Mutter, die im Garten Stiefmütterchen einpflanzte.
»Warum nicht?«
»Chloe, Katzen sind Fleischfresser. Genau wie Löwen. Und Tiger.«
Chloe hatte unlängst die Ernährung der Katzen umgestellt, kaufte statt der gewohnten Marke aus dem Supermarkt Tierfutter aus dem Reformhaus. Es war teuer, aber sein Geld wert: vegetarische Katzennahrung.
»Ich muss meinen Prinzipien treu bleiben«, erklärte sie eigensinnig.
»Willst du, dass die Katzen in der Zwischenzeit verhungern?«
»Sie verhungern schon nicht. Es sind wilde Katzen, an das Leben auf einer Plantage gewöhnt. Nach dem Tanz gehen sie auf die Jagd.«
»Und du hast kein Problem damit, dass sie Mäuse fangen?«, erkundigte sich ihre Mutter, die Bemerkung über den Tanz ignorierend.
»Jagen gehört zu *ihrer* Natur, nicht zu meiner. Ein Problem habe ich nur damit, ihnen Katzenfutter vorzusetzen, das aus Knochenmehl und Schweinefleischprodukten besteht. Weißt du, dass Schweine beinahe genauso intelligent sind wie Delfine?«
»Ich weiß, du hast es uns erzählt.« Ihre Mutter klopfte die Erde fest.
Chloe blickte ihre Mutter an. Sie kniete neben dem schmalen Weg an der Frontseite des Hauses und trug einen breitkrempigen Strohhut mit einem schmucken blauen Band, grüne Clogs, speziell für den Garten, und Hirschlederhandschuhe mit Blumenmuster. Die Gartengeräte hatte sie in einem bauchigen Bambuskorb verwahrt – »Panier« genannt –, dessen langer Henkel anmutig um ihren Arm geschlungen war. Sie

hatte die Stiefmütterchen im haargenau gleichen Abstand eingepflanzt, so exakt wie mit dem Lineal gezogen. Sie legte großen Wert darauf, dass alles adrett und ordentlich aussah.
»Schweine müssen ihr ganzes Leben im Stall verbringen«, sagte Chloe gefährlich leise. »Sie werden derart eingepfercht, dass sie sich nicht einmal umdrehen und kratzen können, wenn ihre Hinterläufe jucken.«
»Es reicht, Chloe.«
»Was gibt es heute zum Abendessen?«
Keine Antwort. Nur stummes, unaufhörliches Umgraben – eine Verschönerung des Gartens, was es ohne Zweifel war. Überall blühten gelbe Narzissen, Jonquillen und Blausterne. In etwa einer Woche würden Apfelbäume und Flieder Blüten treiben.
»Mom?«
»Hühnerbrüste.«
»Weißt du, dass die meisten Hühner ihr ganzes Leben ...«
»Schluss jetzt! Du kannst Salat und eine gebackene Kartoffel essen. Einverstanden?«
»Ich muss zur Arbeit. Ich esse dort eine Kleinigkeit von der Salatbar.«
»Ich dachte, du hättest dienstags frei.«
Sprachen sie eigentlich dieselbe Sprache? Lebten sie unter einem Dach oder kam ihre Mutter von einem anderen Stern? War alles in Ordnung mit ihr? Chloe hatte ihren Dienst am Samstag mit Marty Ford getauscht und erinnerte sich deutlich daran, ihrer Mutter davon erzählt zu haben. Es hieß, dass alte Menschen abbauten – vergesslich wurden, nicht mehr in der Lage waren, die einfachsten Dinge im Auge zu behalten, wie ihre Termine und ihre Schuhe. Ihre Mutter war zweiundfünfzig, älter als manche Mütter ihrer Freundinnen, aber immer noch zu jung für einen Gedächtnisschwund – oder?

»Normalerweise habe ich heute frei, aber Marty hat mich gebeten, mit ihr zu tauschen«, erwiderte Chloe bedächtig. Sie starrte ihre Mutter an, hielt nach einem Symptom Ausschau. Sie hatte seit jeher Angst gehabt, dass ihre Mutter oder ihr Vater krank werden könnten – einfach aufhörten zu atmen und aus ihrem Leben verschwanden. Als sie noch klein war, pflegte sie am Bett ihrer Eltern zu stehen und zu beobachten, wie sich bei beiden der Brustkorb hob und senkte, um sich Gewissheit zu verschaffen, dass sie noch atmeten. Obwohl ihre Eltern nur stritten, wenn die Türen geschlossen waren, geschah dies mit einer Heftigkeit, dass sie oft fürchtete, einer von ihnen könnte tot umfallen, wenn sie so wütend und eindringlich miteinander flüsterten.

»Stimmt«, sagte ihre Mutter plötzlich und blickte hoch. »Du hast es mir erzählt. Es war mir entfallen. Warte, ich fahre dich hin.«

»Ich kann mit dem Rad fahren.«

»Nein, Kind. Es ist dunkel, wenn du nach Hause kommst, und du weißt, ich möchte nicht, dass du um die Zeit noch unterwegs bist.«

»Ich mache bald den Führerschein.«

»Das hat keine Eile.«

»Doch, hat es schon …«

»Wir werden sehen. Du bist gerade erst fünfzehn – zuerst musst du eine eingeschränkte Fahrerlaubnis für Anfänger beantragen.« Lächelnd streckte sie die Hand aus, als Chloe ihr aufhalf und sie vom Boden hochzog.

»Sieht hübsch aus.« Chloe deutete mit einem Kopfnicken auf die winzigen purpurfarbenen Stiefmütterchen.

»Danke.« Ihre Mutter wischte die Erde von ihren Handschuhen.

»Warum pflanzt du sie eigentlich? Wo wir doch so viele Wildblumen haben. Und die Apfelbäume kurz vor der Blüte stehen. Wildblumen sind wunderschön und brauchen überhaupt keine Pflege …«

»Wildwuchs ist nicht unbedingt schön. Die Apfelplantage sieht verlottert aus, ist auch nicht mehr das, was sie einmal war.« Ihre Mutter runzelte die Stirn angesichts des Gestrüpps. »Und überhaupt, sie gehört uns nicht. Dein Onkel tut sein Bestes, um sie auf Vordermann zu bringen, aber er kämpft auf verlorenem Posten. Sie wurde zu lange vernachlässigt.«

Chloe spähte zu den Bäumen hinüber. Sie hatte gehört, wie sich ihre Eltern über Onkel Dylans Weigerung unterhielten, die seit langem in Familienbesitz befindliche, dem Untergang geweihte Plantage aufzugeben und sie lieber ihrem Schicksal zu überlassen. Sie hätten das Areal gerne planiert, um teure Eigenheime darauf zu errichten. Damit ließ sich mehr Geld verdienen.

Chloe verspürte ein schmerzhaftes Engegefühl in der Brust, wenn sie nur daran dachte; sie wusste, dass Onkel Dylans Anstrengungen, die Apfelplantage wieder zum Leben zu erwecken, etwas mit dem Verlust von Tante Amanda und Isabel zu tun hatten. Ihr Herz öffnete sich bei dem Gedanken an die knorrigen alten Apfelbäume, an die Vögel, die darin nisteten, an die wilden Katzen, die auf der Plantage jagten, an den Tod ihrer Tante und ihrer Cousine.

Isabel: Sie war wie eine Schwester für sie gewesen. Isabel hatte in New York City gewohnt, war aber an den Feiertagen nach Rhode Island gekommen, um ihre Großmutter zu besuchen und jeden Sommer für eine Woche zu bleiben. Damals hatte ihr Großvater noch gelebt; die Obstplantage befand sich in seinem Besitz und er hatte viele Leute beschäftigt, die für ihn arbeiteten – die Äpfel pflückten, Apfelwein herstellten und die Erzeugnisse an einem Obststand am Straßenrand verkauften.

Als Isabel starb, war Chloe für einen ganzen Monat verstummt. Ihr war, als hätte man ihr das Herz aus dem Leib gerissen; sie konnte sich nicht vorstellen, wie sie nach einem so tragischen Verlust weiterleben sollte. Sie lag reglos auf der Seite und hatte das Gefühl, als wäre ihr Körper zerrissen, wie bei einer Anziehpuppe aus Papier. Alle flüsterten und sagten, sie sei traumatisiert. Sie hatte nicht mehr viele Erinnerungen an diese Zeit, außer dass Onkel Dylan auf ihrer Bettkante gesessen und ihre Hand gehalten hatte.
»Deine Eltern lieben dich. So wie ich Isabel liebe«, hatte er gesagt.
Chloe war damals sieben gewesen. Sie hatte sich wie ein Baby gefühlt und mit einem Mal wieder alles auf eine völlig andere, urwüchsige Art verstanden. Worte waren belanglos. Sie hatte in seine Augen geschaut – die Isabels glichen – und seine Wange berührt. Sein Bart fühlte sich stachelig unter ihren Fingerspitzen an.
»Sie ist fort«, hatte Chloe gesagt; ihre Stimme zitterte, als die ersten Worte seit Wochen über ihre Lippen kamen.
Onkel Dylan hatte den Kopf geschüttelt. »Nein. Wenn du jemanden liebst, ist er immer bei dir.«
»Das stimmt nicht.« Chloe hatte zu weinen begonnen, als wüsste sie besser als er, wie es ist, wenn man einen Menschen verliert und vermisst, obwohl sie keine Ahnung hatte, woher.
»Sie ist fort«, hatte sie geschluchzt. »Fort …« Das Wort war ein schwarzes Loch, riss sie zurück in eine andere wortlose Zeit, dieses schwarze Loch, das ihre leibliche Mutter verschlungen hatte. »Hat sie mich nicht lieb gehabt? Warum ist sie fortgegangen?« Oje, nun brachte sie auch noch all ihre Verluste durcheinander …
Onkel Dylan hatte sie einfach in die Arme genommen. Ihre Eltern hatten regungslos hinter ihm gestanden, und nach einer Weile hatte ihr Vater ihm auf die Schulter getippt und ihre

Mutter hatte sie in die Arme genommen. Sie erinnerte sich an eindringliches Geflüster, an das Gefühl der Peinlichkeit, als hätte sie irgendwie die Gefühle ihrer Mutter verletzt. Natürlich hatte sie gespürt, dass Chloe die Verbindung zu einer anderen, verschwundenen Person in ihrem Leben aufzunehmen versuchte, ihrer leiblichen Mutter, die sie weggegeben hatte.

Onkel Dylan hatte sich danach nie wieder den Bart rasiert. Er stutzte ihn; er sah gut aus, grau-braun gesprenkelt, wie Salz-und-Pfeffer. Chloe wusste, warum er sich nicht davon trennen konnte: Isabel hatte ihn berührt. Chloe wusste es einfach, auch ohne Worte. Isabel hatte sein stoppeliges Gesicht geküsst und Onkel Dylan hatte beschlossen, sich nie wieder zu rasieren.

Das war in ihren Augen wahre Liebe.

Als Chloe ins Haus lief, um den Arbeitskittel anzuziehen, klopfte ihr Herz zum Zerspringen. Sie versuchte, sich zu beruhigen, während sie ihr Gesicht mit klarem Quellwasser wusch und die weiße Seife rubbelte, bis sie sich in cremigen Schaum verwandelte. Sie blickte in ihre Augen, die sie aus dem Spiegel ansahen. Wenn sie sich lange genug darauf konzentrierte, würde sie vielleicht das Antlitz ihrer leiblichen Mutter entdecken und sie fragen, *warum, weshalb …*

Sie spülte ihr Gesicht unter fließendem Wasser ab und ging nach draußen, zum Wagen. Ihr Vater wusch ihn jeden Samstag; ihre Mutter säuberte ihn fast jeden zweiten Tag mit dem tragbaren Staubsauger, damit er makellos blieb. Die Auseinandersetzungen ihrer Eltern hinter der geschlossenen Tür waren grauenvoll, aber ihre Besitztümer hielten sie tadellos in Schuss. Das alles schien mit der Tatsache zusammenzuhängen, dass ihrer Mutter schnurgerade Stiefmütterchen-Reihen lieber waren als der Wildwuchs einer Obstplantage. Wohingegen Chloe alles Wilde liebte und davon träumte, sich darin zu verlieren. Wie war sie nur in diese Familie geraten?

Vielleicht war sie in Wirklichkeit eine Katze. Als sie klein war, hatte sie geträumt, in einem reich verzierten blauen Kinderwagen mit silberner Lenkstange zu liegen, der von ihren Eltern geschoben wurde; dann und wann blieben sie stehen, um sie voller Stolz den Nachbarn zu zeigen. Und wie die Nachbarn erschrocken nach Luft schnappten, als sie sahen, dass Chloe kein kleines Mädchen war, ja und nicht einmal die Tochter der beiden, sondern ein winziges wildes Tigerbaby mit schwarzen und orangefarbenen Streifen und hellgrünen Augen – genau wie das Plüschtier in ihrem Kinderbettchen.
Während der Fahrt zu dem großen Supermarkt in der Stadt, in dem sie nach der Schule arbeitete, blickte sie nachdenklich aus dem Fenster. Ihre Mutter schaltete das Radio ein, suchte ihren heiß geliebten Musiksender, wo jede Melodie wie eine Werbung für typisch weibliche Produkte anmutete. Chloe stöhnte. Ihre Mutter ignorierte sie lächelnd.
Chloe kramte in ihren Taschen. Sie hatte vorhin eine Seite aus dem Notizbuch gerissen und in kleine Zettel von der Größe einer Visitenkarte unterteilt. Während ihre Mutter fuhr, begann Chloe zu schreiben. Eine Zeile pro Zettel. Ihre Mutter machte sich nicht einmal die Mühe, zu ihr hinüberzublicken. Vermutlich dachte sie, dass Chloe Hausaufgaben machte

Am anderen Flussufer, in der nächstgelegenen Stadt, schickte sich Jane zum Backen an. Sie stellte Schüsseln, Kuchenform, Butter, Mehl und Eier in Griffweite. Sie hatte ihre Mutter heruntergebracht, damit sie ihr Gesellschaft leisten konnte, trotz Sylvies Verboten.
»Alles in Ordnung, Mom?«, fragte Jane, während sie Mehl abmaß.
»Oh, alles bestens, Kind.« Margaret sah sich um. Sie saß am Tisch und hielt ihre neue Puppe in der Armbeuge. »Es tut gut, in meiner eigenen Küche zu sitzen.«

»Wie geht es deinem Bein?«
Margaret zuckte die Schultern und rang sich ein tapferes Lächeln ab. »Gut. Ich hoffe, dass du mich nach oben schaffen kannst, bevor deine Schwester nach Hause kommt. Sie lässt mich nicht aus dem Bett.«
Jane lachte. »Das klingt so, als wäre sie deine Gefängniswärterin.«
»Das ist sie! Sie ist bewundernswert und ich liebe sie, aber sie bevormundet mich, als sei ich ein sechsjähriges Kind und nicht ihre Mutter. Und dabei habe ich als Rektorin einer ganzen Schule vorgestanden. Ich bin daran gewöhnt, die Anweisungen zu erteilen!«
»Ich erinnere mich, dass dir das immer sehr gut gelungen ist.«
Ihre Mutter lachte. Jane hatte mit dieser Bemerkung keinen Hintergedanken verbunden und war froh, dass ihre Mutter sie nicht falsch aufgefasst hatte. Aber für Jane hing die Anspielung trotzdem in der Luft, stand einen Augenblick zwischen ihnen, bis sie verschwand, wie ein Blatt, das von einem Windstoß davongewirbelt wurde.
»Du hast Recht, ich stand in dem Ruf, eine strenge Rektorin zu sein. Ich habe viele Veränderungen an dieser Schule miterlebt. Früher, als Sylvie und du Kinder wart, bestand unser größtes Problem mit der Disziplin darin, dass die Schüler während des Unterrichts Zettel austauschten, gegen das Sprechverbot in der Bibliothek verstießen oder in der Cafeteria einen Streit vom Zaun brachen. Als ich in den Ruhestand ging, waren überall Metalldetektoren installiert worden, damit Schusswaffen und Messer draußen blieben. Die Gestalt hat Einzug gehalten.«
»Die Gewalt«, verbesserte Jane sie sanft.
»Erzähl mir doch bitte, was du backen willst«, erwiderte ihre Mutter, die sie offenbar nicht gehört hatte.

»Kekse. Ohne Zucker, nur für dich.«
»Du verwöhnst mich! Das ist herrlich!« Ihre Mutter drückte die Puppe an sich. »Sylvie ist so streng mit mir – manchmal habe ich den Eindruck, als wollte sie sich für all die Zeiten rächen, als ich euch Süßigkeiten oder Kuchen verboten hatte …«
»Du weißt, dass dem nicht so ist.«
»Ja, ich weiß. Sie pflegt mich hingebungsvoll«, seufzte Margaret. »Und ich weiß auch, dass du deswegen nach Hause gekommen bist. Was hat sie dir erzählt?«
»Dass du gestürzt bist und starke Schmerzen hast.«
»Ich habe mir bei dem Sturz eine Platzwunde am Bein zugezogen, aber was wirklich schmerzt, sind meine Füße.« Margaret verzog das Gesicht. »Es ist der Diabetes. Sie wollen eine neue Therapie ausprobieren, mit Magneten in den Schuhen – kannst du dir das vorstellen?«
»Wirklich?«
»Das ist so eine Art Schmerzkontrolle. Von der Ärzteschaft abgesegnet und, *mirabile dictu*, von den Versicherungsgesellschaften! Sie sehen wie Einlegesohlen aus, und wenn man in die Schuhe schlüpft, ziehen sie die Schmerzen magnetisch aus dem Körper.«
»Klingt nach … Alchemie!« Jane schmunzelte. »Als befände sich tief im Labyrinth der Testlabors mit all ihrer Hochtechnologie eine Geheimkammer mit einem Zauberer …«
»Der einen hohen, spitzen blauen Hut mit silbernen Sternen trägt«, fügte ihre Mutter hinzu. »Und dort gibt es Einweckgläser mit Sternenstaub und Meersalz und uralte, dicke Wälzer mit Geheimrezepten …«
»Klingt wie eine Kochschau«, sagte Sylvie, die mit einem Arm voll Lebensmittel zur Tür hereinkam. »Wovon redet ihr?«
»Von Moms Magneten.« Jane stand auf, um ihr zu helfen. »Funktioniert das?«

»Nun …« Sylvie fing an, die Tüten auszupacken.
»Und ob!«, bestätigte Margaret mit Nachdruck. »Das heißt, sie werden funktionieren … ich habe gar keine andere Wahl, als an den Erfolg der Therapie zu glauben. Ich kann den Gedanken nicht ertragen, wieder diese Schmerzmittel zu nehmen. Sie haben grauenvolle Nebenwirkungen – sie benebeln den Verstand und bewirken, dass mein Gedächtnis nachlässt. Obwohl ich sie abgesetzt habe, bin ich noch immer so … unbedachtsam.«
»So was, Mom?«
»So unverständlich.« Sie sprach in einem Ton, der keinen Widerspruch duldete, ganz Rektorin, aber ihre Augen verrieten ihre Bestürzung über die falsche Formulierung und die Hoffnung, dass ihre Töchter nichts bemerkt hatten.
»So vergesslich?«, ergänzte Jane.
»Genau.« Margaret küsste ihre Puppe, der sie den Namen Lolly nach ihrer verlorenen Vorgängerin gegeben hatte. »Ihr wisst schon, was ich meine.«
Zu sehen, wie ihre Mutter die Babypuppe in den Armen hielt, versetzte Jane einen Stich. Was würden die Generationen von Schülern und Eltern denken, wenn sie sehen könnten, wie Margaret Porter – die würdevolle, intellektuell anspruchsvolle Rektorin und Mutter – mit einer Puppe spielte? Obwohl Jane sie gekauft hatte – mit einer solchen Reaktion hatte sie nicht gerechnet … ihre Mutter flüsterte mit der Puppe, als vertraue sie ihr ein Geheimnis an. Jane schauderte. Sie erinnerte sich, wie sie selber mit einem Baby geflüstert hatte, vor langer Zeit. Sie schloss die Augen; ihre Mutter hatte zwei Kinder in den Armen gehalten und großgezogen, aber sie hatte dafür gesorgt, dass Jane diese Möglichkeit versagt blieb.
»Großer Gott!«, rief Sylvie, noch immer mit dem Auspacken der Lebensmittel beschäftigt. Sie beugte sich vor, um die Pa-

ckung mit den Hamburgern zu begutachten, die sie in der Hand hielt.

»Was ist?«, erkundigte sich Margaret.

»Seht euch das an ...« Sylvie entfernte ein Stück weißes Einwickelpapier von der Plastikverpackung des Fleisches.

»Was steht da?«, fragte Jane.

»Kühe sind schön. Wollt ihr sie wirklich verzehren?«

»Seltsam«, gab Margaret zu bedenken.

»Wie ärgerlich«, sagte Sylvie. »Ich bin extra zum SaveRite in Crofton gefahren, nur um frische Beeren zu kaufen, die sie noch nicht mal hatten, und komme mit Fleisch zurück, an dem sich jemand zu schaffen gemacht hat!«

»Es gibt überall Verrückte«, erklärte Margaret nachdrücklich.

»Sobald ich deine Blutzuckerwerte kontrolliert habe, rufe ich den Filialleiter an. Wir werden dieses Fleisch nicht anrühren.«

Jane sah zu, wie Sylvie zum Frühstückstresen ging, um das Testset zu holen. Ihre Haltung brachte zum Ausdruck, dass sie die Pflege ihrer Mutter und den aufmüpfigen Zettelschreiber als doppelte Burde empfand. *Sie gehört unbedingt ins Bett,* flüsterte sie Jane lautlos zu; Jane zuckte die Achseln und antwortete ebenso lautlos *Entschuldigung* ... Als sich Sylvie anschickte, mit der Lanzette den Finger ihrer Mutter zu ritzen, reichte sie Jane die Puppe.

Margaret lächelte Jane an. »Albern, findest du nicht? Dass jemand in meinem Alter eine Babypuppe im Arm hält. Aber sie erinnert mich an die erste Lolly ... und noch mehr an meine Mädchen. Es waren die beiden glücklichsten Tage in meinem Leben, als ihr geboren wurdet.«

»Halt still, Mom«, mahnte Sylvie.

»Und nun seid ihr beide zu Hause ... es kommt mir wie ein Traum vor, euch beide unter einem Dach, bei mir zu haben.«

Margarets blaue Augen waren hell und trübe vom grauen

Star. Ihr einstmals glänzend kastanienbraunes Haar hatte nun einen zarten Grauton angenommen. Tränen stiegen in ihre Augen, liefen über die faltigen Wangen. Jane beugte sich vor. Die Wangen ihrer Mutter waren weich wie Samt.
Jane und ihre Mutter blickten sich an, die Babypuppe zwischen sich.
»Manchmal war ich mir nicht sicher, ob du jemals zurückkehren würdest.«
»Du wusstest, dass ich komme.«
Ihre Mutter schüttelte den Kopf. »Nur zu Weihnachten, zu meiner Abschiedsparty anlässlich meiner Pensionierung … ein Blitzbesuch und nichts wie weg. Ich hatte mir immer so gewünscht, dass du bleibst. Dass du dein altes Zimmer im ersten Stock beziehst, ohne konkrete Pläne, wieder abzureisen.«
Janes Haut kribbelte, als sie ihr die Puppe zurückgab. Genau deshalb war sie ihrem Elternhaus so gut es ging ferngeblieben. Denn sie konnte bei aller Liebe und trotz des Wissens, dass Sylvie Hilfe bei der Entscheidung brauchte, wie es mit der Pflege weitergehen sollte, nie und nimmer vergessen, was ihre Mutter ihr angetan hatte.
Jane half Sylvie, die restlichen Lebensmittel einzuräumen.
»Soll ich uns einen Tee machen?«, fragte Sylvie.
»Das wäre wunderbar«, sagte Margaret.
Jane stand wie versteinert da, das Paket mit den tiefgekühlten Beeren in der Hand. Ihre Finger prickelten von der Kälte. Ihre Mutter liebte sie; daran bestand kein Zweifel. Aber kein noch so großes Maß an Liebe konnte das ersetzen, was ihr fehlte. Jahre, Erinnerungen, zwei Menschenleben.
»Jane?«
»In ein paar Minuten sind die Kekse fertig. Und ich werde die Beeren auftauen …«
»Wie Teekuchen!«, sagte ihre Mutter. »Köstlich. Aber da war

noch was … ich wollte irgendetwas zu Janes Heimkehr sagen. Was war es nur?«
Margaret legte den Kopf schief, hin- und hergerissen zwischen den Gedanken, die ihr durch den Kopf gingen. Jane sah, wie sich der Kampf in den Augen ihrer Mutter widerspiegelte, wieder dort anzuknüpfen, wo sie den Faden verloren hatte.
»Es wird dir schon wieder einfallen«, sagte Sylvie beschwichtigend, nahm den Hörer ab und griff nach dem Telefonbuch.
»Wen rufst du an?«, fragte Jane.
»Den Filialleiter von SaveRite. Das ist Produktmanipulation.« Sylvie klopfte auf den weißen Papierfetzen.
»Offenbar von jemandem, der Kühe mag«, sagte Jane. »Niemand wird gezwungen, die Botschaft zu lesen. Und man kann die Hamburger trotzdem essen.«
»Das sagst du nur, weil *du* Vegetarierin bist.« Sylvie wählte die Nummer. »Und abgesehen davon wissen wir nicht, ob das Fleisch vergiftet wurde.«
»Die Sicherheit für Leib und Leben sollte Vorrang haben«, ließ sich Margaret vernehmen.
Jane versuchte zu lächeln, als sie den Blick abwandte. Es war schön und dennoch seltsam, wieder zu Hause zu sein. Ihre Kehle war wie zugeschnürt. Sie fühlte sich wie ein Eisberg, der vom Eismeer in südliche Gewässer driftete. Sie liebte diese beiden Frauen mehr als jeden anderen Menschen auf der Welt.
Mit Ausnahme des einen, den sie weggegeben hatte.

4

Das Büro des Filialleiters besaß eine Klimaanlage, und es war so kalt wie die Tiefkühlkost-Abteilung. Sein Name lautete Achilles Fontaine, ein Name, der nach Chloes Auffassung klang, als sei er der fünfte Musketier. Er hatte ein Faible für unverhoffte Überfälle, das ebenfalls dem Bild entsprach, fahle schlaffe Wangen, einen gewaltigen borstigen Schnauzbart, kurze graue Haare und die Angewohnheit, bunte, locker fallende Hemden mit sehr weiten Ärmeln zu tragen.

»Schau dir das an, Chloe«, sagte er und breitete die Zettel und Kassenbons auf seinem Schreibtisch aus.

Chloe nickte. Obwohl spiegelverkehrt, gelang es ihr auf Anhieb, ihre Handschrift zu erkennen und einige ihrer Lieblingsbotschaften zu rekapitulieren: *Diese Ente hatte Küken;* oder: *Muh-muh, esst mich nicht!* Und: *Das Gemüse befindet sich im ersten Gang; warum nicht einen köstlichen, nahrhaften Salat probieren statt ein Stück von diesem toten Schwein zu kaufen?*

»Ich bin maßlos enttäuscht von dir. Ich mochte dich sehr. Ich dachte, du wärst ein Teil unseres Teams.«

Chloe nickte kummervoll, konzentrierte ihre Aufmerksamkeit auf den obersten Knopf seines Hemdes – das heute orange war. Oder genauer gesagt, eine grelle Pfirsichschattierung. Mr. Fontaine tat ihr Leid, denn sie begriff, dass die Wahl seiner Hemden dem verzweifelten Versuch gleichkam, sich Aufmerksamkeit zu verschaffen, genau wie bestimmte Lehrer, die über das Ziel hinausschossen, indem sie vermeintlich coole, witzige Socken trugen.

»Aber du warst nicht Teil unseres Teams, oder?«

»Kommt darauf an, welches Team Sie meinen.«

»Das SaveRite-Team.«
»Ich glaube nicht.«
»Dein Verhalten sollte man nicht auf die leichte Schulter nehmen. Wir können nicht so tun, als sei das ein harmloser Streich gewesen.«
»Es war kein Streich.«
Er sah verwirrt aus, verfolgte das Thema aber nicht weiter. Er streckte die Hand aus und kratzte sich am Ohr. Sie blickte ihn finster an, dachte an all die Tiere, die in Gefangenschaft gehalten und eingepfercht wurden, unfähig, sich zu kratzen, wenn es irgendwo am Körper juckte.
»Wir mussten eine Rückrufaktion starten«, sagte er und zeigte ihr die Kassenbons, auf denen bestimmte Beträge mit einem roten Kreis markiert waren. »Jedem, der eines von deinen Pamphleten erhalten hat, haben wir den Kaufpreis komplett zurückerstattet. Hast du eine Ahnung, wie viel Geld da unter dem Strich zusammenkommt?«
»Nein.«
»Einhundertneunundvierzig Dollar – bis jetzt. Wie lange musst du für diese Summe arbeiten, Chloe? Rechne mal nach.«
Sie antwortete nicht. Sie war gefeuert – sie hatte keine Lust, lange hier herumzustehen und die faulen Scherze eines Mannes über sich ergehen zu lassen, der nie begreifen würde, worum es ging.
»Verstehst du, wie schwerwiegend dieses Delikt ist, Chloe?«
»Ja, voll und ganz.«
»Ich bin froh, das zu hören. Es kann keine Rede davon sein, dich weiterhin zu beschäftigen, aber ich hoffe, dass dir das eine Lehre für dein späteres Leben ist. Möchtest du mir sagen, welche?«
Chloe räusperte sich und blickte ihm unerschrocken in die Augen. »Sie haben Recht. Es handelt sich wirklich um ein

schwerwiegendes Delikt«, entgegnete sie ruhig. »Tiermütter werden von ihren Jungen getrennt – haben Sie jemals ein Kälbchen weinen gehört, Mr. Fontaine? Das ist herzzerreißend – und wozu das Ganze? Damit die Leute Cheeseburger essen können?«

»Chloe!« Er erbleichte und schlug mit beiden Händen auf seinen Schreibtisch. »Ich könnte die Polizei einschalten, aber davon will ich noch einmal absehen. Pack deine Sachen und verschwinde, auf der Stelle. Ich erteile dir Hausverbot; solltest du dich jemals wieder hier blicken lassen, werde ich die Polizei holen.«

Sie nickte, händigte ihm ihren Kittel aus und holte ihre Jacke und ihre Büchertasche. Er war geladen und wutentbrannt; wenn sich ihr Vater in einem solchen Zustand befand, pflegte sie schleunigst das Weite zu suchen. Als sie verstohlen zu ihm hinüberblickte, konnte sie sehen, wie er buchstäblich zitterte. Sie hielt inne, hätte ihn gerne nach ihrem ausstehenden Lohn gefragt, brachte es gleichwohl nicht fertig: Er sah aus, als würde er sie hassen.

Als sie den Laden durchquerte, spürte sie die Blicke der anderen Jugendlichen, die hier als Aushilfen arbeiteten. Adrian Blocker füllte die Milchregale auf; er grinste hämisch, als sie den Gang entlangging. Sie blieb am Münzfernsprecher neben dem Eingang stehen, um ihre Mutter anzurufen, damit sie abgeholt wurde. Jenny West saß an der Kasse; Mark Vibbert packte die Lebensmittel ein.

»Muh, muh«, rief Mark, als Chloe in ihren Taschen nach einem Vierteldollar suchte.

Jenny lachte.

Chloe blickte beide unverblümt an. Sie überlegte, was sie sagen könnte, damit sie begriffen, um was es ging. Doch je länger sie dort stand, desto stärker wurde das Gefühl, eine Ausgestoßene zu sein, und desto mehr rötete sich ihr Ge-

sicht. Sie fand kein Kleingeld, deshalb beschloss sie, zu Fuß zu gehen.
Ihre Mutter würde ein Mordsgeschrei machen, so oder so.

Dylan fuhr mit seinem Pickup die Lambs Road entlang nach Norden und blickte hin und wieder in den Rückspiegel, um sich zu vergewissern, dass nichts von der Ladefläche fiel. Er hatte eine gute Baumschule in Kingston gefunden und ein paar Schösslinge gekauft, Bäumchen von etwa einem Meter. Virginiahirsche huschten über die Straße, Schatten im Zwielicht. Die Landstraße war holperig nach dem harten Winter, übersät mit Frostaufbrüchen, und er fuhr langsam, weil er nicht riskieren wollte, mit Wild zusammenzuprallen oder seine Wurzelstöcke zu verlieren.
Die Apfelplantage der Familie weiterzuführen, verschlang jede Minute seiner Zeit, und das war gut so. Sein Vater hatte ihm einen Anteil des Landbesitzes vermacht, nebst Elwangers Klassiker *Die Kultivierung von Apfelbäumen*. Nachdem Dylan tagsüber hart gearbeitet und abends ein paar Seiten des Standardwerkes gelesen hatte, war er zu müde, um an Isabel und Amanda zu denken.
Er war vollauf damit beschäftigt, zu lernen, wie die Qualität der Wurzelstöcke, die Fruchtbarkeit der Erde und das Beschneiden die Größe eines Baumes beeinflussten. Er erfuhr, dass alle im Handel erhältlichen Apfelbäume veredelt waren, das hieß aus zwei Teilen bestanden, die durch Aufpfropfen zu einem Gewächs wurden; der Steckling oder »Pfröpfling« – der obere Abschnitt, der Triebe entwickelte und Früchte trug – wurde als so genannter Vorspann mit dem unteren Teil, dem Wurzelstock oder Standbaum, verbunden, wodurch die jeweilige Größe des Baumes bestimmt wurde. Bei so viel trockener Theorie wäre Dylan vor zehn Jahren eingeschlafen.

In Gedanken an die Möglichkeit einer Befruchtung durch Fremdbestäubung vertieft, wäre er um ein Haar an seiner Nichte vorbeigefahren, die am Straßenrand entlangtrottete. Er trat voll auf die Bremse und spürte, wie die Setzlinge auf der Ladefläche mit voller Wucht nach vorn rutschten.

»Mist«, fluchte er. Er hatte unlängst wieder mit dem Rauchen begonnen, deshalb warf er die Zigarette weg, schlang seinen Arm über den Sitz, blickte über die Schulter und fuhr ein Stück zurück.

»Onkel Dylan«, rief Chloe. Erschöpft unter dem Gewicht ihres Rucksacks, richtete sie sich bei seinem Anblick kerzengerade auf und sah ihn mit großen, strahlenden Augen an, was ihm einen Stich versetzte.

»Wieso marschierst du in der Dunkelheit am Straßenrand entlang? Willst du von einem Auto angefahren werden? Steig ein!«

Sie warf ihre Büchertaschen auf die Ladefläche zu den Bäumen, stieg ein und blickte zum Rückfenster hinaus. »Oh, neue Babybäume!«

»Ja.«

»Klasse. Die Plantage wird wieder richtig schön.«

»Findest du, Chloe?«

»Ja. Und das ist super für die Katzen – ganz zu schweigen von den Vögeln, den Rehen und Hirschen … sogar für die Kojoten und Füchse.«

»Alle wild lebenden Tiere müssen auf die Jagd gehen, um zu überleben. Ich hoffe nur, dass sie die Jungpflanzen in Ruhe lassen, bis sie eine Chance haben, anzuwachsen.«

Chloe seufzte. »Wenn nur alle deine Einstellung hätten.«

Er lachte. Neuerdings schien kaum jemand der Meinung zu sein – weder in seiner Familie noch anderswo –, seine Einstellung sei beispielhaft. »Ich glaube kaum, dass deine Eltern dir in diesem Punkt zustimmen würden.«

»Stimmt. Sie warten nur darauf, dass du die Plantage satt hast. Dann könnt ihr alles verkaufen und mit Hilfe der Erschließungsfirmen reich werden. Geld«, fügte sie kopfschüttelnd hinzu.
»Was ist los, Chloe Chadwick?« Er blickte zu ihr hinüber und lächelte.
Sie sah ihn einen Moment lang schweigend an, schien abzuwägen, ob sie ihm reinen Wein einschenken sollte oder nicht.
»Du wirst es meinen Eltern erzählen.«
»Vielleicht, vielleicht aber auch nicht. Lass es auf einen Versuch ankommen.«
»Ich bin gefeuert worden.«
»Aha. Was ist passiert?«
»Ich bin meinen Prinzipien treu geblieben – ich schwöre, das war alles, Onkel Dylan. Ich habe lediglich von meinem Recht auf Meinungsfreiheit Gebrauch gemacht. Und kleine Zettel auf ein paar abgepackten Fleischportionen im SaveRite hinterlassen. Mit der Aufforderung an die Kunden, zur Abwechslung mal Salat zu probieren, wenn du es genau wissen willst. Den Tieren eine Chance zu geben. Mr. Fontaine hat es – in den falschen Hals bekommen.«
»Wer ist der Mann? Der Filialleiter?«
Chloe nickte bekümmert.
»Chloe, du bist doch ein kluges Mädchen. Das klügste, das ich kenne. Du kannst doch nicht allen Ernstes geglaubt haben, dass ihm solche Aktionen gefallen.«
»Nein, ich hätte es mir denken können. Weil er ein Armleuchter ist, ein Kriecher. Er trägt bescheuerte Hemden, so grelle Seidendinger mit weiten Ärmeln – als wäre er von gestern, aus den sechziger Jahren! Er hat einen albernen, stacheligen Schnauzbart und ist der rückständigste Mensch auf der ganzen Welt.«

Dylan verkniff sich ein Lächeln. »Weil er Fleisch isst oder weil er hässliche Hemden trägt?«
»Weil er so engstirnig ist und mich mir nichts, dir nichts rausgeschmissen hat …«
»Du kannst nicht erwarten, dass er weiterhin für dein Wohl sorgt, wenn du die Hand beißt, die dich füttert.«
»Er hasst mich«, sagte Chloe. »Du hättest sehen sollen, wie er mich heute angestarrt hat, nur weil ich ein paar Botschaften verfasst habe und er einigen Kunden ihr Geld zurückerstatten musste. Dabei hätte ich allen Grund, *ihn* zu hassen!«
Dylan hörte seiner Nichte zu, die Dampf abgelassen hatte und nun in ein tiefes, brütendes Schweigen verfiel. Eine kühle Brise strich durch die Fahrerkabine und er spürte, dass sie ihn ansah, darauf wartete, dass er sich äußerte. Er fühlte sich ihr besonders eng verbunden und war stets zutiefst berührt – und ein wenig überrascht –, wenn sie einen Rat von ihm zu erhoffen schien. Er dachte an Isabel, die im gleichen Alter wie Chloe gewesen war. Was würde er ihr sagen, wenn sie neben ihm säße?
»Hass …›Eine sternenlose Nacht‹«, erwiderte er leise.
»Wie bitte, Onkel Dylan?«, fragte Chloe, als habe sie nicht richtig gehört.
Dylan fuhr stumm weiter. In seiner Hemdtasche steckte ein Päckchen Zigaretten und es juckte ihn in den Fingern, eine herauszuholen und anzuzünden.
»Onkel Dylan?«
Er konnte seiner geliebten Nichte nicht sagen, dass sein Leben während des ganzen letzten Jahres darin bestanden hatte, sich mit dem Thema Hass und der Frage zu beschäftigen, wie man sich davon befreit. Ein großer Hirsch trat auf die Straße hinaus, überquerte die Fahrbahn. Dylan trat voll auf die Bremse und die jungen Bäume schlidder-

ten auf der Ladefläche nach vorn. Chloes Augen waren auf die Straße vor ihnen fixiert. Sie war hier aufgewachsen; Dylan musste ihr nicht erzählen, was als Nächstes passieren würde.
»Da kommt der Rest«, flüsterte sie.
»Die ganze Familie«, fügte Dylan hinzu, als die Hirschkuh mit ihrem Jährling folgte. Die Tiere blieben am Straßenrand stehen, ihre Augen glänzten, wie Sterne im Wald. Dylan starrte die drei an, das Herz klopfte ihm bis zum Hals.
»Die ganze Familie«, wiederholte Chloe mit Blick auf die Augen im Wald.
Dylan wartete, bis er sicher sein konnte, dass alle Hirsche des Rudels die Straße überquert hatten und keine Nachzügler mehr kamen; dann fuhr er im Schritttempo weiter.

Nach Hause zurückgekehrt, ging Chloe in den hinteren Teil des Gartens hinaus, um den Rest der Katzen zu füttern. Onkel Dylan hatte sie vor der Haustür abgesetzt, während ihre Mutter auf der Schwelle stand, vom Eingang eingerahmt und von hinten angestrahlt wie eine der Wirklichkeit entrückte religiöse Statue. Onkel Dylan hatte nur stillvergnügt in sich hineingelacht, Chloe angesehen und gesagt: »Keine Bange, du machst das schon. Deine Mutter ist eine vernünftige Frau.«
»Klar«, hatte Chloe erwidert. Onkel Dylan kannte nicht die ganze Geschichte. In ihrer Familie pflegten sich Wutgefühle langsam zu entwickeln und aufzustauen, bevor sie explodierten wie ein Vulkan.
Ihre Mutter hatte Chloe wortlos, mit fragender Miene in Empfang genommen. Statt zu schwindeln, hatte Chloe beschlossen, gleich mit der Wahrheit herauszurücken, dass Mr. Fontaine sie wegen der Zettel in sein Büro zitiert und fristlos entlassen hatte.

Ihre Mutter hatte mit bebenden Nasenflügeln zugehört, die Arme über der Brust verschränkt. Dann hatte sie Chloes Vater herbeigerufen – aus seinem Arbeitszimmer, wo er am Computer saß und die Daten der Versicherungspolicen eintippte, die er tagsüber verkauft hatte –, so dass Chloe die ganze Geschichte noch einmal von vorn erzählen musste.
Warum mussten ihre Eltern so nett, engelsgleich und am Boden zerstört aussehen? Sie standen gesittet da und blickten sie an, schmerzerfüllt und ungläubig blinzelnd, als hätte sie soeben den Plan verkündet, ihr Elternhaus zu verlassen, um sich der Guerillabewegung *Leuchtender Pfad* anzuschließen. Sie starrten sie an, hilflos und mit Tränen in den Augen, als wäre sie eine so abgrundtiefe Enttäuschung, dass ihnen die Worte fehlten. Die einzigen Anzeichen der Wut, die sich hinter der Fassade verbarg, waren die bebenden Nasenflügel ihrer Mutter und das gerötete Gesicht ihres Vaters. Außerdem der eisige Unterton in seiner Stimme, die wie ein Peitschenknall klang, als er sagte: »Ace Fontaine ist Mitglied im Rotary-Club, genau wie ich.«
Und die zusammengepressten Lippen ihrer Mutter, die meinte: »Du wirst dir umgehend einen neuen Job besorgen. Du musst fürs College sparen, und falls du dir einbildest, wir würden dir das zusätzliche Geld für dein vegetarisches Katzenfutter geben, hast du dich getäuscht. Das Leben ist teuer, Chloe. Von Protestaktionen wird man nicht satt.«
Chloe hatte sich entschuldigt. Dann war sie gegangen, zunächst erleichtert; es hatte weder ein Donnerwetter noch Hausarrest gegeben. Doch wie eh und je würde es einige Zeit dauern, bis sich die Wut aufgestaut hatte. Als wäre dieses Gefühl zu mächtig, um sich ihm unverzüglich zu stellen, entwickelte es sich in ihrer Familie auf Sparflamme. Ihre Eltern waren ordnungsliebende Menschen und Wut brachte alles aus dem Gefüge. Sie war, wie andere chaotische Dinge, formell

aus ihrem Elternhaus verbannt. Was hinter den Kulissen geschah, stand auf einem anderen Blatt. Wie Onkel Dylan gesagt hatte, war ihre Mutter eine vernünftige Frau. Und ihr Vater ein vernünftiger Mann. Zumindest bemühten sie sich, diesem Bild zu entsprechen.

Sie stand im Garten hinter dem Haus. In der kühlen Frühlingsbrise bedeckte eine Gänsehaut ihre bloßen Arme. Sie schüttelte den Beutel mit dem Futter, und das Geräusch lockte die Katzen aus der ganzen Umgebung herbei. Sie brachten Leben in die Nacht. Sie sprangen von den Bäumen herab, krochen unter Büschen hervor, begrüßten sie mit lautem Geschrei und Miauen. Ihre Augen funkelten in der Dunkelheit und sie hatte das Gefühl, mit Liebe überschüttet zu werden, wie die Mutter einer großen Familie. Sie liebte die Katzen über alle Maßen, konnte sich nicht vorstellen, auch nur eine einzige wegzugeben.

Als Chloe Chadwick jünger war, hatte sie oft nach Sternschnuppen Ausschau gehalten, um sich etwas zu wünschen. An warmen Abenden war sie in den Garten hinter dem Haus gegangen, hatte das hohe Gras zu einem Nest zusammengepresst, sich hineingelegt und zum Himmel emporgeblickt. Wenn sie sich recht erinnerte, war es um die Zeit noch nicht ganz dunkel, letzte Sonnenstrahlen brachten alles zum Schimmern. Die Sterne erschienen am Firmament, einer nach dem anderen, die hellsten zuerst, durch ein silbernes Netz miteinander verwoben.

Chloe pflegte sie beim Namen zu nennen: »Mommy. Daddy. Grandma. Onkel Dylan. Tante Amanda. Isabel.« Jeder Stern war ein Kapitel für sich, und gemeinsam erzählten sie die Geschichte ihrer Familie. Manchmal stellte sie sich ihre Angehörigen wie goldene Äpfel vor, die an den ausladenden Ästen eines Baumes hingen. Eines Familienstammbaums, hoch oben am Himmelszelt. Immer gab es zwei Sterne, die sich ein wenig abseits befanden: »Chloe« und ihre leibliche Mutter. Sie blinzelte den beiden zu, versuchte, das Gesicht ihrer Mutter zu erkennen.

Inzwischen war sie fünfzehn und zu alt, um die Sterne zu betrachten. Sie stand reglos da, bis die Katzen ihre Mahlzeit beendet hatten. Der Wind wehte von der Plantage herüber, brachte den Duft von Apfelblüten und Zigarettenrauch mit sich. Es stimmte sie traurig, dass Onkel Dylan wieder mit dem Rauchen angefangen hatte.

»Eine sternenlose Nacht«, sagte sie laut – aus keinem besonderen Grund, außer, dass er diese Worte auf dem Heimweg benutzt hatte. Was hatte er damit gemeint? Chloe konnte nicht widerstehen: Sie blickte zum Himmel empor.

Und da waren sie, ein wenig abseits, die beiden einsamen Sterne, die sie früher so häufig betrachtet hatte. Chloe und ihre Mutter. Oder Onkel Dylan und Isabel. Eltern und Kinder, die nicht zusammen sein konnten. Warum sie getrennt waren, spielte eigentlich keine Rolle. Es war nur eine Geschichte, die sie sich selbst zu erzählen pflegte. Sterne waren eine Sache, die Wirklichkeit stand auf einem anderen Blatt. Sie hatte Stunden damit verbracht, im Internet Nachforschungen anzustellen. Dann war sie mit dem Bus nach Providence gefahren, zur Adoptions-Registratur und Kontaktstelle – wo sie nur erfahren hatte, dass man volljährig sein musste, um Auskunft zu erhalten; aber sie war noch nicht einundzwanzig.

Was im Augenblick zählte, waren die Katzen und die Suche nach einem neuen Job, damit sie ihnen anständiges Futter kaufen konnte. Was zählte, war das wirkliche Leben, nicht die Legenden und Geschichten von den Sternen. In der Ferne hörte sie das Röhren einer Geländemaschine. Manchmal kurvten Halbwüchsige aus der Highschool mit ihren Motorrädern auf der Plantage herum. Onkel Dylan war deswegen wütend und den wild lebenden Tieren machte es Angst. In der kühlen Nachtluft zitternd, lauschte Chloe, bis das Dröhnen der Motoren verklang. Dann wünschte sie den Katzen eine gute Nacht und lief ins Haus zurück.

5

Die Mädchen badeten ihre Mutter oben, in der alten Badewanne mit den Klauenfüßen. Klares graues Licht strömte durch die Fenster, unfreundlich und hell. Margaret hatte sich zusammengekauert, es war ihr peinlich, dass ihre Töchter sie in die Wanne heben, abseifen und ihr die Haare waschen mussten. Sylvie hatte alles in Griffweite parat: Seife, Shampoo und Waschlappen lagen bereit. Sie spulte die Prozedur so präzise wie ein Chirurg herunter, streckte die Hand aus und forderte von Jane im Befehlston: »Haarkur! Ausspülen!«

»Kinder, ich friere ein wenig.« Margaret schlang die Arme um ihre Knie. »Könntet ihr noch ein bisschen heißes Wasser einlaufen lassen?«

Wortlos drehte Sylvie die Hähne auf. Ihr Blick war verkniffen, die Lippen zusammengepresst. Sie beugte sich vor, nahm die Tube mit dem Schaumbad und drückte einen Klecks in das einlaufende Wasser.

»Jane …«, flüsterte Sylvie.

»Oh, das ist hübsch, Kind«, sagte Margaret, als sich Schaum bildete. Sie tippte an die Schaumblasen, fing sie in der Wölbung ihrer hohlen Hände. Sie hob sie zum Fenster empor und betrachtete verzückt die schillernden Farben; dann blickte sie ihre Töchter an, um sicherzugehen, dass beide es sahen.

»Schön, Mom«, sagte Jane.

»Lass mich deine Füße sehen«, verlangte Sylvie streng und beugte sich hinab, um sie auf Entzündungen zu überprüfen.

Margaret wäre gerne noch eine Weile im warmen Wasser geblieben, bis sich die Blasen in Luft auflösten, aber Sylvie befand, dass sie ins Bett zurückmüsse. Die beiden Schwestern halfen ihr aus der Wanne und Sylvie trocknete sie mit einem großen weißen Handtuch ab. Jane stand mit dem irischen Leinennachthemd parat. Gemeinsam hievten sie Margaret ins Bett.

»Sylvie, sie braucht …«, begann Jane, als sie die Treppe hinunter gingen.

Aber Sylvie ging schneller, bog um die Ecke und betrat die Küche. Dort begann sie, Tee zu kochen. Ihr blaues T-Shirt war tropfnass. Ihre schlanken Arme wirkten vom vielen Heben drahtig und muskulös. Die goldblonden Haare fielen ihr bis auf die Schultern, verbargen ihr Gesicht.

»Ich weiß, was sie braucht.« Sylvies Stimme klang erschöpft. »Wir haben den Tagesablauf ganz gut im Griff.«

Jane blickte sie an. Sie bemühte sich, einfühlsam zu sein, Zurückhaltung zu üben. Sich einzumischen, war in diesem Haus früher gang und gäbe gewesen. Aber Sylvie war ihre kleine Schwester. In den letzten Monaten war es ihr schwer gefallen, ihre Zunge im Zaum zu halten, als sie von Sylvies Entschluss erfahren hatte, sich auf unbestimmte Zeit von ihrer heiß geliebten Tätigkeit beurlauben zu lassen; sie hatte den Stress in ihrer Stimme wahrgenommen und sie nun bei ihren täglichen Routineverrichtungen erlebt.

»Was du für sie tust, ist bewundernswert, Sylvie«, sagte Jane.

Sylvie zuckte die Achseln, beobachtete den Wasserkessel auf dem Herd. Die Tropfen, die an den Seiten heruntergelaufen waren, zischten auf der heißen Platte. »Das Schaumbad hat ihr gefallen. Und es gefällt ihr, dass du hier bist.«

»Du weißt, warum ich gekommen bin, oder?«

Sylvie blickte Jane in die Augen. Jane schluckte, als wäre sie von derjenigen Person ertappt worden, die sie besser als jeder andere Mensch auf der Welt kannte. Die Sekunden verstrichen und Jane hatte das Gefühl, als sähe Sylvie bis auf den Grund ihrer Seele.

»Ich wünschte, ich wüsste es nicht«, erwiderte Sylvie. »Aber ich kann es mir denken. Vermutlich ist das der Grund, warum du dir auch weiterhin den Wagen ausleihen willst.«

Errötend schlug Jane die Augen nieder.

»Nein, es hat mit Mom zu tun. Und mit dir. Sie braucht professionelle Pflege, und das übersteigt deine Kräfte.«

»Wir schaffen das schon.«

»Du bist erschöpft. Ich habe keinen blassen Schimmer, wie du es schaffst, sie ohne fremde Hilfe hochzuheben, wenn ich nicht da bin.«

»Du unterschätzt mich.« Sylvie spannte ihre Muskeln an. Der Wasserkessel pfiff und sie schaltete den Herd aus.

»Du hast deinen Beruf an den Nagel gehängt.«

»Das sagst ausgerechnet du! Wer kümmert sich denn um deine Konditorei?«

»Ich brauchte Urlaub«, erwiderte Jane beherrscht. »Es ist fünfzehn Jahre her, seit ich zum letzten Mal ...«

»Wie auch immer. Ich habe mich nur auf unbestimmte Zeit beurlauben lassen. Dafür hat jeder Verständnis. Mom war sehr beliebt in der Schule – schließlich war sie dort Rektorin.«

»Besser gesagt, sie war geliebt und gefürchtet, eine seltene Kombination.« Jane lächelte. »Genau wie auf der privaten Ebene zu Hause.«

»Sie musste uns Vater und Mutter zugleich sein.«

Janes Magen verkrampfte sich. Ihre Mutter pflegte sie ständig daran zu erinnern. Der Vater hatte sich seiner Familie nach und nach entfremdet. Ein Vertreter, der Papierwaren verkaufte und immer mehr Zeit auf der Landstraße verbrachte. Jane erinnerte sich, dass sie vor dem Fenster ihres Zimmers gekniet und nach seinem Wagen Ausschau gehalten hatte. Sie war so darauf geeicht, dass sie auf Anhieb die Scheinwerfer erkennen konnte – unter sämtlichen Fahrzeugen, die vorüberfuhren. Sie hatte ihn so heiß und innig geliebt, dass sie sich wie ausgewechselt fühlte, wenn er nicht zu Hause war.

»Fragst du dich jemals, wo er wohl stecken mag?«, sagte Jane.

»Nie«, beteuerte Sylvie angespannt.

»Wirklich?« Sie sah zu, wie Sylvie losen Tee in die blaue Teekanne schüttete und sie mit heißem Wasser füllte. Ihre Mutter rief von oben.

»Du etwa?«

»Ständig«, gestand Jane leise.

»Dann suchen dich die Gespenster der Vergangenheit doppelt heim.«

»Was soll das heißen?«

»Ich weiß, wohin du mit dem Wagen fährst, Jane. Zur Plantage.«

Jane starrte in den Dampf, der aus der Tülle der Teekanne aufstieg.

Jane hatte ihr Baby behalten wollen, doch ihre Mutter hatte es ihr ausgeredet. Sie sah ein, dass die Pläne ihrer Mutter zu »ihrem eigenen Besten und dem des Kindes« gewesen waren. Es hatte ein gutes Zuhause gefunden, besser als alles, was Jane ihr hätte bieten können.

Für Margaret war es schlimm genug gewesen, dass Jane ein ganzes Semester aussetzen musste. Sie hatte das ganze Leben schließlich noch vor sich … konnte sie sich überhaupt vorstellen, wie schwierig es war, ein Kind allein großzuziehen?

Ihre Mutter hatte große Hoffnungen in sie gesetzt: Sie war damals Studentin im zweiten Jahr an der Brown University gewesen, gehörte zu den Jahrgangsbesten. Sie war Mitglied der Tennismannschaft, die Nummer zwei im Einzel. Sie hatte

Englisch als Hauptfach gewählt. Ihre Mutter war der Ansicht gewesen, sie besäße die intellektuelle Disziplin, um später einmal Dozentin an einer Universität zu werden, obwohl Jane lieber in ihre Fußstapfen getreten und Lehrerin an einer Highschool geworden wäre.
Jane hatte seit damals nie wieder einen Tennisschläger in die Hand genommen. Sie hatte nie unterrichtet, weder in der Highschool noch an einem College. Ihr graute vor all den jungen Gesichtern: Was wäre gewesen, wenn eines ihrer Tochter gehörte, ohne dass Jane es auch nur ahnte?
Backen war eine bequeme Lösung gewesen. Diese Tätigkeit konnte man allein im stillen Kämmerlein verrichten. Sie erforderte nichts weiter als ein gutes Augenmaß, Achtsamkeit und Konzentration. Sie bot ihr die Möglichkeit, sich abzuschotten. Und ihre Konditorei war weit entfernt von ihrem Elternhaus, so dass sie nicht in Versuchung geriet, jedes Gesicht in der Menge zu mustern, sich Fragen zu stellen, immer wieder die gleichen Fragen … Sie hatte fortwährend Angst gehabt, ihrer Tochter über den Weg zu laufen und es nicht einmal zu wissen.
Jane hatte die Adoptionspapiere unterzeichnet und sich verpflichtet, auf alle elterlichen Rechte zu verzichten. Sie durfte keinen Kontakt zu ihrer Tochter haben, aber sie hatte ihren Namen bei der Rhode-Island-Adoptionsregistratur und auf einer überregionalen Website eintragen lassen, die als Kontaktbörse diente und angenommenen Kindern half, ihre leiblichen Eltern aufzuspüren, für den Fall, dass ihre Tochter irgendwann Wert darauf legte, sie zu finden. Fünfzehneinhalb Jahre waren inzwischen vergangen.
Ehrlich gestanden, sie wusste genau, wo ihre Tochter lebte. Janes Mutter hatte für sie die perfekte Adoptivfamilie, das perfekte Zuhause gefunden. Der Sohn einer Kollegin, dessen Frau keine Kinder bekommen konnte. Die Adoption war für

alle Beteiligten von Vorteil. Für das Kind, das eine richtige Familie, ein richtiges Zuhause erhielt; und für Jane, die ihre Freiheit wahren und die Chance nutzen konnte, ihr eigenes Leben zu leben.
Janes Identität würde anonym bleiben – strikt und hundertprozentig geheim – für jedermann. Nur Margaret und ihre Kollegin, die Initiatoren der Adoption, wussten Bescheid.

»Du willst aber nicht etwa mit ihr reden, oder? Weil sie erst fünfzehn ist. Das wäre unfair, sowohl ihr gegenüber als auch im Hinblick auf ihre Familie. Die gesetzlichen Bestimmungen in Rhode Island sind in diesem Punkt deutlich …«
»Was für gesetzliche Bestimmungen?«
»Vom Familiengericht. Von der Adoptionsregistratur … du *weißt*, was ich meine.«
Jane wusste es in der Tat. Sie kannte die Bestimmungen und Verfahren buchstäblich auswendig.
»Sie muss volljährig sein, Jane«, fügte Sylvie hinzu. »Bevor sie Auskunft bekommt und dich suchen kann. Du musst ihr die Entscheidung überlassen; du hast kein Recht, dich in ihr Leben einzumischen. Sie ist noch nicht einmal sechzehn.«
Jane blickte sich in der Küche um. Jede Handbreit war ihr vertraut. Sie war nach ihrer eigenen Geburt in dieses Haus gekommen. Und später, nach der Entbindung im Spital von St. Joseph's, war sie in ihr Elternhaus zurückgekehrt.
»Erinnerst du dich, wie wir nach Dad Ausschau gehalten haben?«
»Jane, hör auf.«
»Weißt du noch, wie es war, als er uns verließ? Wie wir beide uns bemüht hatten, ihn aufzuspüren? Wie wir seine Firma angerufen und getan haben, als wären wir Kunden? Und wie wir per Anhalter nach Hartford gefahren sind, um ihn bei seinen Vertreterbesuchen abzufangen?«

»Hör auf damit! Was soll das? Das lässt sich nicht miteinander vergleichen. Wir haben mit Daddy unter einem Dach gelebt. Deine Tochter kennt dich nicht einmal. Sie hat bereits eine Familie, hat es gut getroffen. Ihr Vater ist ein erfolgreicher Versicherungsvertreter. Ihre Mutter gehört dem Gartenverein von Crofton an.«
»Du kennst sie?«, fragte Jane.
»Mom hat sie stets im Auge behalten. Mit Hilfe von Virginia.«
Virginia Chadwick, die Freundin und Kollegin ihrer Mutter, die Naturwissenschaften unterrichtet und den Stein ins Rollen gebracht hatte.
»Was hat sie sonst noch herausgefunden?« Jane sah zur Decke empor, als könnte sie geradewegs in das Zimmer ihrer Mutter blicken.
»Nichts. Virginia hat letztes Jahr einen Schlaganfall erlitten und seither geht es ihr nicht gut. Ihr Sohn fährt sie manchmal zum Potluck Dinner, du weißt schon, dieses Abendessen für die Mitglieder des Lehrkörpers, bei denen jeder etwas mitbringt. Mom sagt, es stimme sie traurig, sich mit einer Frau zu unterhalten, die früher so brillant war und jetzt nur noch Unsinn redet. Das Gleiche empfinde ich in Moms Gegenwart.«
»Ich weiß.« Jane hatte das Gefühl, als stünde sie unter Strom. Sah ihre Schwester nicht, was los war? Sobald die Sprache auf ihre Tochter kam oder auf ein Thema, das in Zusammenhang damit stand, war sie wie elektrisiert. Sie spürte, wie sie innerlich zitterte.
Sylvie holte tief Luft und streckte ihr die Hand entgegen. »Waffenstillstand?«, fragte sie.
»Angenommen.«
»Du hast Recht, was den Stress in diesem Haus betrifft. Es fällt mir schwer, tatenlos zusehen zu müssen, wie es mit Mom

bergab geht. Seit Weihnachten hat sich ihr Zustand merklich verschlechtert. Seit dem Schub im letzten Herbst sind die Gedächtnisstörungen schlimmer geworden. Aber ich will nicht, dass sie in einem Heim landet, Jane. Ich möchte sie hier behalten.«

»Selbst wenn die Pflege zu viel für eine Person ist?«

»Du bist doch da«, entgegnete Sylvie lächelnd.

Jane nickte. »Im Moment noch.«

»Was für ein Gefühl ist es, wieder zu Hause zu sein?«, fragte Sylvie. Und als Jane nicht sofort antwortete, fügte sie hinzu: »Obwohl du es vermutlich nicht mehr als dein Zuhause betrachtest.«

Jane blickte abermals zur Decke empor. »Mein Zuhause ist dort, wo ihr beide seid, Mom und du«, erwiderte sie wahrheitsgemäß. *Und Chloe.*

Sylvie sah überrascht aus. Sie zog verwundert die Augenbrauen hoch, ihre Miene war vielsagend.

»Was ist?«, fragte Jane.

»Ich dachte, du könntest nicht weit genug von uns wegkommen.«

Jane nickte, weil sie wusste, dass auch das der Wahrheit entsprach.

Als sie morgens ins Freie trat, auf dem Weg zur Schule, fand Chloe einen Briefumschlag, der in die Haustür geklemmt war. Er trug ihren Namen, in Onkel Dylans Handschrift. Sie zog ihn hervor, um ihn im Bus zu lesen. Doch sobald sie eingestiegen war, begann Teddy Lincoln »Muh, muh« zu rufen und Jenny berichtete laut, dass Mr. Fontaine nach Chloes Rausschmiss der gesamten Belegschaft eine Gardinenpredigt gehalten hatte; er hatte ihnen eröffnet, dass er umgehend die Polizei einschalten würde, wenn noch jemand auf die Idee käme, sich eine solche Frechheit zu leisten. Chloe hatte ihre

Kopfhörer aufgesetzt und sich auf die Musik von Mercury Rev konzentriert.
Der Tag in der Schule war auch kein Zuckerschlecken gewesen. Gil Albert, für den sie insgeheim schwärmte, schien seit dem Wochenende so unzertrennlich mit Lena Allard geworden zu sein, dass sie siamesischen Zwillingen glichen. Ihre beste Freundin Mona Shippen war krank und fehlte. Ihre Mitschüler hänselten sie wegen ihrer Tierschutz-Aktion bei SaveRite. Im Biologieunterricht sahen sie sich einen Film über die Affen im Regenwald am Amazonas an und sie kämpfte mit den Tränen, als Wilderer die Affen in den Bäumen fingen und sie in Bambuskäfige steckten.
»Affenfan«, rief Teddy, als er ihre Tränen bemerkte.
»Herzloses Ekel.« Sie wischte sich übers Gesicht.
Im Kunstunterricht bastelte sie eine Klappkarte für Mona, zur Genesung. Sie zeichnete ein Bild von einem undurchdringlichen Dschungel, mit zahlreichen gelben Augen, die durch das dichte grüne Blattwerk spähten. Auf die Innenseite malte sie einen Affen, der sich von Ast zu Ast schwang. Darunter schrieb sie:
»Die Schule ist ein Dschungel, in dem man viel erleben kann. Komm bald wieder, um mit mir an den Ästen zu schaukeln.«
Nach Schulschluss stieg sie zwei Haltestellen früher aus, um Mona die Grußkarte persönlich zu überbringen. Mona öffnete die Tür, in einem Schlafanzug aus pinkfarbenem Flanell und einem wallenden purpurfarbenen Kimono mit einem faszinierenden Tomatensuppe-Flecken auf dem Revers. Sie trug eine Brille mit Drahtgestell und hatte schulterlange, leicht fettig wirkende braune Haare. Was interessant war, denn ihre Haare hatten ihr bis zu den Ellenbogen gereicht, bevor sie krank geworden war.
»Was hast du mit deinem Haar angestellt?«, staunte Chloe.

»Abgeschnitten. Aus Langeweile. Es ist besser, wenn du nicht hereinkommst. Du könntest dich anstecken.«
»Was hast du denn?«
»Die Legionärskrankheit. Pfeiffer'sches Drüsenfieber. Was weiß ich.«
Chloe warf sich in Monas Arme und holte so tief Luft wie möglich. »Ach du liebe Zeit, ich hoffe, dass ich mir das Gleiche hole. Dann steht mein Leben auf des Messers Schneide und man schickt mich zur Erholung in ein Sanatorium nach Chile.«
»Nach Chile zu reisen, ist mein großer Traum. Ich beabsichtige, meine älteste Tochter Tierra del Fuego zu nennen.«
»Und was ist, wenn du einen Jungen bekommst?«
»Dann wird er Gilbert Albert heißen, nach dem Typen, in den du verknallt bist. Du lieber Himmel, wie kann man sich nur in jemanden mit einem so bescheuerten Namen verlieben?«
»Ich bin nicht in ihn verliebt. Ich hasse ihn.«
»Das liegt nur daran, dass er seit Freitag ein Herz und eine Seele mit Lena ist.«
»Wer hat dir denn das erzählt?«
»Ich habe überall meine Spione. Hast du mir etwas mitgebracht?« Mona öffnete Chloes Büchertasche. Sie kramte darin und hustete, als sie eine Tüte mit getrockneten Aprikosen und Rosinen fand.
»Iss die bloß nicht«, sagte Chloe warnend. »Ich glaube, die schleppe ich schon seit letzten Herbst mit mir herum. Ich habe dir eine Grußkarte mitgebracht, selbst gemacht. Da.«
Mona öffnete sie. Stolz betrachtete sie die Zeichnung vom Dschungel, bewunderte sie wie eine Mutter das Kunstwerk ihres Kindes. Dann las sie die Botschaft. »Die Schule ist ein Dschungel, in dem man viel erleben kann …« Sie sah Chloe zweifelnd an. »Was willst du damit sagen?«

»Ich wollte dich anspornen, so bald wie möglich zurückzukommen. Ich vermisse dich.«
»Ich vermisse dich auch, aber den Empfänger einer Grußkarte zu beschwindeln, bringt nichts. Das erinnert mich an die Karte zum Muttertag, die ich letztes Jahr für Betty Lou gekauft habe. Wie du dir vorstellen kannst, ist die Auswahl in der Stiefmutter-Sparte ziemlich spärlich. Trotzdem fand ich eine Karte mit einem richtig netten Text, so in der Art, wie gut sie in die Familie passt …«
Chloe kicherte. »Ich erinnere mich, wie begeistert sie war.«
»Im Ernst. Sie ist der Meinung, die Familie passt zu ihr und nicht umgekehrt. He – wie wär's, wenn wir ein eigenes Grußkarten-Sortiment entwerfen? Die Passiv-Aggressive Produktlinie.«
»Du verbringst zu viel Zeit mit deinem Klapsdoktor«, lachte Chloe.
»Du könntest auch einen gebrauchen. Anonyme Botschaften an der Fleischtheke hinterlassen und dafür einen Rausschmiss riskieren! Oje! Und was weiß ich, was du sonst noch auf dem Kerbholz hast – hast du nicht neulich versucht, die Unterschrift deiner Eltern zu fälschen?«
Chloes Lächeln verschwand.
Mona lächelte und hustete gleichzeitig, dann versetzte sie ihrer Freundin einen spielerischen Faustschlag auf den Arm. »Na komm, mach nicht so ein Gesicht – das ist doch irre, oder? Fährt einfach mit dem Bus nach Providence zum Familiengericht und legt auch noch eine Genehmigung mit der gefälschten Unterschrift der Eltern vor … Und als das nichts gebracht hat, kreuzt du abermals dort auf, mit *Hut* und einem Ring, mit dem Geburtsstein nach unten gedreht, um ihnen weiszumachen, das sei ein Ehering, und du wärst volljährig und verheiratet …«
»Schon gut, schon gut – hör auf, Mona.«

»Jetzt sag selber, *wer* von uns beiden braucht den Klapsdoktor?«
»Ich weiß. Das war ein bisschen verrückt.«
Mona sank in sich zusammen, hustete erneut. Chloe klopfte ihr besorgt auf den Rücken. Sie beugte sich vor, spähte um die Ecke, um zu sehen, ob Betty Lou in der Küche war.
»Niemand zu Hause«, sagte Mona. »Sie ist beim Hautarzt. Soll ich dir mal was völlig Verrücktes erzählen?«
Chloe nickte, in der Hoffnung, vom Thema Mütter wegzukommen.
»Sie lässt sich Spritzen verpassen, zwischen die Augenbrauen. Dieses … Botox … man stelle sich das vor!«
»Gift?«
»Ja! Es lähmt die Gesichtsmuskeln. Genau an dieser kleinen Stelle zwischen den Augen, wo die Falten vom Stirnrunzeln entstehen. Jetzt kann sie die Stirn runzeln, sooft sie will, es bilden sich nie wieder Falten.«
»Das Gift lähmt ihr Gesicht? Das Botulinustoxin?«
Mona nickte, schob die Brille auf ihrer Nase hoch und hustete wie wild.
»Botox … Botulismus – Botolinustoxin? Ob ich ihr das mal übersetzen sollte? Und das ist das Vorbild, zu dem ich aufsehen muss. Ich glaube, meine Mutter wäre sehr traurig, wenn sie wüsste, dass mein Vater eine solche Null geheiratet hat.«
Monas Augen füllten sich mit Tränen und Chloe wusste, dass sie nicht vom Husten kamen. Die Mädchen waren seit ihrer Kindheit miteinander befreundet. Mona war sechs gewesen, als ihre Mutter starb. Im selben Jahr hatten sie sich kennen gelernt und seither hatte sich die Beziehung zwischen ihnen stetig vertieft.
»Vor allem, weil sie die Pflegerin deiner Mutter war.« Chloe ergriff Monas Hand.

»Es ist einfach unfair.« Mona schniefte. »Ich fühle mich hundeelend und möchte nur meine Mutter wiederhaben.«
»Erinnerst du dich gut an sie?«
Mona nickte, nahm ihre Brille ab. »Ohne Brille sehe ich sie deutlicher vor mir. Sie legte immer die Hand auf meine Stirn, um zu prüfen, ob ich Fieber hatte oder nicht. Dann füllte sie gestoßenes Eis in eine Schüssel, das ich mit einem Silberlöffel essen musste. Sie hatte lockige rote Haare und eine Lücke zwischen den beiden oberen Schneidezähnen, was lustig aussah.«
»Wenigstens kannst du sie sehen …«, sagte Chloe.
»Aber nur ohne Brille.«
Chloe nickte. Sie legte die Hand auf Monas Stirn. Sie fühlte sich heiß an. Deshalb zog sie ihre beste Freundin zum Sofa ins Wohnzimmer und sorgte dafür, dass sie sich hinlegte. Dann ging sie in die Küche, öffnete das Gefrierfach des Kühlschranks und nahm eine Hand voll Eiswürfel aus dem automatischen Spender. Sie klirrten, als sie diese in eine Tasse fallen ließ, einen Löffel herausholte und beides zu Mona hinübertrug.
»Danke.« Mona sah sie an, den Kopf auf ein Kissen gebettet. »Du würdest eine gute Mutter abgeben.«
Chloe lächelte. Auf dem Tisch lag ein Kugelschreiber. Sie nahm ihn und malte sorgfältig einen Stern auf Monas Handrücken und auf ihren eigenen. Als sie ihre Büchertasche umhängte, bemerkte sie, dass Mona ihre Brille nicht wieder aufgesetzt hatte. Sie ging leise zur Tür hinaus, ließ ihre Freundin mit einer Tasse Eiswürfel, verschwommener Sicht und einer klaren Vorstellung von der Mutter zurück, die sie immer noch über alle Maßen liebte. Die ganze Sache ging Chloe unter die Haut. Wie konnten Menschen, die jemanden liebten, sterben? Oder, beinahe schlimmer, ihn verlassen?
Im Grunde war es genau das Gleiche.

Zum zweiten Mal in Folge begegnete Dylan Chadwick, als er an diesem Tag mit einer Ladung Stecklinge nach Hause fuhr, seiner Nichte. Er hielt am Straßenrand, warf seine Zigarette zum Fenster hinaus und bedeutete ihr mit einer Geste, einzusteigen.

»Hast du wieder den Bus verpasst?« Er kurbelte das Fenster bis zum Anschlag herunter, um den Qualm zu vertreiben.

»Nein, ich bin früher ausgestiegen. Mona ist krank und ich wollte ihr eine Karte mit den besten Wünschen zur Genesung bringen.«

Dylan nickte, ließ keinerlei Reaktion erkennen. Mona Shippen. Mona, Chloe und Isabel waren während der Sommerferien unzertrennlich gewesen. Schweigend fuhr er weiter. Sie hatten es nicht mehr weit. Er musterte sie verstohlen, sah das Loch an den Knien ihrer Jeans, den Stern, den sie auf ihren Handrücken gemalt hatte. Kleinigkeiten, die ihn an Isabel erinnerten, ohne dass er sagen konnte, warum – vielleicht hätte seine Tochter niemals löchrige Jeans getragen, wie es Mode war, oder sich eine Tätowierung aufgemalt.

»Ich dachte, du würdest Granny heute Abend zu dieser Schulveranstaltung fahren.«

»Die ist morgen Abend.«

Chloe nickte. »Noch mehr Bäume?« Sie deutete auf die Ladefläche des Pickup.

»Löcher graben ist eine Beschäftigung, die mich auf Trab hält.«

»Vermisst du deine frühere Arbeit, ich meine, Verbrechen aufzuklären?«

»Kein bisschen. Es gibt interessantere Geheimnisse, denen ich auf die Spur kommen möchte, hier bei uns.«

»Ja? Zum Beispiel?«

»Zum Beispiel, warum Apfelsorten wie Empire und Gala mögliche Fremdbestäuber für Jonagold-Äpfel sind. Und

warum die Stelle, an der sich der Pfropf befindet, mindestens fünf Zentimeter vom Boden entfernt sein sollte.«
»Und was könnte der Grund dafür sein?«
»Damit der Pfröpfling keine Wurzeln treibt.«
»Pfröpfling. Wurzeln. Sogar Apfelbäume haben Eltern.«
Dylan drehte sich langsam zur Seite, um sie anzusehen. Wollte sie schon wieder das Thema Adoption aufs Tapet bringen? Eli konnte bis heute nicht verwinden, dass er zum Familiengericht zitiert worden war, weil Chloe sich per Internet einen gefälschten Ausweis besorgt und vorgegeben hatte, volljährig zu sein, damit sie Informationen über ihre leibliche Mutter erhalten konnte.
»Du hast doch Eltern«, erwiderte Dylan mit Nachdruck.
»Ich weiß.« Stirnrunzelnd umklammerte sie ihre Büchertasche. Er wusste, was es mit dieser Miene auf sich hatte; er hatte sie so lange zur Schau getragen, dass sie manchmal auf seinem Gesicht festgefroren schien. Dahinter verbarg sich Angst, Ärger, und Wut auf Gott und die Welt.
»Was ist los?«
»Affen werden aus dem Dschungel entführt, ich verliere meinen Job und kann den Katzen kein gesundes Futter mehr kaufen, in der Schule werde ich verspottet, meine beste Freundin ist krank und hat niemanden, der sie pflegt, es ist mein gutes Recht zu erfahren, wer ich bin, und ich hasse die ganze Welt«, erwiderte sie mit brüchiger Stimme, als sei er der Feind, und schwach obendrein.
»Hast du meine Nachricht gelesen?«, fragte er, um sie etwas abzulenken.
»Oh!« Sie klopfte auf ihre Büchertasche, dann begann sie darin zu kramen. »Die hätte ich beinahe vergessen.« Sie holte den Umschlag heraus. Er sah zu, wie sie das Blatt Papier entnahm und blinzelnd seine Handschrift betrachtete. Er hatte ihr den Brief gestern Abend geschrieben, als er nicht schlafen

konnte, lange nachdem die Lichter im Haus seines Bruders erloschen waren.

»Soll ich laut vorlesen?«, fragte sie.

»Nur das Zitat.«

»In Ordnung«, sagte sie, dann las sie: »›Gewalt vermehrt nur den Hass … fügt einer sternenlosen Nacht nur eine zusätzliche, noch tiefere Dunkelheit hinzu. Dunkelheit kann die Dunkelheit nicht vertreiben: Das vermag nur das Licht. Hass kann den Hass nicht vertreiben: Das vermag nur die Liebe.‹ Dr. Martin Luther King, Jr. Aha. Das hast du gestern Abend gemeint, als du von der ›sternenlosen Nacht‹ gesprochen hast, oder?«

»Ja.«

Sie sah ihn fragend an. »Warum hast du das geschrieben?«

»Weil ich dachte, du solltest es wissen.«

»Aber warum?«

Er fuhr stumm weiter. Er konnte ihr den wahren Grund nicht verraten, oder zumindest nicht die ganze Wahrheit. Aber sie war einfühlsam und aufgeweckt, würde von allein darauf kommen. »Weil du mich daran erinnerst, wie ich in deinem Alter war.«

»Und wie?«

»Sagen wir, du besitzt einen ausgeprägten Gerechtigkeitssinn.«

Sie wandte den Blick ab, presste die Stirn gegen das Seitenfenster. Sie bogen von der Hauptstraße auf den schmalen, mit tiefen Schlaglöchern übersäten Feldweg ab, der zur Plantage führte. Unmittelbar bevor sie die Auffahrt erreichten, die sich beide Anwesen teilten, deutete Dylan auf den verwahrlosten Obststand.

»Möchtest du dir nach der Schule ein bisschen Geld verdienen?«, fragte er.

»Und was tun?«

»Die Arbeit ist hart.«
»Kein Problem. Die Katzen brauchen Futter. Also, worum geht es?«
»Wie wäre es, wenn du den Stand wieder herrichten würdest?«
»Den Verkaufsstand?«
Dylan nickte. »Wie du siehst, befindet er sich in einem beklagenswerten Zustand. Du müsstest ihn entrümpeln und streichen. Ich setze die Regale wieder instand.«
»Und das Schild?«
»Ach ja. Das werde ich auch restaurieren. Ich glaube, es ist in der Scheune.«
»Chadwick Apple Orchards«, flüsterte sie. »Isabel und ich haben früher am Stand gearbeitet, als wir Kinder waren. Grandpa brachte uns Ahornzucker, Honigwaben und Apfelpasteten.«
»Ich weiß. Ich erinnere mich.«
»Der Stand war lange geschlossen.«
Dylan sah zu Chloe hinüber. Ihre Haut war blass, unter ihren Augen lagen die bläulichen Schatten der Schlaflosigkeit, ihr glattes dunkles Haar besaß nicht die geringste Ähnlichkeit mit anderen Mitgliedern der Chadwick-Familie. Sie trug zerrissene Jeans und hatte einen Stern aus Tinte auf ihrem Handrücken, und Dylan meinte zu hören, wie Isabel ihn anflehte, ihrer Cousine zu helfen.
»Genau deswegen brauche ich deine Hilfe«, erwiderte er brüsk und hielt vor ihrem Haus an.
»In Ordnung. Du bekommst sie.«
»Gut.«
»Können wir auch mehr als Äpfel verkaufen? Zum Beispiel Ahornzucker, Honigwaben und Apfelpasteten?«
Dylan warf ihr einen langen Blick zu, der besagte, dass man nichts übereilen sollte.

Sie lachte. »Sag mir einfach, wann ich anfangen soll.«
»Noch an diesem Wochenende«, sagte er. »Samstagmorgen, in aller Herrgottsfrühe.«
Sie nickte, schnappte ihre Büchertasche und den Umschlag mit seiner Botschaft und lief quer durch den Garten zum Haus. Er erinnerte sich, wie die beiden Mädchen eines Abends im Frühjahr eine Hand voll Löwenzahn gepflückt, die Samen in den Wind gepustet und gelacht hatten, überglücklich, zusammen zu sein.
Zusammen.
Was bedeutete das eigentlich? Während er davonfuhr, bezweifelte Dylan, ob er es überhaupt noch wusste.

6

Das Pädagogen-Dinner, zu dem jeder etwas Essbares beisteuerte, fand an jedem ersten Freitag im Monat abwechselnd in den Cafeterias der verschiedenen Schulen statt. Im letzten Monat war die Rogers High School in Newport an der Reihe gewesen und vor zwei Monaten die Hope High in Providence. Heute Abend kam der Crofton Consolidated die Rolle der Gastgeberin zu und Sylvie brachte eine kunstvolle, von Jane gebackene Torte mit, die haargenau einer alten, zerfledderten Bibliotheksausgabe von *Webster's Second Dictionary* glich.

Sylvie hatte sich geschminkt, ihr neues Outfit von Eileen Fisher angezogen, neues Rouge und Lippenstift aufgelegt, einen Hauch Lidschatten in Dunkelblau hinzugefügt, um den Augen eine dramatische Note zu verleihen, und schlüpfte gerade in ihren marineblauen Frühlingswollmantel, als ihre Mutter sie rief.

»Was gibt's?«, fragte Sylvie, als sie das Schlafzimmer betrat.

»Und was ist mit mir?«, sagte Margaret.

Sylvie erstarrte. »Was meinst du?«

»Heute ist der erste Freitag im Monat. Und ich fühle mich wesentlich besser. Kann ich mitkommen?«

Jane saß an ihrem Bett, *Grosse Erwartungen* von Dickens aufgeschlagen auf ihren Knien, und blickte verwirrt hoch. »Wir haben laut vorgelesen, doch als Mom hörte, wie du dich fertig gemacht hast und wissen wollte, welcher Tag heute ist …«

»Mom, du hast das Haus seit Wochen kaum noch verlassen …«

»Darum geht es doch gar nicht, Kind«, entgegnete Margaret. »Ich brauche einen Tapetenwechsel.«
Sylvie blinzelte. Sie dachte an John Dufour, fragte sich, ob er an dem Essen teilnehmen würde. Sie konnte ihn beinahe vor sich sehen in seiner kastanienbraunen Strickweste, die gefühlvollen braunen Augen auf den Parkplatz gerichtet, um zu sehen, ob sie kommen würde. Sie trafen sich hin und wieder, um Scrabble zu spielen, und ihr schwanden jedes Mal die Sinne, wenn sich ihre Knie unter dem Tisch berührten. Zwei verklemmte Akademiker mittleren Alters und die Verkörperung des Schlagers, dass die Liebe ein seltsames Spiel ist. Sylvie hätte gerne gewusst, ob es für John mehr als ein Spiel war …
Hin- und hergerissen zwischen ihrer Sehnsucht nach ein wenig Romantik, nach der Gelegenheit, beim Betreten der Cafeteria zu entdecken, dass John die Tür beobachtete und nach ihr Ausschau hielt, und dem tief verwurzelten Pflichtgefühl als Tochter nickte sie angespannt.
»Natürlich, Mom. Wenn du dich einer solchen Anstrengung gewachsen fühlst.«
»Sie hat mir versichert, dass dem so ist.« Jane schmunzelte.
»Gut, aber wir können sie nur mit vereinten Kräften ins Auto hinein- und hinausbekommen.« Sylvie starrte ihre Schwester an. »Ich schätze also, du wirst auch mitkommen.«

Jane hatte auf dem Rücksitz Platz genommen. Sylvie saß am Steuer, während ihre Mutter auf dem Beifahrersitz Ausrufe des Erstaunens von sich gab, als sie durch die Stadt fuhren, als hätte sie die Häuser und Gärten nie zuvor gesehen.
»Meine Güte! Schaut euch die Fliederbüsche der Jensens an! Sind sie nicht eine Augenweide?« Und: »Großer Gott – wieso haben die Dunlaps ihr Haus so verschandelt? Die Terrasse ist viel zu bombastisch für eine so kleine Ranch.« Sie kurbelte

das Fenster herunter, atmete tief die würzige Luft ein und genoss das Gefühl der Freiheit.
Jane lächelte.
Ihre Mutter schien glücklich zu sein, während Sylvie zerstreut zu sein schien. Sie hatte sich in Schale geworfen und an jeder roten Ampel in den Rückspiegel geblickt, um ihre Frisur zurechtzuzupfen. Jane konnte es kaum erwarten zu sehen, mit wem sie verabredet war. Sie saß entspannt auf dem Rücksitz, in schwarzen Jeans und Lederjacke, auch wenn sie wusste, dass ihre Mutter glücklicher gewesen wäre, wenn sie zwei Töchter in adretten blauen Wollmänteln gehabt hätte, aber … na ja.
Auf Rhode Island konnte man überall das Meer riechen, gleichgültig, wie weit man landeinwärts fuhr, und Crofton befand sich so weit im Inland, wie es nur ging. Die Narragansett Bay – eine malerische Bucht, und nach Janes Ansicht das schönste Fleckchen Erde auf der ganzen Welt – reichte tief in den kleinen Staat hinein. Der würzige Geruch der Meeresbrise und Salzsümpfe erfüllte die Luft, vermischte sich mit dem Duft des Flieders und der Apfelblüten in Crofton.
Ihre Torte stand neben ihr auf dem Sitz. Sie war ganz gut gelungen, wenn man bedachte, dass sie ihre Backutensilien nicht mitgenommen hatte. Sie war Inhaberin der Calamity Bakery, einer Konditorei in einem »winzigen Mauerloch« unterhalb der High Line, einer stillgelegten Eisenbahntrasse an der Tenth Avenue. Ihr Geschäft florierte durch Mundpropaganda und sie fertigte kunstvolle Torten für Film- und Theaterpremieren, Feiern anlässlich der Tony- und Grammy-Verleihungen, Buchveröffentlichungen und Eröffnungen von Kunstausstellungen.
Ihr Name war bekannt in Chelsea, TriBeCa – dem »Dreieck unter der Canal Street« mit der angesagten Restaurant- und

Künstlerszene – und in der Upper East Side. Ihr Anrufbeantworter war immer voll, selbst jetzt, nachdem sie die Ansage aufsgesprochen hatte, sie besuche ihre Mutter und bedaure, all die wundervollen Feiern zu verpassen, und dass man sich bis zu ihrer Rückkehr an Chelsea Bakers wenden möge.
Sylvie fuhr vor den Haupteingang der Schule. Die beiden Mädchen halfen ihrer Mutter aus dem Auto. Ihr Zustand schien heute Abend stabiler zu sein als je zuvor seit Janes Ankunft. Während Sylvie den Wagen parkte, stützte Jane ihre Mutter, als sie das Gebäude betraten.
Die Cafeteria brachte eine Flut von Erinnerungen an die Highschool zurück. Die Wände aus Hohlziegeln, ein Überbleibsel aus der Ära des Kalten Krieges, waren blassgelb gestrichen; der Fußboden bestand aus strapazierfähigem grauen Linoleum, in einer Stärke, wie sie für gewerbliche Zwecke üblich war. Die Theke bog sich unter der Fülle der mitgebrachten Speisen: Aufläufe, Eintopfgerichte, Salate und belegte Brote. Rechteckige Tische waren in drei langen Reihen aufgestellt, ein jeder von zehn Stühlen umgeben. Viele waren bereits bis zum letzten Platz mit Lehr- und Verwaltungspersonal besetzt, die sich angeregt miteinander unterhielten und lachten.
Plötzlich wurde man Janes Mutter ansichtig. Für einen Moment kehrte atemlose Stille ein, dann redeten alle aufgeregt durcheinander – und freuten sich aufrichtig, wie es Jane schien.
»Margaret!«
»Mrs. Porter!«
»Na so was – schaut mal, Margaret ist da!«
»Margaret, wie schön zu sehen, dass es Ihnen so gut geht!«
Sie sah wirklich aus wie das blühende Leben – groß und elegant wie immer, in einem lavendelfarbenen Seidenkleid mit Spitze am Hals, die grauen Haare zum Knoten geschlungen;

sie trug, wie eh und je, die lange Goldkette mit Anhänger, einer winzigen Kristallkugel, die ein Senfkorn enthielt. Freunde und Kollegen umringten sie, begrüßten sie mit einem Kuss auf die Wange und schüttelten ihr die Hand, brannten darauf, Jane kennen zu lernen.
»Meine heiß geliebte Tochter aus der Großstadt«, verkündete Margaret stolz.
»Sehr erfreut, Sie kennen zu lernen ...«
»Wir haben viel von Ihnen gehört.«
Jane nickte lächelnd. Sie fragte sich insgeheim, was ihnen wohl zu Ohren gekommen war. Sie hatte ihre Mutter nie zu diesen Schulveranstaltungen begleitet; seit sie mit zwanzig von Rhode Island fortgegangen war, hatte sie selten zurückgeblickt.
Als sie zum anderen Ende des Raumes hinübersah, entdeckte sie ihren ehemaligen Englischlehrer. Er hatte sich nicht verändert mit seinem zerfurchten Gesicht und den buschigen Augenbrauen, blickte sie noch genauso vorwurfsvoll an wie damals, als sie ihm eröffnet hatte, dass sie ihr Studium aufgeben würde – nach all der Mühe, die er sich gegeben hatte, um sie auf das College vorzubereiten –, weil sie ein Kind erwartete. Jane war inzwischen fünfunddreißig, und obwohl seither sechzehn Jahre vergangen waren, spürte sie, wie eine Welle der Scham sie ergriff.
»Hallo, Mr. Romney.« Sie überließ ihre Mutter einem Kreis von Lehrern und gesellte sich zu ihm.
»Meine hoch begabte Schülerin«, sagte er. »Jane Porter.«
Sie errötete, die Hände tief in den Taschen ihrer Jacke vergraben.
»Wie geht es Ihnen?«
»Gut, danke. Und dir?«
»Prima. Sie sehen noch genauso aus wie früher.«
»Was wohl bedeutet, dass ich schon immer alt ausgesehen

habe. Hmm. Nun erzähl mal, was hast du mit deinem Leben angefangen, was für Glanzleistungen hast du vollbracht? Gedichte für ein experimentierfreudiges literarisches Journal geschrieben? Oder ein Bühnenstück verfasst, mit dem du nach den Grenzen menschlicher Gefühlserfahrungen greifst?« Seine Stimme hob und senkte sich in vertrauter Weise, spannungsgeladen und dramatisch, als wäre sein eigentlicher Platz auf einer Bühne statt vor einer Schulklasse.
»Ich habe das College geschmissen«, erinnerte sie ihn, bemüht, nicht allzu reumütig zu klingen.
»Das passiert sogar den kreativsten Menschen. Der akademische Zirkus kann oft seine größten Talente nicht bändigen.«
Lächelnd schlug sie die Augen nieder.
»Ernsthaft, Jane, wie ist dein Leben verlaufen?«
»Gut, Mr. Romney. Ich habe ein eigenes Geschäft in New York City. Ich bin Konditorin.«
»Eine … Konditorin? Das überrascht mich. Bei deiner Liebe zu Worten.«
»Ich backe Torten für viele Autoren, Schauspieler, Regisseure …«
»Du umgibst dich also mit literarisch interessierten Menschen.«
»Ja.«
Just in diesem Moment kam Sylvie herein, die Torte in der Hand balancierend. Kaum hatte sie den Raum betreten, als auch schon ein stattlicher Mann – mit schütterem Haar und Lederflecken an den Ellenbogen seines Tweedjacketts – zur Tür sprintete, um ihr behilflich zu sein. Gemeinsam trugen sie die Torte zum Tisch, nur wenige Schritte von Jane und Mr. Romney entfernt.
»Ich hatte nicht die geringste Ahnung, dass Sie hier sein würden.« Jane folgte lächelnd dem Blick ihres Lehrers, der

die originalgetreue Zuckerbäcker-Kopie von *Webster's Second* in Augenschein nahm. Sie wirkte dermaßen realistisch, bis hin zum zerfledderten Einband und den verblassten goldenen Buchstaben, dass sich jemand bemüßigt fühlen konnte, einen Begriff in dem Wörterbuch nachzuschlagen. Mr. Romney strahlte.

»Wenn dem so ist, hättest du mich nicht glücklicher machen können. Worte sind noch immer deine große Leidenschaft, Jane Porter. Ich denke immer, ich werde eines Tages meinen *New Yorker* aufschlagen und ein Gedicht oder einen Artikel von dir darin finden.«

»Ich schreibe nicht mehr.«

Mr. Romney musterte sie betrübt, als sähe er das Phantom ihres früheren Talentes vor sich. Doch dann schüttelte er den Kopf und lächelte. »Das nehme ich dir nicht ab. So leicht kannst du den Traum eines alten Lehrers nicht zerstören. Ich werde auch in Zukunft jede Woche meinen *New Yorker* aufschlagen und hoffen, eines Tages etwas von dir darin zu entdecken.«

Jane öffnete den Mund, um ihm scherzhaft zu entgegnen, dass er darauf wohl bis zum Sankt-Nimmerleins-Tag warten müsse, aber sie brachte kein Wort über die Lippen. Sie stand der Tür gegenüber, und in dem Augenblick sah sie, wie Mrs. Virginia Chadwick in der Cafeteria erschien, von einem jüngeren Mann im Rollstuhl geschoben. Mrs. Chadwick wurde ein ähnlicher Empfang zuteil wie Janes Mutter – die Lehrer freuten sich ungemein über ihr Kommen.

»Noch eine beliebte Lehrerin«, sagte Mr. Romney. »Genau wie deine Mutter. Zerbrechlich und überaus beliebt.«

Jane hörte kaum zu, sie blickte gebannt zur Tür.

Der Mann hatte einen Bart und leuchtend grüne Augen; er war schätzungsweise zehn Jahre älter als Jane. Er trug Jeans und einen schwarzen Wollpullover, und alles an ihm

deutete darauf hin, dass er um keinen Preis auffallen wollte, sich am liebsten unsichtbar gemacht hätte. Er hielt sich im Hintergrund, ließ Mrs. Chadwick – allem Anschein nach seine Mutter – von ihren Lehrerkollegen zum Tisch hinüberfahren.
Er war der Mann, den Jane in der Obstplantage gesehen hatte.
»Jane.« Strahlend ergriff Sylvie die Hand ihrer Schwester. »Ich möchte dir meinen Freund John Dufour vorstellen …«
»Hallo, John«, sagte Jane. »Ich freue mich, Sie kennen zu lernen.«
Sylvie sagte, »Hallo, Alan«, und Jane entfernte sich unbemerkt, als sich Sylvie, John und Mr. Romney in ein Gespräch vertieften. Sie stand in der Ecke, ihr Herz klopfte zum Zerspringen. Mrs. Chadwick schien die Anwesenden im Raum zu mustern. Sie war Jane nie begegnet. Sie hatte nicht zum Lehrkörper der Schule gehört, an der Margaret Rektorin gewesen war. Ihre Blicke trafen sich; da Mrs. Chadwick sie nicht kannte, wanderten ihre Augen weiter. Vielleicht hielt sie nach ihrem Sohn Ausschau: Er war verschwunden.
Jane empfand Mitleid mit dem Zustand der Frau, deren linke Gesichtshälfte erschlafft war, genau wie der linke Arm, der kraftlos in ihrem Schoß lag. Ihre eigene Haut brannte wie Feuer – ihre Mutter befand sich auf der einen Seite des Raumes und Mrs. Chadwick auf der anderen –, zwei dahinsiechende Frauen, die einen prägenden Einfluss auf ihr Leben gehabt hatten.
Sie ging nach draußen, an die frische Luft.
Der hoch gewachsene bärtige Mann stand unter einer gelben Lampe und rauchte. Ihr Herz begann zu rasen. Sie sah ihn wieder vor sich, auf der Plantage. Er konnte nicht wissen, wer sie war – er war mindestens vierzig und gute zehn Jahre vor ihr zur Schule gegangen; seine Mutter hatte sie nicht in Be-

gleitung ihrer Mutter gesehen, hatte nicht zwei und zwei zusammenzählen und ihre Identität erraten können – Jane rang sich ein Lächeln ab und näherte sich ihm zielstrebig, wie ein Schiff in der Nacht einem Leuchtfeuer.

»Wir kennen uns«, sagte er mit tiefer Stimme. »Oder?«

»Ich glaube nicht.«

»Sie kommen mir bekannt vor.«

»Mag sein. Rhode Island ist ein Dorf.« Sie lächelte über die Anspielung auf den Miniaturstaat und eine Redensart, die zeigte, dass sie zu den Eingeweihten gehörte.

Er neigte den Kopf. »Emmylou.«

»Entschuldigung?«

»Sie mögen Emmylou Harris, die Country-Sängerin. Sie sind letzte Woche an meiner Plantage vorbeigefahren. Sie hatten ›Wrecking Ball‹ gespielt, in voller Lautstärke.

»Sie haben ein gutes Gedächtnis.« Sie errötete.

»Das liegt an der Straße. Dort gibt es nicht viel Verkehr.«

»Und was machen Sie hier?« Ihr Herz klopfte und ihr Mund war trocken. Entweder war er der Mann, der Chloe adoptiert hatte, oder sein Bruder, und sie musste es in Erfahrung bringen.

»Den pflichtbewussten Sohn spielen. Meine Mutter ist Ginny Chadwick. Normalerweise fühlt sie sich solchen Veranstaltungen nicht gewachsen, aber heute Abend wollte sie unbedingt herkommen. Sie hat sich die ganze Woche darauf gefreut.«

»Sie sind kein Lehrer?«, fragte sie, ohne auf den Namen einzugehen, und wartete darauf, dass er sagte, *Ich bin Versicherungsagent.*

»Nein.«

Sie nickte, wartete ab, sah ihm in die Augen. Sie waren dunkelgrün, wie ein Fluss oder die Blätter eines Apfelbaumes, verhangen und schwermütig. Er war kein in sich ruhender,

gelassener Mensch, so viel war gewiss. Sie nahm wahr, wie er kaum merklich die Stirn runzelte und die Zigarette unter seiner Stiefelspitze zermalmte.
»Und was machen Sie beruflich, wenn ich fragen darf?«
»Ich bin Farmer.«
Also Chloes Onkel. Jane stand wie angenagelt da, spürte, wie ein Schauer über ihren Rücken rann. Wenn sie in seine Augen blickte, war ihr, als betrachte sie sich im Spiegel. Sie sah Schmerz und Verlust darin, und während sie einen halben Schritt näher trat, wusste sie, dass ihre Empfindungen nichts mit Chloe zu tun hatten.
»Und was ist mit Ihnen? Was machen Sie beruflich?«
»Ich bin Konditorin.«
Er lachte. »Backen Sie auch Apfelpasteten?«
»Eine meiner Spezialitäten. Warum?«
»Wir planen, den Obststand unserer Familie wieder zu eröffnen. Meine Nichte erklärte unlängst, dass wir auch Apfelpasteten verkaufen sollten, so wie früher.«
»Ihre Nichte.« Jane holte tief Luft, hatte das Gefühl, als würde jede Zelle ihres Körpers dahinschmelzen.
»Ja.« Blinzelnd, das grelle, gelb-orangefarbene Licht in den Augen, das Delikten auf dem Schulhof vorbeugen sollte, streckte er ihr die Hand entgegen. »Ich bin Dylan Chadwick.«
»Jane Porter«, sagte sie, die Luft anhaltend. Sie beobachtete ihn genau, wartete auf eine Reaktion. War ihm ihr Name geläufig? Rein theoretisch hätte die Adoption streng vertraulich abgewickelt werden müssen, so dass ihr Name und ihre Herkunft nur seiner Mutter bekannt waren. Obwohl die Organisation Catholic Charities offiziell mit der Durchführung betraut war, wusste Jane, dass die Einzelheiten von ihrer und seiner Mutter in die Wege geleitet worden waren: Ein junges Mädchen, noch nicht in der Lage, ein Kind großzuziehen, und eine Frau, die unter ihrer Unfähigkeit litt, ein Kind zu

empfangen; Diskretion war das A und O bei diesem Arrangement gewesen.
»Ich freue mich, Sie kennen zu lernen, Jane.«
»Ganz meinerseits.«
»Und was tun Sie hier?« Er deutete auf die Schule.
»Ich habe meine Schwester begleitet«, sagte sie und dachte, *das ist meine Chance, das ist meine Chance.*
Sie sah ihm in die Augen. Er runzelte die Stirn, als würde ihn ihr Blick an seine Nichte erinnern. Sie zitterte, spürte eine geradezu greifbare Verbindung zu ihrer Tochter.
»Ihre Nichte mag also Apfelpasteten«, stellte sie fest.
»Ja. Chloe.«
»Ein hübscher Name.«
Er nickte, verzichtete darauf zu erklären, aus welchem Grund er gewählt worden war. Sie fragte sich, ob er es überhaupt wusste …
Jane steckte die Hände in die Taschen. Sie hoffte, dass er nicht sah, wie sie zitterten.
»Es ist kalt, selbst für April«, sagte Dylan, der ihren Gefühlsaufruhr fälschlicherweise für Frösteln hielt.
»Ja, in der Tat. Aber der Frühling ist bereits im Anmarsch. Es wird zunehmend wärmer.«
Er sah nicht so aus, als sei er überzeugt. »Gehen Sie wieder hinein?«, fragte er mit einem Blick auf die Tür.
»Gleich.«
Jane wünschte sich, er möge Chloes Namen noch einmal erwähnen, mehr von ihr erzählen. Aber davon konnte natürlich keine Rede sein.
»Hat mich gefreut, Sie kennen zu lernen«, sagte sie.
»Ganz meinerseits.«
Sie reichte ihm ein zweites Mal die Hand. Sie war rau und schwielig, die Hand eines Mannes, der harte Arbeit auf einer Apfelplantage verrichtete. Er hielt ihre Hand, eine halbe Se-

kunde länger als nötig. Wieder spürte sie, während sie in seine grünen Augen blickte, wie ihr ein Schauer über den Rücken lief, der nichts mit Chloe zu tun hatte.

»Sehen wir uns drinnen?«, fragte er und sie nickte.

Sie sah ihm nach, wie er in die Schule zurückging, wagte aber nicht, ihm zu folgen. Sie konnte das Risiko nicht eingehen, dass Virginia oder Dylan sie mit ihrer Mutter und Sylvie sahen. Es war besser, im Auto zu warten.

Hier schloss niemand die Türen ab. Sie stieg ein, nahm hinten Platz. Dieser Teil des Parkplatzes war unbeleuchtet. Sie rollte sich auf der Rückbank zusammen, deckte sich mit ihrer Lederjacke zu. Sie war fein genarbt und butterweich, das teure Geschenk eines Kunden, der Independent-Filme produzierte; sie hatte letztes Jahr eine Torte für ihn kreiert, der dem Titel des Filmes Rechnung trug.

Die Frühlingsluft war eisig, wie Dylan gesagt hatte, doch sie merkte es kaum. Sie hatte jahrelang das Gefühl gehabt, als gäbe es ein schwarzes Loch in ihrem Leben. Sie ertrug es nicht, diese Leere beim Namen zu nennen, weil sich nichts dagegen tun ließ. Sie hatte auf ihr Kind verzichtet; ihr war keine andere Wahl geblieben. Die Entscheidung war logisch, absolut einleuchtend gewesen.

Das war lange her, mehr als fünfzehn Jahre, so dass sie diese Lebensphase bisweilen aus der gleichen Distanz betrachtete wie eine Geschichte, die sie gelesen hatte. Doch jetzt kehrten die Erinnerungen zurück, überfluteten sie mit aller Macht. Sie erinnerte sich an den Tag, als sie ihrer Mutter gestanden hatte, was mit ihr los war: Ihre Hände waren schweißnass gewesen und die morgendliche Übelkeit machte sie benommen.

Und sie erinnerte sich an die Tränen und die Panik ihrer Mutter. Sie hatte geweint, weil Jane gezwungen war, sich ein ganzes Jahr vom College beurlauben zu lassen. Sie kamen überein, dass sie zu Hause bleiben durfte, bis ihr Zustand sichtbar wurde, dann musste sie weg. Margaret hatte sich mit den Barmherzigen Schwestern von Salve Regina in Verbindung gesetzt, die dafür sorgten, dass Jane in einem Heim für ledige Mütter, dem St. Joseph Retreat House in Bristol, Unterschlupf fand.

Jane erinnerte sich an ihre Bemühungen, ihren Bauch zu verstecken, damit sie nicht fort musste. Sie trug nur noch weite, ausgebeulte Jeans und T-Shirts in Übergröße. Als der Herbst kam, war sie erleichtert: Sie konnte riesige Sweatshirts anziehen. Eines Tages hatte sie in der Badewanne gesessen, an ihrem Körper herabgesehen und entdeckt, dass sich der Bauchnabel vorwölbte. Es war ein Schock. Sie hatte das Gefühl, dass ihr die Kontrolle über ihr Leben entglitt. Sie hatte sich in der Badewanne zusammengekauert und geschluchzt.

Als ihre Mutter hereingekommen war und sie völlig aufgelöst vorgefunden hatte, hatte sie den Arm um Janes nackte Schultern gelegt und war ebenfalls in Tränen ausgebrochen. Jane hatte sich geschämt, aber sie hatte den mütterlichen Trost gebraucht. Sie hatte gehört, wie Margaret Schwester Celeste Marie anrief. Sylvie studierte zu dieser Zeit bereits; Jane war froh, dass sie auf dem Campus wohnte und das alles nicht hautnah miterleben musste. Ein Wagen holte sie ab und Jane verließ ihr Elternhaus. Rhode Island ist der kleinste Staat in den Vereinigten Staaten von Amerika, aber Jane kam es vor, als hätte man sie nach Sibirien verfrachtet.

Im Heim gab es etliche ledige Mütter. Sie waren alle blutjung, kamen aus verschiedenen Teilen des Landes. Es ging zu wie im College, nur dass die Niederkunft das Einzige war, was auf dem Stundenplan stand. Nach der Entbindung verschwanden die Mütter. Jane war schweigsam, in sich gekehrt. Um den Aufenthalt zu finanzieren, arbeitete sie in der Küche, stellte kunstvolle Torten her. Das Baby, das in ihr wuchs, war

ihr engster Gefährte und sie fühlte sich ihm von Tag zu Tag mehr verbunden.
Das Verhalten ihres Vaters hatte bewirkt, dass sie Trennungen realistisch betrachtete. Sie hatte vermieden, sich mit den anderen Müttern anzufreunden – sie wusste, dass sich ihre Wege trennen würden, auf Nimmerwiedersehen, denn sie wollte die Erinnerung an die Monate im St. Joseph's auslöschen. Aber sie konnte nicht verhindern, dass sich eine enge, ungeheuer starke Beziehung zu ihrem ungeborenen Baby entwickelte. Obwohl die Nonnen die jungen Frauen darauf hinwiesen, dass es ihnen verwehrt war, dem Kind einen Namen zu geben, es in den Arm zu nehmen oder mit ihm zu spielen, hatte Jane nicht vor, sich an das Verbot zu halten. Sie konnte nur noch daran denken.
Einmal büxte sie aus.
Sie nahm das Busgeld aus einer Keksdose in der Küche und ging zu Fuß bis zur Hauptstraße. Als der Bus Richtung Providence kam, stieg sie ein. Sie nahm auf einem Fenstersitz Platz. Der Bus ratterte an der Küste entlang, durch Barrington und East Providence nach Fox Point, und weiter zur East Side von Providence und zum Campus der Brown University.
Er hielt in der Thayer Street. Jane presste ihre Handfläche gegen die kalte Scheibe. Sie sehnte sich nach einer Tasse Tee im Penguin's, nach einem Film im Avon, nach Gedichten in der Horace Mann School, nach ihrer kleinen Lesenische im Rock. Sie sehnte sich nach Jeffrey. Und ihre Augen füllten sich mit Tränen bei der Vorstellung, das College zu verpassen, die Chance zu verpassen, gemeinsam mit Sylvie zu studieren.
»Hier geht dein Vater zur Schule«, hatte sie dem Baby zugeflüstert, die Hand auf ihrem ausladenden Bauch. »Hier haben wir uns kennen gelernt, hier bist zu gezeugt worden …«
Als der Bus in die Angell Street einbog, tauchte mit einem Mal Jeffrey auf. Er ging die Straße entlang, ganz allein, den

Rucksack über die Schulter geschlungen. Jane starrte ihn an. Er wirkte gedankenverloren. Sie fragte sich, ob er an sie dachte, aber sie glaubte es nicht.

Das Baby und sie waren allein. Er hatte es so gewollt.

Als sie ins St. Joseph's zurückkehrte, wurde sie von den Ordensschwestern mit einer Strafpredigt in Empfang genommen. Sie untersagten ihr, für den Rest ihres Heimaufenthalts Torten zu backen. Sie hatte bereits einen großen Fehler begangen und musste lernen, sich nichts mehr zuschulden kommen zu lassen.

Sie musste Vernunft annehmen. Und nicht an Dinge rühren, die sich nicht mehr ändern ließen.

Doch bisweilen konnte selbst der vernünftigste Mensch nicht verhindern, dass er fürchtete, verrückt zu werden. Jane hatte die richtige Entscheidung getroffen, aber sie verlor fast den Verstand dabei. Jedes fünfzehnjährige Mädchen, das ihr begegnete, beschwor Gedanken an ihre Tochter herauf. Die Wahrheit – über die Freigabe zur Adoption und das Mädchen, das sie nicht kennen lernen durfte – verfolgte sie wie ein Gespenst. Sie musste wissen, was aus ihm geworden war, musste Kontakt zu ihrem Kind aufnehmen. Jane wusste, es wäre ihr Tod, wenn es ihr nicht gelang. Die Reise nach Rhode Island war seit langem fällig gewesen.

Der erste Schritt war getan: Sie hatte gerade Dylan Chadwick kennen gelernt und mit ihm über seine Nichte gesprochen. Seine Nichte, Chloe.

»Chloe«, flüsterte Jane, allein in dem dunklen Auto, und schlang die Arme um ihre Schulter. »Chloe.«

7

Vielleicht lag es daran, dass sie in der Highschool gewesen und Mr. Romney über den Weg gelaufen war, aber Janes Gedanken kehrten ständig in die Vergangenheit zurück. Möglicherweise war aber auch die Begegnung mit Chloes Onkel der Auslöser, der ihren Namen ohne Umschweife ausgesprochen hatte, so dass sie mit einem Mal zu einem Menschen aus Fleisch und Blut wurde.

Manchmal fragte sich Jane, ob sie das Ganze nicht nur geträumt hatte. Ob sie wirklich schwanger gewesen war, überhaupt eine Tochter zur Welt gebracht hatte. Das alles war vor langer, langer Zeit geschehen. War ihr *widerfahren*. Als wäre ein Ereignis über sie hereingebrochen, eine Situation, die sich ihrem Einfluss entzog. Ihr Leben war ihr aus der Hand genommen worden …

Aber vorher hatte sie ein gewisses Maß an Kontrolle besessen. Es war viel Liebe ihrerseits im Spiel gewesen. Das konnte sie nicht leugnen, auch wenn es bequem gewesen wäre, diese Tatsache unter den Teppich zu kehren. Sie hatte den Jungen geliebt. Chloes Vater. Sie hatte das Kind geliebt, das in ihr wuchs. Und das galt auch für ihre Mutter, die nur das Beste für sie wollte, auch wenn ihre Gefühle in diesem Fall eher einer Hassliebe gleichkamen.

Nachts träumte sie, seit sie wieder in ihrem alten Zimmer schlief, von der Vergangenheit. Sie träumte von ihrer ersten großen Liebe. Sein Name war Jeffrey Hayden. Er hatte braune Locken und sorgenvolle Augen. Es war Liebe auf den ersten Blick, als sie ihm begegnete, Anfang September, in seinem ersten Studienjahr an der Brown. Sie waren, mit Büchern be-

laden, auf dem Weg zu ihren Englischprofessoren auf den Stufen der Horace Mann School zusammengeprallt.
Der Zusammenstoß war so heftig, dass sie eine Platzwunde an der Stirn davontrug und sämtliche Bücher auf dem Boden landeten, zu einem Haufen verkeilt. Jane sah Sterne. Jeffrey kniete sich neben sie, berührte behutsam ihre Augenbraue.
»Alles in Ordnung?«, fragte er.
»Ja. Bei dir auch?«
»Nein, weil du blutest …«
Sie lachte. »Ich blute und du bist nicht in Ordnung?«
Er nickte. Dann griff er in seine Tasche – er trug ein kariertes, kurzärmeliges Hemd und verknitterte Khakihosen – und holte ein Taschentuch heraus. Es war sauber und weiß, tadellos gefaltet. Jane dachte unwillkürlich an ihre Schwester Sylvie, die eine zwanghafte Vorliebe für perfekt zusammengelegte Wäsche hatte, und die Verbindung war so stark, dass sie sich magisch angezogen fühlte, tief in seine braunen Augen zu blicken.
»So.« Er tupfte ihre Augenbraue ab.
Ihre Gefühle befanden sich in Aufruhr. Ihr Vater hatte die Familie verlassen, als sie noch sehr klein gewesen war. Ihre Mutter war mit ihr immer zu einer Kinderärztin gegangen. Einen richtigen Freund hatte sie nie gehabt, verschlossen und lernbeflissen, wie sie war. Soweit sie sich erinnern konnte, hatte es keine männliche Bezugsperson in ihrem Leben gegeben, die so liebevoll und fürsorglich gewesen war. Sie biss sich auf die Lippe.
Seine Berührung war sanft. Er presste seine kühlen Finger gegen ihre Wange, während er mit der anderen Hand das Blut über ihrem Auge wegwischte.
»Vielleicht sollte das genäht werden«, sagte er.
»Nein, ich bin sicher, es ist nichts weiter …«, stammelte sie;

ihre Empfindungen waren so stark, dass sie kaum ein Wort über die Lippen brachte.

»Möglicherweise behältst du eine Narbe zurück, wenn die Wunde nicht richtig versorgt wird. Ich könnte den Gedanken nicht ertragen, schuld daran zu sein.«

»Ich kriege keine Narben.« Sie lächelte ihn an, bemerkte die goldenen Sprenkel in seinen braunen Augen und fragte sich, warum er so besorgt aussah. »Ich bin hart im Nehmen.«

»Wie du meinst«, sagte er zweifelnd und erwiderte ihr Lächeln. Sie begannen, die Bücher aufzusammeln. Jane nahm ihre, Jeffrey seine. Sie reichten sich die Hände und verabschiedeten sich.

Erst als sie wieder in ihrem Wohnheim war, merkte sie, dass ein Buch fehlte, *Mythen: Vom Mittelalter bis zur Postmoderne*, und sie versehentlich ein Buch von ihm mitgenommen hatte, *Die Geschichte der Literaturkritik*. Sein Name stand auf der Vorderseite: Jeffrey Hayden, Wayland. Sie zermarterte sich das Gehirn, bis ihr endlich einfiel, wo sich sein Studentenheim befand – direkt gegenüber, in der George Street in Littlefield.

Eineinhalb Tage schleppte sie sein Buch im Rucksack mit sich herum, bis sie ihm wieder begegnete, in Gesellschaft seiner Freunde, an einem Tisch im Sharpe Refectory.

Als sie ihm das Buch zurückgab, holte er ihres aus seiner Aktenmappe. Sie lächelten sich an, als sie sah, dass er ebenfalls eine große, purpurfarbene Beule auf der Stirn hatte, genau wie sie.

Er machte den Platz neben sich frei und sie aßen an jenem Tag zusammen. Danach begannen sie, gemeinsam zu lernen. Beide hatten Englisch als Hauptfach gewählt. Jane wollte schreiben und an einer Highschool unterrichten. Jeffrey liebäugelte langfristig mit einer Professur. Jane bewunderte von Anfang an seinen brillanten Verstand, doch er behauptete, dass er ihr nicht das Wasser reichen könne, was Schärfe und Klarheit des Denkens betraf. Wenn sie las, versank für sie die Welt ringsherum, und wenn sie im *Beowulf* oder *Sir Gawain* vertieft war, ertappte sie ihn häufig dabei, wie er sie betrachtete.

»Was soll das?«, fragte sie.

»Ich studiere dich.«

»Nein, du beobachtest mich.«

»Literatur verkörpert die Geschichte der Welt, heißt es. Und du bist meine Welt.«

Das war, bevor er sie auch nur geküsst hatte.

Seine Küsse …

Das war es, wovon Jane träumte, zu Hause in ihrem alten Bett, fünfzehn Jahre später. Von Jeffreys Küssen.

In ihren Träumen waren sie sanft und zärtlich gewesen, genau wie im wirklichen Leben.

Jane lag auf dem Rücken, in dem schmalen Bett ihres Zimmers im Studentinnenwohnheim. Jeffrey saß am Schreibtisch. Ein merkwürdig grelles Licht drang durch das Fenster, als ginge die Sonne draußen in der Hecke unter. Jane blinzelte, schirmte ihre Augen ab. Musik plärrte im Korridor.

Plötzlich kniete Jeffrey auf dem Fußboden neben dem Bett. Jane legte schützend eine Hand über sein Gesicht, damit ihn die untergehende Sonne nicht blendete, die ins Zimmer fiel. Es war Oktober. Die Beule an seiner Stirn war längst verheilt. Doch seine Augen wirkten noch genauso besorgt wie an dem Tag ihrer ersten Begegnung. Sie hätte gerne gewusst, was ihn quälte. Sie öffnete den Mund, um ihn zu fragen.

Seine Lippen waren zusammengepresst und angespannt. Sie sah sie an. Seine Finger berührten ihre Wange; sie fühlten sich glatt an. Sie erinnerte sich an den Zusammenstoß, und wie sanft er sie gestreichelt hatte. Bei der Erinnerung zitterte sie unwillkürlich – ein epileptischer Anfall im Miniaturformat. Dann küsste er sie.

In ihrem Traum war der Kuss genauso real wie damals. Jeffrey beugte sich zu ihr hinab und küsste sie zärtlich, wieder und wieder. Seine Lippen streiften ihre mit unvorstellbarer Sanftheit, dann nochmals, und abermals, ohne sie zu umarmen. Sein Mund war warm. Jane sehnte sich nach ihm, sehnte sich nach mehr.
Ihre Hand strich über seinen Arm. Seinen Oberarm, seine Muskeln. Ihre Finger glitten den Ärmel seines blauen, kurzärmeligen Hemdes hinauf. Im Dämmerlicht sah er aus, als sei er von der Sonne gebräunt, obwohl seine Haut die Blässe eines Menschen hatte, der sich häufiger in der Bibliothek als im Freien aufhielt, genau wie Jane. Ihre Augen öffneten und schlossen sich wieder. Sie brannte vor Verlangen, wollte sich vergewissern, dass sie noch lebendig war. Seine Zunge berührte ihre. Überall.
Sie verliebten sich ineinander.
Er stammte aus Oceanside, Long Island, sie aus Twin Rivers, Rhode Island. Die Schule war ihr Ein und Alles. Sie liebten die Brown University und einander. Gemeinsam sahen sie sich Footballspiele an, in die Jacke des anderen gekuschelt, während die Bruins den Sieg ein ums andere Mal verspielten. Sie freuten sich über die Anfeuerungsrufe ihrer Klassenkameraden, die »Los, Bruno … los, Bruno!« schrien, waren aber beide zu schüchtern, um in den Chor einzustimmen.
Sie hatte nur ihre Mutter und eine Schwester, war ohne Vater aufgewachsen. Er hatte einen Bruder und zwei Schwestern, sein Vater war Arzt, und seine Eltern hatten gerade ihre Silberhochzeit gefeiert. Als Thanksgiving kam, weinte sie, weil sie vier Tage voneinander getrennt sein würden.
Die Trennung während der Weihnachtsfeiertage fiel beiden noch schwerer. Sie blieben so kurz wie möglich zu Hause bei ihren Familien, die sie von Herzen liebten, und kehrten nach

Providence zurück, sobald die Studentenheime ihre Pforten wieder öffneten.
Sie hatten Sex. Wunderbaren Sex. Da Jane Katholikin war, musste sie den Gedanken an Schuld und Sünde überwinden. Ihre Mutter hatte ihr die Vorstellung eingebläut, dass sich anständige Mädchen für die Ehe aufsparten, und tief in ihrem Inneren hatte Jane sich dieses Credo zu Eigen gemacht. Doch sie liebte Jeffrey über alle Maßen, und er liebte sie. Es war für beide undenkbar, dass sie jemals mit einem anderen Menschen zusammen sein könnten, dass sie *nicht heiraten würden*.
Das schien völlig ausgeschlossen, ein Ding der Unmöglichkeit.
Sie belegte einen Einführungskurs in Philosophie, lernte, offen für alles Neue zu sein, auf eine Weise, die sie früher für abwegig gehalten hatte – in Anbetracht dessen, dass ihr Horizont durch ihre Jugend, aber auch durch ihre kulturelle, religiöse und familiäre Prägung eingeengt war. Und so eignete sie sich auch über Liebe, Sex und den richtigen Zeitpunkt eine philosophische Denkweise an und gelangte zu der Schlussfolgerung, dass die Reihenfolge das Problem war: Was für eine Rolle spielte es, wo Jeffrey und sie sich doch liebten und sich immer lieben würden? Sex vor oder nach der offiziellen Trauung ? Wichtig war allein das Gefühl der Verbundenheit, das zwischen ihnen bestand. Verbundenheit und Liebe.
Sex war die Brücke zwischen Körper und Geist. Wenn Jeffrey sie in den Armen hielt, ihre schmalen Körper eng aneinander gepresst, bedurfte es keiner Worte. Ihre Haut sprach für sich, eine klare und deutliche Sprache. Jane spürte seine Liebe in seinem Mund, seinen Armen, seinem Penis. Sie spürte sie in ihren eigenen Zehen, ihren Fingern, ihren Brüsten.
Lebendig zu sein, erhielt eine neue Bedeutung. Das Leben explodierte. Die Musik erhielt eine neue Bedeutung und

emotionale Tiefe, Geschichten wurden mit ihrem eigenen Leben, mit dem anderen in Verbindung gebracht. Sex war der Schlüssel für alles. Janes Mutter misstraute Männern – und bedauerlicherweise zu Recht. Doch es lag auf der Hand, dass sich Thomas, Janes Vater, nicht mit Jeffrey vergleichen ließ. Jane und Sylvie hatten jahrelang die Freudlosigkeit ihrer Mutter hautnah miterlebt, sie aufgesaugt wie ein Schwamm. Jane konnte es kaum erwarten, bis ihre Schwester jemandem wie Jeffrey begegnete, um zu beweisen, dass ihre Mutter falsch gelegen hatte, alle Männer über einen Kamm zu scheren.

Jane und Jeffrey – sie fanden sich in jeder Legende wieder, die jemals niedergeschrieben worden war. Pyramus und Thisbe: sie verband die gleiche tiefe Liebe, wenn man vom unglücklichen Ausgang absah. Dieses Liebespaar hatte Shakespeare offenbar im Sinn, als er Romeo und Julia schuf – den glückseligen Teil, nicht die Tragödie.

Jane und Jeffrey glaubten sich gegen jedwede Tragik gefeit.

Das erste Studienjahr ging vorüber, und das zweite. Der Verantwortung gegenüber dem anderen bewusst, achteten beide auf Empfängnisverhütung. Jane nahm die Antibabypille. Im ersten Monat, bis die Hormone ihre Wirkung entfalteten, benutzte Jeffrey Kondome. Durch die Pille nahm sie ein wenig zu, aber Jeffrey gefiel es, dass ihre Brüste größer wurden. Sie sprengten ihre alten Büstenhalter und sie kaufte neue in einem Dessous-Geschäft, Davol Square Lingerie.

Jane hasste gleichwohl die Veränderungen, die mit der Hormonumstellung einhergingen, auch wenn Jeffrey ihren Körper sexy fand. Ihre Brustwarzen schmerzten. Und es missfiel ihr, dass ihre Formen voller wurden, ihre alten Jeans spannten und ihre Oberschenkel aneinander rieben.

Jane suchte abermals ihren Arzt auf und ließ sich ein Scheidendiaphragma einsetzen. Jeffrey unterstützte ihre Entscheidung, und um zusätzliche Sicherheit zu gewährleisten, kehrte er zu Kondomen und Schaum zurück. Jane wusste, dass die Kirche sie wegen der Empfängnisverhütung verdammen würde, doch Jeffrey meinte, diese Einstellung sei patriarchalisch und, falls sie Schuldgefühle bei ihr hervorrufe, geradezu grausam – sie sei der beste Mensch auf der Welt und solle ihrer inneren Stimme vertrauen, sich auf ihr Rechtsempfinden und ihr ausgezeichnetes Urteilsvermögen verlassen.

Jane liebte ihn deswegen. Die Empfängnisverhütung war für sie lediglich ein Werkzeug, das Frauen ermöglichte, sowohl ihren eigenen Körper als auch ihr Leben zu genießen, und ihre Liebe zu dem Mann ihrer Wahl, mit dem sie ihr Leben verbringen wollte, zum Ausdruck zu bringen.

Im zweiten Studienjahr wohnte sie mit zwei Kommilitoninnen am Wriston Quad und er teilte sich eine Zimmerflucht mit drei anderen jungen Männern in Morriss-Champlin. Sie übernachteten abwechselnd im Domizil des anderen und überlegten, ob sie im vorletzten Jahr vor der Graduierung nicht gemeinsam in ein gemischtes Studentenheim ziehen sollten. Jane hatte einen Teilzeitjob im Sharpe Refectory und wenn sie Pasteten machte, zweigte sie stets ein wenig Teig ab, um kleine Obst- oder Geleetörtchen für ihren Geliebten zu backen.

Sie begannen darüber zu reden, wo sie das Graduierten-Studium absolvieren würden. Ob sie vor oder nach Janes Magister-Abschluss heiraten sollten. Sie wollten beide nicht warten, bis Jeffrey seinen Ph.D. in der Tasche hatte.

Seit der Begegnung mit Chloes Onkel träumte Jane immer wieder von der Nacht, in der ihre Tochter gezeugt wurde.

Es war im Frühjahr des zweiten Studienjahres, während des Abschlussballs auf dem Campus. Ihr Traum war so lebhaft wie der Abend selbst gewesen. Am Freitagabend, der den

Auftakt des Wochenendes bildete, an dem zahlreiche Gäste erwartet wurden, um an der Graduierung der Studenten und den damit verbundenen Festlichkeiten teilzunehmen, verwandelte sich der Campus in einen magischen Ballsaal unter dem Sternenhimmel, der zusätzlich von sechshundert Papierlaternen beleuchtet wurde.
Studenten des letzten Studienjahres und ihre Angehörigen, Kommilitonen, Ehemalige, die älter waren als Janes und Jeffreys Großeltern, und Mitglieder des Brown-Lehrkörpers fanden sich ein, um die Nacht durchzutanzen. Die Garderobe war kunterbunt gemischt, von langen Abendkleidern und Smoking bis hin zu Hawaiihemden und Sarongs. Jeffrey trug die Smokingjacke seines Vaters über seinen üblichen karierten Hemden; Jane trug ein schlichtes schwarzes Kleid, das sie seit der Abschlussfeier der Highschool besaß.
Sie tanzten zu den Klängen von Duke and the Esoterics auf dem Main Green; Studentenbands spielten auf dem Lincoln Field und Jazzmusik ertönte am Carrie Tower auf dem Front Green. Die Nacht war romantisch und Jane über alle Maßen verliebt. Sie war mit dem Mann beisammen, dem ihre ganze Liebe galt, an dem Ort, an dem sie sich kennen gelernt hatten, an den sie gehörten.
»Ich möchte dich entführen«, flüsterte Jeffrey und hielt sie in den Armen, als könnte er es nicht ertragen, sie auch nur für einen Moment nicht zu berühren.
»Wohin denn?«
»In unser Liebesnest. Nach unserer Graduierung werden sie es umbenennen.«
Sie folgte ihm, hatte keine Ahnung, wovon er sprach. Sie überquerten den imposanten Main Green, der sich durch Musik, Laternen, Tanz und Gelächter von einer akademischen in eine romantische Stätte verwandelt hatte. Rings-

um ragten neoklassizistische Bauwerke und Backsteingebäude auf. Carrie Tower, schwärmerisch nach irgendjemandes Ehefrau – oder war es die Tochter? – benannt, glich einem italienischen Glockenturm. Die Van Winckle Gates in dem hohen und massiven schmiedeeisernen Zaun, der die gesamte Grünanlage umgab, wurden nur zweimal im Jahr geöffnet: Um die frisch gebackenen Studenten bei ihrem Einzug zu begrüßen und die Graduierten ins Leben zu entlassen.

Sie liefen am Rock vorbei – der beeindruckenden, modernen John D. Rockefeller-Bibliothek, wo sie in den Lesenischen des Erdgeschosses genauso oft gebüffelt wie sich geküsst hatten – und überquerten die George Street; dann waren sie am Ziel. Jeffrey streckte die Arme zum Himmel empor, als wollte er ihn Jane schenken, sozusagen als krönender Abschluss des Abendprogramms.

»Da wären wir. In der Englischen Abteilung von Jane und Jeffrey Porter-Hayden.«

»Das ist ja die Horace Mann School.« Lächelnd blickte sie zu dem klotzigen Backsteingebäude empor.

»Horace wer? War das nicht der Student, der für den Jahrgang von 1819 die Abschlussrede hielt? Nun, die Zeiten ändern sich. Trotz der erstklassigen Rede und Bildungskonzepte, die er der Welt hinterließ, womit er unsere Brown University stolz machte, sollte dieses Gebäude wegen etwas anderem bekannt sein.«

»Weswegen?«, fragte Jane, als sie in Jeffreys goldgesprenkelte braune Augen sah und er mit beiden Händen ihr Gesicht umschloss und lächelte. Zum ersten Mal fiel ihr auf, dass er seine besorgte Miene abgelegt hatte. Sie war völlig verschwunden. »Weswegen sollte dieses Gebäude bekannt sein?«

Die Musik vom Campus-Ball hallte zwischen den Gebäuden wider. Sie hörten, wie Duke von »Moon River« zu »Keep on

Rocking in the Free World« überleitete. Janes schlug das Herz bis zum Hals.
»Unseretwegen«, flüsterte Jeffrey, zog sie an sich und tanzte mit ihr nach der Musik. »Weil es uns zusammengeführt hat.«
»Du hast Recht: Horace wer?«
Sie lachten.
Er küsste ihre Lippen, berührte ihre Stirn. Sie konnte beinahe die Beule spüren, die sie sich damals geholt hatte. Sie streifte sacht seine Stirn und sie lachten. Er führte sie die Treppe hinauf. Es gab zwei Eingangstüren an der Vorderseite, dies war eine Eigentümlichkeit: Bevor die Englische Abteilung darin untergebracht worden war, hatte das Gebäude Ruhm erworben, weil es das erste gemischte Studentenheim an der Elite-Universität war, mit separaten Eingängen für Männer und Frauen.
Jane drückte die Klinke herunter und die Tür ging auf. Erschrocken sahen sie sich an. Zuerst wollten sie gehen, doch dann lachten sie leise und traten ein. Arbeitete einer der Professoren bis spät in die Nacht oder hatte jemand vergessen, abzuschließen?
Die Eingangshalle war dunkel. Einander an den Händen haltend gingen sie weiter; ihre Schritte hallten laut wider, während die Klänge der Dukes herüberdrifteten. Schatten fielen durch die großen Fenster, surreal, wie aus einer anderen Welt.
»Unfassbar!«, sagte Jeffrey und küsste sie auf den Hals.
»Wer, wir?«
»Alle anderen tanzen unter dem Sternenhimmel und wir landen in der Englisch-Abteilung.« Er nestelte an ihrem Reißverschluss. Sie zog sein Hemd aus der Hose. Er drückte sie gegen die Wand, küsste sie verlangend. Von Leidenschaft erfüllt, ging ihr Atem schwer.
Sie hatten sich nie an einem Ort geliebt, der für jedermann zugänglich war. Es war unvorstellbar aufregend, ungeheuer er-

wachsen. Keiner ihrer Kommilitonen hatte das jemals gewagt, dessen war sich Jane sicher. Niemand in ihrer Familie wäre so kühn gewesen, so wagemutig vor lauter Liebe.

Jeffrey ging voraus, in ein Büro im Erdgeschoss. Er breitete die Smokingjacke seines Vaters und das karierte Hemd auf dem chinesischen Teppich hinter dem Schreibtisch der Sekretärin aus und bettete Jane darauf. Ihre Blicke trafen sich, hielten einander fest und sie spürte die Sorgenfalte zwischen ihren Augen.

»Hast du …«, begann sie.

»Ich habe kein Kondom mitgebracht. Hast du das … ?«

Sie kicherte. »Ich trage es nicht ständig mit mir herum.«

Er küsste sie. Seine Augen waren ernst, aber unbekümmert. »Ist der Zeitpunkt sicher?«

»Keine Ahnung, in Mathe bin ich keine Leuchte.«

Beide lachten und sie versuchte, zu rechnen, aber wer wusste schon, welche Phasen des Monats absolut sicher waren – manche Mädchen behaupteten, dass die meisten in der Mitte des Menstruationszyklus schwanger wurden, aber eine Bekannte ihrer Zimmergenossin hatte während ihrer Blutung Sex gehabt und danach war ihre Periode ausgeblieben. Jane schloss die Augen und versuchte, rückwärts zu zählen, sich krampfhaft an das Datum ihrer letzten Regelblutung zu erinnern, aber sie war kein Mensch, der Buch führte und einen klaren mentalen Kalender in Bezug auf ihren Körper besaß.

»Nur dieses eine Mal«, bettelte er.

»Aber …«

»Ich liebe dich, Jane.«

»Ich liebe dich auch, Jeffrey.«

Die Worte hingen in der Luft. Waren diese Worte nicht das, was wirklich zählte? Sie erzählten eine Geschichte, die tief greifender war als die dicken Wälzer, die an der Brown als

Lehrmaterial dienten. Liebe war das A und O. Liebe war das Wichtigste im Leben. Liebe war größer als das Universum. Sie beherrschte Janes ganzes Herz, ihr ganzes Sein, war Herrscherin über Raum und Zeit, begleitete sie auf allen Wegen.

Sie liebten sich. Er drang in sie ein. Sie schloss die Augen, spürte, wie er in sie hineinglitt. Die Feuchtigkeit war unvergleichlich. Er füllte sie aus. Sie wurden von einem beispiellosen Feuer verzehrt. Die Hitze ergriff sie wie eine Welle, von der Stelle zwischen ihren Beinen geradewegs bis ins Herz. Sie fühlte sich an wie ein brennender Pfeil, und zum ersten Mal in ihrem Leben verstand sie, was es mit der Legende von Amor auf sich hatte.

Der Pfeil traf sie tief und hinterließ seine Spur, für immer.

An diesem Abend wurde sie schwanger.

Sie wusste es in dem Moment, als es passierte. Sie bewahrte das Geheimnis, auch vor Jeffrey. Sie wollte erst ganz sicher sein. Trotz der Liebe, die sie erfüllte, hatte sie erwartet, in Panik zu geraten. Doch wo Liebe ist, ist kein Platz für Angst.

Und sie liebte das Baby.

Auf Anhieb und uneingeschränkt, im gleichen Maße – nein, mehr noch als den Vater. Das ungeborene Kind war ein Teil von ihr und sie von ihm. Wie war das möglich, wie ließ sich dieses Gefühl erklären?

Sie verzichtete auf eine Erklärung, zunächst. Auf den Abschlussball folgte ein leichtes klassisches Popkonzert, und danach kam die Verleihung des akademischen Grades und die feierliche Prozession der Studenten mit Robe und Hut, bei der sich die Van-Winckle-Tore zum zweiten Mal in diesem akademischen Jahr öffneten. Jeffreys Weg führte nach New York, wo er während der Sommermonate eine Stelle als Forschungsassistent bei einem Dozenten an der Columbia University ergattert hatte, und Jane wollte in der Twin Rivers Bakery arbeiten, die einer Cousine ihrer Mutter gehörte. Im September würde sie an die Brown zurückkehren, mit Sylvie im Schlepptau, die dann mit ihrem Studium beginnen würde. Jane hatte beim Abschied heiße Tränen vergossen. Genau wie Jeffrey. Sie hielten sich umschlungen, ahnten nicht, dass es das letzte Mal sein sollte. Oder beinahe das letzte Mal.

Jane, in ihrem alten Zimmer im Haus ihrer Mutter, weinte im Traum, bis das Kopfkissen nass war. Sie umschlang ihren Körper mit beiden Armen, als sei sie auf diese Weise in der Lage, ihn zusammenzuhalten, alles in ihrem Inneren zu bewahren, alles zurückzuholen, was sie verloren hatte, die Bruchstücke von drei Menschenleben wieder zusammenzusetzen.

Eines Nachts stolperte Sylvie, die Jane weinen hörte, schlaftrunken in ihr Zimmer. Kaltes bläuliches Mondlicht schimmerte durch das Geäst der Bäume, noch kahl im April, und als Jane die Augen öffnete, sah sie ihre Schwester in einem weißen Nachthemd auf ihrer Bettkante sitzen. Janes Traum hatte ihr das Herz zerrissen; die Vergangenheit kam ihr vor wie ein hungriger Löwe, der sie bei lebendigem Leib zu verschlingen drohte.

Sylvie hielt Janes Hand. Draußen stürmte es und die Zweige scharrten an der Fensterscheibe. Jane schluchzte, schüttelte den Kopf.

»Lass die Vergangenheit ruhen, Jane«, flüsterte Sylvie.

»Das geht nicht …«

»Es geht, du musst es nur zulassen. Zieh einen Schlussstrich.«

»Das ist nicht möglich, Sylvie.«

»Du quälst dich doch nur. Es ist jedes Mal das Gleiche, wenn du nach Hause kommst.«

Jane starrte ihre Schwester an, spürte, wie sich ihr Atem verlangsamte. Sie war nun hellwach. Der Traum war vorüber. Oder? Ihr schien, als würde er niemals enden.

Jane schloss die Augen. Wenn Sylvie nur wüsste, wie sie sich fühlte. Ein Teil ihres Herzens hatte sich von ihr gelöst, befand sich draußen in der Welt. War lebendig, voller Energie, wohnte auf einem Anwesen, das an eine Obstplantage grenzte. Liebte Apfelpasteten. Hatte den Namen von der leiblichen Mutter erhalten, von Jane.
Der Name lautete: Chloe.

8

Zwei Samstage hintereinander und an mehreren Wochentagen dazwischen arbeitete Chloe nach der Schule am Obststand. Am zweiten Samstag war die Luft kühl. Sie duftete nach frischem Gras und nasser Farbe. Die Apfelblüten hingen schwer an den Bäumen, in dichten Trauben in auffallendem Rosa, die jeden Moment aufplatzen und ihre schneeweiße Blütenpracht entfalten konnten.

Onkel Dylan hatte Chloe bei der Wahl der Farben freie Hand gelassen und so strich sie den Stand blau, in einem zarten Krickentenblau wie die Eier der Araukanischen Hühner. Die Regale sollten leuchtend gelb werden, wie Butterblumen.

Chloe trug eine Latzhose aus Jeansstoff, darunter ein blaues T-Shirt und alte Turnschuhe. Die silbernen Kreolen in ihren Ohrläppchen hatten sich in ihren dunklen Haaren verhakt, die ihr dauernd ins Gesicht fielen. Sie hätte eine Kappe aufsetzen sollen. Da sie keine Übung im Anstreichen hatte, richtete sie ein ziemliches Chaos an. Die Farbe setzte sich unauslöschlich in den leicht splitternden alten Holzlatten fest. Chloes Hände waren beide blau und irgendwie waren Farbspritzer auf ihre rechte Wange gelangt.

Ihre Eltern gaben sich die größte Mühe, keinen Kommentar abzugeben und so zu tun, als ginge sie die ganze Aktion nichts an. Ihr Vater war auf der Farm mit ihrer rund vierzig Morgen großen Apfelplantage aufgewachsen und betrachtete die Arbeit am Obststand als gewaltigen Rückschritt. Er hatte das Roger Williams College besucht und war zunächst Versicherungsstatistiker und danach ein ungemein erfolgrei-

cher Versicherungsagent geworden; er hatte es zu etwas gebracht und seine Familie davor bewahrt, im Schweiße ihres Angesichts das Land zu bestellen.
Vor ein paar Jahren hatten Chloe und ihre Freundin Mona Onkel Dylan überredet, ihnen zur Silberhochzeit ihrer Eltern die Scheune für einen »Tanz in der Tenne« zur Verfügung zu stellen. Es sollte eigentlich eine Überraschung werden, doch da die beiden erst dreizehn waren, hatten sie tatkräftige Unterstützung gebraucht. Onkel Dylan war viel zu sehr in seine Trauer eingesponnen, um eine große Hilfe zu sein, und deshalb hatte Chloe ihre Mutter bitten müssen.
Sie war überglücklich gewesen. Ihre Wangen waren rosig gewesen, als sei sie wieder ein junges Mädchen. Sie hatte Chloe ganz fest in die Arme genommen und gedrückt. Gemeinsam hatten sie die Gästeliste zusammengestellt: Chloes beide Großmütter; der Bruder ihrer Mutter und seine Frau, die in Portland, Maine, lebten; Freunde ihres Vaters aus dem Rotary-Club; Freundinnen ihrer Mutter aus dem Gartenbau-Club.
Ihre Mutter hatte die Einladungskarten gemacht: Sie zeigten die Scheune, mit Luftschlangen und kleinen weißen Lichtern geschmückt. Im Anschluss galt es, die Scheune genauso herzurichten wie auf dem Bild. Es war ein zauberhafter Abend geworden – und er hatte kaum etwas gekostet! Chloes Mutter hatte etliche Schmorgerichte zubereitet. Dazu gab es Apfelwein in rauen Mengen. Ein Freund ihres Vaters aus dem Rotary-Club betätigte sich in seiner Freizeit als DJ und sie konnten ihn dazu bringen, umsonst die Musik aufzulegen. Die Leute tanzten bis in den frühen Morgen. Als Chloe und Mona müde wurden, waren sie einfach auf den Heuboden hinaufgestiegen und eingeschlafen.
Chloe wünschte, solche Erinnerungen könnten bewirken, dass ihre Eltern die Apfelplantage lieber mochten. Sie wa-

ren wunderbar in mancher Beziehung, konnten aber auch nervig sein. Sie hatten eine neuzeitliche Vorstellung bezüglich der Verwendung von Grund und Boden: verkaufen, erschließen und nichts wie weg damit. Während Chloe und Onkel Dylan das Land zu sehr liebten, um sich davon zu trennen.

Eben jetzt arbeitete Onkel Dylan auf der Plantage. Sie hörte, wie er die jungen Bäume hin und her schleppte, die eingepflanzt werden sollten. Einmal fuhr er an ihr vorbei, hoch droben auf dem grünen Traktor, dessen gelbe Räder sie wie riesige Augen anblickten. Onkel Dylan winkte, und sie lachte ihn an. Er trug eine Sonnenbrille und sah aus wie ein Spion, der Landwirt spielte.

Er erwiderte das Lächeln nicht. Onkel Dylan war früher der lustigste Erwachsene gewesen, den Chloe kannte, obwohl er ein Gesetzeshüter war und eine Schusswaffe trug. Sowohl Chloe als auch Isabel fanden, dass er cooler war, als es sich für einen Onkel oder Vater gehörte. Keine von beiden hätte jemals damit gerechnet, nicht in Millionen Jahren, dass er irgendwann einmal wie ein Bauer sein Land bestellen würde.

Chloe wünschte, sie hätte ihre Armbanduhr umgebunden, doch gestern, nach der Schule, hatte sie Farbe auf das Zifferblatt gekleckst und nun lag sie auf der Spiegelkommode, wo sie besser aufgehoben war. Mona hatte versprochen, ihr heute Gesellschaft zu leisten. Hoffentlich beeilte sie sich. Das Geräusch ihres Pinsels, mit dem sie das Holz strich, raubte ihr schier den Verstand. Er redete mit ihr; war das nicht unheimlich? Nicht hörbar oder so, sondern lediglich in einem lautlosen, monotonen Singsang: *Ich langweile mich, langweilst du dich auch? Bist du sicher, dass die Katzen es zu schätzen wissen, wie du dich plagst, damit du ihnen anständiges Futter kaufen kannst? Araukanische Hühner fressen Körner und legen hübsche Eier.*

Chloe brauchte *dringend* jemanden, mit dem sie reden konnte. Genau in diesem Augenblick kam, wie durch eine merkwürdige Laune des Schicksals, ein alter blauer Wagen die Straße entlang, fuhr langsamer, als er sich dem Stand näherte, und hielt an.
Chloe verrenkte sich den Hals, um zu sehen, wer darin saß. Eine Dame, allein auf dem Fahrersitz. Sie trug eine Sonnenbrille wie Onkel Dylan, und eine schwarze Lederjacke – richtig cool. Die dunklen Haare hatte sie mit einem langen blauen Tuch zurückgebunden, damit sie ihr nicht ins Gesicht fielen. Chloe fand, dass sie klasse aussah. Die Frau starrte Chloe für ein paar Sekunden regelrecht an.
Chloe neigte den Kopf. Kannte sie die Frau? Es kam ihr so vor. Vielleicht eine ehemalige Lehrerin oder eine Freundin ihrer Eltern? Sie strich weiter, bereit zu lächeln, um zu zeigen, dass sie die Dame wiedererkannte, sobald diese ihren Namen nannte.
Die Dame stieg aus dem Wagen, einen Korb in der Hand.
»Hallo.«
»Hallo«, sagte Chloe.
»Ein schöner Tag für eine Fahrt aufs Land«, erklärte die Dame und trat näher. Sie war mittelgroß, gertenschlank, trug schwarze Jeans und ein blau-weiß gestreiftes T-Shirt unter ihrer schwarzen Lederjacke. Um den Hals hatte sie eine schwarze Kordel mit einer silbernen Scheibe als Anhänger. Sie hielt den Korb mit beiden Händen; der Inhalt war unter einer geblümten Stoffserviette verborgen.
»Ja, ich denke schon.« Chloe lächelte. »Obwohl es, wenn man auf dem Land lebt, auch ein schöner Tag für einen Ausflug in die Stadt wäre.«
»Oh, magst du die Stadt? Ich lebe in einer.«
»Providence?«
»New York City.«

»Wow«, staunte Chloe. Sie ließ ihren Pinsel sinken. Aus ihrem Bekanntenkreis lebte niemand mehr in New York. Früher hatte sie mit dem größten Vergnügen Isabel dort besucht. Tante Amanda war mit ihnen ins Museum of Natural History gegangen, um sich die Schmetterlinge anzuschauen, und anschließend ins Sarabeths, wo sie heiße Schokolade tranken. Und wenn Onkel Dylan Feierabend hatte, hatte er sie alle zum Abendessen eingeladen, in ein bekanntes Restaurant hoch über der Stadt mit Blick auf die vielen imposanten Gebäude und Brücken; man hatte das Gefühl, an Bord eines Flugzeugs zu speisen, in einer Maschine, die es nun nicht mehr gab …
»Gefällt dir New York?«, fragte die Dame.
»Früher war ich oft dort«, sagte Chloe. »Gibt es den Zoo noch?«
»Den Zoo in der Bronx oder den im Park?«
»Im Park, glaube ich. Mit der Glocke auf dem Torbogen, die von Bronzetieren angeschlagen wird.«
»Die Delacorte-Glocke.« Die Frau strahlte. »Im Central Park. Du warst dort …«
Chloe nickte.
»Den Zoo gibt es noch. Alle beide. Hat er dir gefallen?«
»Ich fand es nicht schön, mitten in der Stadt Robben zu sehen.« Chloe runzelte die Stirn. »Das Becken mag ja ganz nett sein, aber sie gehören ins Meer.«
»Das ist eine Einstellung, die von großer Einfühlsamkeit zeugt.«
Chloe nickte, begann wieder zu streichen. »Genau das ist mein Verhängnis.«
Die Frau schien ein Lächeln zu unterdrücken. »Wirklich?«
»Mir liegen alle Tiere am Herzen.«
Chloe konzentrierte sich darauf, die nächste Holzplanke blau zu streichen. Ihr Brustkorb hob und senkte sich vor Aufre-

gung. Sie verstand nicht warum und hoffte, dass die Frau es nicht merkte. Vielleicht lag es daran, dass sie an Isabel dachte oder sich die Robben bildlich vorstellte.

»Bestimmte Kreaturen gehören in ihren angestammten Lebensraum«, erklärte Chloe nach einer Minute. »Das ist einfach so. Die Leute meinen immer, man könnte sie beliebig verpflanzen, aber das funktioniert nicht. Robben brauchen den kalten Ozean, Löwen brauchen die Serengeti, und meine Katzen brauchen diese Obstplantage.«

Die Frau räusperte sich. Chloe sah hoch. Warum wandte sie den Blick ab?

»Alles in Ordnung?«

»Alles klar«, sagte die Dame. »Es ist nur so, dass ich es genauso empfinde.«

Chloe nickte. Erst jetzt wurde ihr bewusst, wie seltsam es war, mit einer Fremden ein derart tief schürfendes Gespräch zu führen. »Ähm, wir haben noch nicht eröffnet.« Chloe deutete auf den halb fertigen Stand. »Ich muss noch einmal drüberstreichen, und dann müssen wir überlegen, was wir verkaufen wollen.«

Die Dame lächelte. »Du machst das prima.«

»Danke.«

»Dein Onkel hat mir erzählt, dass du ihm hilfst. Du musst Chloe sein.«

Chloe nickte und lächelte.

»Ich bin Jane.«

Chloe war hingerissen: Wie cool, dass sich eine Erwachsene mit dem Vornamen vorstellte. Wer war sie? Onkel Dylans Freundin? Chloe hatte gehört, wie ihre Eltern Mutmaßungen darüber anstellten, ob sich Onkel Dylan je wieder für eine Frau interessieren könnte. Seit der Tragödie waren vier Jahre vergangen. Chloe wusste, selbst wenn nie darüber gesprochen wurde, dass sich Tante Amanda und er zu dem Zeit-

punkt, als das Unglück geschah, getrennt hatten … Chloe musterte die Frau verstohlen, nur für den Fall.
»Kennen Sie Onkel Dylan aus New York?«, fragte Chloe.
»Nein.« Janes Miene war verwirrt. »Lebt er denn nicht hier?«
»Doch, aber bevor Isabel … Egal. Ja, er lebt hier.«
Jane ließ es dabei bewenden, zu Chloes Erleichterung. Sie sprach nicht gerne darüber, was ihrer Cousine widerfahren war.
»Ich habe ihn erst vor kurzem kennen gelernt, beim Pädagogen-Dinner.«
»Ach ja, stimmt – er hat meine Großmutter hingefahren. Sind Sie Lehrerin?«
»Nein. Konditorin.« Sie hob den Korb hoch und reichte ihn Chloe. Chloe zögerte. Ihre Hände waren von oben bis unten mit blauer Farbe bekleckst. Jane bemerkte es, lächelte und half ihr aus der Not, indem sie die Serviette anhob.
»Apfelpasteten!« Chloe lugte in den Korb und sah die schönsten Apfelpasteten, die man sich nur vorstellen konnte, richtige Kunstwerke. Es waren vier an der Zahl, goldbraun gebacken, und jede mit einer anderen Verzierung: ein Apfel, ein mit Blüten übersäter Baum, ein Baum mit Blättern und Äpfeln, und ein Vogelnest. »Klasse! Sind die für Onkel Dylan?«
»Ja. Und für dich. Ich dachte, du hast dir eine Belohnung verdient nach der harten Arbeit, die du verrichten musst.«
»Ich möchte gerne die Pastete mit dem Vogelnest.« Chloe blickte in die klaren blauen Augen der Frau. »Ich liebe Vögel. Alle Tiere, genauer gesagt. Das weiß jeder. Deshalb hat mir Onkel Dylan den Job hier gegeben. Weil ich Geld brauche, um Spezialfutter für die Katzen auf der Plantage zu kaufen.«
Jane nickte lächelnd und Chloe fiel wieder ein, dass sie vorhin das Wort »einfühlsam« benutzt hatte.
»Vielen Dank.« Chloe sah zur Apfelplantage hinüber, hielt

nach einem Anzeichen von Onkel Dylan Ausschau. Obwohl sie seinen Traktor hörte, konnte sie ihn nirgends entdecken. Jane folgte ihrem Blick.

»Es ist herrlich hier. Überall Bäume, die kurz vor der Blüte stehen. Schau dir die Knospen an! Morgen wird die Plantage wie eine weiße Wolke aussehen. Ich spüre es regelrecht …«

Chloes Haarwurzeln kribbelten, als wäre ein Gewitter im Anzug und die Luft elektrisch geladen. Was lächerlich war an einem Tag mit strahlendem Sonnenschein. Aber sie wusste, was Jane meinte. »So ist das immer im Frühling«, sagte sie. »Jeden Moment kann etwas Spannendes passieren.«

»Was zum Beispiel?«

Chloe dachte nach. »Zum Beispiel Gelege, aus denen die Jungen schlüpfen. Und die Apfelblüten …«

Jane nickte. »Vorfreude.«

»Ja, genau.«

Sie lächelten einander zu wie Komplizen und Chloe verspürte abermals das sonderbare Kribbeln. Es begann an den Haarwurzeln, breitete sich über die Stirn und im ganzen Körper aus, bis hinunter zu den Zehen. Gerade in diesem Augenblick kam ein Auto die Straße entlang. Jane zuckte zusammen – erschrocken starrte sie den Wagen an, als erwarte sie, die Person zu kennen, die ihn fuhr. Doch sie entspannte sich, als Mona – offensichtlich eine Unbekannte –, dem Volvo ihrer Eltern entstieg. Chloe, durch Janes Reaktion abgelenkt, verpasste um ein Haar Monas großen Auftritt, die gekommen war, um ihrer Freundin zur Hand zu gehen.

»Sieht ganz so aus, als hättest du eine Assistentin bekommen«, sagte Jane.

»O Gott!«, keuchte Chloe. Da kam Mona: von Kopf bis Fuß in einen Plastik-Regenmantel gehüllt, die Kapuze über die Haare gezogen, mit einer Schutzbrille über ihren Augenglä-

sern. Sie zog Gummihandschuhe an und reichte Chloe ebenfalls ein Paar.
»Zu spät.« Chloe wackelte mit ihren blauen Fingern.
»Schätzchen, Anstrichfarbe ist Gift für die Hände«, sagte Mona. Dann warf sie Jane ein Lächeln zu und hielt ihr das überzählige Paar Gummihandschuhe hin. »Was ist, machen Sie mit?«
»Ich denke, das überlasse ich lieber euch beiden«, erwiderte Jane und wich zurück.
»Nein, gehen Sie noch nicht«, hörte sich Chloe zu ihrer eigenen Überraschung sagen. »Das ist meine beste Freundin, Mona. Mona, das ist Jane.«
»Hallo«, sagte Mona.
»Oh, ich muss los«, erklärte Jane. »Meine Schwester ablösen – sie ist zu Hause bei meiner Mutter und braucht eine Verschnaufpause …«
»Oma-hüten«, warf Mona feierlich ein und warf Chloe durch ihre Schutzbrille einen viel sagenden Blick zu. Chloe zuckte zusammen, hoffte, dass Jane die Bemerkung nicht als kränkend empfand.
»Unsere beiden Großmütter hatten letztes Jahr einen Schlaganfall«, erklärte Chloe. »Sie haben einiges mitgemacht.«
»Nun, sie können sich glücklich schätzen, Enkelinnen zu haben, die sich so um sie kümmern.«
Die Mädchen nickten. Chloe hörte, wie sich Onkel Dylans Traktor näherte. Sie deutete in die Richtung, aus der das Geräusch kam, aber Jane stieg bereits in ihren Wagen. Sie nahm hinter dem Lenkrad Platz und saß einen Moment reglos da, winkte Chloe durch die Windschutzscheibe zu. Chloe winkte zurück. Sie hatte einen eigentümlichen Kloß im Hals, als stünde sie auf dem Pier, um jemanden zu verabschieden, der sich anschickte, an Bord eines Schiffes zu gehen, um eine Seereise zu machen.

»Was ist in dem Korb?« Mona hob die blau geblümte Serviette hoch.
Bevor Chloe antworten konnte, hauchte Mona: »Apfeltörtchen!«
»Apfelpasteten«, berichtigte Chloe.
»Und eine Visitenkarte.« Mona holte sie heraus, klemmte sie zwischen die Finger ihrer Hand, die noch immer in einem Gummihandschuh steckte. Der Handschuh war witzig. Er war mit protzigen falschen Diamantringen und einem Smaragdarmband verziert.
Chloe nahm die Karte, ohne auf ihre eigenen, mit Farbe verschmierten Finger zu achten, und las:

> Calamity Bakery
> 512 West 22nd Street
> New York, NY 10011
> 917-555-6402

»Ist das ihr Laden?«, fragte Mona.
Chloe blickte die Karte an und nickte. »Ich denke schon.«
»Calamity Jane – glaubst du, dass der Name zu ihr passt? Ist sie genauso wie diese sagenumwobene Wildwestheldin, die für ihre Schießkunst und Trinkfestigkeit berühmt war?«
»Ich glaube …« Chloe lächelte.
»Cool, für jemanden in ihrem Alter. Ihre Lederjacke gefiel mir auch.«
»Was ist denn hier los?«, rief Onkel Dylan, den Lärm des Traktors übertönend. Er schaltete in den Leerlauf und stieg aus. »Macht ihr Pause?«
»Deine Freundin ist auf einen Sprung vorbeigekommen.« Chloe deutete auf den Korb und zeigte ihm die Visitenkarte. Er bückte sich, um sie zu lesen, wollte sie ihr aus der Hand nehmen, aber Chloe ließ nicht los.

»Toll.« Er spähte in den Korb, zerrte immer noch an der Visitenkarte. »Ich wusste nicht, dass sie etwas mit der Calamity Bakery zu tun hat … die beste Konditorei in New York. Ich habe ihr nur erzählt, dass meine Nichte verrückt nach Apfelpasteten ist.«
»Verrückt nach Apfelpasteten«, sagte Mona und führte einen Veitstanz auf. Chloe verzieh ihr das Gehabe; sie wusste, dass Mona bis über beide Ohren in Onkel Dylan verknallt war.
»Sieht ganz so aus, als wolltest du ihre Visitenkarte behalten«, sagte er zu Chloe.
»Ja. Als Andenken. An die Erste, die am neuen Obststand Halt gemacht hat. Weißt du, dass manche Restaurants die erste Dollarnote, die sie einnehmen, rahmen und aufhängen? Ich werde die erste Visitenkarte aufhängen, als Glücksbringer.«
»Wozu gehört eigentlich die Vorwahl 917?«, fragte Mona. »Ist sie vielleicht aus dem geheimnisumwobenen Alaska gekommen?«
»New York City«, klärte Chloe sie auf, fühlte sich aus einem unerfindlichen Grund stolz.
»917 ist die Vorwahl eines Handys in New York City«, fügte Onkel Dylan hinzu. »Oder eines Piepers.«
»Aha«, sagte Mona. »Eine Konditorin auf Achse. Also, was ist jetzt, soll ich anstreichen oder nicht?«
»Hier ist der Pinsel.« Chloe ergriff die von ihr ausgewählte Pastete, die mit der Vogelnest-Verzierung. Den Rest bot sie Mona und Onkel Dylan an. Er entschied sich für das Gebäck mit dem blühenden Baum und Mona ignorierte die Frage, tauchte ihren Pinsel in die Farbe. Chloe biss hinein und schloss die Augen. Die Kruste zerging auf der Zunge und die Äpfel schmeckten so frisch, als wären sie gerade erst vom Baum gepflückt worden.
»Hui, ist das gut«, hörte sie Onkel Dylan sagen.

»Ja. Sehr gut«, pflichtete Chloe ihm bei, noch immer mit geschlossenen Augen. Sie fragte sich, was Jane nach Rhode Island geführt haben mochte. Und wann sie nach New York zurückkehren würde.
Hoffentlich nicht zu bald.

Jane fuhr bis zum anderen Ende der Apfelplantage, wo die Landstraße auf die Hauptstraße traf. Eigentlich hätte sie links abbiegen und nach Hause fahren müssen, aber sie war zu aufgewühlt. Sie blickte die weißen Linien auf dem schwarzen Teer an. Ihre Hände zitterten.
Sie war gerade ihrer Tochter begegnet.
Chloe hatte ihre Augen, die gleichen grau-blauen Augen wie Jane. Sie hatte ebenfalls rabenschwarze Haare, die ihr über die ausgeprägten Wangenknochen fielen. Jane sah in den Rückspiegel: Ihre Tochter war ihr wie aus dem Gesicht geschnitten.
Sie hob die linke Hand vom Lenkrad, roch die blaue Farbe an ihren Fingern. Es war nur ein winziger Fleck; sie hatte die noch feuchte Oberfläche des Standes gestreift, als sie zum Wagen gegangen war.
Ihre Hände waren klein, wie die ihrer Mutter und ihrer Schwester. Als junges Mädchen hatte sie sich schöne Hände mit langen Fingern und langen Nägeln gewünscht. Elegante Hände, wie geschaffen, um Klavier zu spielen, Ringe zu tragen, ausdrucksvoll zu gestikulieren. Sie wusste, dass Sylvie den gleichen Wunsch gehabt hatte. Noch vor Erscheinen der ersten Nagelstudios hatten sich die Schwestern falsche Nägel aus Pappe angeklebt, um zu sehen, wie sie damit aussahen.
Doch jetzt mochte Jane ihre Hände. Chloe hatte sie von ihr geerbt. Jane hatte die schmalen Gelenke, die schmalen Hände, die kurzen Fingernägel gesehen. Typische Porter-Hände, die gleichen wie ihre Mutter, Tante und Großmutter.

Jane saß im Wagen, unschlüssig, was sie tun sollte. Sie wusste, dass sie heimfahren musste, um Sylvie abzulösen, die mit John Dufour zum Abendessen gehen wollte. Aber sie konnte sich nicht aufraffen, die Plantage zu verlassen.
Durch die geöffneten Wagenfenster drang der Duft von Blumen und neuen Blättern herein. Es war der Geruch der Farbe Grün, des Chlorophylls, das in ihrer Kehle brannte. Vögel zwitscherten in den Bäumen; sie beobachtete, wie sie von Ast zu Ast flogen, verschwommene Flecken in Blau und Braun.
Fragen gingen ihr durch den Kopf, nachhaltige, unmögliche Fragen, wie ihr schien. Was erhoffte sie sich? Warum war sie heute hierher gekommen? Warum war sie überhaupt nach Rhode Island gefahren, auf unbestimmte Zeit, ohne konkrete Pläne, nach New York zurückzukehren, mit einer Mitteilung für ihre Kunden an der Tür ihrer Konditorei und einer Ansage auf ihrem Handy?
Sie fand keine Antwort, sie wusste nur, dass ihr Herz schwer war und schmerzte, als wäre eine alte Verletzung wieder aufgebrochen, die sie daran erinnerte, dass die Wunde nie ganz verheilen würde.
Jane hatte, nach beinahe fünfzehnjähriger Abwesenheit, mit einem Mal gespürt, dass es an der Zeit war, heimzukehren. Doch im Moment sah sie sich außerstande, den Gang einzulegen, Gas zu geben, den Blinker zu setzen und auf die Hauptstraße zu fahren, um rechtzeitig zu Hause zu sein, damit Sylvie ausgehen konnte. Jane saß da, wie zur Salzsäule erstarrt, unfähig, die Plantage zu verlassen.
Und von allen Fragen, die sie sich stellte, und allen Dingen, die ihr Kopfzerbrechen bereiteten, machte nur ein Gedanke Sinn.
Chloe war hier.

9

Am Samstagabend lag Margaret im Bett, umgeben von Büchern. Sie waren ihre Freunde und Gefährten. Sie kannte jedes einzelne, waren sich vertraut: Dickens, Austen, Christie, Wodehouse, Colwin, Updike, McMurtry, Godden. Die Einbände wirkten beruhigend auf sie: Einige waren alt und zerfleddert, andere waren wie neu und wenig geöffnet worden. Sie las gerne die Schutzumschläge der zeitgenössischen Werke: redaktionell aufbereitete Buchbeschreibungen und Zitate von anderen Autoren; das Foto des Autors interessierte sie besonders.

Aus diesen viel sagenden Fotografien hatte sie schließen können, dass John Cheever Hunde liebte, Laurie Colwin früher gestreifte Hemdblusen getragen, den Kopf geneigt und im grellen Sonnenlicht die Augen zusammengekniffen hatte. Das waren Menschen, die Margaret gerne kennen gelernt hätte.

Seufzend ließ sie das Buch *Family Happiness* auf die Knie sinken. Colwins Protagonisten stammten aus Familien, denen es gelang, die Schwachpunkte ihrer Angehörigen mit liebevoller Nachsicht zu ertragen.

»Jane!«, rief Margaret. »Jane!«

Keine Antwort. Doch Margaret konnte sie auf dem Dachboden hören, sie schien in irgendwelchen Kartons zu kramen. Nachdem sie gerade in *Family Happiness* einen wunderbaren Dialog zwischen Wendy und ihrer Tochter Polly gelesen hatte, fühlte sie sich bestrebt, grundlegend die gleiche Nähe zu Jane herzustellen, wenn auch in abgewandelter Form.

»Jane!«, rief sie, dieses Mal lauter.
Gleich darauf kam ihre älteste Tochter herein, über und über mit Staub bedeckt. Sie trug schwarze Jeans, ein purpurfarbenes T-Shirt mit einem Napfkuchen in der Mitte und die Halskette mit dem Medaillon, die sie nie ablegte. Ihre Hände und Unterarme waren dunkel vom Staub. Margaret presste die Lippen zusammen.
»Kind, was machst du da oben? Sylvie hat endlich eine Verabredung und ist einen Abend außer Haus, und da lässt du mich allein?«
»*Endlich*?« Jane hob fragend die Brauen.
»Ja. Mit John Dufour.«
»Ich weiß mit wem. Ich finde es nur nicht besonders schmeichelhaft, ›endlich‹ zu sagen. Sie ist klug und ein wunderbarer Mensch, und er scheint bis über beide Ohren verliebt in sie zu sein.«
»Oh, so war das nicht gemeint. Großer Gott, du hast mich völlig missverstanden! Ich meinte, sie ist so pflichtbewusst, will mich nie allein lassen, nicht einmal jetzt, wo du zu Hause bist; außerdem haben die beiden bisher nichts weiter gemacht, als unten herumzusitzen und Scrabble zu spielen …«
»Willst du damit sagen, dass sie mir nicht zutraut, allein mit dir fertig zu werden?« Jane lächelte verschmitzt.
»Das liegt mir *völlig* fern! Du liebe Güte! Dreh mir bitte nicht jedes Wort im Mund herum«, sagte Margaret, bemüht, die Unterhaltung in eine erfreulichere Richtung zu lenken. Die Mütter und Töchter bei Laurie Colwin würden solche Klippen mit Sicherheit geschickter umschiffen.
»Tut mir Leid.« Jane hockte sich ans Fußende des Bettes, einen Fuß auf den Schaukelstuhl gestützt.
»Polly weiß, wie sehr Wendy sie liebt.« Margaret drückte das Buch an sich.
»Wer?«

»Die Solo-Millers«, sagte Margaret, als Jane ihr das Buch behutsam aus den Armen nahm. Sie sah zu, wie Jane darin blätterte. »Ich wünschte, wir wären aus einem ähnlichen Holz geschnitzt«, fuhr Margaret fort. »Ich wünschte, du wüsstest … ich wünschte, du würdest mir nicht so viel nachtragen. Polly trägt Wendy nie etwas nach.«
»Sind das die beiden Hauptpersonen? In dem Buch?« Fragend sah Jane von dem Buch auf.
Margaret nickte und merkte zu ihrem Leidwesen, dass ihr Kinn dabei wackelte.
»Mom, wir sind keine Romanfiguren.«
»Polly und Wendy auch nicht!«, erwiderte Margaret leidenschaftlich. »Sie sind real. Sie lieben einander. Wendy möchte, dass Polly jeden Sonntag zum Mittagessen kommt, aber nur deshalb, weil sie ihre Tochter liebt! Mag sein, dass sie Fehler begangen hat, als die Kinder klein waren, und dass sie nicht jede Facette der Persönlichkeit ihrer Tochter versteht … aber Polly sieht es ihr nach, verzeiht ihr!«
»Mom …«
»Was ist in dem Medaillon?« Margaret fixierte die silberne Scheibe, die Jane um den Hals trug.
»Nichts.«
»Das stimmt nicht. Du nimmst die Kette nie ab. Du hast sie Tag und Nacht getragen, seit …« Ihre Stimme brach. »Ich bedaure zutiefst, damals die Erlaubnis gegeben zu haben, dass dieses Foto in der Klinik gemacht wurde. Aber ich konnte nicht anders, du warst völlig außer dir und hast mich angefleht …«
»Hör auf.« Jane saß wie angewurzelt da. Margaret sehnte sich danach, dass Jane ihre Hand ergriff, wie Polly es mit Wendy getan hätte. Sie sehnte sich nach dem lichten Augenblick, in dem sich ihre Blicke träfen und einer Versöhnung nichts mehr im Wege stünde.

»Bewahrst du ihr Bild darin auf?«, fragte Margaret.
Jane antwortete nicht. Sie senkte den Blick, musterte ihre staubigen Hände. Margaret sah einen blauen Farbklecks auf ihren Fingern und wunderte sich, woher er stammen mochte.
»Wohin fährst du eigentlich, wenn du dir den Wagen ausleihst?«, hakte Margaret nach.
»Mom, ich fahre einfach in der Gegend herum.«
»Sylvie machen deine Spritztouren nervös, wie mir scheint. Deshalb frage ich.«
»Mom, lass uns lieber über dich reden«, erwiderte Jane mit Bedacht und wechselte das Thema. »Wie fühlst du dich?«
»Ach, Kind. Mir geht es gut. Wirklich.«
»Du wirkst so erschöpft seit dem Abend in Crofton.«
»Ach ja, das Pädagogen-Dinner.« Margaret seufzte. »Es war schön, mal wieder unter Menschen zu sein – die Kollegen aus meiner alten Schule wieder zu sehen, die anderen Rektoren, und die junge Generation – so viele Nachwuchskräfte, die nach meiner Zeit kamen. Es hat Spaß gemacht, sie zu begrüßen, mir Bilder von den Kindern und Enkelkindern anzuschauen. Natürlich war es weniger erfreulich, über meinen eigenen Gesundheitszustand zu berichten … ich bin dessen so überdrüssig! Weißt du, Gesundheit ist ein Gut, das man leicht als selbstverständlich hinnimmt, solange man es hat. Wenn man gefragt wird ›Wie geht es dir?‹, antwortet man automatisch ›Danke, gut.‹ Ich sehne mich nach jener Zeit zurück …«
»Ich weiß.«
Margaret seufzte. Ihre Füße und Beine schmerzten. Dabei war sie nur einen einzigen Abend länger als sonst auf den Beinen gewesen, und das vor einer Woche. In letzter Zeit ließ auch ihr Augenlicht erheblich nach. Das Lesen fiel ihr zunehmend schwerer. Dennoch wagte sie es nicht, den Mädchen davon zu erzählen. Die beiden würden ihrem

Konto nur einen neuen Minuspunkt hinzufügen, ›verringerte Sehfähigkeit‹, ein weiterer Grund, ein Pflegeheim in Betracht zu ziehen.

»Alles in allem kann ich mich nicht beklagen.« Sie rang sich ein Lächeln ab.

»Mom, wir wissen, dass es dir schwer fällt, allein aus dem Bett aufzustehen. Und du möchtest weder Sylvie noch mich mitten in der Nacht wecken ...«

»Pssst.« Margaret schloss die Augen. Sie spürte, wie sie errötete. Jane hatte Recht: Sie wollte ihre Töchter nicht stören. Letzte Nacht hatte sie nicht gerufen, damit jemand sie rechtzeitig ins Badezimmer brachte, und da war ihr ein Malheur passiert. Das Nachthemd und die Bettwäsche waren nass ...

»Wir waren nicht verärgert. Wir machen uns nur Sorgen um dich«, sagte Jane.

»Besprecht ihr, wie es mit mir weitergehen soll?«

»Ich möchte schon.« Janes Augen waren groß und unerschütterlich. »Aber Sylvie nicht.«

»Du willst dich rächen, oder? Mir heimzahlen, was ich dir an getan habe.«

Jane schüttelte den Kopf. »Natürlich nicht.«

»Weil ich dich schützen wollte und ein gutes Zuhause für das Kind gefunden habe.«

»Das Kind hat einen Namen«, wies Jane sie mit fester Stimme zurecht. »Chloe.«

Margaret biss sich auf die Lippe. Sie hatte sich stets geweigert, den Namen laut auszusprechen, und dabei würde es bleiben. Es machte alles nur noch schlimmer, noch unerträglicher. Warum tat Jane, ihre wunderbare, empfindsame Tochter, sich so etwas an? Ihr Blick fiel auf Janes Medaillon. Am liebsten hätte sie es ihr vom Hals gerissen und zum Fenster hinausgeworfen. Und Janes Erinnerungen, all diese schrecklichen Gefühle, mit Stumpf und Stiel ausgerottet. Hätte der

Doktor Jane doch nie gestattet, Zeit allein mit dem Kind zu verbringen, ihr eine Schleife ins Haar zu binden, sie fotografieren zu lassen.

»Ich habe es für dich getan …«, begann Margaret.

»Mom, bitte nicht. Das ist Ewigkeiten her. Jetzt geht es darum, sich mit der Zukunft zu befassen. Du brauchst eine intensivere, professionelle Betreuung. Ich habe Angst, dass du stolperst, hinfällst und dir den Kopf anschlägst bei dem schlechten Zustand, in dem sich deine Füße befinden. Oder Sylvie holt sich eine Rückenverletzung bei dem Versuch, dich aus dem Bett zu hieven.«

»Ich bin leicht. Ich wiege nicht viel …« Sie nahm sich vor, weniger zu essen; noch mehr abzunehmen. Sie würde besser auf ihre Füße achten. Sie würde die entzündungshemmende Salbe ausprobieren, die ihr der Arzt verschrieben hatte. Sie würde die Pantoffeln mit den Magneteinlagen tragen, sogar im Bett.

»Wie wäre es mit einer Pflegerin, die im Haus wohnt?«, fragte Jane. »Die rund um die Uhr für dich da ist.«

Margaret schüttelte den Kopf. Sie hatte Horrorgeschichten von Freunden gehört, die einen Reinfall mit dem Pflegepersonal erlebt hatten. Das Silber wurde gestohlen, die Telefonkosten stiegen mit einem Mal in astronomische Höhen und kleine Boshaftigkeiten waren an der Tagesordnung, wie Zwicken und Schubsen. »Wie kommst du denn auf die Idee?«, fragte sie.

»Weil ich nicht so werden möchte wie meine Freunde, die über den Kopf ihrer Eltern hinweg entscheiden, was mit ihnen geschehen soll. Weil ich dazu kein Recht habe.«

»Mir wäre es fast lieber, ihr schiebt mich einfach ab, ohne mich vorher zu fragen. Ihr könnt nicht erwarten, dass ich meinen eigenen Abgang in die Wege leite.«

»Abgang? Mom!« Jane lächelte.

»Du brauchst nur Dickens zu lesen!« Margaret griff nach *Oliver Twist* und schwenkte das Buch. »Er wusste, wie es in solchen Einrichtungen zugeht! Du hast noch eine Rechnung offen und denkst wahrscheinlich: wie du mir, so ich dir, stimmt's?«
»Du hast mich nie gefragt«, entgegnete Jane ruhig. »Du hast mir vorgeschrieben, wohin ich zu gehen und was ich zu tun hatte. All die Monate im St. Joseph's …«
»Es war zu deinem eigenen Besten!«, stöhnte Margaret. »Du warst hoch begabt … hattest die ganze Zukunft noch vor dir … Ich verachtete deinen Vater für das, was er euch hinterlassen hat! Er hat den Gedanken in euch geweckt, so wertlos zu sein, dass man euch benutzen und fallen lassen konnte! Ach, Kind, ich hatte Angst, dass du alles zunichte machst, dein Studium abbrichst …«
»Und Konditorin wirst?«, flüsterte Jane. In diesem Augenblick klingelte das Telefon. Jane klopfte gegen ihre Tasche, zog ein kleines silbernes Handy heraus, überprüfte die blaue Anzeige und verließ den Raum.
Margaret schauderte, unterdrückte ein Schluchzen. Sie legte *Oliver Twist* beiseite und griff wieder nach *Family Happiness*. Sie dachte an die Protagonistinnen, die Solo-Millers, Wendy und Polly. Sie klammerte sich an die beiden – Mutter und Tochter mit ihrer unverbrüchlichen Beziehung. Sie waren wie Freundinnen für sie, leisteten ihr in ebendiesem Moment Gesellschaft. Und sie wünschte sich, mehr als alle Worte in ihrer geliebten englischen Sprache jemals auszudrücken vermochten, sie hätte eine solche Beziehung zu Jane.

»Hallo?« sagte Jane, als sie im Korridor vor dem Zimmer ihrer Mutter stand. Sie hielt das Handy ans Ohr und ihr Herz klopfte wie verrückt nach dem Gespräch, das sie gerade mit ihrer Mutter geführt hatte.

»Jane?«
Jane zögerte, versuchte die Stimme einzuordnen.
»Dylan Chadwick am Apparat.«
»Oh, hallo!«
»Ich habe Ihre Telefonnummer von der Visitenkarte, die Sie meiner Nichte gegeben haben. Ich rufe an, um mich bei Ihnen zu bedanken.«
»Das war doch nicht nötig.«
»Die Apfelpasteten waren köstlich. Und es war sehr aufmerksam von Ihnen, sie vorbeizubringen. Nur weil ich erwähnte, dass wir sie gerne essen.«
»Nun, ich habe in letzter Zeit nicht viel gebacken«, sagte Jane aus dem Bedürfnis heraus, ihr Verhalten zu erklären, in der Hoffnung, dass er es nicht merkwürdig gefunden hatte. »Ich war auf dem besten Weg, einzurosten.«
»Befinden Sie sich noch in Rhode Island? Oder sind Sie nach New York zurückgekehrt?«
»Ich bin noch hier.«
»Also, der Stand ist so gut wie fertig«, sagte er. »Sie haben vermutlich gesehen, dass sich meiner Nichte und ihrer Freundin damit eine gute Gelegenheit bietet, während der Sommermonate tüchtig zu arbeiten.«
»Ist mir schon aufgefallen.« Jane lächelte.
»Wir haben allerdings ein kleines Problem: Die Äpfel werden nicht vor September geerntet. Die Erdbeeren, die ich angepflanzt habe, sind erst im Juni reif, und Tomaten und Mais im Juli; im Moment habe ich also einen frisch gestrichenen Stand und nichts zu verkaufen.«
Jane konnte es nicht fassen; offenbar wollte Chloes Onkel ihr einen geschäftlichen Vorschlag unterbreiten.
»Sie möchten, dass ich für Sie backe …«
»Apfelkuchen und Pasteten. Chloe war hingerissen von dem Gebäck, das Sie vorbeigebracht haben. Vor allem von der De-

koration, die Sie aus Teig gestaltet haben. Sie wusste natürlich nicht, wer Sie sind.«
Janes Herz drohte auszusetzen. »Was heißt das?«
»Die Calamity Bakery.«
»Oh«, rief sie erleichtert. »Sie kennen mich aus New York ...«
»Ich habe früher dort gelebt. Meine Frau war Designerin, sie gab und besuchte viele Partys. Ich habe mich immer gefreut, wenn Sie die Nachspeisen geliefert haben. Nicht nur, weil sie hervorragend schmeckten, sondern weil sie irgendwie, ich weiß nicht, anheimelnd wirkten. Nicht extravagant, sondern bodenständig, und köstlich. Die Dekoration gefiel mir ebenfalls.«
»Wirklich?«
»Ja. Genau wie gestern: Äpfel und Apfelbäume. Chloe war ebenfalls begeistert.«
»Das freut mich sehr.«
»Also was ist, backen Sie für uns? Ich glaube, dass die beiden Mädchen am liebsten samstags und sonntags arbeiten würden. Vielleicht könnten wir mit zwei oder drei Obstkuchen pro Tag anfangen. Und ein paar Apfelpasteten.«
»Sagen wir fünf?«
»Klar. Fünf!«
»Was ist mit den Äpfeln?«
Dylan schwieg, überlegte.
»Ich meine, die Kunden werden wissen wollen, ob die Äpfel von der Chadwick-Plantage stammen.«
»Meinen Sie? Wir haben aber noch keine. Glauben Sie, dass die Leute Anstoß daran nehmen?«
»Nein, ich denke, das ist in Ordnung. In New York will jeder wissen, woher die Ware stammt – ob die Pfifferlinge auf einer bestimmten Farm in Stonington, Maine, gezüchtet oder die Himbeeren von den Klosterbrüdern im County Wicklow in Irland von Hand gepflückt wurden ...«

Dylan lachte. »Das war schon zu meiner Zeit so. Aber hier sind wir nicht so wählerisch, mit Ausnahme einiger Spitzenrestaurants in Providence.«
»Glauben Sie, ich komme ungestraft davon, wenn ich Granny-Smith-Äpfel aus dem Supermarkt nehme?«
»Würde ich meinen.«
»Gut«, sagte Jane. »Dann lasse ich es auf einen Versuch ankommen.«

Chloes Eltern stritten sich. Es war Samstagabend. Sie hatten sich in ihr Schlafzimmer zurückgezogen, die Tür war geschlossen. Wussten sie nicht, dass man sie trotzdem hören konnte? Auch wenn sie nicht jedes Wort verstand, sprach der Ton ihrer Stimmen Bände. Sie wusste, dass es bei diesen Reibereien meistens um zwei Dinge ging: um Geld oder um sie.
Am Ende hatte sie doch noch Hausarrest bekommen. Man hatte sie ein paar Tage im eigenen Saft schmoren lassen, bevor ihr Vater das Urteil verkündete: zwei Wochenenden Kinoverbot, als Strafe für ihr Fehlverhalten, das Ace Fontaine dazu bewogen hatte, sie zu feuern.
Chloe fragte sich, wie das Leben ihrer Eltern vor ihrer Ankunft gewesen sein mochte. Waren sie glücklicher gewesen? Sie wanderte durch das schmucke Haus. Lautlos glitten ihre Socken über die frisch gebohnerten Holzböden. Im Wohnzimmer blieb sie stehen. Sofa und Sessel hatten Polster aus geblümtem Chintz. Der Servierwagen war auf Hochglanz poliert. Der Schlingenteppich hatte einen weißen Untergrund. Einer der Gründe für das Verbot von Haustieren war, dass sie haarten. Chloe durfte auch nicht auf der Wohnzimmergarnitur sitzen; sie war angehalten, das Esszimmer zu benutzen, wo die Stühle Schonbezüge aus blauer Baumwolle hatten.
Das Bücherregal enthielt nur wenige Bücher, aber jede Menge

Dekorations- und Gartenzeitschriften, die Milchglas-Sammlung ihrer Mutter und einige gerahmte Bilder. Chloe nahm das Hochzeitsfoto ihrer Eltern in die Hand.

Das Gesicht ihres Vaters wirkte offen und unbekümmert, als hätte er nicht die geringsten Sorgen. Die Augen ihrer Mutter waren von Glück erfüllt, ihr Mund zu einem perfekten Lächeln verzogen. Wie harmonisch sie miteinander wirkten, wie sehr sie einander ähnelten. Mit ihren rötlich-blonden Haaren und den braunen Augen hätte man sie für Geschwister halten können. Sie hatten mit fünfundzwanzig geheiratet. Mit siebenunddreißig hatten sie die Hoffnung aufgegeben, jemals ein eigenes Kind zu bekommen. Und mit achtunddreißig hatten sie beschlossen, Chloe zu adoptieren.

Als sie zu ihnen kam, hatte sie bereits einen Namen.

Das war Teil der Übereinkunft, eine Bedingung für die Adoption. Ihre leibliche Mutter hatte sie in den Armen gehalten, in ihre blauen Augen geblickt und ihr den Namen ›Chloe‹ gegeben. Obwohl ihre Eltern ›Emily‹ vorgezogen hätten, wären sie damit einverstanden gewesen, die Wünsche der leiblichen Mutter zu berücksichtigen. So sehr wollten sie ein Kind haben. Aber hatten sie wirklich gewusst, worauf sie sich einließen? Wären sie auch dann zur Adoption bereit gewesen, wenn sie geahnt hätten, wie sehr sich ihr Leben dadurch verändern würde? Diese hellblonde, braunäugige Familie hatte sich eine Laus in den Pelz gesetzt, Chloe, den Satansbraten. Schwarze Haare, eisblaue Augen, eher Wildkatze als folgsames Mädchen, das zu Widerworten und Aufmüpfigkeit neigte.

Chloe ging zum Fenster, stieß es auf. Heute Abend tanzten die Katzen, die zur Plantage gehörten. Sie spielten im Mondschein, tollten im Garten umher. Jeden Tag kamen neue Kätzchen zur Welt. Einige maunzten in der Ferne, als hätten sie sich auf dem Heimweg verirrt und wollten ihre Eltern veranlassen, sie zu suchen.

Chloe hörte, wie ihr Vater oben die Stimme erhob. Es ging um »Rechnungen« und »Geld« und »diese verdammte Plantage«. Chloe erschauerte, als eine Brise durch das offene Fenster wehte, aber auch weil sie wusste, dass ihr Vater von Onkel Dylan und dem Wunsch sprach, sein Bruder möge endlich einwilligen, einen Teil des Landes zu verkaufen.
Das Telefon läutete. Chloe beeilte sich, ranzugehen.
»Hallo?«
»Ich bin's«, sagte Mona. »Darfst du telefonieren?«
»Ja. Ich habe nur Kinoverbot. Bis nächste Woche.«
»Aha, das ist ja nicht *allzu* schlimm. Was tust du gerade?«
»Ich höre zu, wie die beiden miteinander streiten.«
»Worüber?«
»Geld.« Chloe hatte keine Lust, die Situation im Einzelnen zu erörtern, die Sache mit ihrem Vater, ihrem Onkel, Isabels Tod und der Apfelplantage, und um wie viel glücklicher ihre Eltern vor der Adoption gewesen waren. Doch zum Glück war Mona schon so lange mit ihr befreundet, dass sie die Hintergründe ohnehin mehr oder weniger kannte. Sie hatte die Spannungen, die im Haus herrschten, hautnah miterlebt. Sie wusste, dass Chloe Bauchweh von den Zwistigkeiten bekam, die nie offen ausgetragen wurden.
»Das ist nicht fair«, sagte Mona.
»Was?«
»Wenn man in eine Familie hineingeboren wird, die sich selbst zerfleischt, ist das eine Sache. Aber wenn du eingeladen wurdest, am Schlachtfest teilzunehmen, steht das auf einem anderen Blatt.«
»Was soll das heißen?«
»Ich will damit sagen, dass sie dich *adoptiert* haben. Wenn du ihr leiblicher Sprössling wärst, hättest du Pech – und keinerlei Regressansprüche. Aber du bist gewissermaßen ihr *Gast,* und deshalb haben sie kein Recht, sich in deiner Gegenwart selbst

zu zerfleischen. Sie haben dich schließlich *eingeladen.* Du hättest locker eine andere Familie finden können. Wäre es angesichts dessen nicht angebracht, ein wenig mehr Rücksicht auf deine Gefühle zu nehmen? Es ist eine große Belastung für dich, wenn sie miteinander streiten, wenn auch hinter geschlossener Tür.«

Chloes Magen verkrampfte sich, aber Mona sprach nur Dinge aus, die sie sich selbst oft gesagt hatte. Sie wusste, dass Mona ihre Beziehung zu Betty Lou ähnlich empfand. In mancher Hinsicht glichen sich Adoptiv- und Stiefeltern.

»Du hast Recht«, pflichtete sie ihr bei. »Vor allem, wenn es bei dem Streit um mich geht. Mein Vater meint, ich hätte ihm Schande gemacht, weil Ace Fontaine Mitglied in seinem Rotary-Club ist.«

»Böses Mädchen«, kicherte Mona.

»Mit ihrer leiblichen Tochter wäre ihnen so etwas nie passiert.«

»Nie im Leben.«

»Sie wäre genauso perfekt wie sie. Sie würde ihr Schlafzimmer pieksauber aufräumen. Sie würde Fleisch essen, wie der Rest der Familie. Sie würde mit Sicherheit nie auf die Idee kommen, die streunenden Katzen auf der Plantage zu füttern.«

»Nein, nein, nein.«

»Und wenn doch, würde sie sich nicht vergewissern, dass das Katzenfutter weder Fleisch noch Milchprodukte enthält.«

»Oh, sind die Katzen Veganer?«

»Das muss ich noch herausfinden. Dieses Futter ist teuer. Ob ich es mir auch in Zukunft leisten kann, hängt davon ab, wie viel Onkel Dylan uns für die Arbeit am Obststand bezahlt.«

»Mmmm, Onkel Dylan.« Monas Stimme klang verträumt.

»Hör auf damit. Er trauert. Und er ist uralt.«

»Er braucht nur jemanden, der ihm hilft, wieder lieben zu lernen. Dieser Mensch könnte ich sein. Er braucht mich …«
»Er ist achtundvierzig. Älter als dein Vater.«
»Aber jünger als *dein* Vater. Wie kommt es, dass dein Onkel – als jüngerer Bruder – seinen Willen durchsetzt und das Land bestellt, obwohl dein Vater geradezu versessen darauf ist, es zu verscherbeln?«
»Weil mein Großvater wollte, dass die Plantage erhalten bleibt. Deshalb hat er eine Klausel in sein Testament aufgenommen, die besagt, dass sie nur dann verkauft werden darf, wenn beide zustimmen.«
»Hat er sein Land mehr geliebt als seine Söhne?«
Chloe hielt den Hörer in der Hand, lauschte dem Wind in den Zweigen. Mondlicht fiel auf die Apfelblüten, tauchte die Bäume in weißes Licht. Die Plantage sah aus wie ein verwunschener Garten, so dass sie sich vorstellen konnte, darin zu verschwinden und für immer glücklich zu sein. Die knatternden Geländemaschinen fehlten heute Abend.
»Ich glaube nicht«, sagte sie. »Vermutlich meinte er, das Land würde die Familie zusammenschweißen.«
»Genau das ist es, was Eltern antreibt. Der Gedanke an den Zusammenhalt der Familie. Kinder haben, die den Fortbestand sichern, den Familienbesitz erhalten …«
»Glaubst du, dass so was funktioniert?«, fragte Chloe und lauschte den Stimmen im oberen Stock, die immer lauter wurden.
»Frag unsere leiblichen Mütter.«
Chloe betrachtete die gazeartigen weißen Bäume. Sie nickte schweigend. Jedes weitere Wort erübrigte sich. In der Stille, die nun herrschte, hörte sie, wie Mona einen kleinen erstickten Schluchzer ausstieß.

10

Am Sonntagmorgen war Chloe so früh aus den Federn und unterwegs, dass Sharon Chadwick nicht einmal eine Chance hatte, ihr ein ordentliches Frühstück zu machen. Nicht, dass Chloe Eier mit Speck gegessen hätte, das traditionelle Sonntagsgericht, aber Sharon hätte Haferbrei für sie gekocht oder ein englisches Muffin getoastet, sofern sich die Gelegenheit dazu geboten hätte.

Stattdessen pusselte sie in der Küche herum und bereitete Elis Leibspeise zu. Sie rieb Cheddarkäse, würfelte eine Tomate, wickelte Schinkenspeck aus. Sie trennte die dicken Scheiben und legte sie in eine beschichtete Bratpfanne. Sie deckte den langen Tisch aus Ahornholz mit karierten Sets und dazu passenden Stoffservietten, Terrakotta-Tellern und braunen Steingutbechern.

Während der Speck in der Pfanne brutzelte, kochte sie Kaffee. Sie hörte Eli mit schwerem Schritt die Treppe herunterkommen. Ihr Herz klopfte zum Zerspringen. Nach dem Streit gestern Abend waren sie unversöhnt zu Bett gegangen. Der Gefühlsaufruhr machte sie benommen, als hätte sie Fieber, fast wie im Delirium. Mit kerzengeradem Rücken, den Hals stocksteif hinuntergebeugt, stand sie vor dem Herd. Eli betrat stumm den Raum, stellte sich hinter sie, küsste sie auf den Nacken.

»Es tut mir Leid«, sagte er.

Sharon nickte. Die Worte waren in ihr verschlossen, wollten nicht über ihre Lippen. Ihr war nach Weinen zumute. Es gab so vieles im Leben, wofür sie dankbar sein durften; weshalb gelang es ihnen nicht, sich gegenseitig glücklich zu machen?

Sie waren gewissermaßen aus dem Tritt geraten – in ständigem Kampf mit einem aufmüpfigen Teenager und miteinander, denn sie selbst gingen auch nicht mehr so liebevoll miteinander um wie früher.

»Mir tut es auch Leid«, sagte sie.

Er nahm seinen Stammplatz an der Stirnseite des Tisches ein. Sie war bereits zur Straße gegangen, hatte die Sonntagszeitung aus dem Briefkasten geholt und sie auf die Sitzbank gelegt. Eli griff nun nach ihr.

»Wo ist Chloe?«

»Bei der Arbeit.« Sie sah mit erhobener Augenbraue auf.

»Dieser gottverdammte Obststand. Bin ich zu alt, um meinem kleinen Bruder diesen Unfug auszutreiben?« Er schüttelte den Kopf. Doch Sharon war erleichtert. Sich miteinander gegen Dylans Pläne zu verbünden, war ein Weg, um sich als Paar näher zu kommen.

»Ich weiß, ich weiß. Er glaubt, dass er uns einen Gefallen erweist, wenn er sie beschäftigt. Aber der Obststand – ausgerechnet! Der reinste Schandfleck!«

»Es ist mir ein Rätsel, aber Dylan scheint vergessen zu haben, dass ihm dieser Obststand auf unserem Anwesen früher abgrundtief peinlich war. Er war völlig ungezwungen, was Mädchen anging, aber er wollte nicht, dass sie ihn besuchten …«

»Ich erinnere mich.« Sharon verquirlte die Eier und goss sie in die Pfanne, um ein Omelett zuzubereiten. Sie kannte die Chadwick-Brüder seit der Highschool. Damals hatte gerade die Erschließung im Tal begonnen und Kinder, die auf einer Farm aufwuchsen, wurden als rückständig und hinterwälderisch gehänselt, weil ihre Familien die Entwicklung neuer Wirtschaftszweige bremsten.

»Ich möchte nicht, dass Chloe den gleichen Anfeindungen ausgesetzt ist wie wir früher«, fügte er hinzu.

»Ich weiß«, sagte Sharon. Die Kinder hatten sich über die Chadwick-Brüder lustig gemacht, hatten sie »Bauerntölpel« genannt – aber nie, wenn die beiden sich in Hörweite befanden.

»Sie ist so sensibel. Kann es nicht einmal ertragen, wenn ein Vogel aus dem Nest fällt. Und dann der Ärger im Supermarkt wegen der Tierquälerei …«

Sharon antwortete nicht. Gedankenverloren streute sie Käse und die gehackten Tomaten in die Eier. Sie war anderer Ansicht als ihr Mann. Chloe besaß großes Einfühlungsvermögen, keine Frage, aber Eli verband den Begriff Sensibilität mit einem Mangel an innerer Stärke und das traf auf Chloe keineswegs zu.

»Chloe weiß sich sehr wohl für ihre Interessen einzusetzen. Und für die anderen.«

»Abwarten, noch hat sie den Sommer nicht am Stand gearbeitet«, widersprach Eli. »Sie werden sie als Landei und Bauerntrampel abstempeln und genauso gnadenlos verspotten wie Dylan und mich.«

»Solche Dinge stören sie nicht.«

Eli schnaubte, schüttelte den Kopf. »Sollten sie aber. Was die Leute von einem halten, fällt ins Gewicht. Sie ist dermaßen damit beschäftigt, die Welt zu retten, dass sie es in ihrem eigenen Leben letztlich zu nichts bringen wird. In ihrem Alter sollte man langsam anfangen, sich Gedanken über die berufliche Laufbahn zu machen. Das College steht vor der Tür … und was macht sie? Interessiert sie sich für Sport, für einen Eintrag ins Jahrbuch wegen besonderer Aktivitäten, für die Schulzeugnisse? Dinge, die ihr den Zugang zu einer erstklassigen Universität erleichtern würden? Mitnichten. Gibt sie sich Mühe, einen Nebenjob anzunehmen, der sich gut in ihrem Lebenslauf ausnehmen würde?«

»Ich weiß, ich weiß.« Sharon blickte Eli flüchtig an, wünschte sich, sie könnte ihn von dem leidigen Thema ablenken. Der Tag hatte so viel versprechend begonnen …

»Ace Fontaine hätte sie zur Kassiererin befördert – bis zum Memorial Day, hat er mir gesagt. Ein guter Job, Verantwortung, Umgang mit Geld – das wäre eine Eintrittskarte für viele Berufszweige gewesen. Bank, Anwaltsfirma – nicht zu vergessen Versicherungsunternehmen! Sie hätte sich von der Pike hocharbeiten können!«

»Das Frühstück ist fertig«, warf Sharon ein.

»Was für Chancen hat man, Karriere zu machen, wenn man an einem Obststand arbeitet? Oder in der Scheune? Oder im Stall? Das ist kein Fortschritt, sondern ein Rückschritt …«

Sharon klappte das Omelett zur Hälfte zusammen, ließ es auf einen Teller gleiten und stellte es auf den Tisch. Sie ließ den Speck – besonders knusprig, wie Eli ihn liebte – auf einem Papiertuch abtropfen, um das überschüssige Fett zu entfernen. Sie dachte an Chloes Brandrede über die Schweine, die in ihren Ställen eingepfercht waren, nie die Sonne zu sehen bekamen und sich nicht einmal am Gesäß kratzen konnten. Just in dem Moment juckte es sie hinten am Bein. Sie verkniff sich eine Reaktion. Chloe hatte eine Art, sich ihrer geheimsten Gedanken und Empfindungen zu bemächtigen, wenn sie es am wenigsten erwartete.

»Mmmm, köstlich, dein Frühstück.« Eli lehnte sich über den Tisch, um sie zu küssen.

»Danke.« Sie füllte die Kaffeebecher.

»Tut mir Leid, dass ich mich so aufgeregt habe.« Er schüttelte den Kopf und trank einen Schluck.

»Du willst ihr Bestes.«

»Sie ist nur, es ist nur, sie ist so …« Er hielt inne, blickte auf. »So anders.«

Sharon versuchte zu lachen. »Willkommen im Leben mit einer Fünfzehnjährigen. Alle unsere Freunde können bezeugen, dass diese Phase der Entwicklung der reinste Horror ist. Und daran wird sich nichts ändern für die nächsten drei Jahre – mindestens. Teenager sind Wesen von einem fremden Stern. Sie sind von Haus aus anders.«

»Ich frage mich, ob es wirklich daran liegt. Oder ob …«

Sharon spießte ein Stück Omelett auf ihre Gabel, ihre Brust wurde eng.

»Ob sie so anders ist als wir, weil …«, fuhr er fort.

»Nicht, Eli. Sie gehört zu uns. Und wir gehören zu ihr. Wir sind eine Familie.«

»Manchmal sehe ich sie an und, Gott steh mir bei, wundere mich …« Er schloss die Augen.

»Eli.« Sharon warf einen raschen Blick zur Hintertür und betete, Chloe möge nicht davorstehen. »Sie ist ein Teenager. Das erklärt alles. Hör auf damit, bevor sie dich hört.«

»Ich weiß. Tut mir Leid.« Er aß ein paar Scheiben Speck, trank Kaffee. Seine Augen wirkten besorgt. Die Situation mit Ace hatte ihn beschämt. Eli war stolz auf seine Stellung in der Gemeinde. Es war ihm gelungen, den Angehörigen des Lehrerverbands und den Geistlichen in ihrem Sprengel Versicherungspolicen zu verkaufen. Er war ein eifriges Mitglied des Rotary-Clubs und konnte den Gedanken nicht ertragen, dass bekannt werden könnte, was für einen Ärger Chloe in Aces Supermarkt verursacht hatte. Trotzdem wusste Sharon, dass sein derzeitiger Ärger eher mit seinem Bruder als mit Chloe in Zusammenhang stand.

Obwohl Dylan vier Jahre jünger war, hatte Eli immer im Schatten seines Bruders gestanden. Dylan war schon in der Highschool eine Sportskanone, allseits beliebt und ein Draufgänger gewesen; Eli hatte sich seinen Weg hart erkämpfen müssen – er hatte ein Fernstudium absolviert und nebenbei von Sonnenaufgang bis Sonnenuntergang in der Apfelplantage seiner Familie geschuftet. Dylans Talent

als Basketballspieler und seine charmante Art hatten ihm den Weg in die Brown University geebnet. Er hatte den Blütenstaub der Plantage abgeschüttelt, sich von der sprichwörtlichen Bürde befreit, eine Elite-Universität besucht und nie mehr zurückgeblickt.
In der College-Mannschaft war er zum Basketball-Star, im zweiten Jahr zum Ausnahmesportler der All-Ivy-League und im vorletzten und letzten Jahr vor seiner Graduierung zum All-American, dem besten Studenten der Universität in seiner Disziplin, gekürt worden. Er hatte reiche Freundinnen, gut betuchte Mentoren, die ihn auf eine Weise unter ihre Fittiche nahmen, von der Eli nur träumen konnte. Eine Familie lud ihn nach Europa, eine andere auf einen Segeltörn nach den Bermudas ein. Headhunter warben ihn für einen Posten »auf Regierungsebene« an. Streng vertraulich, niemand durfte wissen, wer sein Arbeitgeber war, aber es kursierten Gerüchte: CIA oder FBI? Dylan enthielt sich jeden Kommentars. Nicht einmal Eli erhielt die Chance, ihm auf den Zahn zu fühlen, und warum? Weil Dylan nie nach Hause kam.
Er genoss sein Leben als Junggeselle in Washington, D.C., wohnte in einem imposanten Backstein-Stadthaus in Georgetown. Sharon erinnerte sich, wie sie ihn dort besucht hatten. Ehrfurchtsvoll hatte sie den winzigen Garten hinter dem Gebäude betrachtet, ein grünes Juwel mit Efeu, Päonien, einer gemauerten Terrasse und Gartenmöbeln, die aussahen, als wären sie mehr wert als ihre Schlafzimmer- und Wohnzimmereinrichtung zusammen. Es war nicht so, dass er reich gewesen wäre; er wusste nur, wie man sein Geld ausgibt. Und er schien hart zu arbeiten, zu hart, um eine feste Freundin zu finden oder auch nur die Zeit, sich zu verlieben …

Das war im Frühling gewesen. Dylan hatte sie zum Abendessen ins Jean-Louis im Watergate-Hotel eingeladen und sie

hatten sich in seinen schwarzen Porsche 911S gequetscht, um vorher eine Stadtrundfahrt zu machen.
Dylan trug ein Pistolenhalfter. Sharon, mit Eli auf dem Beifahrersitz zusammengepfercht, sah, wie Eli die Waffe anstarrte, ihn gerne danach gefragt hätte.
»Mach nur«, flüsterte Sharon ihm zu, selbst darauf erpicht, mehr zu erfahren. »Es macht ihm garantiert nichts aus.«
»Dyl, ich dachte, du wärst nicht im Dienst!«, sagte Eli.
»Bin ich.«
»Und warum die Waffe?«
»Das bringt der Job mit sich. Man kann nie wissen.«
»Wann die Schurken aus der Unterwelt auftauchen?«, lachte Eli stillvergnügt in sich hinein.
Dylan nickte, ohne in das Lachen einzustimmen.
»Was machst du eigentlich genau?«, hatte Sharon gefragt. Sie kannte Dylan beinahe so lange wie Eli; obwohl er keine Nähe zuließ – nebenbei bemerkt, auch nicht von Eli oder seinen Eltern –, war er für sie wie ein jüngerer Bruder. »Wir wissen nur, dass du für die *Regierung* tätig bist ...« Inzwischen war allgemein bekannt, dass er dem U.S. Marshals Service angehörte, der amerikanischen Bundespolizeibehörde.
»Schützen und dienen«, hatte er grinsend erwidert.
»Glaubst du etwa, wir hätten nichts Besseres zu tun, als nach Rhode Island zurückzukehren und deine geheimen Missionen zu verraten? Jetzt mal im Ernst«, hatte Eli gesagt.
»Ich bin in der Drogenfahndung eingesetzt«, sagte er.
Sie warteten auf eingehende Erläuterungen. Eli streckte die Hand aus. »Na komm, spuck's aus ...« Als Dylan schwieg, spürte Sharon, dass Eli wütend wurde. Da sie auf seinem Schoß saß, ging seine Anspannung ihr buchstäblich unter die Haut. »Ich bin dein Bruder – hast du nicht genug Vertrauen zu mir, um etwas aus dem Nähkästchen zu plaudern?«

»Dir würde ich alles anvertrauen«, entgegnete Dylan ruhig. »Glaubst du etwa, ich hätte nicht das Bedürfnis, darüber zu reden? Das hat nichts mit dir zu tun …«

»Red keinen Blödsinn«, sagte Eli. Er hatte Rotwein zum Essen getrunken, mehr als er gewöhnt war, und Sharon spürte, wie seine Frustration wuchs.

»Lass gut sein.« Sie liebkoste seinen Hals. »Lass gut sein.«

Eli hatte seine Arme um sie gelegt, hielt sie umfangen. Vielleicht hätte er sie am liebsten weggestoßen, aber das war unmöglich. Als der Wagen durch die Stadt brauste, spürte sie, wie er sich entspannte.

Dylan bog um eine Ecke. Er blickte zu ihnen hinüber, um zu sehen, wie sie reagierten, schien die Spannung im Wagen nicht zu bemerken. Sharon verschlug es den Atem beim Anblick der unvorstellbaren Schönheit der Kirschbäume, weiß und leuchtend, die das Jefferson-Memorial-Denkmal umgaben; schimmernd wurden sie im schwarzen Wasser des Tidebeckens reflektiert.

»O Gott«, staunte sie.

»Na toll«, hatte Eli gemeint. »Da kommen wir aus dem fernen Apfelland und du zeigst uns Obstbäume.«

»Was ist mit der Plantage?«, hatte Dylan gefragt.

»Geht den Bach runter. Dad klammert sich daran, bis zum bitteren Ende. Wir hätten fünfhundert Riesen von sechs verschiedenen Erschließungsfirmen einsacken können, aber nein …«

»Ich finde es richtig, dass er daran festhält«, hatte Dylan gesagt. Das Verdeck des Wagens war heruntergeklappt, die Luft, die sie umgab, duftete.

»Was heißt das?«, hatte Eli gefragt.

»Was die Welt nicht braucht, ist eine weitere Neubausiedlung, ein weiteres Einkaufszentrum.«

»Mag sein, aber was wir brauchen, ist eine weitere Hypothek.

Hast du eine Ahnung, wie hoch allein die Grundsteuer auf unser Land ist?«
»Ja«, antwortete Dylan. Eli verstummte, weil alle wussten, dass Dylan seinen Eltern in den letzten Jahren Geld geschickt hatte, um die Kosten der Plantage zu decken. Er war nicht reich – nur im Staatsdienst tätig, ungeachtet dessen, wie glamourös seine Stellung aus der Sicht seiner Familie auch sein mochte –, aber die Apfelplantage war seine Leidenschaft. Und deshalb war er für seinen Vater der große Held.
»Das Land trägt sich nicht selbst«, sagte Eli barsch. »Sag mir also, was die Welt braucht, wenn nicht ein weiteres Erschließungsprojekt.«
»Die Welt braucht mehr Obstbäume – richtig, Sharon?«
»Kein Kommentar«, hatte sie erwidert und zu lachen versucht. »Ich werde mich hüten, bei euch Chadwick-Brüdern zwischen die Fronten zu geraten.«
»Schaut«, hatte Dylan gesagt und mit einer weitläufigen Geste auf die Kirschbäume gedeutet, eine rosaweiße Wolke, die über dem Wasser schwebte, die Alabaster-Stadt spiegelnd. »Wenn ich der Frau fürs Leben begegnen sollte, werde ich ihr genau dort einen Heiratsantrag machen. Oder zu Hause, auf der Apfelplantage.«
Eli war in schallendes Gelächter ausgebrochen, schien sich endlich wirklich und wahrhaftig zu amüsieren; er schüttelte den Kopf. »Der große Gesetzeshüter! Du hast einen gottverdammten Porsche, fliegst kreuz und quer durchs Land, kennst nur die besten Restaurants und findest, *das* sei romantisch?«
»Zum einen handelt es sich bei dem Porsche um einen Gebrauchtwagen, und zum anderen, ja, finde ich.«
»Sag du es ihm, Shar«, hatte Eli gesagt und sie angestoßen. »Du bist eine Frau. Was wäre dir lieber: Dass James Bond dir bei Kerzenschein an einem schön gedeckten Tisch in einem

französischen Restaurant einen Heiratsantrag macht, oder würdest du lieber bis zu den Knöcheln im Matsch stehen, während dich Mücken umschwirren und der Geruch faulender Äpfel in der Luft liegt?«

Sharon hatte Dylans Gesicht angeschaut. Er war Elis Bruder, in jeder Beziehung: markante, eckige Züge, empfindsame Augen mit Tiefe. Aber in einem Punkt unterschieden sie sich: Eli hatte sein Elternhaus nie verlassen, auch wenn er sich ständig davon zu befreien versuchte. Dylan war so schnell wie möglich in die Welt hinausgegangen, doch die Apfelplantage schien für ihn das schönste Fleckchen Erde auf der Welt zu sein.

»Wenn er die Frau fürs Leben findet, spielt das Wo keine Rolle«, hatte Sharon befunden.

Die Brüder hatten gelacht – war Dylan der bittere Unterton in der Stimme seines Bruders aufgefallen? Eli hatte ihr zu ihrer Diplomatie gratuliert und Dylan war mit ihnen an all den prachtvollen, beleuchteten Monumenten vorbei zu seinem Haus nach Georgetown gefahren. Während der Rückfahrt hatten Sharon und Eli ständig auf die Uhr geschaut.

Sie hatten versucht, ein Kind zu zeugen. Die kritische Zeit im Monat war ihnen stets gegenwärtig, und dieser Abend gehörte dazu. Sie hatten in dem Himmelbett in Dylans Gästezimmer Liebe gemacht; von Romantik konnte längst keine Rede mehr sein. Sex war zur Wissenschaft geworden. Terminkalender, in denen der monatliche Eisprung verzeichnet war, grafische Darstellungen von Eiproduktion und Spermienzählung und die Angst zu versagen, die ihnen noch vor der ersten Umarmung im Nacken saß. In einigen Nächten machten sie sich nicht einmal mehr die Mühe, sich zu küssen.

Als es vorüber war, lag Sharon auf dem Rücken, die Beine hoch gegen die Wand gelehnt, wie von ihrem Fertilitätsspezialisten empfohlen. Eli hatte sich auf die Seite gedreht und war eingeschlafen – oder hatte zumindest so getan als ob. Sharon hörte immer noch Dylans Worte: Über seinen Traum, der Frau fürs Leben einen Heiratsantrag zu machen, während die von Blütenduft erfüllte Luft durch den offenen Wagen wehte. Es hatte romantisch geklungen. Bedrückt hatte sie sich gefragt, ob das Leben für manche Menschen wirklich so einfach war.

Auch jetzt, während sie am Frühstückstisch saß und Eli die Zeitung las, fühlte sie sich bedrückt. Dylan hatte die große Liebe seines Lebens gefunden; er hatte Amanda einen Heiratsantrag gemacht – nicht auf einer Plantage, sondern an Deck einer Yacht, die ihrem Vater gehörte und im Newport Harbor vor Anker lag. Die Hochzeit hatte auf ihrem Familiensitz stattgefunden: Maison du Soleil, einer der Kalkstein-Paläste an der Bellevue Avenue mit einem makellosen Rasen in Hanglage, der sich bis Cliff Walk erstreckte und einen unverbauten, weitläufigen Blick aufs Meer bot.

Dylan war in das Büro der U.S.-Marshals in New York City berufen worden und sie waren von Georgetown in die vornehme Upper East Side gezogen. Nach nur einem Jahr Ehe, zur gleichen Zeit, als Sharon und Eli – nach jahrelangen vergeblichen Versuchen – Chloe adoptiert hatten, stellte sich ein Baby ein.

Eli, Sharon und Chloe; Dylan, Amanda und Isabel.

Die beiden Chadwick-Brüder und ihre Familien, die in beinahe jeder Hinsicht in verschiedenen Welten lebten. Der eine Bruder hatte zu kämpfen, der andere war reich. Der eine hatte ein Kind adoptiert, der andere ein leibliches gezeugt. Der eine wohnte in einer Kleinstadt, der andere in der Großstadt. Der eine lebte auf einer Plantage, der andere in Manhattan.

Doch der Tod hatte sich als der große Gleichmacher erwiesen; der Mord an seiner Frau und seinem Kind brachte Dylan auf die Plantage zurück. Sein Vater war schon vor Jahren gestor-

ben, aber das Thema Verkauf – oder Weiterführung – der Plantage war unlängst wieder aufgetaucht, als Virginia geschäftsunfähig wurde.
Sharon schloss die Augen. Der Duft der Apfelblüten drang durch das Küchenfenster und sie fühlte sich in jene Nacht in Georgetown zurückversetzt. Was wäre gewesen, wenn sie damals schon so schlau gewesen wären wie heute?
Sie dachte an Amanda und das, was sie getan hatte. Hätte Dylan ihr jemals verziehen, wenn sie noch lebte? Die Frage würde wohl für immer unbeantwortet bleiben. Sharon öffnete die Augen, wohl wissend, dass dies auch für andere Fragen galt. Manche konnten nicht einmal gestellt werden.
Sie hatte Eli unterbrochen, bevor er sagen konnte: »Manchmal schaue ich sie an und dann, Gott steh mir bei, frage ich mich …« Das Ende des Satzes hätte gelautet: »Und dann frage ich mich, wie unser leibliches Kind wohl gewesen wäre …«
Sharon stellte sich bisweilen die gleiche Frage. Sie hätte die Worte nie über ihre Lippen gebracht. Und was bedeutete überhaupt »leibliches« Kind? Weil sie Chloe mehr als alles auf der Welt liebte, schon immer, seit dem allerersten Tag. Chloe war wirklicher als die Wirklichkeit. Sharon aß weiter, obwohl ihr der Appetit vergangen war. *Der beste Weg, um zuzunehmen,* sagte sie sich. Sie hatte im letzten Jahr fünfzehn Pfund zugelegt. Das Leben war nervenaufreibend.
Sie hörte Dylans Traktor. Und ein Hämmern in der Ferne: Chloe reparierte den Obststand. Sie sah, wie sich die Muskeln in Elis Gesicht anspannten.
Ja, das Leben war in der Tat nervenaufreibend.

11

In der darauf folgenden Woche hatte Dylan mehrere Tage zum Einpflanzen vorgesehen. Der Frühling war bisher regenarm gewesen, so dass die Erde knochentrocken, hart und schwer umzugraben war. Es wehte ein kräftiger Wind, der tief hängende, schiefergraue Wolken vor sich hertrieb. Weiße Blüten wehten von den Bäumen; die neuen Blätter hatten die Größe von Eichhörnchenohren, ein Zeichen dafür, dass Streifenhörnchen in die Bucht übersiedelten. Dylans Bein schmerzte an der Stelle, wo er operiert worden war – ein sicherer Vorbote, der Regen ankündigte. Auf die Stahlnägel war immer Verlass.

Auf dem Weg zum Pflanzbereich entdeckte er neue Furchen, wo die Reifen der Geländemaschinen die Erde aufgeworfen und einige alte Wurzeln versengt hatten. Er bückte sich, tastete die Stämme mit den Händen ab. Die Rinde war abgerissen, das darunter liegende Holz roh und weiß wie ein blank liegender Knochen. Dylan schüttelte den Kopf. Die Apfelplantage mit ihren schmalen Wegen, Saumpfaden und knorrigen, gespenstisch wirkenden Bäumen hatte für die Halbwüchsigen schon immer eine magische Anziehungskraft besessen. Er würde neue Zäune errichten müssen.

Dylan hob Pflanzlöcher aus, zwei Fuß tief, mit dem doppelten Durchmesser des Wurzelgeflechts der neuen Bäume. Er streute lose Erde in das Loch und lockerte die Erdschichten an den Seiten, um das Eindringen der Wurzeln zu erleichtern. Er machte sich die Mühe, das Wurzelwerk jedes einzelnen Baumes behutsam zu entwirren, es auf der lockeren Erde auszu-

breiten und sich zu vergewissern, dass es sich weder verhedderte noch verdrehte.
Während er die Erde rund um die Wurzeln wieder auffüllte und mit der Hand fest andrückte, achtete er darauf, dass keine Lufteinschlüsse entstanden. Er überzeugte sich davon, dass sich die Pfropfstelle gute fünf Zentimeter über dem Boden befand. Als er die Erde festklopfte, hatte er das Gefühl, etwas zu begraben, was er liebte. Er dachte an Isabel. Er erinnerte sich an den Tag der Beisetzung.
Es begann zu regnen. Dicke Tropfen platschten auf den trockenen Boden. Ein regelrechter Platzregen setzte ein, der das Erdreich binnen kurzer Zeit in einen Morast verwandelte. Er prasselte auf die weißen Blüten nieder, tropfte von den Ästen und neuen Blättern. Dylan setzte seine Arbeit fort. Seine Hände hatten Blasen vom rauen Handgriff der Schaufel und begannen zu bluten. Der Regen verwandelte sein Blut in Wasser und spülte es in die Erde.
»Hallo!«
Er hörte die Stimme und blickte hoch. Ein blauer Kombi parkte auf der Landstraße und eine Frau stapfte durch das offene Gelände. Es war Jane. Sie trug eine dünne weiße Hemdbluse, ausgeblichene Jeans und Laufschuhe; die dunklen Haare hingen ihr in die Augen.
»Ich bringe die Pasteten!« Sie deutete hinter sich. »Sie sind im Wagen.«
Dylan lehnte sich auf seine Schaufel. Er war fast fertig und wollte die Arbeit nicht unterbrechen. Das Pflanzen der Bäume bewirkte, dass er sein Leben für eine Weile vergaß; er war derart in seine Gedanken an die Wurzeln, die Erde und den fallenden Regen vertieft, dass er eine Minute brauchte, um wieder in die Wirklichkeit zurückzufinden. Er starrte Jane an, die triefend vor Nässe auf ihn zulief, und dachte unwillkürlich an einen Engel, den es auf die Erde verschlagen hatte.

»Wo soll ich sie hinbringen?«
»Sie hätten sich nicht durch die matschige Plantage kämpfen müssen!«
»Ich habe von der Straße aus gerufen, aber Sie haben mich nicht gehört.«
»Tut mir Leid.« Er hatte ein Flanellhemd getragen, es jedoch ausgezogen, als er zu schwitzen begann. Es lag zusammengerollt an einer höher gelegenen Stelle, auf einem Felsen unter einem alten, fest verwurzelten Baum, und war noch ziemlich trocken; er schüttelte es auseinander und versuchte, damit ihren Kopf zu bedecken. Erde rieselte ihr in die Augen. Sie warf den Kopf in den Nacken und lachte. Nun hatte sie einen Schmutzstreifen auf der Wange.
»Und wohin jetzt mit den Pasteten?« Ein Lächeln kräuselte ihre Lippen.
»Wie wäre es, wenn Sie sie bei mir zu Hause abladen? Biegen Sie in die Zufahrt unmittelbar hinter dem Zaun ein – ich komme zu Fuß nach und treffe Sie dort.«
Sie nickte, rannte bereits zu ihrem Wagen.

Jane hielt sich an die Wegbeschreibung: Sie folgte dem hölzernen Staketenzaun und bog in die ungeteerte Zufahrt ein. Ihre Hände zitterten. Dylan hatte versucht, ihren Kopf mit seinem Hemd zu schützen. Dabei hatte er versehentlich mit seinem Bart ihre Wange gestreift. Sein Lächeln war freundlich gewesen, aber es war ihr nicht ganz gelungen, es zu erwidern. Die Auslieferung der Pasteten war ein Vorwand gewesen: In Wirklichkeit war sie in geheimer Mission unterwegs.
Das Farmhaus, das er bewohnte, war groß und weiß. Das Wort »weiträumig« wäre zutreffend gewesen. Es hatte mehrere Veranden und Schornsteine. Die Fensterläden waren dunkelgrün und der Anstrich blätterte ab. Ein alter Wunschbrunnen im Hof vor dem Haus war mit einer Plane

abgedeckt. Ein knallroter Pickup parkte vor einer verwitterten silbrig-roten Scheune. Während sie das Bild betrachtete, das sich ihr bot, kam Dylan mit weit ausholenden Schritten aus der Plantage, ging die Treppe an der Vorderseite des Hauses hinauf und bedeutete ihr mit einer Handbewegung, einzutreten.

Sie ergriff den Korb mit den Pasteten und rannte los, vornübergebeugt, um das Gebäck vor dem Regen zu schützen. Dylan hatte die Tür offen gelassen; sie lief ins Haus. Die Diele war dunkel. Sie schüttelten ihre nassen Köpfe wie zottige Hunde. Dylan ging voran in die Küche, und als sie das Wohnzimmer durchquerten, sah sie, dass auf sämtlichen Sesseln Katzen schliefen.

»Katzen lieben Regentage«, sagte sie.

»Katzen gibt es hier einige, wie man sieht.«

»Gemütlich.«

»Ihretwegen riecht das ganze Haus wie ein einziges großes Fellknäuel. Aber sie halten Schmarotzer fern.«

»Schmarotzer?«

Er nickte. Sie befanden sich inzwischen in der Küche, einem Raum, der durch nostalgische cremefarbene Geräte, einen emaillierten Tisch, Holzstühle mit Spindelbeinen und verblichene Baumwollvorhänge eine fantastische Retro-Note erhielt. Jane wurde mit einem Mal klar, dass sich in dieser Küche seit 1955 nichts verändert hatte.

»Katzen fressen Ratten«, sagte er. »Und Mäuse und Schlangen.«

»Brave Katzen.«

»Wir lagern Äpfel in der Scheune, und bis Oktober hat es sich herumgesprochen und die ungebetenen Kostgänger tauchen von überall her auf. Mein Bruder schlug Gift vor, um die Mäuseschar in Grenzen zu halten … die Familie hat sich deswegen praktisch überworfen.«

»Warum das?«
»Chloe«, sagte er, und der Name versetzte ihr, obwohl sie damit gerechnet hatte, ihn heute zu hören, einen Schlag, so dass ihr ein Schauer über den Rücken rann.
»Was ist mit Chloe?«
»Sie bekam einen Tobsuchtsanfall. Mäuse vergiften?« Er schüttelte den Kopf. »Lieber würde sie sich selber vergiften. Eli versuchte ihr zu erklären, dass es sich um ein spezielles Gift handelt, das die Mäuse sanft ins Land der Träume befördert, aber sie drohte, von zu Hause wegzulaufen, falls wir auf die Idee kämen, es zu benutzen.«
»Sie ist offenbar sehr tierlieb.« Jane bewahrte diese neue Information, die so kostbar war wie eine Perle, in ihrem Gedächtnis auf.
Dylan nickte. Er lehnte sich gegen die Frühstückstheke aus Resopal, die Arme über der Brust verschränkt. Er war groß und sein Körper stark und muskulös, aber sein Gesicht hatte keine Ähnlichkeit mit dem eines gewöhnlichen Farmers. Seine Augen verrieten zu viel Feinsinn. Er sah aus wie ein Mann, der Shakespeare wie seine Westentasche kannte. Voller Unbehagen dachte sie an Jeffrey, dann schlug sie die Augen nieder. In dem Augenblick fiel ein Blutstropfen auf seinen Stiefel.
»Sie bluten.«
»Scheint so.« Er betrachtete die Innenfläche seiner Hand und griff nach einem Papiertuch. »Die muss abgehärtet werden.«
»Wie kommt's?«
»Hab zu viele Jahre am Schreibtisch verbracht.«
Sie neigte den Kopf, wartete. Er drückte das Papiertuch fester auf die Wunde, knüllte es zusammen, warf es weg. Gleich darauf fiel ein weiterer Blutstropfen auf seine Stiefelspitze.
»Geben Sie mir Ihre Hand«, befahl sie und durchquerte mit raschen Schritten die Küche.

»Sind Sie Ärztin?«
Sie nickte ernst. »Klar.« Sie nahm seine Hand. Die Haut war gebräunt und rau. Die Fingernägel waren schwarz von der Erde. Auf den Innenflächen beider Hände hatten sich Blasen gebildet, die an der rechten Hand waren aufgeplatzt und bluteten. Sie trat an das tiefe Emailspülbecken und drehte die Wasserhähne auf: Sie waren aus schwerem Chrom, mit weißen Emailplaketten in der Mitte, auf denen »Heiß« und »Kalt« stand.
»Sie haben eine richtig anheimelnde, altmodische Küche«, sagte sie, noch immer seine Hand haltend, während sie darauf wartete, dass sich das Wasser erwärmte.
Er nickte. »Ich bin hier aufgewachsen.«
»Erinnert Sie das an Ihre Kindheit?«
»Anfangs schon, gleich nach dem Umzug. Doch inzwischen ist das einfach mein Zuhause. Sind Sie wirklich Ärztin?«
»Klar«, erwiderte sie ernst.
»Psychiaterin?« Er lächelte.
»Oh, weil ich mich nach Ihrer Kindheit erkundigt habe? Sehr scharfsinnig. Aber Sie liegen falsch. Ich bin Gehirnchirurgin.« Sie testete das Wasser an der Innenseite ihres rechten Handgelenks. »Möglich, dass es gleich brennt.«
»Ich bin hart im Nehmen.«
»Dann los.« Sie schob seinen Arm behutsam unter den warmen Strahl. Sie sah zu, wie das Wasser Blut und Erde wegwusch. Seine Handfläche war rohes Fleisch und sie konnte sich vorstellen, wie das Wasser schmerzte. »Sie sind sehr tapfer.«
»Danke. Ich dachte, Sie hätten gesagt, dass Sie Konditorin sind.«
»Bin ich. Aber ich habe mir häufig in die Hand geschnitten, deshalb kenne ich mich mit erster Hilfe aus … und das quali-

fiziert mich für diese Tätigkeit. Haben Sie ein antiseptisches Mittel im Haus?«
Er öffnete die Tür unter dem Spülbecken und sie sah einen kleinen Plastikkoffer mit einem roten Kreuz vorn drauf.
Sie lächelte. »Ich bin nicht wirklich Ärztin.«
Er erwiderte ihr Lächeln. »Hatte ich schon vermutet. In meinem früheren Leben wurde ich dafür bezahlt, zu erkennen, ob jemand die volle Wahrheit sagt. Bei Ihnen werde ich ein Auge zudrücken, weil ich annehme, dass Sie mich nur beruhigen wollten.«
»Sie sind ungemein scharfsinnig. Halten Sie still.« Sie tupfte seine Handfläche mit einem Papiertuch ab, öffnete den Erste-Hilfe-Koffer und nahm eine Tube mit Salbe heraus. Sie trug sie auf, dann verband sie seine Hand mit einem Stück Gaze. »Das war's.«
»Klasse. So gut wie neu.«
Sie nickte. Er deutete auf den Küchentisch, rückte ihr einen Stuhl zurecht. Jane nahm Platz. Der Emailtisch war cremefarben, mit abgesplitterten Kanten und pinkfarbenen Rosen an den Ecken. Dylans Küche glich einer Zeitmaschine. Sie fühlte sich in ihre Jugend zurückversetzt, in eine andere Ära.
»Kommen Sie ja nicht auf die Idee, Ihre Küche umzumodeln«, sagte sie. »In New York würde man ein Vermögen für eine solche Einrichtung zahlen.«
»Ah, New York.«
Sie warf ihm einen flüchtigen Blick zu und lächelte. »Vermissen Sie die Großstadt?«
Er schüttelte den Kopf. »Nicht im Geringsten.«
»Sollen wir Erfahrungen austauschen, über bevorzugte Wohnviertel und Restaurants?«
»Um festzustellen, dass wir unsere Zeitung am gleichen Kiosk gekauft haben?«

»Nein, meine wurde nach Hause geliefert.«
»Meine auch.« Er grinste.
»Also vergessen wir den gemeinsamen Zeitungskiosk. Es muss noch etwas anderes geben, was uns verbindet.«
Er nickte, antwortete aber nicht.
»Seltsam. Als ich in Rhode Island aufwuchs, konnte ich es nicht erwarten, von hier wegzukommen. Seit ich in der Großstadt wohne, komme ich mir wie eine waschechte New Yorkerin vor. Dort lebt man so intensiv. Ich habe immer das Gefühl, am Abgrund zu leben, lebendig zu sein – aber auf angenehme Weise. Doch seit ich nach Twin Rivers zurückgekehrt bin, ist mir, als hätte ich die Provinz nie verlassen …«
»Wie kann man es als angenehm empfinden, immer am Abgrund zu leben?«, fragte er, ohne auf ihre letzte Bemerkung einzugehen. Der humorvolle Funke in seinen Augen war erloschen; er lehnte sich gegen die Frühstückstheke und beobachtete sie.
»Ich weiß, worauf Sie hinauswollen«, sagte sie. »Die weniger fantastischen Aspekte, die Schattenseiten.« Sie dachte nach. »Wenn man beispielsweise nachts eine Straße entlanggeht, achtet man auf jeden, der einem begegnet, lauscht auf die Schritte hinter sich … und wenn man eine Straße überquert, weiß man, dass man sich nie auf eine rote Ampel verlassen sollte, weil unter Umständen ein Taxi angeprescht kommt, bei Rot über die Kreuzung fährt und dich in null Komma nichts ins Jenseits befördert … oder ein Blumentopf fällt von einer Terrasse im zwanzigsten Stock und zerquetscht dir das Gehirn … oder du wirst zufällig Zeuge einer Schießerei zwischen Räuber und Gendarm, gerätst ins Kreuzfeuer …«
Dylan stand mit ausdrucksloser Miene da und hörte zu.
»Aber es gibt auch eine herrliche Art, sich am Abgrund zu be-

wegen«, fuhr sie fort. »Wenn man beispielsweise an einem Aprilmorgen die Charles Street entlanggeht und die Callery-Pfirsichbäume in voller Blüte stehen – dann weckt das den Wunsch, ein Gedicht zu schreiben. Und wenn man am Freitagmorgen die Zeitung aufschlägt und entdeckt, dass am Abend das Eliot Feld Ballet im Joyce Theater auftritt, und man anruft, um Karten zu bestellen. Oder wenn man im Juli mitten in der Nacht schwitzend aufwacht, die Narragansett Bay vermisst und in den Battery Park geht, um den Wind im Hafen zu spüren und eine Rundfahrt mit der Staten-Island-Fähre zu machen.«

»Sie lieben die Stadt, wie mir scheint.«

»Lieben, hassen. Aber meistens lieben.« Lächelnd zuckte sie die Schultern. »Das ist eben New York.«

Er nickte.

Jane sah sich in der Küche um. Ihr Herz drohte auszusetzen, begann zu rasen, als sie das Foto entdeckte: Chloe und ein anderes Mädchen im Alter von fünf oder sechs Jahren, von Blumen umgeben, kniend, die Arme um die Schultern der anderen geschlungen. Unendlich langsam, wie zufällig, bewegte sich Jane auf die Wand zu, an der das Bild hing.

»Und wie sind Sie hier gelandet?«, fragte sie.

»Ich liebe das Land«, erwiderte er schlicht.

Die gelassene Antwort lenkte sie für einen Moment von Chloes Foto ab. »Sie meinen die Plantage?«

Er nickte. »Sie befindet sich schon lange im Besitz meiner Familie. Ich erinnere mich, wie ich auf dem Schoß meines Großvaters saß, wenn er Traktor fuhr. Er war der Erste, der mein Interesse an Bäumen weckte, an ihrer Rinde, ihren Blättern ... Mein Vater wollte, dass Eli – das ist mein Bruder ...«

Jane stand reglos da, zwang sich, keinerlei Reaktion zu zeigen, als der Name des Mannes fiel, der ihre Tochter adoptiert hatte.

»… und ich ein College besuchen, um die Chance zu haben, etwas anderes aus unserem Leben zu machen. Das haben wir getan … aber den Gedanken, eines Tages zurückzukehren, habe ich nie aufgegeben.«
»Sie hatten Sehnsucht nach den Apfelbäumen, als Sie in New York lebten?« Sie lächelte.
Er nickte. »In gewisser Weise schon. Obwohl das Leben es gut mit mir meinte. Ich ging aufs College, wohnte in Washington D.C., reiste kreuz und quer durch die Weltgeschichte und landete schließlich in New York. Immer wenn mir die Stadt zu groß oder zu erdrückend erschien …«
»Was immer wieder vorkommt«, unterbrach ihn Jane.
»Stellte ich mir vor, hier zu sein. Verrückt.«
Sie wartete, ermutigte ihn.
»Ich malte mir aus, in der Mitte der Plantage zu stehen. Mit Bäumen zu beiden Seiten, so weit das Auge reichte. Der endlose Raum, die Luft, das viele Grün …«
»Sie konnten wieder atmen.«
Er nickte.
»Mein Vater und mein Großvater brachten mir bei, etwas anzupflanzen. Schon als kleiner Junge hatte ich meinen eigenen Gemüsegarten. Nur ein paar Tomatenpflanzen auf einem kleinen Beet. Aber ich hegte und pflegte sie, und die Pflanzen wuchsen. Das war ein gutes Gefühl.«
Jane wandte sich erneut dem Foto zu. Chloe und ihre Freundin knieten zwischen Blumen. Jane betrachtete Chloes Augen, die das andere Mädchen liebevoll ansahen. »Offenbar gibt es noch einen Gärtner in Ihrer Familie«, sagte Jane mit klopfendem Herzen.
Dylan antwortete nicht.
»Wie alt ist Chloe auf dem Foto?«
»Fünf. Beide.«
»Wer ist das andere Mädchen?«

»Meine Tochter.«
»Sie ist genauso alt wie Chloe?« Die Frage kam wie aus der Pistole geschossen, genauso schnell wie die Erkenntnis: Es gab einiges, was sie von ihrer Tochter nicht wusste. Zum Beispiel, dass sie eine Cousine hatte.
»Im selben Jahr geboren.«
»1988.« Das Datum entfuhr Jane, bevor sie sich auf die Zunge beißen konnte. Aber Dylan schien nichts bemerkt zu haben.
»Ja«, sagte er.
»Chloe wurde in welchem Monat geboren …?«
»Im Februar. Unser kleines Wunderkind.«
Jane biss die Zähne zusammen, konnte ihn nicht anschauen. Seine Worte versetzten ihr einen Schlag. Wie konnte er so etwas sagen, wie konnten Fremde dieses Wunder, das ihr Kind war, für sich beanspruchen? »Wunderkind?«, zwang sie sich zu fragen.
»Ja. Für meinen Bruder und meine Schwägerin, die sich schon immer ein Kind gewünscht hatten. Sie sind fantastisch, konnten keine eigenen Kinder bekommen. Es war so unfair. Eines Tages beschlossen sie, ein Kind zu adoptieren …«
»Eines Tages beschlossen sie, ein Kind zu adoptieren«, wiederholte Jane, während die Worte in ihrem Kopf nachhallten. »Chloe?«
Dylan nickte. »Für mich ist sie kein Wunderkind im landläufigen Sinn. Keine Ahnung, was mich veranlasst hat, diesen Ausdruck zu benutzen … vermutlich der Gedanke an das Wunder, das sie bewirkt hat. Alles war hier wie verwandelt. Brachte viel Freude.«
Jane blickte zu dem Bild hoch. »Das sieht man. Zwei Mädchen im selben Alter.«
»Chloe wurde im Februar geboren, Isabel im Juni.«

»Im Abstand von vier Monaten.« Ihr Herz verkrampfte sich. Der Gedanke an all die Jahre im Leben ihres Kindes, die ohne sie vergangen waren, schien ihr unerträglich. »Die zwei stehen sich bestimmt sehr nahe …«

»Standen.«

Jane nickte geistesabwesend, in ihren eigenen Kummer versunken. Doch dann blickte sie Dylan an, sah seine Augen. Sie waren leer, verloren, hoffnungslos. Der satte goldene grünbraune Farbton war mit einem Mal verschwunden; sie wirkten blass, wie Tee, er sah aus wie ein Gespenst. Ihr Herz flog ihm zu. »Standen?«

»Meine Tochter …«

Die Worte blieben ihm im Hals stecken. Er öffnete den Mund, um weiterzusprechen, aber er brachte keinen Ton über die Lippen. Sie sah, wie er die Worte und Gedanken verdrängte. Stumm stand er da. Sie kannte seine Lebensgeschichte nicht, aber sie wusste, was er in diesem Augenblick empfand. Seine Tochter war fort. Jane spürte es, bis in jede einzelne Zelle ihres Körpers. Wie oft hatte sie vor dem Spiegel gestanden und versucht, eine Andeutung der Frau zu sehen, zu der Chloe heranwachsen würde? Wie oft hatte sie in ihren Augen und ihrem Lächeln nach einem Merkmal der Tochter gesucht, die sie nicht kannte? Sie wurde gleichermaßen von der immer wiederkehrenden, eigenen Version des Gedankens »Meine Tochter« verfolgt …

»Was ist geschehen?«, fragte sie. Von Chloes Bild geradezu magnetisch angezogen – wie der Mond von der Schwerkraft der Erde –, versuchte sie, sich Dylan einen Schritt zu nähern, konnte sich jedoch nicht von der Stelle rühren.

»Vorhin, als Sie von New York sprachen …«

Sie nickte.

»Und die Dinge, die passieren können …«

»Dinge, die einen unauslöschlichen Eindruck hinterlassen …«

Dylan starrte seine bandagierte Hand an; als er hochsah, loderte ein Feuer in seinen Augen. Sie waren nicht länger leer oder verloren, sondern brannten vor Hass.
»Ein Kreuzfeuer«, sagte er.
»O nein.«
»Doch. Es war genau wie Sie sagten: die Guten und die Bösen, die aufeinander schossen. Isabel und ihre Mutter gerieten zwischen die Fronten. Ich war U.S.-Marshal. Ich war im Einsatz, versuchte, sie aus der Schusslinie zu bringen. Aber es gelang mir nicht ...«
Jane, von der Macht des Bildes gebannt, drehte sich um und betrachtete abermals Chloe und Isabel. Im gleichen Maß, wie sie sich selbst in Chloe widergespiegelt sah, erkannte sie Dylan in Isabel. Seine Tochter war ein aufgewecktes, munteres kleines Mädchen, ein Kobold mit kastanienbraunen Haaren, in Chloes Umarmung gefangen.
»Es tut mir so Leid«, sagte Jane.
Dylan nickte und zuckte gleichzeitig mit den Schultern. Er runzelte die Stirn, die Linien zwischen seinen Augen wirkten wie gemeißelt. Sein Bart war dunkel und seine Augen immer noch blass, wie Steine unter Wasser, vom Fluss gewaschen. Er mied ihren Blick.
Ich weiß, wie es ist, eine Tochter zu verlieren, hätte sie ihm am liebsten gesagt.
Sie richtete den Blick abermals auf Chloes Foto. Sie dachte an die Jahre, die ohne sie vergangen waren. Sie dachte an die Träume – die Albträume, genauer gesagt –, die sie heimgesucht hatten, nachdem sie Chloe fortgeben musste. Sie dachte an die Nächte, in denen sie ihr Kopfkissen in den Armen gehalten hatte wie ein Baby, und sich in den Schlaf geweint hatte.
Sie sah Dylan Chadwick an, dachte an ihren eigenen Kummer und wusste, dass sich ihre Schicksalsschläge nicht mit-

einander vergleichen ließen. Nicht im Geringsten. Als sie auf ihre Hand hinabblickte, sah sie den gespenstischen blauen Fleck. Den blauen Farbklecks an der Stelle, wo sie den Obststand gestreift hatte.

Den zersplitterten wackeligen Holzstand, frisch gestrichen im gleichen Blauton wie Rotkehlcheneier, von Chloe.

Chloe lebte. Sie war nicht von einem Kreuzfeuer niedergemäht worden. Sie hatte das Glück gehabt, heranzuwachsen, ein eigenes Leben zu führen. Das Leben, das Jane ihr geschenkt hatte. Sie atmete tief ein und stellte fest, dass es ihr gelang, sich einen Schritt weit von Chloes Bild zu entfernen. Und noch einen. Sie ging stetig weiter – einen Meter, zwei Meter –, bis sie die Küche durchquert hatte und sich vor Dylan Chadwick wiederfand.

Sie streckte die Hand nach ihm aus.

Sie ergriff seine verbundene Hand. Ihr Herz klopfte wie verrückt. Sie spürte, wie ihr sein Schmerz unter die Haut ging. Er fühlte sich vertraut an. Sie konnte nachempfinden, was er in all den Nächten durchgemacht hatte, wie allein er sich im Dunkeln gefühlt hatte, wenn ihm der Verlust seiner Tochter bewusst wurde. Das verstand sie gut, sehr gut.

Dylan überließ ihr seine Hand. Eigentlich wäre es besser gewesen, wenn er sie beiseite geschoben hätte. Wenn er sie mit einem Fußtritt aus der Küche hinausgeworfen und ihr befohlen hätte, ihre Pasteten zu nehmen und sich nie wieder in seinem Haus blicken zu lassen. Weil nichts Gutes dabei herauskommen würde, dass sie hier war – nicht für seine Familie.

Jane wollte Chloe.

Sie wusste noch nicht, wie sie vorgehen und was sie alles auf sich nehmen würde, aber sie war fest entschlossen, nie wieder auf Chloe zu verzichten. Sie sah den Mann an – diesen

Fremden –, den Onkel, den ihre Tochter bekommen hatte, und wünschte sich, er möge die Wahrheit erkennen: Er möge Chloe in ihren Augen erkennen.
Und zur gleichen Zeit wünschte sie sich, dass er es nie herausfand.

12

Der Raum war hübsch und ruhig. Vögel sangen draußen vor dem Fenster in den Bäumen. Eine Goldamsel baute ein Nest in den Zweigen des Ahorns – einen weichen, seidigen, hängenden Korb aus Gräsern und Flechten. Margaret lehnte sich gegen die Kissen, genoss das Ständchen, das sie ihr brachten. Sylvie saß mit einer Stickerei beschäftigt im Schaukelstuhl auf der gegenüberliegenden Seite des Raumes. Jane stand am Fenster, beobachtete den Nestbau.

»Einen Penny für deine Gedanken«, sagte Margaret lächelnd.

»Ich schaue dem Baltimorevogel zu.«

»Baltimorevogel, Goldamsel, Golddrossel, Pirol«, warf Sylvie ein. »Wer soll sich da noch auskennen? Da kennt man einen Vogel zeitlebens unter einem bestimmten Namen und plötzlich beschließen die Wissenschaftler, die Spezies umzutaufen.«

»Virginia Chadwick würde dir zustimmen. Sie würde dir erklären, dass all diese Vögel Unterarten sind und zur Familie der *Oriolidae* gehören«, erklärte Margaret. »Sie war eine hervorragende Lehrerin auf dem Gebiet der Naturwissenschaften. Sie würde dir aber auch erzählen, Sylvie, dass eine präzise Gruppeneinteilung der Pflanzen und Tiere wichtig ist, um ihre Identität zu bestimmen.«

»Die Identität ist das A und O«, sagte Jane mit eisiger Stimme. »Sogar für Vögel.«

Wieso rief diese unverfängliche Aussage bei Margaret eine Gänsehaut hervor? Plötzlich merkte sie, dass ihr soeben im

Beisein von Jane der Name Virginia Chadwick herausgerutscht war.
»Tut mir Leid, Kind«, sagte sie und nahm wahr, dass Sylvie zu sticken aufgehört hatte.
»Schon in Ordnung, Mom.«
»Also, was wollt ihr zum Abendessen?«, warf Sylvie hastig ein.
»Ich habe Mrs. Chadwick nie kennen gelernt. Wieso wart ihr beide so gut befreundet?«
»Kind, das ist doch Schnee von gestern.«
»Für mich nicht«, sagte Jane sanft.
Sylvie nahm ihre Stickerei wieder auf, mit noch größerer Aufmerksamkeit. Entschlossen beugte sie sich über das Gitterleinen, was sie daran erinnerte, wie sie früher am Esstisch gesessen hatte, um ihre Hausaufgaben zu machen.
»Wir haben beide an der Salve Regina studiert – sie einige Jahre vor mir. Wir wurden beide Lehrerin. Sie unterrichtete Naturwissenschaften und ich Englisch, an der gleichen Schule; unsere Klassenzimmer befanden sich an entgegengesetzten Enden des Ganges. Sie war in gewisser Hinsicht meine Mentorin. Trotz der unterschiedlichen Fachgebiete bewunderte ich ihren messerscharfen Verstand. Und natürlich hatten wir die Verbindung durchs College.«
»Das katholische«, sagte Jane.
»Ja, Kind. Ein katholisches College. Sie war – und ist noch heute – eine fabelhafte Frau. Eine gute Freundin, fürsorglich und engagiert …«
»Und ihr hattet beide Kinder. Du zwei Mädchen, sie zwei Jungen.«
»Ja.«
»Kennst du ihre Söhne?«
»Jane, bitte …«
»Kennst du Dylan?«

Margaret runzelte die Stirn. Sie hatte damit gerechnet, dass Jane nach Eli fragen würde, der das Baby adoptiert hatte. Sie fühlte sich ein wenig verwirrt.

»Er fährt seine Mutter zur Schule, wenn ein Pädagogen-Dinner stattfindet«, ließ sich Sylvie vernehmen. »Ich kenne ihn vom Sehen. Warum?«

»Was ist aus seiner Familie geworden?«

Die Erinnerungen waren verschwommen. Margaret runzelte die Stirn, versuchte, einen klaren Gedanken zu fassen. Sie besann sich, dass Virginia unbezahlten Urlaub genommen hatte, lange, einen Monat oder so. Sie trauerte um ihre Enkelin und ihre Schwiegertochter …

»O Gott, das war grauenhaft«, sagte Sylvie. »Sie wurden erschossen. Dylan war eine Art Agent – FBI, glaube ich …«

»Nein, er war U.S.-Marshal«, korrigierte Margaret sie. »Gehörte zur ältesten Strafvollzugsbehörde auf Bundesebene. Ich erinnere mich, dass Virginia sehr stolz auf ihn war. Und danach am Boden zerstört …«

»Wie ist das passiert?«

Margaret schwindelte, von Gefühlen überwältigt. Sie nahm die Puppe, die Jane ihr geschenkt hatte, und drückte sie an ihre Brust. Sie erinnerte sich, wie sie ihre eigenen Babys in den Armen gehalten hatte. Und an ihre alte Puppe, Lolly … Ein Gefühl des Wohlbehagens breitete sich in ihrem Körper aus. Sie wusste nicht mehr, wie die Frage gelautet hatte. Als sie hochblickte, stellte sie fest, dass beide Töchter sie ansahen.

Die Goldamsel sang noch immer vor dem Fenster. Sie sah, wie der Vogel pfeilschnell im Baum verschwand, ein verschwommener Fleck in Schwarz und Orange. Das Nest schaukelte am Ast hin und her, wie ein silberner Korb mit Eiern. Der Gesang des Vogels war rein und klar.

»Meine Freundin Virginia ist Naturwissenschaftslehrerin«,

sagte Margaret. »Die Goldamsel gehört zur Familie der *Oriolidae*. Wie die Baltimorevögel …«

Sylvie hatte John zu sich nach Hause eingeladen, um Scrabble zu spielen, doch jetzt fragte sie sich, ob das eine gute Idee gewesen war. Ihre Mutter schien heute Abend in sehr schlechter Verfassung zu sein. Sie fühlte sich schwach und Sylvie hatte ihre Blutzuckerwerte überprüft. Der Insulinspiegel war zu hoch und Sylvie hatte zwei Esslöffel Zucker in einem Glas Orangensaft aufgelöst. Jane hatte die ganze Zeit nichts weiter getan, als am Bett ihrer Mutter zu sitzen.
Als Sylvie nun wieder unten war, traf sie die nötigen Vorbereitungen. Sie stellte Knabbergebäck auf ein Tablett, holte den Eiswürfelbehälter heraus und sah nach, ob sowohl Sodawasser als auch Bier im Kühlschrank waren. Sie prüfte das Licht im Wohnzimmer: Es sollte nicht zu hell sein. Als sie einen rosafarbenen Schal über den Lampenschirm drapierte, hörte sie Jane lachen.
»Keine Bange. Du hast eine wundervolle Haut. Schummrige Beleuchtung ist nicht nötig.«
»Ich habe Fältchen unter den Augen.« Sylvie musterte ihre ältere Schwester, die immer noch wie fünfundzwanzig wirkte. »Ich hätte keine Sonnenbäder nehmen sollen.«
»Du würdest die herrlichen Zeiten am Strand gegen eine makellose Haut eintauschen? Zerbrich dir deswegen nicht den Kopf. Ich bin sicher, er findet dich bildhübsch.«
Sylvie errötete, warf ihrer Schwester einen raschen Blick zu. Jane lächelte mit sichtbarer Zuneigung, die Sylvie mitten ins Herz traf.
»Wann kommt er denn?«, fragte Jane.
»Um acht. Möchtest du mitspielen?«
Jane schüttelte den Kopf. »Nein, ich bleibe oben, für den Fall, dass Mom etwas braucht.«

»Ihre Blutzuckerwerte sind seit einiger Zeit ziemlich schwankend. Sie hat Gewicht verloren und ich denke, sie bekommt zu viel Insulin. Ich werde mich gleich morgen mit dem Arzt in Verbindung setzen.«
»Es sind nicht nur ihre Blutzuckerwerte, Sylvie.«
»Aber in erster Linie …«
»Sie spielt mit der Puppe«, sagte Jane.
»Nein. Sie nimmt sie nur hin und wieder in den Arm.«
Jane holte tief Luft. Oben, in ihrem Zimmer, führte ihre Mutter Selbstgespräche. Oder redete mit der Puppe. Sylvie fühlte sich verunsichert und es schmerzte, ihre Schwester anzuschauen und so zu tun, als sei alles in bester Ordnung. Sie hatte Angst vor Veränderungen. Sie wollte ihre Mutter nicht weggeben und sah, wie Jane sich um eine diplomatische Formulierung der Frage bemühte.
»Nur zu. Ich weiß, was du denkst.«
»Und das wäre?«, fragte Jane.
»Dass sie immer mehr abbaut. Du kannst es gar nicht mehr erwarten, sie ins Heim zu stecken …«
Jane hob fragend die Brauen. Sie wartete schweigend, so dass Sylvie ihren eigenen Worten nachspüren konnte.
Frustriert drehte sich Sylvie zur Frühstückstheke um und begann, Mandeln und getrocknete Aprikosen auf einem Teller anzurichten.
»Syl, hast du gemerkt, was vorhin passiert ist? Zuerst war sie hellwach und geistig hundertprozentig präsent, und mit einem Mal führt sie sich auf wie ein kleines Kind.«
Sylvie nickte mit zusammengepressten Lippen. »Sie hat sich aufgeregt.« Die Worte hingen in der Luft, klangen vorwurfsvoll.
Janes Augen wurden schmal. »Meinetwegen?«
»Was hast du erwartet? Warum musstest du sie auch mit deinen Fragen bedrängen!«

»Weil sie nie beantwortet wurden. Mom wurde immer mehr abwesend, bevor sie Auskunft geben konnte. Was weißt du über sie?«
»Sie?«
»Dylan Chadwick und seine Familie.«
Sylvie warf einen Blick auf die Uhr. John würde erst in einer Viertelstunde kommen. Das Gespräch mit ihrer Schwester kam ihr wie eine gefährliche Gratwanderung vor. »Ehrlich, Jane – was soll das?«
»Sag es mir einfach, ja? Bitte.«
Sylvie atmete aus. »Es ging um einen Drogenprozess und ich glaube, er hatte die Aufgabe, einen Kronzeugen zu schützen. Seine Familie befand sich in Gefahr und er wollte sie in Sicherheit bringen, weg von New York …«
»War er dabei? Musste er das Ganze mit ansehen?«
»Keine Ahnung«, sagte Sylvie, erschrocken über den Tonfall ihrer Schwester. »Ich kenne nur einen Teil, nicht die ganze Geschichte. Warum fragst du?«
»Weil ich es wissen möchte.«
»Diese Leute haben nichts mit uns zu tun. Denk nicht mehr an sie.«
Jane lachte.
»Was findest du so komisch?«
»Dich. Du erzählst mir, sie hätten nichts mit uns zu tun. Mit mir haben sie aber *sehr viel* zu tun.«
»Das ist lange her. Du solltest die Vergangenheit ruhen lassen … und nach vorn schauen, Jane.«
»Genau das tue ich. Nach vorn schauen.«
»Du spielst mit dem Gedanken, Kontakt zu ihr aufzunehmen, richtig?«
»*Sie* hat einen Namen, Sylvie. Du warst dabei, als ich ihn ihr gegeben habe.«
»Bitte, Jane!«

»Ihr Name ist Chloe.«
Sylvies Gedanken rasten. Sie zitterte, erinnerte sich an die Situation, auf die Jane anspielte. Dann hörte sie, wie ihre Mutter oben aufzustehen begann. Jane lief zur Treppe. In dem Moment bog ein Auto in die Zufahrt ein. Sylvie hörte die Reifen auf dem Kies. Sie spähte zum Fenster hinaus und sah John aussteigen, eine Schachtel Pralinen unter den Arm geklemmt.
»Sag mir, dass *sie* nicht der Grund für deine Heimkehr ist«, rief Sylvie, der mit einem Mal klar wurde, dass die Sorge um die Gesundheit ihrer Mutter nicht vorrangig gewesen war. Als Jane nicht gleich antwortete, fügte Sylvie hinzu: »Ich meine, Chloe.«
»Doch, das ist sie«, erwiderte Jane ruhig.
Und dann klingelte es an der Tür und Jane ging nach oben.

Chloe ging in den Garten hinter dem Haus, um die Katzen zu füttern. Die Nacht war dunkel. Der Halbmond tauchte die Plantage in einen milchigen Schein, der sich in den Zweigen verfing. Ein magisches Licht ging von ihm aus und sie wusste, dass die Katzen um Mitternacht tanzen würden. Die einzigen Geräusche kamen von den Katzen, die aufgeregt miauten, weil sie gefüttert wurden, und vom Wind: ein Rascheln in den neuen Blättern, ein Knacken der dünnen Zweige, die gegeneinander schlugen.
Plötzlich durchbrach das Röhren eines Motors die friedliche Stille. Chloe hörte, wie einer der Marodeure mit seiner Geländemaschine auf der Plantage herumkurvte, doppelt so laut und erheblich schneller als der Traktor ihres Onkels. ein Scheinwerfer raste kreuz und quer durch das Blattwerk, tief auf der Seite liegend. Sie ließ die Tüte mit dem Katzenfutter fallen, stürzte sich wie ein Reh ins Gebüsch, kletterte über den Zaun und rannte mit gesenktem Kopf auf das Licht zu.

Ihr Atem ging stoßweise. Sie kauerte sich auf den Boden, hielt Ausschau, wartete auf die Chance, ihm die Hölle heiß zu machen. Sie würde aus dem Gebüsch auftauchen wie ein berittener Polizist bei einer Highway-Patrouille und ihn von seiner Maschine herunterreißen. Der Motor heulte auf. Die Räder drehten durch und sie hörte, wie die Erde hinter ihnen aufgewirbelt wurde. Der Scheinwerfer näherte sich in Windeseile. Ihr Herz klopfte zum Zerspringen. Ein Reifen stieß gegen eine Wurzel; das Motorrad machte einen Satz, kippte und krachte zu Boden. Das Geräusch von Metall, das gegen Felsgestein prallte, tat ihr weh, genau wie der dumpfe Laut, mit dem der Körper des Fahrers auf dem Boden landete. Sie hörte eine Stimme: »Verfluchte Scheiße!«

Erschrocken spähte Chloe über das hohe Gras. Ein junger Mann rappelte sich gerade hoch, wischte sich den Schmutz ab. Er war groß und mager. Das Mondlicht enthüllte zerrissene Jeans und eine Lederjacke. Er hatte langes blondes Haar, zum Pferdeschwanz gebunden. Er inspizierte sein Handgelenk und sie fragte sich, ob es gebrochen war.

»Das hier ist Privatgelände«, sagte sie barsch.

»Was? Wer ist da?« Er spähte in die Richtung, aus der ihre Stimme kam.

»Ich schlage vor, du verziehst dich mit deiner Schrottkiste auf die *öffentliche* Straße und schiebst sie nach Hause.«

»Du kannst mich mal.« Er beugte sich über seine Hand.

»Hast du dir das Handgelenk gebrochen?«

Er antwortete nicht. Sein Körper war gekrümmt wie ein Fragezeichen; vermutlich hatte er Schmerzen. Ihre Eltern hatten ihr von jeher eingeschärft, nicht mit Fremden zu sprechen. Sie war mutterseelenallein auf der Plantage, mit einem fluchenden Motorradfahrer. Doch genauso wenig, wie Chloe den Gedanken an verletzte Tiere ertragen konnte, konnte sie beim Anblick eines verletzten Men-

schen Gleichmut bewahren. Sie kroch aus ihrem Nest und bahnte sich den Weg über den von tiefen Furchen durchzogenen Boden.
»Lass mal sehen.« Sie trat näher.
»Ist schon okay.« Er umklammerte immer noch sein Handgelenk. Die Geländemaschine lag zu seinen Füßen, die Blechverkleidung am Vorderrad war eingedrückt. Es roch nach Öl und Chloe entdeckte eine schwarze glänzende Lache auf dem Boden.
»Wie nett«, sagte sie.
»Was?«
»Das Land zu verpesten. Das ausgelaufene Öl dringt unmittelbar ins Grundwasser ein. Weißt du, was passiert, wenn Wildtiere aus der Quelle trinken? Und dann sickert es in die unterirdischen Nebenflüsse, gelangt in die Twin Rivers und von dort in die Narragansett Bay, und die Streifenbarsche verenden.«
»Alles meinetwegen«, meinte er sarkastisch.
»Wenigstens siehst du, was du angerichtet hast. Das ist doch schon was. Und komm ja nicht auf die Idee, uns wegen deiner Verletzung auf Schadenersatz zu verklagen. Du hast dich unbefugt auf unserem Besitz aufgehalten. Lass mich dein Handgelenk anschauen.«
Er schnaubte. »Schon gut.«
Sie sah ihn an. Er überragte sie um Längen. Er musste mindestens einen Meter achtzig groß sein. Seine Haare waren hellblond; eine Strähne fiel ihm in die Augen. Die grün waren. Leuchtend grün, geradezu unheimlich, so richtig zum Gruseln – wie die Augen einer Katze. Chloe spürte, wie ihr ganzer Körper zu prickeln begann, hatte das Gefühl, ihn zu kennen: als wären sie beide in einem früheren ihrer neun Leben Katzen gewesen.
»Was starrst du mich so an?«

»Ähm, du kommst mir irgendwie bekannt vor«, antwortete sie.
»Ich bin auf der Twin Rivers High. Willst du meinen Führerschein sehen?«
»Nicht nötig.«
»Tatsächlich? Du führst dich auf wie ein Bulle.«
»Entschuldige, aber das ist Privatbesitz. Hast du nicht die Schilder mit der Aufschrift: ›Betreten verboten‹ gesehen?«
»Hier fahren doch alle Motorrad.«
»Na und? Würdest du auch von der Newport Bridge springen, wenn es alle täten?«
Er lachte, blickte sie an, als wäre er wider Willen belustigt. »In welche Klasse gehst du? In die neunte?«
»Ja.«
»Wieso hörst du dich so an, als wärst du zweiundsechzig, du Schlauberger?«
»Wenn du meinst, du könntest mich damit beleidigen, tust du mir Leid. Für die meisten Leute ist schlau sein eine erstrebenswerte Eigenschaft. Und jetzt lass mich endlich deine Hand anschauen.«
»Vergiss es«, sagte er, sie mit der anderen Hand stützend.
»Jetzt mach schon. Ich habe mich mein ganzes Leben lang um gebrochene Pfoten gekümmert. Katzen, Kaninchen … was soll bei deiner schon anders sein? Wahrscheinlich kann ich sie nicht schienen, es sei denn, du meinst, der Stiel von einem Eis und Klebestreifen genügen. Aber ich kann feststellen, was mit deiner Hand ist.«
»Nur über meine Leiche; so weit kommt es noch, dass so eine dahergelaufene, superschlaue Baum- und Tierschützerin …«, begann er.
In eben diesem Augenblick hörten sie Zweige knacken und Schritte aus der Richtung, in der sich das Haus ihres Onkels befand. »Wer ist da?«, rief Onkel Dylan.

Der Fremde versteifte sich. Er bückte sich, um sein Motorrad aufzuheben. Chloe wusste, dass er sich aus dem Staub machen wollte, aber er schien benommen, unfähig, einen klaren Gedanken zu fassen. Einen Moment lang fühlte sie sich hin und her gerissen. Onkel Dylan gehörte zu ihrer Familie, doch hatte sie aus irgendeinem Grund das Bedürfnis, den jungen Mann zu beschützen. Sie legte den Finger an die Lippen und bedeutete ihm, sich zu ducken. Sie kauerten sich zusammen.

»Wer ist das?«

»Der Verwalter«, flüsterte Chloe. »Keinen Muckser. Er ist bewaffnet.«

»Scheiße.«

»Genau. Pssst.«

Onkel Dylan war ungefähr fünfzig Meter entfernt. Chloe hörte, wie er durch das Gras stapfte. Sie fragte sich, ob er das Öl roch. Aber der Wind blies in die falsche Richtung. Ihr war klar, dass sie ihn eigentlich herbeirufen sollte – er hatte sich schon das ganze Frühjahr über die Motorradfahrer mit ihren Geländemaschinen geärgert. Doch der Junge mit den grünen Augen kauerte direkt neben ihr und Chloe hatte nie zuvor etwas Ähnliches erlebt. Sie zitterte unaufhörlich, obwohl es nicht kalt war.

»Versteck dich nur«, rief ihr Onkel. »Denn wenn ich dich erwische, wirst du dir wünschen, du wärst nie auf meinem Gelände herumgefahren.«

»Er meint es ernst«, sagte Chloe.

»Was wird er tun? Mich erschießen?«

»Möglich. Er war U.S.-Marshal.«

»Wie Tommy Lee Jones?«

Chloe schüttelte den Kopf. »Doppelt so abgebrüht. Verglichen mit ihm wirkt Tommy Lee Jones wie eine Memme. Er ist Experte im Aufspüren von Verbrechern …«

Sie hörten, wie er näher kam. Chloe zog den Kopf ein; der

Junge folgte ihrem Beispiel. Ihre Gesichter waren dicht beieinander. Sie nahm seinen Geruch wahr. Er roch nach Leder und Schweiß. Eine Kombination, die ein Kribbeln auf ihrem Scheitel auslöste. Sie hatten keine andere Wahl, als sich in die Augen zu schauen. Chloe war, als tauche sie in ein Becken mit grünem Wasser ein.
Er lächelte. So berückend, dass sie fürchtete, den Verstand zu verlieren. Seine Zähne waren makellos. Sie erwiderte das Lächeln, mit geschlossenem Mund. Ihre unteren Zähne standen ein wenig schief, zwei überlappten einander leicht. Zwischen den beiden Vorderzähnen klaffte eine kleine Lücke. Sie hatte das Bedürfnis, sie zu verstecken. Sie zwang sich, hochzuschauen, seinen Blick zu erwidern.
Nach ein paar Minuten kehrte ihr Onkel ins Haus zurück. Sie hörte, wie sich seine Schritte entfernten, dann schlug die Fliegengittertür zu. Das Licht auf der Veranda erlosch. Nun spendete der Halbmond das einzige Licht, doch die Augen des Jungen waren nicht minder grün.
»Danke«, sagte er.
»Schon in Ordnung.«
»Woher weißt du, dass er Marshal war?«
»Er ist mein Onkel.«
»Die Plantage gehört deiner Familie?«
Chloe nickte.
»Cool.«
»Du solltest hier wirklich nicht Motorrad fahren. Das ist schlecht für die Umwelt.«
»Und du klingst schon wieder wie eine Schulmeisterin; eine schlechte Angewohnheit.«
»Meine Großmutter würde sich freuen, das zu hören. Sie ist zufällig Lehrerin für Naturwissenschaften und hat mir bestimmte wissenschaftliche Prinzipien eingetrichtert, obwohl mein Interesse nicht genetisch bedingt ist.«

»Siehst du? Du machst es schon wieder! Wer wirft schon mit so hochgestochenen Begriffen wie ›genetisch‹ um sich?«
»Ich kann nichts dafür. Die Natur liegt mir zu sehr am Herzen, um mich dumm zu stellen.«
»Warum solltest du dich in meiner Gegenwart dumm stellen?«
Sie warf ihren Kopf in den Nacken. »Ich dachte, Jungen mögen Mädchen, die sich dumm stellen.«
»Dumme Jungen vielleicht«, erwiderte er mit leuchtenden Augen. Sie fühlte sich zutiefst geschmeichelt. Seine Stimme gefiel ihr. Sie war tief. Und trotzdem warm. Als hätte er beschlossen, sie zu mögen. Außerdem klang er intelligent.
»Ich bin Chloe Chadwick«, sagte sie.
»Ah. Von Chadwick Orchards.«
»Ich arbeite am Obststand.«
»Und ich bin Zeke Vaill.«
»Hallo.« Sie schüttelte ihm die Hand, wobei sie seine Verletzung vergaß. Aber es schien doch nichts gebrochen zu sein, da er den Händedruck erwiderte und anschließend seine Finger streckte und beugte.
»Scheint sich wieder zu normalisieren«, sagte er.
»Das ist gut.«
»Was man von meinem Motorrad nicht behaupten kann.« Da die Luft rein war, verließen sie ihr Versteck und gingen zu seiner Geländemaschine hinüber. Er richtete sie auf, versuchte sie anzuschieben, bemerkte aber, dass die vordere Felge verbogen war.
»Wohnst du weit entfernt?«
»In Twin Rivers«, sagte er – es war die nächstgelegene Stadt.
»Ich habe noch keinen Führerschein, sonst würde ich dich nach Hause fahren.«
Er grinste teuflisch – nur die linke Mundhälfte lächelte, während die rechte unbewegt blieb – und holte ein Handy aus sei-

ner Tasche. Er wählte eine Nummer und wartete, dann sagte er: »Hallo. Ich hatte einen kleinen Unfall. Kannst du mich abholen?« Er wartete abermals. »Ja, abgeschmiert, Blechschaden«, lachte er. »Ich weiß – dir wäre so etwas nie passiert. Auf der Plantage. Zehn Minuten? Ich warte am Ende des Zaunes. Bis gleich.«

Chloes Mund war trocken. Sie hatte Millionen Fragen an ihn. Sie hätte gerne gewusst, wen er angerufen hatte, wer ihn abholen kam.

»Das war mein Bruder«, sagte er, als hätte sie die Frage gestellt. »Er holt mich mit dem Pickup meines Vaters ab, so dass wir das Motorrad auf der Ladefläche mitnehmen können. Das mit dem Öl tut mir Leid.«

Chloe nickte, verspürte eine Sehnsucht, die stärker war als alles, was sie jemals empfunden hatte. Sie begleitete ihn, als er sein Motorrad zur Straße schob. Ihr Herz fühlte sich an wie ein Gummiband, zum Zerreißen gespannt. Es erinnerte sie daran, wie sie zum Firmament emporgesehen und die beiden einzelnen Sterne betrachtet hatte.

»In welche Schule gehst du? Crofton?«

Sie nickte, brachte kein Wort über die Lippen.

»Hast du Geschwister?«

»Nein.«

»Du bist also ein Einzelkind.«

Sie dachte daran, wie sehr sie ihre Cousine geliebt hatte. Und wie schön es sein musste, mit Geschwistern aufzuwachsen. Sie hätte gerne gewusst, ob sie Brüder und Schwestern hatte. Vielleicht hatten ihre leiblichen Eltern damals bereits eine große Familie und konnten keinen weiteren Esser mehr durchfüttern. Oder sie waren blutjung und verliebt gewesen, konnten aber erst nach Beendigung der Schule heiraten und hatten inzwischen weitere Kinder in die Welt gesetzt. Ihr Herz zog sich schmerzhaft zusammen. Sie zitterte am ganzen Körper.

»Du frierst«, sagte er.
»Nein, ich –«
Aber er hatte seine Lederjacke bereits ausgezogen und um ihre Schultern gelegt. Sie hatte noch nie eine Tierhaut getragen. Sie erschrak, aber die Jacke war warm von seinem Körper und als er sie vorn zuzog, schloss sie die Augen und hatte das Gefühl, als ob sämtliche Sterne vom Himmel fielen. Als sie die Augen wieder öffnete, sah sie ihn in einem zerrissenen, ausgeblichenen weißen T-Shirt vor sich stehen. Auf seinem linken Bizeps hatte er eine Tätowierung.
»Ein Delfin.« Sie berührte seinen Arm.
»Delfine halten Haie fern.«
»Haie?«
»Ich surfe.«
»Wirklich?« Sie stellte ihn sich mit seinen langen blonden Haaren vor, von einer riesigen salzigen Welle überrollt.
»Ja. Am First Beach. Kennst du den Strand?«
Sie schüttelte den Kopf.
»Ach ja, die Ökologie«, sagte er lächelnd. »Man könnte ja ein paar Elritzen plattmachen.«
»So ähnlich«, sagte sie, weil sie nicht zugeben wollte, dass ihre Eltern dem Strandleben nicht viel abgewinnen konnten. Rhode Island wurde der *Ocean State* genannt, aber sie war praktisch nur zu Isabels Zeiten am Strand gewesen, wenn sie ihre Großeltern mütterlicherseits in dem Herrenhaus in Newport besuchten.
»Vielleicht lässt du es ja irgendwann einmal auf einen Versuch ankommen.«
»Vielleicht.«
»Und wenn, dann solltest du daran denken, dass Delfine dich immer vor Haien schützen.« Er sah ihr so tief in die Augen, dass sie seinen Blick bis zum Nabel spürte.
Sie nickte, den Mund leicht geöffnet. Er beugte sich zu ihr

Hhinab, als wollte er sie küssen, sie sah Sterne, und dann hörte sie plötzlich ihren Namen.
»Chloe!« Die Stimme kam vom anderen Ende der Plantage.
»Das ist meine Mutter.«
»Dann solltest du schleunigst nach Hause gehen, bevor sie den Marshal auf die Suche nach dir schickt.« Zeke lächelte, hatte sich wieder aufgerichtet.
»Ja.« Sie trat einen Schritt zurück. Ihr Herz klopfte zum Zerspringen. Sie wünschte sich, er würde sie küssen, sie zum Surfen mitnehmen, ihr seinen Bruder vorstellen. Sie stand wie angewurzelt da. Ihre Mutter rief abermals.
»Ich muss los …«
»Übrigens, vielen Dank.«
»Keine Ursache.«
Die Stimme ihrer Mutter kam näher und Chloe wollte vermeiden, dass sie Zeke zu Gesicht bekam. Bei dem Gedanken war sie einer Panik nahe. Sie wollte nicht, dass ihre Mutter ihn entdeckte, ihn anschrie und drohte, seine Eltern oder die Polizei zu benachrichtigen. Deshalb pellte sie sich schnell aus seiner Jacke, drückte sie ihm in die Hand und lief ohne sich zu verabschieden in die vom Mond überschattete Plantage hinein.

13

Der Eröffnungstag am Obststand war eine gewagte, aber nicht minder wunderbare Sache. Der Stand war strahlend blau im Sonnenlicht, wie ein Stück Himmel. Der Duft nach frisch gebackenen Pasteten stieg verführerisch aus den Regalen auf. Chloe hatte die feierliche Eröffnung auf selbst gemalten Transparenten angekündigt. Auf einem war eine Apfelpastete mit goldgelber Kruste, auf einem anderen seltsamerweise ein Delfin zu sehen. Mona und sie saßen auf der Bank und warteten auf Kunden, genau wie Dylan und Eli es früher getan hatten.

Dylan behielt die ganze Sache vom Rand der Plantage im Auge. Er hatte sein Bestes getan, um das ausgelaufene Öl zu beseitigen, das einer dieser idiotischen Motorradfahrer hinterlassen hatte, und nun bestrich er die Wurzeln, die unter den schweren Reifen gelitten hatten, mit einer speziellen Farbe, die im Handel zur Kennzeichnung von Baumschäden erhältlich war. Er hatte mit einer langen Schere einige abgebrochene Äste tief unten am Baum gestutzt, gegen den der Rowdy geprallt war.

Er arbeitete sorgfältig, wie sein Großvater es ihm beigebracht hatte, setzte die Schnitte auf gleicher Höhe wie die Ringe des Baumes, die leichten Erhebungen an der Stelle, wo Ast und Stamm zusammentrafen. Er wusste, dass der Heilungsprozess bei Aststümpfen länger dauerte als bei stammparallelen Schnitten auf die Astringe, da sie einen größeren Wundholzbereich hinterließen, der anfällig für Krankheiten und Fäulnisbefall war.

Er blickte zu Chloe hinüber. Sie beobachtete erwartungsvoll

die Straße, als sei sie durch schiere Willenskraft in der Lage, Kunden herbeizuzaubern. Dylan erinnerte sich, dass er früher ähnlich empfunden hatte. Doch diese Landstraße war wenig befahren und bis sich die Neuigkeit herumgesprochen hatte, waren die Kunden dünn gesät.
Ein paar Minuten später hörte er, wie sich ein Auto näherte. Chloe verrenkte sich den Hals. Mona verließ die Bank und eilte zum Straßenrand, als wollte sie den Verkehr aufhalten. Dylan wandte sich wieder dem Baum zu. Die Wurzeln waren blank geschabt, an manchen Stellen zersplittert; ein idealer Ort für Pilzbefall. Lebende Organismen waren so verletzlich. *Eigentlich sollte Isabel mit Chloe am Stand arbeiten*, dachte er.
Das Auto näherte sich und als er zur Straße hinüberspähte, kam es ins Blickfeld. Er erkannte es auf Anhieb und ließ die Schere sinken, als Jane am Straßenrand neben dem Lattenzaun parkte und ausstieg. Er sah, wie Chloe von der Bank aufsprang, hörte Janes Schuhe auf dem Kies knirschen. Sie war gertenschlank und sah durchtrainiert aus, ein Wildfang in Jeans und schwarzem Pullover, die Haare so dunkel und glänzend wie Chloes.
»Du bist unsere erste Kundin!«, begrüßte Mona sie.
»Aha! Dann könnt ihr meinen Dollar einrahmen!«
»Von dir nehmen wir kein Geld«, lachte Chloe. »Du hast die Pasteten ja gebacken!«
»Das geht schon in Ordnung.« Jane holte ihre Geldbörse heraus, nahm sich eine Pastete und reichte den Mädchen das Geld. »Das ist eine symbolische Geste, weil ich der Überzeugung bin, dass dieser Apfelstand der Beste im ganzen Nordosten ist …«
»Im ganzen Nordosten«, rief Mona und stieß Chloe mit dem Ellenbogen an. »Ich wünschte, deine Mutter würde genauso denken!«

Jane schwieg, aber Dylan sah, wie sich ihre Augen weiteten, als wartete sie darauf, mehr zu erfahren.
»Ihre Eltern trauern«, erklärte Mona kichernd. »Sie hatten hochfliegende Pläne mit ihr, sie sollte nicht am Obststand der Familie enden … sie sollte einen tollen Beruf ergreifen …«
»Kassiererin im Supermarkt!« Chloe brach in schallendes Gelächter aus.
Jane lächelte, als hätte sie Verständnis für den Scherz, sei aber zu gut erzogen, um auf Kosten gleich welcher Eltern zu lachen. Das gefiel Dylan. Sie stand einfach da, in diplomatisches Schweigen gehüllt, und wartete darauf, dass das Gelächter der Mädchen verebbte.
»Was hat der Delfin zu bedeuten?« Jane deutete auf das Transparent.
Chloes Lachen erstarb, machte einem Lächeln Platz, und je mehr sie sich bemühte, es zu unterdrücken, desto breiter wurde es. Dylan schob sich langsam nach vorn; er hätte ebenfalls gerne gewusst, was es mit dem Delfin auf sich hatte.
»Sag schon, Chloe«, meinte Mona.
»Er schützt vor Haien.«
»Haie? In einer Plantage?«, fragte Jane.
»Der Surfer behauptet, das funktioniert«, sagte Mona.
Die Mädchen begannen zu kichern, dann brachen sie in haltloses Gelächter aus, und Mona kreischte in den höchsten Tönen. Dylan wusste, dass jetzt fürs Erste nichts mehr ging. Chloe und Isabel brachen früher oft in regelrechte Lachkrämpfe aus. Jane lächelte nur, genoss sichtlich die Lachsalven der Mädchen. Ihr Anblick weckte in ihm den Wunsch, sich der ausgelassenen Gesellschaft anzuschließen, und so lehnte er seine Schere an den Baumstamm und bahnte sich den Weg durch die Plantage.

Jane war überglücklich. Die Situation war ganz nach ihrem Geschmack. Sie genoss das Beisammensein mit Chloe und ihrer Freundin, den Scherz, der nur Eingeweihten verständlich war. Die Sonne schien, ließ Chloes dunkles Haar wie Onyx schimmern. Das Delfin-Transparent kräuselte sich im Wind. Die Mädchen blickten hoch, brachen abermals in Lachsalven aus.

»Was ist denn so komisch?«, fragte Dylan, als er sich durch eine Lücke im Zaun zwängte.

»Delfine in einer Apfelplantage«, quiekte Mona. »Juhu!«

»Aha, ich verstehe.« Dylan sah Jane mit hochgezogener Augenbraue an. »Sie auch?«

»Voll und ganz«, lächelte sie.

»Hallo, Jane«, sagte er.

»Hallo, Dylan.«

»Stimmt, ihr beiden kennt euch ja«, sagte Chloe. »Onkel Dyl – Jane ist unsere erste Kundin.«

Jane versuchte, eine unbeteiligte Miene aufzusetzen. Den Namen »Jane« aus Chloes Mund zu hören, setzte eine Lawine von Gefühlen in Gang. Sie bekam eine Gänsehaut, als hätte sie Schüttelfrost.

»Es kann doch nicht angehen, dass Jane eine Pastete kaufen muss, die sie selber gebacken hat.«

»Habe ich auch gesagt.« Chloe lächelte. »Aber ich werde ihren Dollar einrahmen. Ich freue mich, dass er von Jane stammt.«

Wieder der Name, wieder der Gefühlsaufruhr.

»Ihr habt den Stand wunderbar hergerichtet«, sagte Jane und sah ihr in die Augen.

»Findest du?« Chloe legte den Kopf schief und errötete.

»Ja, finde ich. Stimmt's, Dylan? Ist er nicht fantastisch geworden?«

»Es fällt mir schwer, objektiv zu sein«, erwiderte er. »Dem Rest der Familie ist er ein Dorn im Auge.«

»Stimmt«, pflichtete Chloe ihm bei. »Meine Eltern finden ihn abscheulich.«
Jane versuchte, sich nichts anmerken zu lassen, als die Worte »meine Eltern« fielen. Sie betrachtete den Stand, Chloes Malerarbeiten – das strahlend blaue Holz, die sonnengelben Regale – und die Transparente und Schilder. »Kaum zu glauben, dass ihr das ganz allein zustande gebracht habt«, sagte sie. »Das ist ein richtiges Kunstwerk.«
Chloe lachte. »Ehrlich?«
»Ehrlich. Richtig süß, zum Anbeißen. Wenn man ein so hübsches Geschäft in New York eröffnen würde, wäre es umgehend ein Renner. Die Transparente sind fantastisch.«
»Ein Renner.« Mona nickte.
»Die Idee, Transparente zu machen, ist mir erst in letzter Minute gekommen«, erklärte Chloe. »Ich habe überlegt, wie ich die Leute dazu bringen kann, anzuhalten. Das alte Schild ist ja ganz nett, aber …«
Alle blickten das Schild an: Chloe hatte ihm einen neuen Anstrich verpasst, so dass »Chadwick Orchards« klar erkennbar in Dunkelblau gestrichen war, mit glänzenden roten Äpfeln als Verzierung.
»Das muss sie sagen«, warf Dylan ein, »weil ihr Vater und ich es gebastelt haben, als wir in ihrem Alter waren.«
Chloe lachte. »Kann ich mir gar nicht vorstellen.«
»Warum nicht?«, fragte Dylan.
»Nichts für ungut, aber ich hätte nie gedacht, dass ihr beide künstlerisch veranlagt seid … vor allem Dad. Der kennt sich doch nur mit Taschenrechnern und Versicherungen aus.«
»Sie will damit zum Ausdruck bringen, dass wir Banausen sind.«
»Du nicht.« Chloe lächelte. »Aber er.«
»Wie auch immer, Jane hat Recht«, sagte Dylan und musterte die Transparente mit zusammengekniffenen Augen. »Sie

sind erheblich wirksamer als das alte Schild. Äpfel und Regenbögen auf dem einen – sehr gut. Delfine auf dem anderen … hmm.«
Die Mädchen lachten.
»Eine großartige Idee. Ihr bringt die Leute dazu, anzuhalten, um herauszufinden, was die Delfine zu bedeuten haben.«
»Zeke und Haie«, sagte Mona geheimnisvoll.
»Mona …« Chloe blickte sie warnend an.
Ein Wagen kam die Straße entlang; er verlangsamte die Fahrt, als er sich dem Stand näherte. Alle – Chloe, Mona, Jane und Dylan – gaben sich den Anschein, als wären sie nicht sonderlich interessiert. Die Mädchen beugten die Köpfe und kicherten.
»Gut so«, flüsterte Chloe, als wollte sie das Auto mit einem Bann belegen. »Ihr wisst, dass ihr eine Pastete wollt; ihr wisst, dass ihr unbedingt eine haben müsst …«
»Mach schon, mach schon«, sagte Mona beschwörend. »Halt an. Fahr an den Straßenrand, fahr an den Straßenrand!«
»Hier gibt es Calamity-Jane-Pasteten«, sagte Dylan. »Der einzige Ort außerhalb von New York City, wo sie zu kaufen sind …«
Der Wagen hielt. Jane musterte die Insassen. Das Ehepaar war schon älter; sie zeigten auf die Transparente. Vor allem die Frau schien von ihnen bezaubert und entzückt zu sein.
Jane sah Dylan an, der sie fortwährend anstarrte.
»Was ist?«, fragte sie schließlich.
Er schüttelte den Kopf, dann lächelte er. »Ich kann jetzt nicht reden …«
Sie nickte und wusste, dass er auf die Mädchen anspielte. Seltsam war, dass auch sie viele Fragen an ihn hatte.
»Wir könnten miteinander essen gehen«, schlug er vor.
»Gern.«
»Freitagabend?«

Jane nickte. Das ältere Paar war ausgestiegen und kam auf den Stand zu. Der Mann benutzte einen Krückstock. Die Frau hatte kurz geschnittene graue Haare und trug ein marineblaues Kleid mit weißen Punkten. Chloe und Mona richteten sich kerzengerade auf der Bank auf. Sie lächelten einnehmend und Chloe deutete auf das Regal, das mit Janes Pasteten gefüllt war.
»Möchten Sie Apfelpasteten oder Apfeltörtchen kaufen? Sie schmecken köstlich.«
»Ja«, sagte die Frau. »Aber zuerst haben wir eine Frage – warum habt ihr mitten in einer Obstplantage eine Fahne mit einem Delfin aufgezogen?«
Jane begann noch vor den Mädchen zu grinsen.

Nachdem das Paar weggefahren war, Onkel Dylan sich wieder an die Arbeit begeben und Jane sich verabschiedet hatte, blieb Chloe mit einem merkwürdigen Gefühl zurück.
Mona führte einen Freudentanz auf, das Geld in der Hand, das sie eingenommen hatten. Die Sonne wurde mit jeder Stunde wärmer und die Mädchen zogen ihre T-Shirts aus; sie trugen Badeanzüge darunter. Mona drängte sie fortwährend, zu erzählen, wie sie Zeke kennen gelernt hatte, behauptete scherzhaft, sie brauche mehr Sonnenbräune, damit sie eine gute Figur abgab, wenn er sie zum Surfen mitnahm, aber Chloe reagierte einsilbig.
Sie fühlte sich *depriviert*, nachdem alle weg waren – das alte Paar im Wagen, Onkel Dylan auf seinem Traktor und, aus einem unerklärlichen Grund, Jane in ihrem Kombi.
Ihr gefiel das Wort: depriviert. Genauer gesagt, *gefiel* es ihr nicht wirklich, aber es war zutreffend.
Sie hatte es in der siebten Klasse gelernt; es war eines der Fremdwörter gewesen, die sie zu buchstabieren versuchte, und als sie es im Wörterbuch nachgeschlagen und die Defini-

tion gelesen hatte (»Mangel, Verlust, Entzug von etwas, das man braucht, wünscht oder erwartet«), konnte sie sich vollkommen damit identifizieren.
»Was ist los?« Mona cremte sich die Arme mit Sonnenlotion ein. »Du bist mächtig still.«
»Mir fehlt etwas, was ich brauche, mir wünsche oder erwarte«, sagte Chloe.
»Häh?«, fragte Mona in dem übertriebenen Bemühen, sich dumm zu stellen.
»Ich habe keine Ahnung, was los ist. Ich fand es schön, dass Jane da war.«
»Ja, sie ist nett.«
»Was glaubst du, ist sie wirklich nur gekommen, um eine Pastete zu kaufen? Wenn man die Tatsache bedenkt, dass sie die Kuchen gebacken hat …«
Mona gluckste boshaft.
Chloe nahm die Sonnenlotion und bedeutete Mona, ihr den Rücken einzuschmieren. Sie warf ihrer Freundin einen fragenden Blick zu. »Was ist?«
»Zwei Worte: Onkel Dylan.«
»Glaubst du, sie mag ihn?«
Mona nickte, verteilte die Lotion auf Chloes Schulterblättern. »Eine Frau erkennt auf Anhieb, wenn sie mit einer Rivalin konfrontiert wird. Es bringt mich um den Verstand, mit ansehen zu müssen, wie er sie anschaut.«
Chloe runzelte die Stirn. Das waren beunruhigende Nachrichten, in zweifacher Hinsicht. Erstens wusste sie nicht, was sie davon halten sollte, wenn ihr Onkel eine andere Frau auf bestimmte Weise ansah. Nicht, dass sie Tante Amanda besonders gern gehabt hatte – ehrlich gesagt, war sie hochnäsig und kalt gewesen, und alle wussten von ihrer Affäre mit dem Polospieler aus Palm Beach, mit der sie Onkel Dylan Hörner aufgesetzt und Isabel das Herz gebro-

chen hatte. Chloe hasste Veränderungen und konnte sich nicht vorstellen, wie es sein mochte, wenn ihr Onkel sich mit einem Mal verliebte und eine feste Beziehung mit jemandem einging.
Der zweite Grund hatte mit Jane zu tun. Chloe hatte das Gefühl, dass Jane ihretwegen zum Stand gekommen war. Ihr gefiel die Art, wie Jane sie anlächelte – als würde sie nur das Beste suchen und finden. Nicht wie ihre Lehrer, die ständig etwas auszusetzen hatten und sie erziehen wollten, oder wie ihre Eltern, die nur darauf warteten, dass sie wieder etwas falsch machte, damit sie die Köpfe schütteln und darauf hinweisen konnten, wie enttäuscht sie waren …
Jane schien sie so zu mögen, wie sie war, ohne Wenn und Aber. Ohne eine Gegenleistung zu fordern: Sie verlangte nicht, dass sie ihre Hausaufgaben machte, Fleisch aß, gute Noten bekam, um ein gutes College zu besuchen, oder ihr Zimmer aufräumte. Das war schön. Für eine richtige Freundin war Jane offensichtlich zu alt; aber sie kam ihr ein wenig vor wie eine Sporttrainerin, mit der man auf vertrautem Fuß stand, oder wie die Mutter von Kindern, die man als Babysitter hütete. Eine bedingungslose Freundschaft, oder wie immer man es nennen wollte.
So etwas kommt selten vor, dachte Chloe mit Blick auf Mona. Selbst ihre beste Freundin hatte gewisse Erwartungen. Chloe sollte sie über alles auf dem Laufenden halten, ihr sämtliche Geheimnisse anvertrauen und sowohl den Freitag- als auch den Samstagabend zur Verfügung stehen, um zu Hause mit ihr zu faulenzen oder ins Kino zu gehen. Das reichte aus, um einen Menschen zu zermürben.
In diesem Moment nahm sie das Geräusch wahr: Chloes Herz begann zu rasen und sie verspürte ein Kribbeln im Magen, als der Motor lauter wurde.
»Klingt nach einem Motorrad«, sagte Mona.

»Eine Geländemaschine.« Chloe rückte den Träger ihres Badeanzuges zurecht.

Er bog um die Kurve. Seine blonden Haare hatten helle Strähnen, von der Sonne ausgebleicht, seine Augen einen warmen goldgrünen Farbton. Der Tag war warm, so dass er seine schwarze Lederjacke zu Hause gelassen hatte; sein T-Shirt warb für den Purgatory Chasm Surf Shop. Der Delfin auf seinem Bizeps war nicht zu übersehen. Er hatte eine schmale Bandage ums Handgelenk. Seine Geländemaschine besaß keinen Seitenständer, deshalb lehnte er sie an den Lattenzaun.

»Lebwohl, Gilbert Albert«, sagte Mona im Flüsterton, womit sie den Jungen heraufbeschwor und verbannte, in den Chloe bisher unsterblich verliebt zu sein glaubte.

»Hallo«, rief Zeke, als er sich dem Stand näherte.

»Hallo«, sagte Chloe. Sie konnte nicht aufhören zu lächeln. Sie merkte, wie er ihren Badeanzug musterte. Genauer gesagt, das Oberteil eines pinkfarbenen Bikinis, alt und verblichen, aber es passte wie angegossen und zeigte, dass sie bereits richtige Brüste besaß. Dazu trug sie hautenge Shorts, die unterhalb der Hüftknochen saßen. Es war ihr gelungen, seit ihrer ersten und einzigen Begegnung noch ein wenig Sonnenbräune zu tanken, so viel, wie die Aprilsonne in Rhode Island gestattete.

»Hübsch«, meinte er mit Blick auf das Delfin-Transparent.

»Soll die Haie fern halten«, sagte Chloe.

»Stimmt das?«, fragte Mona. »Dass Delfine Haie verjagen?«

»Ja«, bestätigte er.

»Merkwürdig«, erwiderte Mona. »Vor allem wenn man bedenkt, dass Haie messerscharfe Zähne haben und die reinsten Fressmaschinen sind, während Delfine nur herumschwimmen und niedlich aussehen.«

»Sie rammen den Bauch der Haie mit ihren schnabelartigen Schnauzen«, erklärte Zeke.

»Nette Art, Bekanntschaft zu schließen.« Mona verdrehte die Augen.
»Oh«, sagte Chloe. »Zeke, das ist Mona. Mona, das ist Zeke.«
»Hallo«, sagten beide gleichzeitig. Doch obwohl Zeke Mona begrüßte, spürte Chloe, dass er nur Augen für sie hatte. Ihr Körper begann zu glühen und zu kribbeln, als hätte er gerade ihre Hand ergriffen.
»Hast du mit eigenen Augen gesehen, wie sie es machen?«, fragte Mona, und Chloe wusste, dass sie die Delfine meinte.
»Ja«, erwiderte er. »Letzten Sommer. Beim Surfen, direkt hinter der Brandung am First Beach. Plötzlich sahen wir die Rückenflossen.«
»Flossen?«, fragte Chloe.
»Haie«, antwortete er.
»Mist«, sagte Mona.
Genau in dem Moment näherte sich ein Wagen, wurde langsamer, hielt aber nicht an. Chloe musste zugeben, dass sie froh war, gerade jetzt.
»Ja, keine riesigen, aber trotzdem …«
»Die großen weißen?« Mona stimmte die Filmmusik aus *Der weiße Hai* an: »Dan-dah.«
»Nein, die kommen in Rhode Island selten vor. Blauhaie. Keine Menschenfresser, aber sie können beträchtlichen Schaden am Surfbrett anrichten. Oder an einem Bein.«
»Und, was ist passiert?«, fragte Mona. Chloe war froh, dass sie dabei war und Fragen stellte; sie selbst konnte nichts weiter tun als in Zekes grüne Augen blicken, so wie er in ihre.
»Ein Delfinweibchen kam uns zu Hilfe. Sie spielte in der Brandung. Wir hatten sie schon öfter gesehen; eine ganze Woche lang tummelte sie sich dort. Plötzlich tauchte sie aus den Fluten auf, mit einem Riesensprung. Dann gab sie einen Laut von sich …«

»Und tauchte ab«, half Mona nach, als hätte Chloe nicht genau wie sie *Moby Dick* für den Englischunterricht gelesen.

»... und gleich darauf kam sie wieder hoch, rammte ihre Nase in den größten Hai. Wirbelte ihn hoch in die Luft. Wir sahen nur seinen weißen Bauch.«

»Hat sie ihn verjagt?«, fragte Chloe.

Zeke nickte. »Ihn und seine Spießgesellen.«

»Du lebst ganz schön gefährlich«, sagte Mona streng. »Motorradunfälle, Haiattacken.«

»Und Delfine, die ihn beschützen«, warf Chloe ein.

»Ja«, sagte Zeke. Er stand so nahe bei ihr, dass sie sein Sonnenschutzmittel riechen konnte, das Tropenbräune bescherte und nach Orangen und Kokosnüssen duftete. Sie konnte die Salzkristalle auf seinen Augenbrauen und den blonden Flaum auf seinen Armen sehen. Das Wort »depriviert« war nicht mehr zutreffend. Sie spürte, wie er ihre Hand nahm. Ihre Finger verschränkten sich miteinander und sie wusste, das war seine Art, ihr zu sagen, dass sie sein Delfin war.

Und plötzlich hatte sie das Gefühl, dass er zu ihr gehörte.

14

»Was hast du vor, sagtest du?« Margaret sah Jane an.
»Sie hat nichts gesagt«, erwiderte Sylvie. »Sie hüllt sich in Schweigen.«
»In unergründliches.« Jane lächelte.
Margaret erwiderte das Lächeln. Jane sah heute Abend ausnehmend hübsch aus. Sie trug einen langen schwarzen Rock und eine transparente Hemdbluse, blau wie das Gefieder von Krickenten, eine Farbe, die ihre Augen betonte, sie wie Saphire erstrahlen ließ. Ihr schwarzes Haar glänzte; sie hatte es mit einer Strassspange hinter dem Ohr festgesteckt. Sylvie, in schwarzen Trainingshosen und einem verblichenen gelben T-Shirt, saß in dem Schaukelstuhl neben dem Bett. Sie beugte sich über ihre Stickerei, auf die sie sich verbissen konzentrierte.
»Du wirst dir die Augen bei dem Licht verderben«, sagte Margaret.
»Ich sehe genug.«
»Ihr beide habt von Kindesbeinen an Raubbau mit euren Augen getrieben. Und glaubt ja nicht, ihr hättet mich hinters Licht geführt. Sobald ich euch einen Guten Nachtkuss gegeben hatte und zur Tür hinaus war, habt ihr eure Bücher und Taschenlampen herausgeholt.«
Jane hob fragend die Brauen, doch Sylvie hielt den Blick gesenkt.
»Du bist verärgert«, sagte Margaret.
»Nein. Warum sollte ich?«, entgegnete Sylvie.
»Weil Freitagabend ist und du beim Münzewerfen verloren hast. Deine Schwester darf ausgehen und du musst zu Hause

bleiben, bei mir. Warum steckst du mich nicht gleich in ein Heim, überlässt anderen die Verantwortung für mich?«
Nun hob Sylvie den Blick. Sie sah aufgewühlt aus, einer Panik nahe. Margaret hatte ein schlechtes Gewissen, weil sie einen anderen Menschen zu manipulieren versuchte, aber ihr war daran gelegen, Sylvies Aufmerksamkeit zu wecken. Jane stand wie angewurzelt da, wie ein Reh, das vom Scheinwerferlicht eines Autos erfasst wurde. Margarets Kinn zitterte. Trotz der Effekthascherei waren ihre Gefühle echt.
»Du hättest heute Abend ebenfalls ausgehen sollen, mit John«, sagte sie. »Er ist ein netter Mann, ein guter Lehrer ... aber stattdessen hockst du allein zu Hause, bei mir; ich bin eine Last für dich.«
»Nein, Mom. John kommt her, er wird bald da sein. Ich werde gleich ein Bad nehmen und mich umziehen. Und bitte sag nicht, du wärst eine Last für mich ...«
»Aber das stimmt doch. Du vergeudest die besten Jahre deines Lebens, weil du dich um mich kümmern musst.«
»Mom, du hast dich auch um uns gekümmert, solange wir Kinder waren.«
»Ich weiß«, flüsterte Margaret. Sie spürte ihr Herz in der Brust klopfen. Sie nahm ihre Puppe, drückte sie fest an sich. Ihre Töchter sollten es ruhig sehen. Es war eine subtile Erinnerung für alle. Margaret hatte zwei Kinder allein großgezogen und mehrere tausend Kinder unterrichtet; in Anerkennung ihrer Leistungen war sie von der Stadt zur Direktorin der Schule ernannt worden. Sie hatte immer zuallererst an das Wohl anderer gedacht. Und nun war sie bettlägerig. Sie konnte sich nicht mehr um andere kümmern – nicht einmal um sich selbst. Sie lebte ständig in der Angst, dass ihre Töchter beschließen könnten, sie wegzugeben.
Sylvie sah die Tränen. Sie reichte ihr ein Papiertaschentuch.

»Was ist denn, Mom?«
»Ich …« Margarets Kehle war wie zugeschnürt, als sie in Tränen ausbrach.
Sie spürte, dass die Mädchen warteten. Sie sahen besorgt aus. Margaret hätte gerne gesagt: Ich liebe euch. Ich liebe mein Haus. Es ist das Zuhause, das ich für uns alle geschaffen habe. Hier hattet ihr beide die Windpocken. Hier habe ich euch in den Schlaf gewiegt, wenn ihr schlecht geträumt hattet. Hier bin ich über euren Vater hinweggekommen. Das Haus spiegelt meine Liebe zu blanken Holzböden, Flickenteppichen und zur Farbe Blau wider. Es enthält alle Bilder, die ich jemals von euch gemacht habe, und solange ich hier oder anderswo lebe, werde ich mir wünschen, ich hätte euch häufiger fotografiert. Hier habe ich für meinen Magister gebüffelt. Hier habe ich gelernt, mir Insulin zu spritzen.«
Doch die Gedanken wirbelten so ungestüm durcheinander wie ein mächtiger Sturm in einer kleinen Landbucht: Sie türmten sich übereinander, hämmerten aufeinander ein, wühlten den sandigen Grund auf. Die Worte flogen einfach davon, ließen Margaret mit den gleichen Empfindungen wie vorher zurück, ohne eine klare Möglichkeit, sie zum Ausdruck zu bringen. Sie klammerte sich an ihre Puppe und wiegte sich vor und zurück, vor und zurück, während die Tränen immer schneller flossen.
»Ich«, stammelte sie. »Ich, ich, ich, ich …«

Als Sylvie unten war, fühlte sie sich ausgelaugt. Ihre Mutter in einem derartigen Zustand zu sehen, wühlte sie auf. So eine kluge, brillante Frau, unfähig, einen angefangenen Satz zu vollenden. Sylvie hatte einen Kloß im Hals, und Jane erging es vermutlich genauso. Sie stand am Fuß der Treppe, blickte nach oben.
»Alles in Ordnung mit ihr?«, fragte Jane.

»Ja. Sie hat sich nur aufgeregt.«
»Sie war beunruhigt angesichts der Vorstellung, dass wir sie in einem Heim unterbringen könnten.«
»Genau das habe ich dir klarzumachen versucht.«
»Es ist nicht so, dass mir das Ganze Spaß macht, Sylvie. Aber wir müssen anfangen, uns ernsthaft mit dem Gedanken auseinander zu setzen.«
»Wie sie sagte: Als wir klein waren, hat sie für uns gesorgt; jetzt sind wir an der Reihe.«
»Aber wir hatten keinen Diabetes, keine Durchblutungsstörungen, keine Gleichgewichtsstörungen … und keinen …«
»Sprich es nicht aus.«
»Was?«
»Das Wort Alzheimer.«
»Soll ich es unter den Teppich kehren, weil du dich fürchtest, der Wahrheit ins Gesicht zu sehen?«
Sylvie schüttelte den Kopf. Eine Welle der Angst stieg in ihr auf. Jedes Jahr zur Weihnachtszeit veranstaltete sie in der Schulbibliothek einen Wettbewerb für Nachwuchsautoren und nahm die Gewinner ins Marsh Glen Care Center mit, um den Insassen des Heims ihre Gedichte und Essays vorzulesen. Sie dachte an die alten Leute, die dort betreut wurden. Einige wirkten ungemein fit – sorgfältig gekleidet und frisiert, aufmerksam und aufgeregt.
Andere waren in ihren Rollstühlen festgeschnallt, ein Häufchen Elend mit haltlos hin- und herpendelndem Kopf, das Kinn auf die Brust gesackt, während wieder andere stöhnten oder mit den Fingern schnippten, sich mit den Geistern von Verstorbenen oder unsichtbaren Personen unterhielten. Ihr Anblick brach Sylvie jedes Mal das Herz. Was für Menschen waren sie gewesen, bevor das Alter seinen Tribut verlangte? Sie hatte Angst, dass ihre Mutter genauso senil werden könnte wie sie.

»Syl.« Jane packte Sylvie und umarmte sie. »Wir beide lieben sie, in welchem Zustand auch immer.«
Sylvie holte tief Luft. Ihr war schwindelig, als wäre sie einer Ohnmacht nahe. Sie stieß ihre Schwester beiseite und setzte sich auf die Treppe. Sie blinzelte und blickte hoch, in Janes blaue Augen. Ihre Schwester sah umwerfend aus, hatte sich für den Abend in Schale geworfen. John würde in einer Stunde zum Pizzaessen kommen. Janes Augen spiegelten nichts als schwesterliche Liebe wider, aber Sylvie fand den Anblick unerträglich.
»Du hast leicht reden, schließlich lebst du in New York«, sagte sie. »Du kommst kurz nach Hause, um nach dem Rechten zu sehen, und dann nichts wie weg.«
»Das stimmt nicht.«
»Du hast ein Geschäft, um das du dich kümmern musst! Ich weiß das. Willst du alles den Bach hinuntergehen lassen, was du dir aufgebaut hast, und hier bleiben, auf unbestimmte Zeit?«
»Das ist der erste Urlaub seit fünfzehn Jahren. Meine Kunden werden mich nicht vergessen. Und ich werde nicht vergessen, wie man backt.«
»Natürlich nicht. Du hast ja in den letzten Tagen Torten gebacken und vermutlich einen Abnehmer in Rhode Island gefunden …« Sie verstummte, bot Jane die Gelegenheit, sie ins Bild zu setzen. Aber ihre Schwester reagierte nicht und Sylvie errötete, wusste genau warum.
»Sylvie …«
»Glaub nicht, ich hätte nichts bemerkt. Du hast *Apfel*pasteten gemacht. Das ganze Haus duftet nach Äpfeln.«
»Jetzt mach aber mal einen Punkt …«
»Und es waren Apfelschalen im Müll.«
»Du hast im *Müll* gestöbert?«
»Ich finde dein Verhalten falsch.«

»Ich nicht.«

»Es hat mit Chadwick Orchards zu tun, richtig? Du machst Apfelpasteten, um zu zeigen, dass ihr euch auf einer Wellenlänge befindet. Sie lebt inmitten von Apfelbäumen und deshalb bäckst du dir das Herz aus dem Leib, um ihr Apfelpasteten zu schenken. Wenn sie am Strand wohnte, würdest du mit *Rotalgen* backen …«

»Du hast den Müll durchsucht?«, wiederholte Jane kopfschüttelnd, als könnte sie es nicht glauben. Was sonderbar klang, ausgerechnet aus Janes Mund. Als Kind hatte sie mit Leib und Seele Detektiv gespielt, als es darum ging, zu ermitteln, wo sich ihr Vater herumtrieb. Sie hatte seine Schubladen und Taschen durchwühlt, sein Notizbuch gelesen, in seinem Handschuhfach gestöbert. Sylvies Magen verkrampfte sich bei der Erinnerung. »Das ist widerwärtig«, fuhr Jane fort.

»Nein. Widerwärtig ist, dass du die Chadwicks derart behelligst. Ich wette, sie haben keinen blassen Schimmer, wer du bist, oder?«

»Sie wissen, wer ich bin. Ich habe ihnen meinen Namen genannt.«

»Dann kannst du nur hoffen, dass sie ihn niemals im Beisein von Virginia erwähnen. Sie wacht mit Argusaugen über ihre Familie. Du kennst die Adoptionsbedingungen. Niemand durfte etwas über deine Identität erfahren außer ihr – sie *kennt* den Namen Jane …« Sylvies Stimme verklang, sie wusste, dass Virginias Gedächtnis mit jedem Tag schwächer wurde, wie bei ihrer Mutter. Sie schaltete in eine andere Gangart um. »Du hast auf das Kind verzichtet, Jane.«

»Ich weiß. Dafür hat Mom gesorgt.«

»Wage nicht, Mom die Schuld zu geben! Du warst zu jung, hast noch studiert, und er weigerte sich, dich zu heiraten …« Sylvie schluckte. Sie sah, wie zwei rote Flecken auf den Wan-

gen ihrer Schwester erschienen und wusste, dass sie zu weit gegangen war.
»Ich habe es nicht so gemeint«, sagte sie und wünschte sich, sie könnte ihre Worte zurücknehmen. Sie sah, wie Jane die Augen niederschlug und sich abwandte. Der Anblick zerriss Sylvie das Herz. Sie erinnerte sich, wie sehr Jane den Vater ihres Kindes geliebt hatte. Früher hatten die beiden oft in Zeitschriften geblättert, Bilder von Bräuten angeschaut, sich an ihre Stelle versetzt und geschworen, Brautjungfer bei der Hochzeit der anderen zu sein, aber keine hatte geheiratet.
»Dieser Umstand wäre am wenigsten ins Gewicht gefallen, wie sich herausgestellt hat«, erwiderte Jane ruhig. Sie sah hoch. »Damals im Sommer – in dem ganzen Jahr ohne ihn – war ich nicht sicher, ob ich ohne ihn weiterleben könnte. Aber ich schaffte es.«
»Ich weiß.«
»Weil ich ihn zu lieben glaubte. Und Liebe ist eine Macht, die viel bewirkt. Sie hat dich fest im Griff … jeden deiner Atemzüge. Dein Herz, deinen Puls, deine Gedanken, alles.«
Sylvie schloss die Augen, dachte an John. Empfand sie das Gleiche für ihn?
»Alles«, wiederholte Jane. »Und sie lässt dich nicht los. Weißt du, wie mir bewusst wurde, dass ich Jeffrey nicht wirklich geliebt habe, Sylvie?«
Sie schüttelte den Kopf.
»Weil sie mich losgelassen hat. Die Liebe löste sich in Luft auf.«
»Das freut mich.« Sylvie dachte, dass Janes Definition von Liebe ziemlich schrecklich klang, wie eine Falle oder Krankheit.
»Aber meine Liebe zu Chloe hat mich nie losgelassen«, erklärte Jane mit entschlossener Stimme. »Sie begleitet mich auf Schritt und Tritt, die ganze Zeit. Ich kann kaum glauben, dass

seit ihrer Geburt auch nur zehn Minuten vergangen sind, ganz zu schweigen von fünfzehn Jahren. Ich kann sie immer noch spüren – genau hier …« Sie hob die Arme, als wiege sie sanft ein Baby, doch ihre Augen, die auf Sylvie gerichtet waren, blickten grimmig.

»Dann musst du sie loslassen, *diese* Liebe«, befand Sylvie, verstört durch die Eindringlichkeit der Gefühle, die ihre Schwester damit ausdrückte.

»So funktioniert das nicht. Liebe entzieht sich unserem Einfluss – sie ergreift Besitz von *uns*. Hast du das noch nicht herausgefunden?«

Sylvie stand reglos da. Sie dachte an John. An den Seelentröster, den angenehmen Gefährten, der nichts forderte, keine Herausforderung darstellte. Sie spürte, dass sich zwischen ihnen etwas aufzubauen begann, wie die ersten Zweige oder Halme eines Nests, solide und real. Er hatte ihre Hand gehalten – zweimal. Beide Male hatte sie ein Kribbeln im Nacken gespürt. Wenn sich ihre Knie unter dem Kartentisch berührten, erbebte sie. Sie hatte Lavendel-Badesalz gekauft, extra für heute Abend, wenn er sie hoffentlich küssen würde … Aber die Leidenschaft, mit der Jane über die Liebe redete … nein, die war Sylvie fremd.

»Das klingt ziemlich verrückt«, sagte Sylvie. »Als würde dich diese Liebe um den Verstand bringen.«

»Tut sie auch, in gewisser Weise. Wenn ich an all die Jahre denke … ihre ersten Schritte, die Milchzähne, der erste Schultag, die Musik, die ihr gefällt … wenn ich an solche Dinge denke …« Sie schloss die Augen.

Sylvie fühlte sich hin- und hergerissen zwischen dem Wunsch, Jane zu umarmen und davonzulaufen. Sie erinnerte sich an die Zeit, in der sie um den Verstand ihrer Schwester bangte – und um ihr Leben. Die Tage nach der Geburt des Kindes waren schrecklich gewesen. Jane hatte

ununterbrochen geschlafen. Noch um drei Uhr nachmittags hatte sie sich in den Federn verkrochen, die Decke über den Kopf gezogen.
Ungefähr zwei Wochen nach der Freigabe zur Adoption war sie aus ihrer Betäubung aufgewacht und der Schmerz setzte ein. Sylvie hatte mit ihrem Studium an der Brown begonnen, aber unter Heimweh gelitten, sich Sorgen gemacht und viele Wochenenden zu Hause verbracht. Sie hörte noch heute die erstickten Klagelaute, die ihre Schwester von sich gab: hoch, beinahe unmenschlich, wie ein Eistaucher nachts auf dem See. Wie ein Tier. Jane hatte sie lange in ihrem Inneren verschlossen, all die Monate im St. Joseph's und während der Tage in der Klinik, doch nun brachen sie sich ihre Bahn … wie etwas Lebendiges, die letzten Überreste des Lebens, das in ihr gewachsen war. Sylvie hatte mit ihrer Schwester getrauert, wenn auch heimlich – in ihrem eigenen Zimmer, das Kopfkissen im Arm.
»Jane – kannst du nicht einfach akzeptieren, dass du damals die richtige Entscheidung getroffen hast? Für sie, für alle Beteiligten?«
»Ich habe das Gefühl, dass sie falsch war.«
Sylvie beobachtete ihre Augen. Ihr Blick war unstet. Er irrte unentwegt durch den Raum, als gäbe es nichts, was ihr Erleichterung oder Trost verschaffen könnte. Sie waren außerstande, Sylvie anzuschauen. Sylvie verspürte ein Kribbeln im Magen. Waren Janes Gefühle die gleichen geblieben? Damals war Sylvie zunächst wütend gewesen: Sie hatte die Brown nicht zuletzt deshalb gewählt, um am gleichen College wie ihre Schwester zu studieren. Janes Schwangerschaft hatte alles zunichte gemacht. Als sie während des ersten Studienjahrs die Romane des Schriftstellers Fitzgerald gelesen und Janes Depression hautnah miterlebt hatte, hatte sich Sylvie Sorgen gemacht, ihre Schwester könnte wie

Zelda enden – von ihrem eigenen Herzen in den Wahnsinn getrieben.

»Bitte, Jane, du machst mir Angst. Du bringst *mich* um den Verstand.«

»Dich?«

»Du bist meine Schwester. Ich liebe dich. Ich kann nicht tatenlos zuschauen, wie du alles zerstörst – nicht nur dich selbst, sondern auch ihr Leben, mit Verlaub. Findest du es nicht seltsam, dass plötzlich eine ältere Frau auf der Bildfläche erscheint, aus heiterem Himmel, mit frisch gebackenen Apfelpasteten? Glaubst du nicht, dass sie sich wundert? Du kannst von Glück sagen, wenn ihre Mutter dir nicht die Polizei auf den Hals hetzt.«

»Nie und nimmer.«

»Nur weil sie es noch nicht herausgefunden haben. Aber wenn ...«

»Hör bitte auf, ja?«

Sylvie zuckte die Achseln. Es war Freitagabend. Wenigstens ging Jane aus, lenkte sich von ihren zwanghaften Gedanken an Chloe ab. Weder sie selbst noch Jane gehörten zu den Frauen, die Männer ermutigten, die Initiative zu ergreifen – sowohl ihr Vater als auch Janes Erfahrung hatten ihnen diesen Wunsch verleidet. Sylvie hatte das Gefühl, als würde sie das äußere Erscheinungsbild ihrer Tochter vor dem ersten Rendezvous inspizieren: natürlich wirkendes Make-up, silberne Kreolen in den Ohren, herrlich glänzende Haare, ein verführerisches blaues Oberteil. Sie holte tief Luft, lächelte ihrer Schwester zu.

»Waffenstillstand?«

»Einverstanden. Wie mir scheint, wird das bei uns beiden allmählich zum geflügelten Wort.«

Sylvie ignorierte die Spitze. »Wer ist der Glückliche?«

Jane antwortete nicht. Ein Lächeln umspielte ihre Lippen, un-

ergründlich wie immer. Plötzlich knirschten Reifen auf der Zufahrt. Sylvie erschrak. Was war, wenn John vor der Tür stand? Sie war noch nicht fertig. Sie musste noch baden, sich schminken, sich umziehen. Doch dann küsste Jane, die aus dem Fenster geblickt hatte, Sylvie auf die Wange, verabschiedete sich hastig und lief hinaus, um ihren Verehrer in Empfang zu nehmen, bevor Sylvie sagen konnte, dass sie ihn gerne kennen lernen würde.
Sie eilte zum Fenster; einen Moment lang verspürte sie Erleichterung, dass es nicht John, sondern Janes Verehrer war, bevor sie sich mit klopfendem Herzen fragte, warum es sie derart aus der Fassung brachte, dass sie noch nicht fertig war; sie hatte zum ersten Mal das Gefühl, als hätte die Liebe urplötzlich von ihr Besitz ergriffen. Sie blieb hinter den dünnen weißen Vorhängen stehen, versuchte, einen Blick auf den Mann zu erhaschen.
Er fuhr einen Pickup. Auf der Ladefläche befand sich offensichtlich ein kleiner Baum. Sylvies Mund verwandelte sich in Watte. Der Fahrer, nur von hinten sichtbar, stieg aus und öffnete ihrer Schwester die Tür. Jane kletterte auf das Trittbrett und stieg ein. Der Fahrer schloss die Tür hinter ihr.
Er war groß, schlank und breitschultrig. Er hatte braunes Haar und einen Bart, trug schwarze Jeans und ein Hemd aus blauer Oxford-Baumwolle. Er hinkte stärker als beim letzten Mal: an dem Abend, als er seine Mutter zum Pädagogen-Dinner gefahren hatte.
Es war Dylan Chadwick.

15

Jane stieg in den feuerwehrroten Pickup und Dylan schloss die Tür hinter ihr. Sie konnte beinahe Sylvies Blick spüren, die mit Sicherheit hinter der weißen Gardine stand und ihr nachsah. Sie hatte das untrügliche Gefühl, beobachtet zu werden. Sie konnte sich die Missbilligung und Vorwürfe ihrer Schwester ausmalen. Sich weigernd, zum Fenster hinüberzuschauen, wandte sie sich mit einem strahlenden Lächeln Dylan zu, der nun einstieg. Dabei machte sich der erste Anflug eines schlechten Gewissens bemerkbar: Die Beziehung zwischen ihnen war auf einem vielschichtigen Lügengewebe aufgebaut.

»Wie geht es Ihnen?«, fragte sie, ihre Empfindungen verdrängend; sie wusste, dass ihr jedes Mittel recht war, um den Kontakt zu Chloe enger zu gestalten, auch wenn die Frage nach Dylans Befinden aufrichtig gemeint war.

»Gut. Und Ihnen?«

»Prima. Ich konnte es kaum noch erwarten, heute Abend auszugehen.«

Er lachte. »Aha, deshalb. Ich war schon auf halbem Weg zur Tür, als Sie aus dem Haus gestürmt kamen und mich praktisch niedergemäht haben.«

»Tut mir Leid.« Sie lächelte. »Ich habe mich eingesperrt gefühlt, wie auf heißen Kohlen. Vermutlich bin ich zu alt, um in meinem Mädchenzimmer zu schlafen. Meine Mutter und meine Schwester …«

»Ich weiß, ich weiß.« Er schüttelte den Kopf. »Mit meiner Mutter und meinem Bruder ergeht es mir genauso … egal wie alt wir sind, die Dynamik solcher Beziehungen bleibt immer dieselbe. In der Familie haben wir heute noch den gleichen Status wie mit fünfzehn, und werden entsprechend behandelt.«

Jane schwieg. Seine Worte hallten in ihren Ohren nach. Außerhalb des Wagens offenbarte sich die Frühlingslandschaft in ihrer ganzen Üppigkeit. Überall am Wegrand blühte der Flieder. Die Blüten waren weiß, von einem tiefen oder blassen Purpurrot, lavendelfarben und violett; ihr Duft drang durch die offenen Fenster. Die neuen Blätter hüllten die Bäume in ihre scharf umrissenen, zarten Grünschattierungen ein. Der Abend Anfang Mai war dunkel und die Luft lau.

Sie fuhren nach Norden, in Richtung Providence. Die Silhouette der Stadt kam in Sicht. Schon als Heranwachsende hatte Jane die Spitznamen der beiden höchsten Bauwerke gekannt: »Kleenex-Schachtel und Superman-Gebäude«. Die Kleenex-Schachtel, die den Hospital Trust beherbergte, war hoch und eckig; das Fleet, vormals Sitz der Industrial National Bank, mutete wie ein Raumschiff an und war, wenn man den Gerüchten Glauben schenken durfte, zu Beginn der TV-Serie *Superman* zu sehen: Das Gebäude, das George Reeve mit einem einzigen Sprung zu erklimmen vermochte. Rechts daneben, ein wenig zurückversetzt, befand sich College Hill, eine Anhöhe, gekrönt von den rosafarbenen Backsteingebäuden der Brown University. Überall ragten Kirchtürme auf, die daran erinnerten, dass Providence von den Puritanern gegründet worden war.

»Als käme ich in meine alte Heimat zurück«, sagte sie.

»Providence?«

»Die zweitwichtigste Stadt in meinem Leben …«

»Für mich auch. Obwohl sie sich nicht wirklich mit New York messen kann.«

»Muss sie auch nicht«, erwiderte sie leise. »Sie besitzt einen

Zauber, den New York nicht einmal ansatzweise verstehen könnte.«
Er lachte. Sie fuhren am Zoo und an der blauen Kakerlake vorbei – einem riesigen Ungeziefer auf dem Dach eines Lagerhauses, das für die Dienste eines Kammerjägers warb –, dann tauchte rechter Hand der Hafen auf. Öltanker, die ihre Fracht löschten, Containerschiffe, die Fahrzeuge aus Japan entluden. Die Fähre lag an ihrem Landeplatz am India Point. Genau dort war am Heiligen Abend 1898 ein Segelschiff vor Anker gegangen, mit Janes Großmutter mütterlicherseits an Bord. Ihr jüngerer Bruder hatte während der Überfahrt von Irland das Licht der Welt erblickt und die Eltern überließen ihr die Wahl des Namens: George. Jane überlegte, ob sie Dylan davon erzählen sollte, misstraute aber ihren eigenen Gefühlen, wenn es um Geschichten ging, in denen ein Baby vorkam. Sie betrachtete das spiegelglatte, silberfarbene Wasser, dessen Oberfläche von keinem Windhauch aufgewühlt wurde.
Dylan fädelte sich auf die Route 195 ein und nahm die Ausfahrt Wickenden Street. Providence verfügte über viele Trabantenstädte innerhalb der geographischen Grenzen: Little Italy auf dem Federal Hill, das Akademikerviertel rund um die Brown University, die Künstler, die sich mit den Portugiesen Fox Point teilten, die Enklave der Blaublütigen auf der East Side, der Bezirk der angehenden Designer von der RISD.
Jane sah ihn an.
»Was ist?« Er lächelte, als er ihren Blick spürte.
»Ich habe mich gefragt, wohin wir fahren.«
»Trauen Sie mir nicht zu, ein gutes Lokal zu finden?«
Sie lachte. »Doch. Ich bin nur neugierig, welches.«
Lächelnd fuhr er sie die Benefit Street entlang, elegant mit ihren Gaslaternen und Herrenhäusern im Kolonialstil. Der Verkehr schien dichter zu sein als üblich. Sie fuhren im Schritt-

tempo am John Browne House vorbei. Jane blickte unentwegt geradeaus. Ihre Alma Mater lag direkt vor ihr, auf dem Hügel. Chloe war ganz in der Nähe gezeugt worden, in einer Straße, die sich nur wenige Blocks entfernt befand.

Sie kamen am neoklassizistischen Atheneum mit seinen weißen Säulen, den Gebäuden der RISD und dem majestätischen Rhode Island Supreme Court House vorbei; dann brach Dylan aus dem Verkehrsgetümmel aus, indem er zuerst nach links und dann nach rechts in eine schmale Gasse abbog. Er gelangte an einen hohen Metallzaun, fuhr an einem Tor mit einer elektronischen Schließanlage vor und tippte ein paar Zahlen ein.

»Was ist denn das, ein geheimer Parkplatz?«, fragte Jane, als das Tor aufglitt und ihnen die Zufahrt zu einem kleinen Innenhof freigab.

»Ich habe hinten auf der Ladefläche des Pickup ein paar seltene Apfelbäume verstaut und möchte keinen von diesen unberechenbaren Hobbygärtnern in Versuchung führen.«

»Woher kennen Sie die Zahlenkombination?«

»Ein Ex-Agent zu sein, hat seine Vorteile«, erwiderte er mit einem mörderischen Lächeln.

Er öffnete das Tor und sie verließen die Gasse, während der Zaun wieder über die Führungsschiene rasselte und sich hinter ihnen schloss. Er bot ihr eine Zigarette an. Sie lehnte ab. Er zündete sich selbst eine an und Jane sah die Begierde und Selbstverachtung, die in der Geste zum Ausdruck kam. Während sie durch das dunkle Labyrinth der Gassen gingen und sie sich fragte, was Dylan hierher gebracht haben mochte, wurde ihr klar, dass er ein Mann war, der seine eigenen Geheimnisse besaß.

Er führte sie zwischen zwei Backsteingebäuden hindurch und an der South Main Street heraus. Mehrere Restaurants säumten den Block. Er legte kurz den Arm um sie, lotste sie

durch die Eingangstür eines winzigen Lokals, »Umbria« genannt. Es roch nach Kräutern und Olivenöl. Kerzen flackerten auf den Tischen. Die Wände bestanden aus unverputztem Gemäuer. Die Holzbalken waren kürbisgelb gestrichen. Zwei Frauen schienen sämtliche Arbeiten zu verrichten: Plätze zuweisen, bedienen und kochen. Sie trugen schwarze chinesische Seidenhosen und Slipper aus Baumwolle. Ihr Schmuck glich Skulpturen; die Tätowierungen auf ihren Handgelenken waren bestrickend, kompliziert und wunderschön, bestärkten Jane in der Annahme, dass die beiden von der RISD kamen.
Dylan bestellte Mineralwasser und Jane entschied sich für das Gleiche. Es gab keine Speisekarte. Eine der beiden Frauen spulte die Liste mit den Tagesgerichten herunter. Sie war freundlich, aber auf eine völlig unpersönliche Weise. Jane hätte schwören können, dass sie Dylan noch nie gesehen hatte, doch als sie fertig war, sagte er: »Danke. Oley.«
»Oley?«, fragte Jane
»Ja. Olympia. Ihre Partnerin heißt Del – Delfine. Sie haben sich an der Kunstakademie kennen gelernt und festgestellt, dass sie beide nach Ortschaften in Griechenland benannt worden waren.«
»Sie kommen oft hierher?«
Er zuckte die Achseln. »Ich musste früher häufig nach Providence, als ich an dem RICO-Fall arbeitete; damals gab es an derselben Stelle ein Restaurant, das ich sehr gut fand – das Bluepoint. Es machte zu, und dann kamen Oley und Del, und da ich mir angewöhnt hatte, hier zu essen, wenn ich in der Stadt war, probierte ich es aus.«
»Ganz anders als die italienischen Rote-Einheitssoße-Restaurants oben an der Atwells Avenue.« Jane tunkte ein kleines Stück Olivenbrot in eine Schale mit grüngoldenem Öl.
»Völlig anders.«

»Es gefällt mir. Ich bin froh, dass Sie mit mir hierher gegangen sind.«
Sie aßen und unterhielten sich angeregt. Das Gespräch drehte sich um unverfängliche Themen wie Kuchen backen und Bäume pflanzen. Oleys Tätowierung befand sich auf dem linken Handgelenk, Dels auf dem rechten.
»Tätowierungen sind inzwischen gesellschaftsfähig geworden, ganz anders als in meiner Jugend«, sagte Jane. »Damals liefen nur Seeleute damit herum. Heute sind sie buchstäblich allgegenwärtig. Haben Sie eine?«
Dylan schüttelte den Kopf. »Nein, Sie?«
Jane lächelte geheimnisvoll, ließ genussvoll eine kleine grüne Olive auf ihrer Zunge zergehen und versuchte, den Kern so elegant wie möglich loszuwerden.
»Wie wäre es mit einem Glas Wein?«, fragte er.
»Ich trinke keinen Alkohol. Aber bitte, lassen Sie sich nicht abhalten.«
»Ich trinke auch nicht.«
»Tatsächlich?«
Er nickte. »Es hat mir gereicht. Im umfassenden, globalen, kosmischen Sinn. Ich habe dem Alkohol eine Zeit lang mehr zugesprochen, als mir gut tat …«
Janes Herz klopfte zum Zerspringen. Sie wusste, worauf er anspielte. Jeder Mensch, der ein Kind verlor, lief Gefahr, den Kummer im Alkohol zu ertränken. Sie konnte ein Lied davon singen … »Bei mir war es genauso«, gestand sie.
Er sah sie an, als ahnte er, dass sich einiges mehr hinter der Geschichte verbarg, aber sie blieben beide stumm und aßen ihren Salat. Für sie hatte der Abend mit dem Gefühl begonnen, eine Diebin zu sein: Ihre Schwester hatte sich hinter den zugezogenen Vorhängen verschanzt und sie vorwurfsvoll angeschaut, weil sie mit falschen Karten spielte, um sich etwas anzueignen, was ihr nicht gehörte. Doch während sie aß,

entspannte sie sich, und als sie merkte, dass Dylan sie ansah, erwiderte sie den Blick, in einträchtiges Schweigen versunken.

Die Tür ging auf und zwei Paare traten ein, die verschiedenen Generationen angehörten. Jane musterte die vier, zog ihre Schlussfolgerungen und Dylan sprach sie aus.

»Ein Brown-Student, der mit seiner Freundin und deren Eltern zum Essen ausgeht.«

»Und was wäre, wenn es seine Eltern sind?«

»Das Mädchen ist der Mutter wie aus dem Gesicht geschnitten. Und der Junge ist höllisch nervös. Ich kann mich nur allzu gut an das Syndrom erinnern – nur damals, zu meiner Zeit, gingen die Eltern mit uns in den Harbor Room.«

»Ich erinnere mich an den Harbor Room. Waren Sie an der Brown?«

Dylan nickte und Jane legte ihre Gabel aus der Hand.

»Ich auch.«

»Ein paar Jahre nach mir, schätze ich … wann haben Sie Ihren Abschluss gemacht?«

»Habe ich nicht. Ich bin vorzeitig abgegangen, nach dem zweiten Studienjahr.«

»Oh.« Er wartete darauf, dass sie fortfuhr. Sie konnte nicht. Ihr Magen verkrampfte sich, einmal, zweimal. Dabei war ihr Teller erst halb leer. Sie zwang sich, die Gabel wieder in die Hand zu nehmen und weiterzuessen.

»Nun, offensichtlich brauchten Sie keinen akademischen Grad«, sagte er. »Sie waren dazu berufen, Ihre eigene Konditorei zu eröffnen …«

»Nett, dass Sie es so sehen.« Sie kam sich unehrlich vor, weil sie wusste, dass sie mit der Wahrheit hinter dem Berg halten musste.

»Und wie sind Sie aufs Backen gekommen?«

Das Thema schien unverfänglich, war es aber nicht. Jane

gab vor, sich auf ihren Teller zu konzentrieren, während sie antwortete. »Verwandte von mir hatten eine Bäckerei und Konditorei in Twin Rivers. Die Vorstellung, etwas zu backen, gefiel mir von Kindesbeinen an. Es kam mir wie Zauberei vor. Zutaten mischen, rühren und kneten, und Abrakadabra: schon ist der Kuchen fertig. Das Beste war das Brotbacken. Man deckt die Schüssel mit einem feuchten Tuch zu, um nach einer Weile festzustellen, dass der Teig aufgegangen ist – Tricks, die viel Vertrauen und Fachwissen voraussetzen.«

»Und all die herrlichen Düfte ...«

Jane nickte und schloss die Augen. »Ja, sie sind wunderbar und tröstlich, auch heute noch.«

»Ihre Arbeit ist also eine Art Trost für Sie.«

»Ja, stimmt.«

»Haben Sie sich deshalb für sie entschieden? Waren Sie trostbedürftig?«

Jane antwortete nicht. Sie tat so, als hätte sie die Frage nicht gehört. Die Brown-Studenten saßen am Nachbartisch, redeten über die Theater-Abteilung und das Bühnenstück, in dem sie mitspielten. »Meine Cousine hat mir die Grundkenntnisse beigebracht«, sagte Jane schließlich. »Sie weihte mich in alle Geheimnisse ein, wie man beispielsweise Pastetenteig macht oder Torten verziert. Sie war ein großzügiger Mensch – immer bestrebt, ihre Kunden zu verwöhnen.«

»Das machen Sie mit Chloe.«

Jane riss die Augen auf. Sie fühlte sich innerlich aufgewühlt. Über Chloe zu sprechen, war ihr ein Bedürfnis; aber dieses Abendessen mit Dylan war etwas Besonderes und die kleinen Unaufrichtigkeiten, die unausgesprochenen Lügen, lasteten schwer auf ihr.

»Ja«, fuhr er fort. »Das sieht man daran, wie Sie an ihrer Arbeit am Obststand Anteil genommen haben. Und wie kunstvoll Sie die Pasteten verzieren, die Sie backen. Sie ist sehr stolz, diese kleinen Kunstwerke zu verkaufen.«

»Das freut mich.« Ihre Stimme klang gepresst.

»Sie braucht das«, sagte Dylan.

»Was?«

»Die Erfahrung, die sie in diesem Sommer macht. Die Gelegenheit, zu spüren, dass sie mit beiden Beinen fest im Leben steht. Sie ist ein ganz besonderes Mädchen. Nicht jeder versteht sie.«

»Was ist so schwer an ihr zu verstehen?« Jane konnte nicht umhin zu fragen.

Dylan schien darüber nachzudenken. Er füllte ihre Gläser nach. Janes Kehle brannte, doch das Wasser konnte keine Abhilfe schaffen.

»Nach der Schießerei kam es mir vor, als wäre ich mutterseelenallein auf der Welt«, sagte er. »Isabel war tot und mein Herz war gebrochen. Es ist verrückt, ich weiß, aber …«

»Nein, ist es nicht. Es ist nicht verrückt.«

Er sah hoch, fragte sich vielleicht, woher sie etwas über solche Empfindungen wissen konnte. »Ich kehrte nach Rhode Island zurück«, fuhr er fort. »Ich hielt es in New York nicht mehr aus …«

Jane schloss abermals die Augen. Sie war nach New York gegangen, weil sie es in Rhode Island nicht mehr ausgehalten hatte. Sie nahm in Kauf, einen Verrat zu begehen, um an ihr Ziel zu gelangen, aber ihre Gefühle waren echt. Sie sprach mit diesem Mann, weil sie das Bedürfnis hatte, weil ihr seine Geschichte zu Herzen ging.

»Ich dachte, hier draußen könnte ich wie ein Einsiedler hausen. Ich wollte mich abschotten, das Leben vergessen, ein für alle Mal verstummen. Ich nahm mir vor, die Plantage wieder auf Vordermann zu bringen. Pflanzlöcher ausheben, Bäume beschneiden und an Isabel denken.«

»Und, haben Sie das getan?«
»Ja, aber ich konnte mich nicht abschotten. Nicht wirklich. Weil ich gebraucht wurde, wie sich herausstellte.«
Jane wartete.
»Chloe. Für sie war Isabels Verlust beinahe genauso schmerzhaft wie für mich.«
»Sie standen sich sehr nahe ...«
»Ja. Aber das war noch nicht alles; wie ich bereits sagte, Chloe ist etwas ganz Besonderes. Sie ist anders.«
»Sie sagten ...«
»Sie ist erst fünfzehn. Aber sie hat ein riesengroßes Herz und eine alte Seele.«
»Inwiefern?«
»Sie müssten sehen, wie sie mit Tieren umgeht. Einmal fiel ein Vogel aus dem Nest, und sie lief den ganzen Weg durch die Plantage, um mich zu bitten, ihn wieder hineinzusetzen. Sie betreut die Katzen, als wären es ihre Kinder. Als Isabel starb, machte sie sich große Sorgen um mich – sie spürte, wie tief mich ihr Verlust getroffen hatte. In ihren Augen sah ich das Spiegelbild meines eigenen Kummers. Wissen Sie, woher das kommt?«
»Woher?«
Dylan öffnete den Mund, dann klappte er ihn wieder zu. »Egal«, sagte er. »Ich bin kein Psychologe.«
Jane saß reglos da, kniff die Augen zusammen. Sie fühlte sich durchschaut. Als könnte Dylans Blick ihre Haut durchdringen und sehen, wie das Blut durch ihren Körper floss. Als wäre er in der Lage, bis auf den Grund ihrer Seele zu blicken, und sie wünschte sich mit einem Mal, er möge die Wahrheit entdecken und ihr verzeihen.
»Sprechen Sie es ruhig aus«, ermutigte sie ihn.
Dylan drehte seine Gabel wieder und wieder in der Hand. Sein Blick war tief und eindringlich. Er starrte das Essen auf

seinem Teller an, als würde es seinen Hunger nicht einmal ansatzweise stillen, obwohl er keinerlei Anstalten machte, es anzurühren.

»Sie haben so eine seltsame Art, mich zum Reden zu bringen.« Er lachte. »Daran bin ich nicht gewöhnt.«

»Mir geht es genauso. Wie kommt das?«

Er schien nachzudenken, betrachtete sie eingehend. »Ich spüre, dass Ihnen Dinge vertraut sind, von denen andere keine Ahnung haben. Ich muss nicht befürchten, Sie zu erschrecken oder zu schockieren. Ein gutes Gefühl.«

»Also – erzählen Sie mir mehr über Ihre Nichte«, forderte sie ihn auf und kam sich abermals wie eine Verräterin vor.

»Das kann ich nicht, aus Rücksicht auf meinen Bruder. Sie ist seine Tochter, nicht meine.«

»Aber er ist ein guter Vater, oder?«

»Ja. Ein sehr guter sogar. Ein liebevoller Mensch. Deshalb wäre es besser, mich herauszuhalten.« Dylan verstummte. Die »Brown-Familie« am Nachbartisch hatte Champagner bestellt und brachte einen Trinkspruch auf das Theaterstück der beiden Studenten und den Montag aus, den Tag ihrer Graduierung. Dylan grinste; sein Gesicht wirkte plötzlich entspannt und beinahe glücklich. »Hey …«

Sie hob fragend die Augenbrauen, wartete immer noch mit klopfendem Herzen darauf, zu erfahren, woher Chloes Mitgefühl seiner Meinung nach stammte.

Doch er schien das Thema abgehakt zu haben. Er hob sein Wasserglas und stieß mit Jane an. »Es wird uns nicht gelingen, Ihnen am Montag ein Abschlusszeugnis von der Brown zu verschaffen, aber ich weiß, was wir heute Abend unternehmen könnten …«

»Heute Abend.« Jane überlegte fieberhaft: Es war Freitagabend, der Auftakt des Wochenendes, das den Graduierungsfeierlichkeiten vorbehalten war. Sie wusste, was er meinte, noch bevor er die Worte aussprach – der dichte Verkehr auf der Benefit Street machte plötzlich Sinn.

»Der Abschlussball auf dem Campus«, sagte Dylan. »Kennen Sie vielleicht vom ersten oder zweiten Studienjahr. Ist ganz nett. Wenn Sie möchten, gehen wir nach dem Abendessen hin …«

16

Chloe stand in der Apfelplantage. Sie hatte sich zum Fenster hinausgestohlen und war die Regenrinne hinabgeklettert, um sich mit Zeke im schützenden Kreis der Bäume zu treffen. Sie trug Jeans und ein hauchdünnes weißes T-Shirt, das in Brusthöhe mit Bienen bestickt war. Sie hatte einen Flakon *Muguet des bois* in ihrer Tasche verstaut und sich damit besprüht, sobald sie auf dem Boden gelandet war, damit ihre Eltern im Haus nichts rochen.

Die Sterne fingen sich im Geäst der Bäume. Sie wünschte, sie könnte die Sterne in ihrer Tasche verwahren, um ihm bei jeder Begegnung einen zu schenken. Die Katzen leisteten ihr Gesellschaft. Sie strichen um ihre Beine, miauten laut, taten aller Welt ihre Geheimnisse kund.

Sie hörte das Röhren seiner Geländemaschine schon aus der Ferne. Als engagierte Umweltschützerin hätte sie sich nie träumen lassen, dass sie einmal den Scheinwerfern eines Motorrads auf der Plantage entgegenfiebern würde. Doch als sich Zeke auf der holprigen Piste näherte, empfand sie die gleiche Freude, als würde sie einen Meteor am Himmel beobachten.

Er bremste, beide Füße auf den Boden gestemmt, die Hände an der Lenkstange. Seine Haare glänzten, weiß gebleicht im Sternenlicht. Seine Augen waren so grün wie die Augen der Katzen. Er bedeutete ihr mit einem Kopfnicken, hinter ihm aufzusteigen. Sie kam der Aufforderung ohne nachzudenken nach. Als wäre sie schon ihr ganzes Leben lang Motorrad gefahren, wusste sie, was zu tun war: die Arme um seine Taille legen.

»Richtig festhalten«, befahl er und sie tat wie geheißen. »Pass

auf dein linkes Bein auf, sonst verbrennst du dir die Wade am Auspuffrohr. Es ist heiß. Fertig?«
»Ja«, flüsterte sie an seinem Nacken.
Sie rumpelten durch die Plantage, tief hängende Zweige peitschten ihr Gesicht. Sie hielt die Augen geschlossen, roch Zekes Nacken. Sie küsste ihn insgeheim – ohne dass er etwas merkte. Er kurvte mit ihr kreuz und quer durch die Plantage. Die Geschwindigkeit hautnah zu spüren, war wie ein Rausch, doch verblasste er im Vergleich zu den Empfindungen, die sich in ihrem Körper regten, während sie sich an ihn presste.
Sie fuhren durch eine Lücke in dem einfachen Zaun. Die rote Scheune auf dem Hügel sah unheimlich aus. Ihr Kuppeldach hatte Fenster auf allen vier Seiten. Chloe stellte sich vor, dass jemand sie als Ausguck benutzte, liebevoll über sie wachte. Isabel vielleicht. Oder ihre leibliche Mutter. Sie hatte nicht den Eindruck, dass sie ihr Verhalten missbilligten. Sie hatte vielmehr das Gefühl, dass sie sich für sie freuten.
Als sie zum Bach gelangten, hielt er an. Das war die Grenzlinie zwischen der Chadwick-Plantage und dem benachbarten Land. Chloe gefiel es hier ungemein. An diesem Bach hatte sie ihren ersten Frosch gefangen und festgestellt, dass braune Forellen die heißen Sommertage in den tiefsten Schlammlöchern verbringen. Zeke reichte ihr die Hand, half ihr ans andere Ufer.
Sie lachte. »Wohin gehen wir?«
»Die Plantage endet am Bach, oder?«
»Richtig. Warum?«
»Ich möchte dich von eurem Familienbesitz wegbringen.«
Zeke schloss sie in seine Arme. Sie fürchtete, auf der Stelle in Ohnmacht zu fallen. Die Berührung seiner Hände war leicht und heiß. Seine Hände glitten unter ihr hauchdünnes T-Shirt. Sie umfingen ihre Seiten. Langsam tasteten sich seine Finger

zu ihren Brüsten vor. Er hatte sie noch kein einziges Mal geküsst und dennoch stand sie in Flammen, war nahe daran, den Verstand zu verlieren.

»Zoe …«, flüsterte er.

»Chloe«, verbesserte sie ihn, erschrocken und ernüchtert.

»Ich weiß.« Er lachte. »Ich fände es nur cool, wenn wir beide Namen hätten, die mit dem gleichen Buchstaben beginnen.«

»Dann solltest du ›Ceke‹ heißen.«

Ihr hauchdünnes T-Shirt erfüllte seinen Zweck. Er lachte nicht über ihren Witz und unterließ es auch, sie aufs Neue herauszufordern. Er küsste sie. Sein Kuss übertraf alle vorherigen Küsse und Chloes Knie gaben nach. Zum Glück war er groß und stark und hielt sie fest: Er fing sie auf und hielt sie in seinen Armen, küsste sie voller Leidenschaft, entfachte ein Feuer in ihr, das sie nie für möglich gehalten hatte. Sie hoffte, er würde nicht merken, dass es ihr erster Kuss war.

»Oh«, flüsterte sie. Das war alles, und es war genug: Es sagte mehr als tausend Worte. Zeke nahm ihre Hand. Der Verband an seinem Handgelenk war verschwunden. Seine Handflächen und Fingerspitzen fühlten sich rau an, vermutlich vom vielen Surfen im Meer. Er führte sie durch den Bach. Er trug Motorradstiefel, während sie weiße Laufschuhe anhatte – schmutzige, tropfnasse weiße Laufschuhe.

Es war ihr egal. Sie fand es lustig und romantisch. Als sie die kleine Anhöhe erklommen, juckten ihre Knöchel, als würde das nächtliche Ungeziefer von nasser Haut angezogen. Das hohe Gras kitzelte ihre Waden. Zwei Hirsche grasten zu ihrer Linken, offensichtlich ein Paar. Sie zupfte Zeke am T-Shirt.

»Sind sie nicht wunderschön?«, fragte sie und deutete auf die beiden.

Er antwortete nicht, sondern küsste sie abermals, noch eindringlicher und zärtlicher als zuvor.

Die Tiere schienen sich keiner Gefahr bewusst, obwohl sie die

Gegenwart von Menschen wittern mussten. Chloe merkte, wie sie innerlich erschauerte: das war ein gutes Zeichen, wie ein Segen der Natur. Sie schienen Zeke zu mögen, sonst wären sie davongelaufen. Manchmal dachte Chloe an ihre leibliche Mutter, wenn sie Rotwild sah: Sie war vermutlich genauso anmutig und schön, mit großen Augen und viel Geduld. Sie würde sich nahtlos in die Natur einfügen.

Wenn sie Zeke umarmte, fühlte sie sich wie ein Teil der Natur. Seine Umarmung war ungeheuer romantisch. Zart – als fürchte er, sie mit seiner Stärke zu erdrücken, und leidenschaftlich zugleich – als hätte er keinen größeren Wunsch, als sie die ganze Nacht zu küssen. Seine Lippen waren heiß und köstlich. Die Stelle, an der sie sich befanden, war von der Kuppel der Scheune nicht sichtbar, und Chloe war froh darüber. Sie wollte nicht, dass irgendjemand sah, was hier geschah.

»Chloe«, sagte er, die mit ›Z‹ beginnenden Namen vergessend.

Sie konnte nicht sprechen, weil sein Mund den ihren verschloss. Etwas Großes und Hartes in seiner Hose drückte gegen ihr Bein. Sie wusste, was es war. Es erregte sie ein wenig, machte ihr aber auch ein bisschen Angst. Sie stellte sich vor, was Mona sagen würde. Sie verbannte Mona aus ihren Gedanken, aber sie kehrte immer wieder zurück und gab ihr das Gefühl, lachen zu müssen: Dieses Ding war *hart*. Wie mochte es sein, wenn man ein Junge war und urplötzlich, ohne große Vorwarnung, wurde ein Teil deines Körpers zu Stein?

Das musste sich seltsam anfühlen. Und sehr unangenehm sein. Chloe kicherte, dann war sie schrecklich verlegen. Sie hoffte, Zeke würde glauben, dass sie sich nur geräuspert hatte. Sie war ein wenig nervös: Sie hoffte, dass sie ihn nicht anschauen musste. Sie fühlte sich noch nicht so weit, ihn anzuschauen.

Nun ließ Zeke sie auf den Boden gleiten. Er klopfte das Gras nieder, bereitete ein Nest: Das gefiel Chloe. Er verstand die Natur; genauso machten es Rehe, wenn sie sich gemeinsam niederlegen wollten. Chloe steckte ihre Nase in seinen Nacken und sog schnüffelnd die Luft ein, als wäre sie ein Tier. Der Drang überfiel sie einfach, war übermächtig.
Seine Hände griffen nach oben, unter ihr hauchdünnes T-Shirt. Sie drängte sich diesem Gefühl entgegen, dann nahm sie sich gewaltsam zurück: die Empfindung war zu stark. Nun öffnete eine Hand ihren Reißverschluss und er führte ihre Hand zur Vorderseite seiner Hose. Seine Jeans hatte Knöpfe. Fünf an der Zahl. Das harte Ding presste sich gegen sie. Sie fühlte sich ungemein befangen. Sie wollte nicht wirklich, dass es befreit wurde, aber sie wusste, er erwartete, dass sie ihm genau dabei half. Ihre Hand schien wie gelähmt. Sie versuchte mit schierer Willenskraft, ihre Finger in Bewegung zu setzen, aber sie gehorchten nicht. Er führte sie und flüsterte: »Zieh einfach!«
Was meinte er? Sie verspürte einen Anflug von Angst. Sie hatte Angst, dumm zu erscheinen. Mädchen sollten eigentlich wissen, wie so etwas geht, oder? Wenn ein Junge »Zieh einfach!« sagte, sollten Mädchen wissen, woran sie ziehen mussten. Abgesehen davon sollten sie *Lust haben,* »einfach zu ziehen«. Was stimmte nicht mit ihr, dass sie kein solches Bedürfnis verspürte? Sie hielt ein Auge offen, während sie versuchte, ihre Finger in Bewegung zu setzen, und beobachtete, was Zeke tat: Er zog an der Vorderseite seiner Jeans, mit einem kräftigen Ruck, und alle fünf Knöpfe sprangen auf.
Sie lachte beinahe, weil sie so begriffsstutzig gewesen war, doch dann sah sie, was sich darin befand: das Ding, auf das sie gewartet und vor dem ihr, zugegeben, in gewisser Hinsicht gegraut hatte. Es war ihr erster Penis. Der allererste in ihrem ganzen Leben. Keine Brüder, keine vorherigen Freunde, um ihn

in Augenschein zu nehmen. Sie musste sich zusammenreißen, um nicht »Donnerwetter« zu sagen. Er war da, zwischen ihnen. Seine Hand war in ihren Jeans, seine Finger hakten sich in den Bund ihres Schlüpfers. Es war ihr alles zu viel und zu seltsam, und sie wäre am liebsten aufgesprungen und durch den Bach zurückgelaufen.

Sie hob den Kopf, nur ein wenig, um in die großen Augen der Ricke zu blicken. Sie beobachtete das Treiben ganz aus der Nähe, von der anderen Seite des Feldes. Chloe spürte ihre Liebe. Sie schickte ihr eigene liebevolle Gedanken. Sie dachte einen seltsamen, einlullenden Augenblick lang an ihre eigene Mutter und fragte sich, ob ihre Mutter sich vor sechzehn Jahren wohl auch mitten in einer Apfelplantage mit einem Jungen auf die Erde gelegt hatte.

»Alles in Ordnung?«, flüsterte Zeke.

Ihre Augen füllten sich mit Tränen. Gegen ihren Willen. Sie wollte glücklich sein und ihm schenken, was er sich wünschte. Sie wollte Lust haben, das zu vollenden, was sie beide angefangen hatten. Aber sie hatte einen Kloß im Hals.

»Ich weiß nicht«, flüsterte sie.

»Ist es für dich das erste Mal?«

Sie nickte.

Er lächelte, strich ihr das Haar aus den Augen. Sie blinzelte und eine Träne rann aus dem Augenwinkel. Sie lief über ihre Wange und er hielt sie mit seinem Finger auf.

»Wir müssen nicht. Wir können jederzeit aufhören.«

Sie schluckte, spähte zu der Ricke hinüber. Alle anderen Rehe waren verschwunden, nur die eine, die Mutter stand da und hielt Wache. Chloe spürte, dass sie ihr sagen wollte, alles sei in Ordnung, dass sie tapfer sein und ihren Wunsch äußern sollte, dass sie nicht bis zum Ende gehen musste.

»Es ist nur …«, begann sie. »Wir sind zum ersten Mal zusammen … und ich dachte …«

»Wir haben doch nur ein wenig Spaß«, sagte er.
Halb lachte und halb weinte sie. Es klang völlig normal, aber die Art, wie er es sagte, ließ sie erkennen, wie langweilig die Gedanken waren, die sie sich machte. Zeke war ein Junge, der mit den Haien surfte, seine Geländemaschine ohne Helm fuhr und sich mit dunkelhaarigen Mädchen in sternenbeschienenen Apfelplantagen traf.
»Ich dachte …«, sagte sie.
Doch dann küsste er sie abermals, und anders. Sanft und zärtlich. Er hielt sie in den Armen, als wäre sie ein Baby, zerbrechlich und kostbar. Seine Hand war zögerlich. Sein Kuss war warm und langsam und er bewirkte, dass etwas in ihr aufstieg und wuchs – vielleicht die Sonne. Sein Kuss ließ die Sonne in ihr aufgehen. Chloe küsste ihn.
Ihre Arme waren um seinen Hals geschlungen. Ihr Herz klopfte an seinem. Sie hätte gerne geweint, aber es noch lieber vermieden. Ihre Körper waren sich ungeheuer nahe. Sie spürte ihn, Haut an Haut. Chloe war ausgehungert nach Zärtlichkeit. Sie sehnte sich so sehr nach Berührung, dass sie glaubte, sterben zu müssen. Er machte etwas unterhalb ihrer Taillen. Zog seine Hose herunter und ihren Schlüpfer, Stück für Stück. Chloe war das ziemlich egal.
Sie hielt ihn einfach fest in ihren Armen. Seine Lippen streiften ihre Ohren. Nun schob er sich zwischen ihre Beine, spreizte sie. Es fing schön und leicht an, doch dann wurde es … grob. Er wollte ihr nicht wehtun, aber ihr Rücken scheuerte über den Boden. Schmutz und kleine Kieselsteine gelangten unter ihr Gesäß. Er stieß seinen Penis gegen sie.
Sollte sie sagen, dass es wehtat? Sie biss sich auf die Lippe. Ihr Kopf schmerzte von dem inneren Zwang, nicht zu weinen. Sollte dieser Akt wirklich solche Gefühle hervorrufen?
»Entspann dich«, sagte er in ihr Ohr. »Lass es einfach zu …«
»Nein, aber …« Sie hatte brennende Tränen in den Augen.

»Komm schon, entspann dich.«
In der Aufregung hatte er ihre Hose nicht ganz ausgezogen. Sie lag zusammengeschoben auf ihren Füßen, steckte auf ihren nassen Laufschuhen fest. Seine Hose war um seine Knöchel gerollt. Seine Motorradstiefel schnitten in ihre Waden. Sie schrie auf.
»Du musst locker lassen«, sagte er, sein Mund nass an ihrem Ohr. »Wie beim Surfen, als würdest du eine Welle reiten …«
Nun war er in ihr – sie konnte hören, wie er vor Erleichterung stöhnte. Er war hart und heiß und sie war feuchter als jede Welle, die er jemals geritten hatte, und sie spürte, wie er sie ritt, spürte ihre Welle brechen, als wäre sie aus Glas. Sie lag auf dem Rücken, während sich die Welle brach, wieder und wieder, und ihre Tränen waren salziger als das Meer, und sie weinte, weil sie sich nach ihrer Mutter und der Ricke sehnte, und als sie nach den herrlichen Delfinen Ausschau hielt, sah sie nichts als Haie.
Als es vorüber war, küsste Zeke sie abermals auf den Mund. Dann rollte er sich auf den Rücken – keine einfache Sache, weil ihre Beine und Hosen gewissermaßen miteinander verschlungen waren. Sie ergriff eine Hand voll Gras, riss es aus der Erde, und benutzte es, um sich abzuwischen. Wieder und wieder.
Er setzte sich hin. Dann hörte sie, wie er aufstand, und als sie hochschaute, sah sie, wie er seine Jeans zuknöpfte. Darauf zu warten, dass er ihr half, schien ein völlig sinnloses Unterfangen zu sein, deshalb rappelte sie sich auf und zog Schlüpfer und Jeans hoch. Das Geräusch des Reißverschlusses, der sich schloss, klang barbarisch in der stillen Nacht. Sowohl Zeke als auch sie mieden jede Form des Blickkontakts, als sie wieder angezogen waren.
»Ich schätze, es ist schon spät«, sagte er. »Ich bringe dich besser nach Hause.«

Meinte er, das sei ein Date und sie wären lediglich miteinander ausgegangen? Chloe brachte kein Wort über die Lippen.
»Fertig?«, fragte er. Er zögerte, dann bot er ihr seine Hand. Sie war innerlich zu erstarrt, um sie zu nehmen.
Die Sterne leuchteten heller als je zuvor. Sie entfachten Milliarden Feuer am Himmel. Chloe sah, wie Zeke die Schultern zuckte, als sie es ablehnte, seine Hand zu nehmen. Sie sah, wie er sich den Weg den Hügel hinab bahnte, hörte das Plätschern, als er den Bach durchquerte. Während sie dastand, wie zur Salzsäule erstarrt, hörte sie die Zweige knacken, als er die Böschung hinaufkletterte und durch die Apfelplantage eilte.
»Chloe?«, rief er.
Sie antwortete nicht. Konnte nicht antworten.
»Bis dann«, rief er. Nach ein paar Sekunden hörte sie, wie die Maschine angelassen wurde.
Bis dann. Ihr Mund formte die Worte, aber sie hatte keine Stimme.
Die Sterne brachten ihre Haut zum Leuchten. Sie konnte das Sternenlicht auf ihren Armen und auf ihrem Körper spüren, mitten durch ihr hauchdünnes, durchsichtiges T-Shirt. Als sie sich umdrehte, um einen Blick auf die Ricke zu werfen, sah sie, dass sie davongelaufen war. Ein Schrei löste sich in ihrer Brust. Sie hatte die großen, beharrlichen Augen der Ricke sehen wollen.
Chloe war müde. Sie hätte sich gern hingelegt. Sie ging an der Stelle vorbei, an der Zeke und sie gewesen waren. Es war kein richtiges Nest. Sie sehnte sich nach einem richtigen Nest. Sie sehnte sich nach ihrer leiblichen Mutter. Als sie an die Stelle kam, unweit der Bäume, wo sie die Ricke gesehen hatte, ließ sie sich auf Hände und Knie herab.
Sie fand Einkerbungen in dem hohen Gras. Genau hier hatte die Ricke gestanden. Chloe ging immer wieder im Kreis um

die Stelle herum. Sie drückte das Gras nieder, machte ein neues Nest. Sie legte sich auf die Seite, die Beine angezogen, und spürte die Wärme, die sie umgab. Sie stellte sich vor, dass sie von der Ricke stammte, oder von ihrer Mutter, oder einfach nur von der Erde. Es spielte keine Rolle. Es war völlig einerlei.

Und dann begann Chloe zu weinen und alle Sterne erloschen.

Dylan hielt Wort: Er fuhr mit Jane zum Campus-Ball. Sie stiegen vom Restaurant aus den University Hill hinauf, den Klängen des Tanzorchesters entgegen. Jane war seit beinahe sechzehn Jahren nicht mehr auf dem Brown-Campus herumspaziert – seit sie die Universität im Frühling ihres zweiten Studienjahres verlassen hatte. Als Sylvie vier Jahre später graduierte, war Jane mit ihrer Arbeit in New York »zu beschäftigt« gewesen.

Der Hügel war steil. Jeder Schritt war mühevoll und sie wusste, dass der Aufstieg Dylan noch schwerer fallen musste. Sie ging langsamer, damit er Schritt halten konnte. Doch die Wahrheit war: je mehr sie sich der Brown University näherten, desto größer wurde der Druck, der auf ihrem Herzen lastete.

»Was ist passiert?«, hörte sie sich fragen.

»Mit meinem Bein?«

»Ja.«

»Nicht weiter wichtig«, sagte er.

Aber sie wusste, dass es wichtig war, und so ergriff sie die Gelegenheit, anzuhalten und Atem zu schöpfen, während sie ihn lange und abwartend ansah.

»Man hat auf mich geschossen. Die Kugel richtete beträchtlichen Schaden an.«

Seine Stimme klang angespannt und er schwieg. Er stieg weiter die Angell Street hinauf und Jane hatte im Grunde keine andere Wahl, als ihm zu folgen. Sie hatte so viele Fragen an ihn und wollte vermeiden, ständig an ihre eigene Vergangenheit zu denken, deshalb schloss sie zu ihm auf und setzte den Weg an seiner Seite fort.

»Das ist schrecklich«, sagte sie.

Er antwortete nicht.

Carrie Tower kam in Sicht, der hohe Glockenturm aus Ziegelstein, der die nordwestliche Ecke der Grünflächen markierte. Das Horace Mann befand sich zu ihrer Rechten. Janes Blick schweifte hinüber, dann wandte sie sich ab. Musik klang von der anderen Seite der Parkanlage herüber. Sie passierten eine Öffnung im schmiedeeisernen Zaun und Jane strebte auf den Turm zu.

»Zu der Tanzveranstaltung geht es hier entlang«, sagte er und ergriff ihre Hand.

»Ich weiß.« Ihr Herz raste. Es wuchs ihr alles über den Kopf. Hunderte bunter Papierlaternen beleuchteten den Nachthimmel. Sie schaukelten im Wind, Laternen in Gold, Scharlachrot, in der Farbe von Khakipflaumen, und Himmelblau. Das Orchester spielte; Menschen tanzten in der Nacht. Es war, als würde man die Zeit zurückdrehen – um sechzehn Jahre.

Dylan folgte ihr zum Sockel des Turms. Gemeinsam standen sie da, blickten nach oben. Der Turm war annähernd dreißig Meter hoch und Jane wusste, dass damit eine traurige, aber schöne Legende verknüpft war – aber sie hatte nicht lange genug die Brown University besucht, um sie kennen zu lernen.

»Kennen Sie die Geschichte des Turmes?«, fragte sie.

Dylan nickte.

»Erzählen Sie sie mir?«

Er hielt inne und sie sah, wie sich seine Augen verengten. Er starrte zu der Uhr oben am Turm empor. »Er wurde von Paul Bajnotti erbaut, zum Gedenken an seine Frau Carrie. Sie war die Enkelin von Nicholas Brown.«

»Von der Brown University.«
Dylan nickte. Er geleitete sie zu einer Tafel am Sockel und sie bückte sich, um die Inschrift zu entziffern. »Liebe ist so stark wie der Tod«, las sie laut.
Ihre Handflächen waren verschwitzt und ihr schwindelte. Wie konnten Worte vom Tod sie an jenen Abend vor sechzehn Jahren erinnern? Sie hatte mit einem jungen Mann, den sie liebte, auf dem Boden gelegen und sie hatten Chloe das Leben geschenkt. Dieses wunderbare Mädchen mit den dunklen Haaren und den kühlen blauen Augen, mit der Liebe zu Tieren und der Begeisterung für das Leben hatte seine Reise gleich gegenüber begonnen.
Die Musik und die Laternen brachten alles zurück, eine Schnellspur in die Datenbank, die Jane in ihrem Gedächtnis gespeichert hatte. In ihre eigenen Gedanken versunken, hätte sie Dylans Gegenwart um ein Haar vergessen. Er stand stumm da, starrte die Inschrift an.
»Es stimmt«, sagte er nun. »Liebe ist genauso stark wie der Tod. Stärker sogar.«
Jane gelang es, den Zusammenhang herzustellen: Dieser Turm war zum Gedenken an die geliebte Frau eines Mannes erbaut worden. Amanda und Isabel. Sie blickte in Dylans Augen. »Woran denken Sie?«, fragte sie.
»An diese Worte. Und wie wahr sie sind.«
»Ihre Frau …«
Er schwieg. »Zu dem Zeitpunkt, als sie starb, hatten wir uns getrennt«, erwiderte er schließlich. »Ich dachte an meine Tochter.«
»Isabel.« Jane erinnerte sich an das Bild in Dylans Küche.
»Sie haben mich vorhin nach meinem Bein gefragt.« Er erwiderte Janes Blick.
Sie nickte, wartete.
»Ich hätte beinahe mein Bein verloren«, sagte er. »Die Kugel

zersplitterte den Oberschenkel und er entzündete sich. Ich musste zweiundzwanzig Operationen über mich ergehen lassen, und im Moment habe ich mehr Stahl als Knochen im Bein. Aber das spielt keine Rolle …«

»O doch«, widersprach Jane.

Dylan schüttelte den Kopf. Seine Augen huschten erneut zum Turm hinüber, dann blickte er Jane abermals an. »Nein, tut es nicht. Weil die beiden an dem Tag, als ich angeschossen wurde, starben. Amanda und Isabel. Ich konnte sie nicht beschützen. Nachdem es passiert war, konnte ich nicht einmal meine Tochter aufheben. Ich konnte sie nicht tragen – sie musste ins Krankenhaus, aber ich konnte mich nicht einmal bewegen.«

»Es war nicht Ihre Schuld«, sagte Jane benommen. »Mit Sicherheit nicht, das weiß ich.«

Dylan antwortete nicht. Er schloss die Augen. Janes Kehle schmerzte. Sie blickte zur alten Englischabteilung hinüber und spürte Chloes Präsenz, als stünde sie gleich dort drüben. Sie wusste, dass Dylan Isabels Gegenwart spürte, dass seine Liebe stärker war als ihr Tod. Sie wusste, dass ihre beiden Töchter bei ihnen waren.

Ohne auch nur nachzudenken, ergriff sie seine Hand. Das Orchester spielte und die Musik war opulent und romantisch. Sie erfüllte Jane mit Empfindungen, die sie seit vielen, vielen Jahren nicht mehr verspürt hatte. Dylans Hand fühlte sich so fest an. Papierlaternen hüllten die Bäume in ihren sanften Schein. Der Wind raunte in den Blättern.

Er lächelte, zum ersten Mal seit dem Abendessen. Aber es war ein strahlendes Lächeln, heller als sämtliche Laternen in den Bäumen, und es bewirkte, dass Jane es erwiderte. Sie standen einfach da, im Schatten des Turms, und hielten sich an den Händen. Wie waren sie hierher gekommen? Jane und dieser verwundete, zurückhaltende Mann, der

zufällig Chloes Onkel war. Jane blinzelte langsam. Er war ein Bindeglied zu Chloe. Sie stellten ein verborgenes Dreieck dar, sie drei.
»Ja«, sagte er, als ob ihn das Geheimnis ihrer plötzlichen Verbindung genauso verblüfft hätte.
Ihr Lächeln vertiefte sich.
Es geschah beinahe ohne ihr Zutun, beinahe unbemerkt. Wie konnte das geschehen, und vor allem so schnell? Sie machten einen kleinen Schritt aufeinander zu. Jane lehnte sich an seine Brust und er spürte, wie eine Welle der Erregung durch ihren Körper lief, als sei sie gerade zum Leben erwacht. Die Musik war so schön. Sie legte den Kopf in den Nacken, schloss die Augen, und er küsste sie.
Die Papierlaternen verwandelten sich in Sterne. Sie schaukelten wild am Firmament hin und her. Sein Bart fühlte sich gut auf ihrer Haut an. Sie schmolz dahin, verging. Sie hatte gleichzeitig das Gefühl, als könnte sie die Zeit zurückdrehen, als vergingen die Jahre wie im Flug. Sie war Carrie im Turm, und gleichzeitig Chloe auf der Apfelplantage. Doch dann spürte sie, wie sich Dylans Hände langsam ihren Rücken hinabbewegten, sie schmeckte seine Lippen auf ihren und wusste, dass er ein Mensch aus Fleisch und Blut war, real, hier bei ihr.
»Tanz mit mir ...«, flüsterte er, seinen Mund an ihrem Ohr.
Sie war bereits in seinen Armen. Die Musik hatte sie schon in ihren Bann geschlagen. Sie bewegten sich gemeinsam. Der Tanz war genau wie eine Umarmung, nur dass sich die Füße bewegten. Dylans Hinken verschwand. Sein Bein war makellos, einwandfrei, geheilt. Ihnen war nie etwas Schlimmes widerfahren. Oder alles war ausgelöscht worden, von der Nacht, den Laternen, den Sternen, dem Turm und der Inschrift *Liebe ist so stark wie der Tod*.
Oder stärker, wie Dylan gesagt hatte, bevor sie zu tanzen begannen ...

ZWEITER TEIL

Sterne auf dem Dachboden

17

Chloe war erschöpft. Es kam ihr sonderbar vor, dass es ihr gerade zu Anfang des Sommers schwer fiel, einen Fuß vor die Tür zu setzen, um die Katzen am Abend zu füttern. Genauer gesagt, es war eine Tortur, an die frische Luft zu gehen. Draußen wehte eine leichte Brise, zerzauste ihre Haare, liebkoste ihre Haut, erinnerte sie an eine Berührung. Die Katzen rieben sich an ihr – die vielen Mütter, Väter und ihre Jungen –, miauten und haarten und kitzelten auf der Haut. Obwohl ihr der Körperkontakt zu den Katzen immer gefallen hatte, verspürte sie nun das Bedürfnis, das Füttern so schnell wie möglich hinter sich zu bringen, um sich wieder in ihrem Zimmer zu verschanzen. Körperkontakt erinnerte sie an besagten Abend vor annähernd einer Woche. An Zeke.

Im Haus war es still, als sie in ihr Zimmer zurückkehrte. Ihre Eltern liebten klimatisierte Räume. Bisher hatte Chloe immer gebettelt, die Fenster öffnen zu dürfen. Wenn sie allein daheim war, war sie meistens durch die Räume gelaufen, hatte die Klimaanlage ausgeschaltet und die Fenster aufgerissen. Jetzt war sie froh über das mechanische Summen, die technologische Kühle. Das ebenmäßige Geräusch brachte die Gedanken zur Ruhe, die ihr unablässig durch den Kopf gingen.

Das Telefon läutete, es war für sie. Chloe hatte tagelang einen großen Bogen um das Telefon gemacht. Mona wollte wissen, wann sie am Obststand arbeiten würden. Freitag, Samstag und Sonntag, erklärte ihr Chloe. Warum hast du nicht angerufen und wie war das Treffen?, fragte Mona. Das große, streng geheime Plantagen-Rendezvous? War ganz in Ord-

nung, teilte Chloe ihr schließlich mit. Aber Zeke ist ein Blödmann. Er kann mir gestohlen bleiben.
Das schien Mona zu überraschen. Oder vielleicht war sie nur überrascht, dass Chloe sie nicht postwendend angerufen hatte und dass ihre Worte so gleichmütig und cool klangen: als sei ihr das Ganze völlig egal.
Weil Chloe nichts egal war, wie jedermann wusste. Sie gehörte zu den Mädchen, die den Terminkalender des Jungen, für den sie schwärmten, in- und auswendig kannten (in den letzten zehn Jahren war Gilbert Albert ihr Schwarm gewesen). Sie bewahrte den Strohhalm auf, aus dem er seine Coke trank, oder trug eine Red-Sox-Kappe, weil das seine Lieblingsmannschaft war. Solche Sachen eben.
Deshalb war Mona vermutlich ein wenig verwundert über Chloes lässigen Ton. Vielleicht dachte sie, das sei ein Zeichen von Reife. Es war schließlich ein turbulentes Jahr für Chloe Chadwick gewesen, ausreichend, um den Reifeprozess zu beschleunigen, wenn schon nichts anderes. Chloe dachte darüber nach, was sich in letzter Zeit alles ereignet hatte: Sie war wegen ihrer Antifleisch-Kampagne von SaveRite gefeuert worden, sie hatte den Obststand der Familie eigenhändig vor dem Verfall gerettet, sie hatte ihre Unschuld verloren und sie war in aller Seelenruhe zu der Erkenntnis gelangt, dass sie den Jungen, in den sie gerade noch bis über beide Ohren verknallt gewesen war, widerwärtig fand.
Nur: Das war gelogen.
Von Seelenruhe konnte keine Rede sein.
Nach außen hin wirkte sie heiter und reif für ihr Alter. Doch hinter der Fassade bröckelte es. Sie fühlte sich wie eine kaputte Uhr. Zerbrochen, am Boden zerstört. Wie durch den Fleischwolf gedreht.
Deshalb fand sie alles so ermüdend. Weil sie ihre gesamte Energie eingebüßt hatte. Zwei Tage lang hatte sie Krank-

heit vorgeschützt, danach konnte sie in der Schule kaum die Augen aufhalten, hatte nur darauf gewartet, endlich nach Hause zu kommen und sich im Bett zu verkriechen. Selbst mit Mona redete sie kaum. Sie gähnte, wenn ihre Mutter sie ermahnte, ihre Hausaufgaben zu machen, wenn ihr Vater mit ihr über die Eignungstests in der Schule reden wollte. Oh, langweilen wir dich?, hatte ihr Vater gestern Abend beim Essen gefragt.

Nein, ich langweile mich nicht, hätte sie am liebsten geschrien. Mit mir ist etwas passiert. Aber ich bin mir nicht sicher, was. Herz und Kopf befanden sich nicht in Einklang miteinander.

Ihre Gedanken waren das reinste Chaos. Die Klimaanlage summte leise vor sich hin, gab ihr das Gefühl, in einer versiegelten Gefrierkammer eingeschlossen zu sein. Nichts gelangte hinein oder hinaus. Ihr Elternhaus war hermetisch abgeriegelt. Sie schlief voll angezogen auf ihrem Bett ein, direkt nach der Schule.

Ihre Träume waren beängstigend.

In einem Traum war sie ein Stern, der am Firmament blinkte. Die Menschen sahen nachts zu ihr empor, um sich etwas zu wünschen. Plötzlich stürzte sie vom Himmel herab. Sie raste durch die Dunkelheit, purzelte durch den Weltraum, fiel auf die Erde. Ein erloschener Stern, der wie eine Muschel im Sand lag, während Jungen weit draußen vor der Küste surften. Eine Frau hielt nach Strandgut Ausschau. Sie hob den Stern auf und trug ihn nach Hause. Sie wickelte ihn in Seidenpapier und legte ihn in eine Schachtel. Sie verstaute die Schachtel auf dem Dachboden und flüsterte: »Du bist mein Kind.« Chloe weinte im Schlaf, wusste, dass diese Frau ihre leibliche Mutter war.

Ein anderer Traum: Chloe schwamm in einem Bottich mit Gelatine. Überall waren Flossen. Sie griff nach einer, um sich daran festzuhalten, in der Annahme, es sei ein Delfin, aber es war ein Hai. Sie griff nach einer anderen, die tatsächlich zu einem Delfin gehörte, aber einem mit riesigen Zähnen, der sie fressen wollte. Chloe schrie auf, überzeugt, dass ihr letztes Stündlein geschlagen hatte. Sie ging unter, schluckte Gelatine. Überall waren Flossen, stießen zu, zwischen die Beine.

Als sie auftauchte, um Luft zu holen, hörte sie, wie jemand ihren Namen rief. Es war eine Frau, die in einem Boot saß. Als sich das Boot näherte, stellte sich heraus, dass es gar kein Boot war, sondern eine Torte. Die Frau beugte sich herab, um Chloe an Bord zu ziehen. Chloe weinte, wimmerte wie ein Säugling, der gerade erst das Licht der Welt erblickt hatte. Die Frau hievte Chloe ins Boot, rettete ihr das Leben. Chloe weinte vor lauter Glück, zu leben und kein Stern auf dem Dachboden zu sein.

Als sie aufwachte, musste sie sich immer wieder vor Augen halten, dass es nur ein Traum gewesen war. Sie wünschte, es gäbe einen Menschen, der sie aus diesem unheimlichen Labyrinth der Gefühle befreite. Ihre Mutter war unten, räumte Lebensmittel ein. Chloe rappelte sich hoch, stieg aus dem Bett. Mit schwerem Schritt tappte sie den Flur entlang, die Treppe hinunter. Ihre Mutter verstaute gerade verschiedene Gemüse im Kühlschrank.

»Hallo, mein Schatz.«

»Mom ...« Chloe stand auf der Türschwelle, einer Panik nahe.

Ihre Mutter sah hoch, erwiderte ihren Blick. Als sie Chloes zerknitterte Kleidung und ihre zerzausten Haare bemerkte, schüttelte sie den Kopf.

»Mom ...«

»Chloe, du weißt, ich bin nicht begeistert, dass du am Obststand arbeitest, aber das ist immer noch besser, als den gan-

zen Tag zu Hause zu hocken und zu schlafen. Braucht dich Onkel Dylan heute nicht? Ich bin auf dem Heimweg an seinem Haus vorbeigefahren und habe den Wagen seiner Konditor-Freundin dort gesehen.«
»Jane«, sagte Chloe leise, als ihr bewusst wurde, dass sie die Frau in ihrem Traum, die Frau in der Torte gewesen war.
Ihre Mutter nickte lächelnd. »Ich würde sie gerne kennen lernen. Glaubst du, da bahnt sich etwas an? Die beiden scheinen viel Zeit miteinander zu verbringen …«
»Keine Ahnung.« Chloe gähnte abermals und rieb sich die Augen. Sie hatte ihre Mutter etwas fragen oder ihr die Wahrheit sagen wollen, aber plötzlich verlor sie den Mut.
»Ich fände es wunderbar. Er lebt wie ein Einsiedler, seit …«
Chloe erstarrte. Sie wollte nichts von Isabel oder Tante Amanda hören. Das hätte das Fass zum Überlaufen gebracht. Bestimmt würde ihr Schutzpanzer dabei zerbrechen, wie eine Walnuss, und dann wäre sie eine leichte Beute für die Krähen, die sie in Stücke hacken könnten.
»Hoffentlich ist sie nett«, sagte ihre Mutter abschließend und packte den Salat in das Schubfach des Kühlschranks. »Weil er es verdient.«
»Ist sie«, erwiderte Chloe leise.
»Backen kann sie jedenfalls.«
Chloe nickte. Sie blickte zum Fenster hinaus. Sie überlegte, ob sie zu Onkel Dylan und Jane hinübergehen sollte. Sie könnte ja einen zusätzlichen Tag arbeiten, auch wenn der Stand bis zum letzten Schultag offiziell nur am Wochenende geöffnet sein sollte.
Doch sie beschloss, es bleiben zu lassen. Ihr ging zu viel im Kopf herum und sie musste allein damit fertig werden. So gerne sie auch wieder in ihr Zimmer gegangen wäre und sich ins Bett gelegt hätte, sie hatte noch etwas zu erledigen.
»Also, ich gehe jetzt«, sagte Chloe, ihre Mutter in dem Glau-

ben lassend, dass sie Onkel Dylan besuchen wollte. »Danach schaue ich vielleicht auf einen Sprung bei Mona vorbei.«
»Prima. Nimm doch deine Bücher mit, dann könnt ihr gemeinsam Hausaufgaben machen.«
»Superidee.« Chloe nahm ihren Ranzen und stopfte die Bücher hinein. Sie hätte alles getan, um ihre Mutter auf eine falsche Fährte zu locken, damit sie nicht merkte, wohin sie wirklich wollte.
»Und dabei die Tage bis zum Ferienbeginn zählen«, fügte ihre Mutter lächelnd hinzu.
»Und dann steht uns ein langer heißer Sommer bevor«, erwiderte Chloe, in der Hoffnung, dass die Worte nicht so schicksalsschwer klangen, wie sie es empfand.

Dylan stand am Spülbecken, füllte die Kaffeekanne. Jane lehnte an der Frühstückstheke. Er spürte ihre Nähe am ganzen Körper, wie ein elektrischer Strom. Sie hatte Pasteten gebracht – es war das erste Wiedersehen seit Freitagabend –, und er hatte sie gebeten, zu bleiben und Kaffee mit ihm zu trinken.
»Du trinkst ihn schwarz, oder?«, fragte er, sich an das gemeinsame Abendessen erinnernd.
»Ja, vielen Dank.«
Er nickte, holte Becher aus dem Geschirrschrank. Rein äußerlich wirkte er völlig unbefangen, aber jeder Muskel in seinem Körper war angespannt, spürte noch immer den Kuss. Einmal hatten sie telefoniert – Jane hatte sich bei ihm für das Abendessen bedankt und Dylan die Gelegenheit genutzt, Pasteten zu bestellen. Als er ihr heute die Tür öffnete, hatte er in ihre Augen geblickt und sich gefragt, ob es ihr ähnlich ging wie ihm, ob ihr der Gedanke an den Abend den Schlaf raubte und ob sie es ihm verübeln würde, wenn er sie einfach in die Arme nahm und aber-

mals küsste. Wieder überraschte es ihn, mit welcher Geschwindigkeit und Leichtigkeit ein Gefühl der Nähe zwischen ihnen entstand, und er staunte über das Glück, das er dabei empfand.
»Ich hätte zusätzlich einen Obstkuchen oder Gebäck mitbringen sollen«, sagte sie. »Zum Kaffee.«
»Wir könnten uns ja daraus bedienen.« Er deutete auf die große Schachtel, die sie mitgebracht hatte. »Aber Chloe hat die Bestellung aufgegeben und ich weiß, sie rechnet damit, dass sie vollzählig sind.«
Jane lächelte. »Dann dürfen wir sie nicht enttäuschen. Macht sie ihre Sache gut am Stand?«
»Sehr sogar. Nächste Woche ist die Schule zu Ende und dann arbeitet sie Vollzeit.« Es freute Dylan, dass Jane so großes Interesse an seiner Nichte bekundete.
»Prima.«
Dylan nickte. Ihm war heiß. Sein Herz klopfte wie verrückt. Die Küche war groß, wie auf dem Land üblich, und sie standen vier Meter voneinander entfernt, aber er konnte die Energie spüren, die sie verströmte. Sie trug Jeans und ein Sweatshirt – die Hose war hauteng und das Oberteil einige Nummern zu groß. Die Konturen ihres gertenschlanken Körpers waren unter dem Stoff zu erkennen und er sehnte sich danach, sie in die Arme zu schließen, sie zu spüren.
Solche Gefühle hatte er seit langem nicht mehr gehabt, seit Jahren. Seit Amandas Tod genauer gesagt – und früher. In ihrer Beziehung hatte es seit geraumer Zeit Spannungen gegeben, die ihn veranlassten, sich abzuschotten. Er hatte sich auf seine Arbeit konzentriert, was ihm leicht gefallen war. Den Umfang seines Arbeitspensums konnte er selbst bestimmen: In New York City gab es immer Kriminelle, die es dingfest zu machen, und Kronzeugen, die es zu schützen galt.
Dann war er angeschossen und ins Krankenhaus eingeliefert

worden, und bei seiner Entlassung hatte er den Schock noch nicht überwunden. Rückblickend war ihm klar: seither hatte er sein Leben fortgesetzt wie ein Automat, ohne etwas zu empfinden. Er führte nur noch ein Schattendasein. Er verdrängte jeden Gedanken an seine Familie, seine Gefühle, seine Erinnerungen. Alles.
Wenn die Gefühle ihn zu überwältigen drohten, griff er auf eine alte Gewohnheit zurück, die er sich unlängst wieder zu Eigen gemacht hatte: er zündete sich eine Zigarette an. Er sah, wie Jane ihn anschaute.
»Stört es dich?«
Sie schüttelte den Kopf, nicht sehr überzeugend.
»Ich glaube doch.«
»Es ist nur nicht gut für dich«, sagte sie.
»Ich weiß.« Er stieß eine lange Rauchfahne aus und betrachtete Isabels Bild auf dem Kühlschrank. Er erinnerte sich, wie sie ihn angefleht hatte, mit dem Rauchen aufzuhören, als sie neun war. »Das hat meine Tochter auch immer gesagt.«
»Was hat sie gesagt?«
»Sie hatte im Unterricht gelernt, wie schädlich das Rauchen ist. Damals habe ich häufig Überstunden gemacht und war nicht besonders oft zu Hause. Und wenn …« Er hätte Jane gerne von den häuslichen Spannungen erzählt, ihr gesagt, dass er ein guter Ehemann gewesen war und seine Frau geliebt hatte, aber nicht wiedergeliebt wurde. Doch er hasste Selbstmitleid und wollte Amanda nicht bloßstellen, nicht schlecht über eine Tote sprechen, und deshalb wechselte er lieber das Thema. »Wie auch immer, ich habe zu viel geraucht. Wir verbrachten die Sommerferien in Rhode Island und Isabel und Chloe machten gemeinsame Sache, beknieten mich, damit aufzuhören.«
»Alle Achtung.«
Dylan nickte, versuchte zu lächeln. Er konnte ihr nicht sa-

gen, dass ihm seine Gesundheit, sein eigenes Leben gleichgültig war. Während er die Plantage wieder zum Leben erweckte, war er sich selbst wie ein Zombie vorgekommen. Wen kümmerte es schon, wenn er das Zeitliche segnete? Isabel war die Einzige gewesen, der sein Tod nahe gegangen wäre.

»Wart ihr hier, in diesem Haus?«

Vermutlich hatte er sie verwundert angeschaut, denn sie fuhr fort: »Ich meine damals, in den Sommerferien. Als die Mädchen neun waren.«

»Oh. Nein. Wir wohnten in Newport. Im Haus von Amandas Eltern.«

»Sie war aus der Gegend?«

»Sie verbrachte dort nur die Sommermonate. Sie wuchs in der Fifth Avenue auf. Aber die Familie besaß ein ziemlich imposantes Anwesen in der Bellevue Avenue.«

»Eines dieser alten Herrenhäuser?«

Er nickte. Jeder in Rhode Island kannte Newport. Aber die meisten Menschen, selbst diejenigen, die ihr ganzes Leben in diesem Staat verbracht hatten, besuchten die Stadt als Touristen. Sie promenierten auf dem Cliff Walk, fuhren mit dem Wagen die Bellevue Avenue oder mit dem Fahrrad den Ocean Drive entlang; sie nahmen einen Drink im Candy Store oder im Black Pearl, gingen zum Abendessen in The Pier oder zum Brunch ins Inn auf dem Castle Hill. Sie malten sich aus, was für ein Gefühl es sein mochte, hier eine Yacht zu besitzen, in einem Kalksteinpalast zu wohnen, an einer Party im Harbor Court teilzunehmen.

»Und, wie war's?«, fragte Jane.

»Das Haus? Es war aus Marmor und –«

»Nein, ich meine, wie war das Leben dort?«

Dylan dachte an die Abendessen mit schwarzer Krawatte, an die Segelyacht von Amandas Vater, eine Hinckley Bermuda

40, an den Wohltätigkeitsball ihrer Mutter, an die Mitgliedschaft im Bailey's Beach und im Reading Room. »Anstrengend«, antwortete er.
»Wirklich?« Sie lächelte.
»Ja. Ständig war man zu irgendetwas eingeladen. Isabel und ich wollten nur schwimmen gehen oder am Strand spielen, aber ein Fest jagte das andere und wir mussten uns jedes Mal in Schale werfen.«
»Amanda stammte aus einer prominenten Familie?«
»So könnte man es ausdrücken.« Er erinnerte sich, wie er einmal gesagt hatte, die Familie besäße keine Bibel – aber ein Social Register, ein Nachschlagewerk, das die Namen aller prominenten Mitglieder der Gesellschaft verzeichnete.
Jane betrachtete ihn nachdenklich, als wollte sie ergründen, wie er in ein solches Leben gepasst hatte. Sein Blick fiel auf sein Spiegelbild in der Fensterscheibe – mit Bart und fadenscheinigem alten Hemd – und es war ihm selbst unverständlich.
»Die Familie lebte verhältnismäßig bescheiden und unauffällig«, sagte er. »Ihr Vater fuhr einen Bentley – ein Rolls-Royce war ihm wegen der Kühlerfigur zu protzig. Und er ließ den Wagen von seinem Chauffeur waschen, mit dem Gartenschlauch hinter dem Haus, statt das Geld in einer Autowaschanlage zu verpulvern.«
Jane lachte. »Solche Leute habe ich auch unter meinen Kunden. Ich schicke meine Mitarbeiterin in die Park Avenue, um eine riesige, herrliche Torte auszuliefern, und die Gastgeberin speist sie mit einem Dollar Trinkgeld ab.«
»So halten sie ihr Geld zusammen, habe ich mir sagen lassen. Amandas Eltern sahen in Trinkgeldern einen Affront für das freie Unternehmertum. Sie meinten, wenn die Firmen und Geschäftsleute ihren Angestellten anständige Gehälter zahlen würden, wären Trinkgelder bald überholt und die armen

Arbeitnehmer nicht mehr von den Launen der Verbraucher abhängig.«
»Aha, jetzt begreife ich«, sagte Jane lachend. »Sie haben ihren Teil dazu beigetragen, diese Launen in Schach zu halten und das freie Unternehmertum zu fördern. Das muss ich meiner nächsten Mitarbeiterin erzählen.«
»Sie wiesen Isabel ständig darauf hin, dass ihr Erbe auf diese Weise unangetastet blieb.«
Janes Lachen erstarb.
Dylan hatte nicht vorgehabt, die heitere Stimmung zu verderben, doch genau das geschah. Isabel war präsent – immer und überall. Dass ihr Erbe letztlich sicherer gewesen war als sie selbst, entsprach unbestreitbar und unverhohlen dem Lauf der Welt. Dylan drückte seine Zigarette aus. Der Kaffee war fertig. Dylan füllte beide Becher und reichte einen Jane. Sie nahm ihn entgegen, dann nahm sie ihm den anderen ab und stellte beide auf die Frühstückstheke. Seine Hände waren nun leer. Sie sah ihn an. Er spürte sein Herz in der Brust hämmern.
»Erzähl mir von ihr«, sagte Jane.
»Sie war etwas ganz Besonderes.«
Etwas ganz Besonderes: Das Wort hing flimmernd in der Luft. Jane schloss die Augen; ihr Mund war leicht geöffnet, als ließe sie sich die Worte auf der Zunge zergehen.
»Sie war humorvoll – lachte gerne. Wir hatten viel Spaß miteinander. Sie wusste, dass ich so eine Art Polizist bin, und dachte sich Kriminalfälle aus, die ich lösen sollte. Sie musste mir immer auf die Sprünge helfen …«
»Einfallsreich.«
»Sehr. Und gewieft. Wenn ich an der Reihe war, knobelte ich die kompliziertesten Szenarien aus, aber es gelang ihr jedes Mal, dem Rätsel auf die Spur zu kommen.«
Jane ging langsam zum Kühlschrank, an dem das Foto von

Isabel und Chloe mit Magneten befestigt war. Dylan nahm es herunter und reichte es ihr, damit sie es genauer in Augenschein nehmen konnte. Seine Tochter sah so sanft und gut behütet aus, mit ihren runden Wangen und leicht gelockten Haaren – sie lächelte, wirkte gelöst. Die dunkelhaarige Chloe wirkte daneben wie ein verwahrlostes Kind, kantig und einem Lächeln, hinter dem sich Kummer oder Sorgen verbargen.

»Hübsche Mädchen«, flüsterte sie.

»Völlig unterschiedlich, was das äußere Erscheinungsbild betraf. Aber sie standen sich sehr nahe.«

»Du sagtest, dass du dich mit Chloe unterhalten hast …«

»Ja. Als ich nach der Schießerei zum ersten Mal wieder nach Rhode Island kam. Chloe hatte mit niemandem mehr gesprochen.«

Jane sah ihn an. Dylan nahm ihr das Foto aus der Hand, betrachtete es eingehend. »Sie war sehr einfühlsam. Isabels Tod war ein schwerer Schlag für sie. Sie wusste, wie sehr mich ihr Verlust treffen würde … und sie trauerte *zutiefst* um ihre Cousine.«

»Sie war damals erst elf.«

»Richtig. Trotzdem weiß sie, was es bedeutet, einen Menschen zu verlieren. Ich würde meinem Bruder und meiner Schwägerin kein Sterbenswort verraten, aber Chloe hat in ihrem jungen Leben schon viel Kummer erlitten.«

»Das wissen die beiden auch so«, entgegnete Jane. »Bestimmt haben sie ebenfalls um deine Tochter getrauert …«

Dylan schüttelte den Kopf. Er betrachtete abermals das Bild, dieses Mal richtete sich sein Blick jedoch auf seine Nichte. »Chloe trauert am meisten um ihre Mutter. Ihre leibliche Mutter.«

Jane antwortete nicht. Sie starrte ihn wortlos an.

Dylan befestigte das Foto wieder an der Kühlschranktür. Er

rückte es gerade. Als er sich wieder umdrehte, sah er, wie Jane darauf wartete, dass er fortfuhr.
»Ich glaube, sie wird nie darüber hinwegkommen. Dass sie zur Adoption freigegeben wurde.«
Jane nickte. Ein Telefon läutete. Es war nicht Dylans – es musste also ihr Handy sein. Aber sie schenkte ihm keine Beachtung, obwohl es ununterbrochen klingelte. Sie sah ihn an, mit gramvoller Miene, als käme sie sich genauso verloren vor wie er. Sie war offensichtlich sehr empfindsam, denn Chloes Kummer schien sie furchtbar mitzunehmen.
»Was hast du?« Er trat einen Schritt näher und sah, dass ihre Augen sich mit Tränen füllten.
»Ich bin froh, dass Chloe dich hat.«
»Mich? Ich bin nur ihr Onkel. Ich habe immer das Gefühl, nicht genug für sie zu tun.«
»Ich freue mich trotzdem für sie. Dass sie jemanden hat, mit dem sie reden kann. Dem sie sich anvertrauen kann und der ihre Kümmernisse ernst nimmt – ein anderer hätte sie vielleicht mit einem Achselzucken abgetan.«
»Ich vergesse nicht so leicht.« Er stand nun unmittelbar neben ihr. Er hätte gerne ihre Tränen getrocknet. Wenn sie es zuließe, würde er sie für den Rest des Abends in den Armen halten.
»Das ist typisch für mich; ich vergesse nicht so leicht«, sagte er abermals und sah in ihre blauen Augen. Seine Stimme versagte und er musste sich räuspern.
»Alles in Ordnung?«, fragte sie.
Er nickte.
»Nein, ist es nicht.« Sie berührte seine Wange, ihre Hand ruhte auf seinem bärtigen Gesicht. »Wie könnte es auch.«
»Die Zeit heilt bekanntlich alle Wunden. So sollte es eigentlich auch bei mir sein.«
»›Sollte‹ ist ein schreckliches Wort. Du setzt dich damit selbst unter Druck, und das hast du nicht verdient.«

»Danke für dein Verständnis.« Er war kaum fähig, die Worte über die Lippen zu bringen.
Sie lächelte so erfreut – als hätte er ihr soeben ein Geschenk überreicht –, dass er sie allein dafür liebte. Er betrachtete ihr glattes Haar, die frische Haut mit den Sommersprossen, das schlichte silberne Medaillon, das sie um den Hals trug. Es war ihm schon am Obststand aufgefallen, und neulich beim Abendessen. Offenbar nahm sie es niemals ab.
Dylan konnte nicht umhin, sich an eine andere Zeit zu erinnern, als er kaum ein Wort über die Lippen brachte, damals in Newport, kurz bevor die beiden starben; er war zu Hause unglücklich gewesen, hatte immerzu gegrübelt, was er tun sollte, hatte sich Sorgen gemacht, was aus Isabel werden würde, wenn er auszog. Amanda hatte ihre Entscheidung, sich von ihm zu trennen, noch nicht angekündigt, aber der Gedanke war ihm auch schon gekommen.
»Du erinnerst mich an etwas«, sagte er. »Nicht, weil du ihr auch nur in irgendeiner Hinsicht gleichst, sondern weil du völlig anders bist …«
»Anders als wer?«
»Meine Frau.« Er wusste, dass er die Geschichte nicht preisgeben sollte; er wollte Amandas Andenken nicht in den Schmutz ziehen. Aber er war lange allein gewesen und ausgehungert nach der Wärme und Empfindsamkeit, die Jane ausstrahlte, so dass es ihm ein Bedürfnis war, sich eine Last von der Seele zu reden.
»Wir waren zum Abendessen im Haus ihrer Eltern eingeladen und ihr Vater bat mich, einen Toast auszubringen. Ich sehe noch heute die illustren Gäste vor mir, die sich am Tisch versammelt hatten: gebräunt, mit Abendkleid und Schmuck behangen, die Männer im Anzug und mit schwarzer Krawatte. Ich stand auf, um mein Glas zu erheben … ich war damals todunglücklich. Wir beide, Amanda und ich. Wie sich

herausstellte, bat sie mich noch im gleichen Monat um die Scheidung. Doch an jenem Abend empfand ich nur ein Gefühl des Bedauerns … die Sehnsucht nach etwas, das uns fehlte …«

»Aber du musstest einen bombastischen Trinkspruch ausbringen und deiner Rolle gerecht werden.«

Dylan nickte. »Ich hob also mein Glas und … nichts.«

»Nichts?«

»Funkstille. Ich wollte etwas Tiefgründiges von mir geben, brachte jedoch keinen Ton über die Lippen. Meine Kehle war wie zugeschnürt. Die Gefühle übermannten mich. Und das vor allen Leuten … meine Schwiegereltern starrten mich entgeistert an und ihre sonnenverbrannten Freunde machten den Eindruck, als hätten sie am liebsten das Weite gesucht. Und Amanda …«

Janes Augen sahen immer noch ein wenig traurig aus, aber sie waren auch mutwillig und voller Wärme. Dylan stand bewegungslos da, zwang sich, tief durchzuatmen. Er löste sich aus dem Bann des Augenblicks, betrachtete ihn aus der Distanz. Er fühlte sich wohl in Janes Gesellschaft. Sie warf ihm einen spöttischen, wissenden Blick zu, als würde sie ihn schon ein Leben lang kennen.

Seltsam war, dass es ihm genauso ging. Jane Porter hatte etwas an sich, das ihn an seine Lieblingsschuhe erinnerte, im positiven Sinne. Er hatte das Bedürfnis, sich niemals von ihr zu trennen. Wie konnte das geschehen?

Er war in seinem Leben gewissermaßen auf der Schnellspur unterwegs gewesen, auf der die Liebe vernachlässigt wurde. Harvard, Marshal Service, Washington, D.C. Amanda war hübsch, ihr Vater ein Mann mit Verbindungen zur Politik, sie stammte aus Rhode Island. Sie war seine erste ernst zu nehmende Freundin und wurde seine Frau. Doch als er Jane nun ansah mit ihren traurigen Augen und dem zaghaften Lä-

cheln, wurde ihm bewusst, dass er immer etwas vermisst hatte.
Er hatte genau das vermisst, was gerade in seinem Herzen vorging, was immer es auch sein mochte. Sein Mund war trocken. Er sehnte sich danach, sie in die Arme zu schließen, hatte aber Angst, es auf einen Versuch ankommen zu lassen. Ihm gefiel, dass sie sich für Chloe interessierte. Und für Isabel.
Auch jetzt schweifte ihr Blick zu dem Foto der beiden zurück. Sie schien sich rundum wohl in seiner Küche zu fühlen, lehnte sich an die Frühstückstheke.
Wäre es denkbar gewesen, mit Amanda in der Küche herumzustehen? Niemals. Bei ihr wurden die Drinks auf einem Silbertablett serviert und auf die Terrasse hinausgetragen. Dazu gab es Musik von Vivaldi aus der Stereoanlage. Klassische Musik gehörte einfach dazu. Stets hallten die Klänge des einen oder anderen Orchesters durch das Haus.
Dylan liebte die leichte Muse, Fiedeln und Gitarren. Steave Earl und die BoDeans. Emmylou Harris. Er mochte seinen Pickup, den er als »Sammeltransporter« bezeichnete. Wenn er Löcher grub, um seine Wurzelschösslinge einzupflanzen, fühlte er sich wahrhaftig und lebendig. Die Erde erinnerte ihn an das Leben – woran auch sonst? Wurzeln, Erde, Leben, Liebe. Und Jane. Er grinste stillvergnügt in sich hinein.
»Was ist so komisch?«, fragte sie.
»Meine Gedanken haben sich gerade auf eine Achterbahnfahrt begeben, die für mich vollkommen logisch ist, aber von dir schwer nachvollziehbar sein dürfte.«
»Tatsächlich? Versuch's!«
»Wurzeln, Erde, und du, wie du leibst und lebst.«
»Du hast die Äpfel ausgelassen«, sagte sie. Dann stellte sie sich auf die Zehenspitzen, legte den Kopf in den Nacken und küsste ihn. Heute hatte er das Gefühl, als würde ihn der Blitz

treffen. Er war wie elektrisiert, zitterte von Kopf bis Fuß. Er schloss sie in seine Arme, als gelte es sein Leben. Trotz seiner achtundvierzig Jahre hatte er nie dergleichen empfunden.
»Jane«, sagte er, als sie von den Zehenspitzen herunterging.
»Ich konnte einfach nicht anders.« Sie sah ihn an.
»Das freut mich. Das freut mich sehr.«
Sie trat einen halben Schritt zurück. »Weil ich dich nämlich nicht mehr loslassen kann«, fügte er hinzu, sie noch immer in den Armen haltend.
Sie lachte, schmiegte sich an ihn. »Gut. Weil ich nicht wüsste, was ich machen würde, wenn du es tätest.«
Er beugte sich hinab, um sie abermals zu küssen, und ihre Lippen waren so heiß und leidenschaftlich, so erregend, dass er beinahe – nur beinahe – vergessen hätte, wie sehr er sich für Gefühle geöffnet hatte und dass sie über diesen Kuss, über diesen Augenblick der Leidenschaft hinausgingen.
Plötzlich begann ihr Handy erneut zu läuten, leise, aber hartnäckig. Sie schenkte ihm keine Beachtung, bis es verstummte, doch dann begann es abermals. Lachend löste sie sich von ihm und holte es aus ihrer Handtasche.
»Hallo?«
Dylan überlegte bereits fieberhaft, wie er sie zum Bleiben bewegen konnte, falls sie wegmusste, wohin auch immer. Er lächelte, war drauf und dran sie zu fragen, ob sie nicht mit ihm auf die Plantage kommen und zum Abendessen bleiben wollte. Doch als er ihren Blick sah, erstarb sein Lächeln.
»Was ist passiert?«
»Das war meine Schwester.« Sie hielt das Handy in der Hand, als hätte sie vergessen, wie man es zuklappt. »Sylvie hat mehrmals versucht, mich zu erreichen … meine Mutter musste ins Krankenhaus.«

18

»Mom ist gestürzt«, sagte Sylvie, als Jane aus dem Fahrstuhl trat.
»Alles in Ordnung mit ihr?« Jane umarmte ihre Schwester.
»Sie hat sich die Hüfte gebrochen und wird gerade operiert.«
Jane lehnte sich zurück und versuchte, in Sylvies Augen zu lesen. Sie waren umwölkt, offenbar vor Verzweiflung. Ihre Schultern waren gebeugt, woran Jane erkannte, dass mehr dahinter steckte.
»Wie ist das passiert?«
»Sie ist aus dem Bett aufgestanden. Sie wollte die Treppe hinuntergehen und hat den Halt verloren. Als ich dazukam, meinte sie, sie müsse mir dringend etwas sagen. Nur, dass sie mich mit *dir* verwechselt hat …«
Sylvie konnte ihr nicht in die Augen blicken. »Ich war nicht zu Hause«, fügte sie hastig hinzu. Erst jetzt bemerkte Jane, dass sich ihre Schwester in Schale geworfen hatte: blaues Kleid, Schuhe mit hohen Absätzen, schicke Frisur. »John hatte mich gebeten, in seiner Klasse einen Vortrag über die optimale Nutzung der Bibliothek und das Dewey-Dezimalsystem zu halten, das wenig bekannt ist. Ich hatte dich bitten wollen, bei Mom zu bleiben, aber du warst verschwunden, bevor sich die Gelegenheit bot …«
»Ich habe Pasteten ausgeliefert.« Jane schauderte, als sie sich daran erinnerte, wie Dylan sie umarmt und was er über Chloe und die Trauer um ihre leibliche Mutter gesagt hatte. Seine Berührung auf ihrer Haut. Sie schlang die Arme um ihren Körper, um sie zu bewahren.
Die Situation war verworren und verzwickt, keine Frage. Ihre

Mutter lag im Krankenhaus. Und Jane kam sich vor wie die Mata Hari von Chadwick Orchards. Sie hatte Dylan benutzt, um Kontakt zu Chloe zu bekommen, aber eines nicht bedacht: die Möglichkeit, dass sie sich in ihn verlieben könnte. Ihr gefiel seine Art, seine Liebe zur Plantage, die Zuneigung, die er für Chloe empfand, das Verständnis für ihre Trauer. Sie hatte an diesem Nachmittag ein paar Augenblicke lang das Gefühl gehabt, dass ihr sein Herz gehörte.

Sie zog sich einen anzüglichen Blick von Sylvie zu, doch das war rein gar nichts verglichen mit dem Tumult in ihrem Inneren.

»Mein Referat sollte auf eine Unterrichtsstunde beschränkt sein. Ich erzählte Mom davon. Sie hielt es für eine großartige Idee und versprach – *hoch und heilig* –, das Bett nicht zu verlassen. Ich machte ihr ein kleines Tablett zurecht, vergewisserte mich, dass sie die Toilette benutzte, bevor ich ging ... Sie wirkte rundum zufrieden. Sie las Chaucer, als ich mich verabschiedete.«

Jane versuchte zu lächeln. Ihre Mutter: Sie las Chaucer wie andere Leute Kriminalromane. Gespannt verschlang sie Seite um Seite, nicht um zu erfahren, wie es weiterging – sie hatte die Erzählungen schon hundertmal gelesen –, sondern wegen der Sprache, die sie bewunderte.

»Irgendwann ist ihr vermutlich eingefallen, dass sie unbedingt mit dir reden muss. Also stand sie auf, schleppte sich bis zur Treppe, stolperte und fiel sämtliche Stufen hinunter.« Sylvie blickte reumütig auf ihre Schuhe. »Als ich zurückkam, lag sie schon dort, aber ich habe keine Ahnung, wie lange. Ich blieb ein wenig länger als geplant ... John und ich gingen nach dem Unterricht noch ins Lehrerzimmer, um Kaffee zu trinken ... alle meine alten Freunde waren da und wir tauschten Neuigkeiten aus, während ... Mom mit einer gebrochenen Hüfte auf dem Fußboden lag.«

»Sylvie, es ist nicht deine Schuld.«
»Ich habe aber das Gefühl, uns beide trifft die Schuld.«
»Moment – ich denke nicht daran, mir ein schlechtes Gewissen einreden zu lassen.«
»Ich hätte geschworen, dass du mir erzählt hast, du hättest heute nichts weiter vor.«
»Ich sagte, es sei nichts *geplant*. Aber das bedeutet nicht, dass sich nicht etwas ergeben könnte.«
»Du hast kein Wort davon gesagt, dass du wegfährst!«
Das stimmte. Jane hatte gewartet, bis Sylvie unter der Dusche stand, bis sie das heiße Wasser zischen hörte, bevor sie ihre Pasteten im Kombi verstaut hatte und losgebraust war. Sie wollte nicht hören, was Sylvie von ihrem Besuch bei den Chadwicks hielt.
»Du hast den Wagen mitgenommen und ich musste John anrufen und ihn bitten, mich in der Pause abzuholen«, sagte Sylvie vorwurfsvoll. »Das ist schlimm genug. Aber unsere Mutter war allein und ist *gestürzt*. Sie lag weiß Gott wie lange auf dem Boden, mit furchtbaren Schmerzen. Du hättest sie sehen sollen – hören sollen! Sie war halb von Sinnen. Sie packte meine Hand, rief deinen Namen ... wiederholte fortwährend, dass sie dir etwas sagen müsse ...«
»Es tut mir Leid.« Jane schloss die Augen, um das Bild zu verdrängen.
»Und das alles nur, weil du dein Leben auf einer Lüge aufbaust.«
»Nein, tue ich nicht.«
»Du hast um den heißen Brei herumgeredet, als ich dich nach deinen Plänen fragte, und du führst die Chadwicks hinters Licht. Egal, was du ihnen wegen der Pasteten oder über deine Bäckerei erzählst, es ist nicht die wahre Geschichte. Was du tust, ist falsch, Jane.«
Jane öffnete den Mund, um Sylvie zu sagen, dass sie nichts

verstand. Aber plötzlich wurde ihr bewusst, dass ihre Schwester Recht hatte. Sie hatte mit einem Mal das Gefühl, ausgebrannt und leer zu sein, und die grelle Krankenhausbeleuchtung und öden blauen Wände schienen über sie hereinzubrechen. Dylans Worte über Chloes Kummer klangen in ihren Ohren nach. Sie kam sich wie eine Hochstaplerin vor, bloßgestellt im hellen unerbittlichen Licht.

Was sollte sie nur tun?

»Wie ist sie hierher gekommen?«, fragte Jane. »Mom, meine ich.«

»Ich habe die 911 angerufen. Dieselbe Ambulanz, von der sie schon das letzte Mal in die Klinik gebracht wurde, holte sie ab. Der Notarzt erinnerte sich an sie.«

»War sie bei Bewusstsein?«

Sylvie gab einen erstickten Laut von sich, halb Lachen, halb Weinen. »Es reichte aus, um auf eine Fliege zu deuten, die hinten im Wagen herumflog. Und um die Frau, die ihren Blutdruck maß, zu fragen, was ihr Lieblingsfach in der Schule gewesen sei.«

»Rektorin bis ins Mark. Und, was sagte die Frau?« Jane lächelte bei dem Gedanken.

»Sport.«

»Die Antwort hat Mom mit Sicherheit nicht gefallen«, meinte Jane, und Sylvie und sie lachten leise. »Weißt du noch, dass Sport in ihren Augen kein richtiges Unterrichtsfach war? Sie gab uns andauernd Entschuldigungen mit, damit wir in der Bibliothek bleiben und lesen konnten.«

»Ich erinnere mich. ›Hiermit bitte ich, meine Tochter vom Sportunterricht zu befreien, da sie sich eine Verletzung am Zeh zugezogen hat.‹ Am liebsten hätte sie geschrieben: ›… da sie hoch begabt ist und ihre kostbare Zeit nicht damit vergeuden sollte, Ball zu spielen.‹«

» … oder Kuchen zu backen.«

»Ach, Jane.« Sylvies Blick war voller Kummer.
»Ich weiß, dass ich sie enttäuscht habe.«
»Sie wollte nur dein Bestes. Sie dachte, wenn du das Baby zur Adoption freigibst, könntest du dein Studium beenden.«
»Das war mir klar. Aber ich war nicht mehr die Gleiche. Wahrscheinlich hat sie diesen Aspekt vergessen – dass die Geburt eines Kindes dich für immer verändert. Egal, ob du es großziehst oder nicht.«
»Du warst so jung«, sagte Sylvie.
»Ich war alt genug, um ein Kind in die Welt zu setzen.«
»Lass uns nicht streiten, okay? Nicht, solange Mom im Operationssaal liegt …«
»Wer streitet denn!«, entgegnete Jane. Aber ihr Körper fühlte sich steif und verspannt an wie der eines Preisboxers, der nicht in Form ist. Ihre Familie würde nie begreifen, was in ihr vorging. Sylvie konnte sich nicht vorstellen, was für ein Gefühl es war, zwanzig Jahre alt zu sein, mit prallvollen, schmerzenden Brüsten, weil es kein Baby gab, das die Muttermilch trank. Sie würde nie für möglich halten, dass Jane noch heute, sechzehn Jahre danach, ein- oder zweimal im Monat von der Entbindung träumte. Sie hatte in einer Klinik nicht weit von hier stattgefunden. Der Operationssaal erinnerte an den Kreißsaal, in dem sie in den Wehen gelegen und Chloe zur Welt gebracht hatte.
Genau in diesem Moment kam ein Arzt in grünem OP-Kittel durch die Tür der Notaufnahme. Er hielt ein Klemmbrett in der Hand, warf einen prüfenden Blick darauf und rief: »Sylvie Porter?«
»Das bin ich.«
Der Doktor kam zu ihnen. Er war ungefähr fünfunddreißig, kräftig gebaut, mit ernsten braunen Augen und beginnender Stirnglatze.

»Und ich bin Jane Porter«, sagte Jane. »Wir sind Margaret Porters Töchter.«
»Ich bin Dr. Becker. Ich habe Ihre Mutter operiert.« Er blickte sich im Raum um. In einer Ecke standen zwei freie gelbe Vinylsessel, auf die er deutete. Sie strebten in die angegebene Richtung, doch dort angelangt, machte niemand Anstalten, Platz zu nehmen.
»Wie geht es ihr?«, fragte Jane.
»Sie hatte große Schmerzen, als sie eingeliefert wurde«, ließ sich Sylvie vernehmen.
»Wir haben versucht, eine Entscheidung über ihre weitere Betreuung zu treffen«, fügte Jane hinzu und Sylvie warf ihr einen bitterbösen Blick zu.
»Der Eingriff ist gut verlaufen«, antwortete der Arzt. »Aber es gab Komplikationen.«
»Komplikationen?«, fragten Jane und Sylvie wie aus einem Mund, und Jane gefror das Blut in den Adern.
»Wir haben einige vergrößerte Lymphknoten gefunden. In der Beckenregion.«
»Oh.« Jane war erschrocken, nicht so sehr über seine Worte, sondern vielmehr über seinen ernsten Ton.
»Sie leidet an Diabetes«, erklärte Sylvie und lächelte schwach. »Und sie ist anfällig für Infektionen. Ist das nicht eine häufige Ursache für Drüsenschwellungen? Erinnerst du dich, Jane, dass sie bei uns auch immer auftraten, wenn wir Halsschmerzen hatten? Ich weiß noch, wie Mom prüfte … sie tastete den Bereich unter dem Kinn mit den Fingern ab …«
»Diese Lymphknoten sehen anders aus als geschwollene Drüsen«, warf Dr. Becker ein.
»Könnte es sich um eine *schlimme* Infektion handeln?«, fragte Sylvie.
»Ich habe mehrere entfernt. Für eine Biopsie.«
»Sie haben eine Gewebeprobe entnommen?«

Jane schwieg. Sie hörte ihr Blut in den Ohren rauschen. Sylvie nahm nun doch in einem der leer stehenden gelben Sessel Platz. Jane konnte sich nicht rühren. Der Doktor sprach über Objektträger, das Einfrieren von Gewebe, die Untersuchung durch einen Pathologen und dass man in wenigen Tagen mehr wisse. Er sprach von einem »Lymphom«.
»Ist das Ihre Diagnose? Eine bösartige Lymphknotengeschwulst?«, fragte Jane, als Sylvie aufstöhnte.
»Nein. Ganz und gar nicht. Das ist nur eine Möglichkeit von vielen.«
Jane blickte auf Sylvies Scheitel hinab. Er wirkte so blond und hübsch im grellen Licht des Krankenhauses. Sie saß in dem gelben Sessel, machte sich so klein wie möglich. Sie hatte die Arme um den Körper geschlungen, als sei sie halb erfroren. Jane setzte sich neben sie und nahm ihre Hand. Sie bedankte sich bei Dr. Becker, der abermals das Wort ergriff und erklärte, dass die Hüftfraktur problemlos zu beheben und nur ein einziger Nagel erforderlich gewesen sei. Er teilte ihnen mit, dass sie sich noch auf der Intensivstation befand und sie bald zu ihr dürften. Dann bat er sie, sich wegen der Biopsie mit ihm in Verbindung zu setzen.
»Das kann nicht sein, das kann nicht sein«, stöhnte Sylvie.
»Noch wissen wir nicht, was es ist.«
»Es könnte doch sein, dass sie nur eine schlimme Infektion hat – oder?«
»Möglich.«
Die beiden Schwestern saßen schweigend da. Jane schloss die Augen. Sie dachte an all die Wendepunkte in ihrem bisherigen Leben. Gehörte dieser auch dazu? Würde sie alle künftigen Ereignisse durch die Brille der Erinnerung an diesen Moment betrachten – den Moment, als Dr. Becker das Wort »Lymphom« ausgesprochen hatte?
Jane schauderte, weil sie diese Wendepunkte im Leben zur

Genüge kannte. Mehr als ihr lieb war. Einige waren so sicher wie das Amen in der Kirche: Peng! Alles wandelte sich im Bruchteil von Sekunden. Etliche gingen ihr durch den Kopf, stürmten gleichzeitig auf sie ein: als ihre Eltern Sylvie aus der Klinik mit nach Hause gebracht hatten, als ihr Vater die Familie im Stich gelassen hatte.
Unlängst: der Tanz am Carrie Tower. Und heute, vor wenigen Stunden: der Kuss in Dylans Küche. Beide fielen ins Gewicht, waren Ereignisse, die das Leben aus seiner bisherigen Bahn geworfen hatten. Jane kam sich wie verwandelt vor, eine Folge des Tanzes mit Dylan Chadwick. Sämtliche Zellen in ihrem Körper fühlten sich leichter an und ihre Gedanken schweiften immer wieder ab, zu ihm; sie ertappte sich dabei, wie sie ihre Wange an der Stelle berührte, wo sein Bart gekratzt hatte, und sie stellte verwundert fest, dass sie am helllichten Tag von ihm und der Plantage träumte, dass sie den Duft von Äpfeln wahrnahm, wo es weit und breit keine gab.
Doch die wichtigsten Wendepunkte in ihrem Leben hatten mit Chloe zu tun: mit der Nacht, in der sie gezeugt worden war, mit dem Tag, als sie das Ergebnis des Schwangerschaftstests in den Händen hielt, mit dem Abend, als Chloe geboren wurde.
Die Fahrstuhltür öffnete sich und John Dufour trat heraus. Er ging über den auf Hochglanz polierten gefliesten Boden zielstrebig auf Sylvie zu. Als sie ihn gewahrte, sprang sie auf und breitete die Arme aus. Sie hielten einander umschlungen und Jane hörte, wie ihre Schwester leise weinte.
»Sie hat möglicherweise eine Lymphknotengeschwulst«, schluchzte Sylvie. »Die Untersuchungen sind noch nicht abgeschlossen ...«
»Das stehen wir gemeinsam durch«, sagte John, sie in den Armen wiegend. »Ich bin für dich da, jederzeit.«

Jane musterte ihn. Er trug eine kamelhaarfarbene Strickweste über einem blauweiß karierten Hemd. Sein Haar begann sich zu lichten. Der Spitzbauch hinderte ihn daran, Sylvie so fest an sich zu pressen, wie er es sich offensichtlich wünschte. Seine Arme und Schultern waren verkrampft vor Anspannung und unterdrückter Leidenschaft. Der Anblick ihrer Schwester, zerbrechlich und blond, mit geschlossenen Augen und tränenüberströmt, die ungestüm von ihrem Kollegen umarmt wurde, weckte ein Gefühl der Wehmut und Einsamkeit in Jane.

Ihre Mutter lag auf der Intensivstation, kämpfte vermutlich um ihr Leben. Ihre Schwester hatte allem Anschein nach eine aufrichtige und liebevolle Beziehung zu einem Mann, der sie auf Händen trug. Und Jane baute ihr Leben auf einer Lüge auf, wie Sylvie gesagt hatte.

Sie war dabei, sich in jemanden zu verlieben, der keine Ahnung hatte, wer sie wirklich war und was sie bezweckte. Ihr ganzes Leben drehte sich um ein Mädchen, das um ihre leibliche Mutter trauerte und bei Adoptiveltern aufgewachsen war, die sie liebten.

»Hallo, Jane«, sagte John, als Sylvie ein Taschentuch aus ihrer Handtasche hervorkramte.

»Hallo, John. Danke, dass Sie gekommen sind.«

»Ich bin immer für Sylvie da. Und für Sie.« Er lächelte.

Jane erwiderte das Lächeln. Er verhielt sich so ungezwungen, als gehörte er bereits zur Familie. Das war gut. Jane freute sich für Sylvie. Ihr fiel ein, dass Dylan sie gebeten hatte, ihn anzurufen, aber die Benutzung von Handys war in der Klink verboten, wie ein Hinweisschild an der Wand besagte.

Sie überließ es ihrer Schwester und John, Wache zu halten, und ging nach unten, um einen Münzfernsprecher zu suchen.

Chloes Schulter schmerzte vom Gewicht der Bücher in ihrem Ranzen, doch sie waren Teil ihrer ausgeklügelten Strategie. Warum hatte sie sich nicht auf ein einziges Buch beschränkt? Sie wäre auch dann ungestraft davongekommen, wenn sie ihrer Mutter erzählt hätte, dass sie mit Mona Biologie-Hausaufgaben machen und die Taschenbuchausgabe von *Wildlife in the Estuary* mitnehmen würde.
Aber nein. Sie musste ein riesiges Brimborium machen und ihre Büchertasche voll packen, bevor sie zur Tür hinauseilte und auf ihr Fahrrad stieg. Nur, statt links abzubiegen, auf die Straße, in der Mona wohnte, war sie geradeaus gefahren – durch Crofton hindurch, über die alte Granitbrücke, die über den Williams River führte, weiter nach Twin Rivers.
Chloe war sich nicht sicher, ob ihr Vorhaben gelingen würde, aber sie wusste genug, um es lieber außerhalb ihres Wohnorts zu probieren. Ihr Magen verkrampfte sich, als sie den Hügel hinuntersauste, in Richtung Einkaufszentrum. Ihr Puls raste. Die Anspannung war so groß, als würde sie ein unheimliches Buch lesen – nur, dass die Geschichte ausgerechnet ihr passierte und der Ausgang ungewiss war.
Sie hatte Angst, schwanger zu sein.
Sie hatte Mona kein Sterbenswort verraten, hatte es sich nicht einmal selbst eingestanden. Seit dem Treffen auf der Plantage war erst eine Woche vergangen. Ihre Periode hatte sich noch nicht verspätet oder dergleichen. Trotzdem hatte sie das beklemmende Gefühl, als hätte sich ein fremder Keim in ihrem Körper eingenistet – unerwünscht, aufgenötigt, entstanden aus einer kondomlosen Ungeheuerlichkeit –, und sie musste sich Gewissheit verschaffen.
Alle Schwangerschaftstests warben mit Bezeichnungen wie »Früherkennung«, »Erster Gedanke« und »Auf der Stelle«. Das bedeutete wahrscheinlich, dass sie umgehend Ergeb-

nisse zeigten – schon nach einer Woche. Natürlich konnte sie auf ihre Periode warten – die in ein paar Tagen fällig wäre –, aber das würde sie nicht aushalten. Sie musste es wissen, *auf der Stelle*.

Im Einkaufszentrum gab es einen großen Drogeriemarkt, aber sie hatte Angst, dort ihren Freunden aus Crofton über den Weg zu laufen. Deshalb fuhr sie daran vorbei, in den Altstadtbereich. In Twin Rivers hatte es früher Spinnereien gegeben, mit imposanten roten Backsteinfabriken, die teilweise in Eigentumswohnungen umgebaut worden waren, aber die meisten verfielen. Das Stadtzentrum sah öde aus: Es gab nur noch wenige Geschäfte, die noch dazu einen veralteten, heruntergekommenen, trostlosen Anblick boten. Ein Schreibwarenhändler, eine Anwaltskanzlei, eine Pfandleihe.

Chloe fuhr schneller, hielt nach einem Drugstore Ausschau; es musste einen geben. Sie fuhr die Main Street hinauf und die Arch Street hinunter. Als sie an einem *Diner* vorbeikam, knurrte ihr Magen. War das nicht ein Anzeichen für eine Schwangerschaft? Für zwei essen? Sie trat kräftiger in die Pedale.

Als sie um die Ecke bog, entdeckte sie das ausladende Gebäude auf dem Gipfel der nächsten Anhöhe: das Twin Rivers General Hospital. Dort wurden Kinder geboren, vermutlich genau in diesem Augenblick. Chloe dachte an die Geschichte, die sich um ihre eigene Geburt rankte, oder vielmehr den Teil, den ihre Eltern erlebt hatten: Wie sie mit einer Decke, Windeln und rosa Babysachen in die Säuglingsstation gefahren waren, um sie abzuholen …

Da Krankenhäuser immer eine Apotheke hatten und die Wahrscheinlichkeit groß war, dass sie dort niemand kannte, fuhr Chloe den Hügel hinauf. Ihre Wadenmuskeln brannten und als sie ankam, war sie außer Atem – nicht vom Radfahren, sondern vor lauter Panik.

Sie kettete ihr Rad an den Ständer vor dem Haupteingang. Einige Sanitäter standen draußen vor dem Portal und rauchten. Sie dachte an Onkel Dylan und war traurig. Doch umgehend kehrten ihre eigenen Sorgen zurück. Sie hatte Sex gehabt. Unter den denkbar schlechtesten Voraussetzungen: mit einem Jungen, der ihr weisgemacht hatte, dass er sie mochte.
Die Eingangshalle war hell und freundlich, überall wimmelte es von Menschen. Familien saßen in Gruppen beisammen, sahen aus, als hätten sie einen Schock erlitten. In Krankenhäusern geschahen schlimme Dinge, dachte Chloe. Es war ein Fehler gewesen, herzukommen. Sie wollte gerade auf dem Absatz kehrtmachen und gehen, als sie das Apothekenzeichen und einen Pfeil sah, der den Weg wies. Jetzt oder nie, dachte sie.
Sie durchquerte schnell die Eingangshalle und fand die Apotheke. Der vordere Bereich war mit Zeitschriften, Taschenbüchern und Plüschtieren voll gestopft. An der Seite, ein wenig abseits, waren Luftballons und Blumen ausgestellt. Chloe marschierte an den Spielwaren vorbei und steuerte die Regale mit den Arzneimitteln an. Sie stählte sich innerlich, suchte nach den Tests. Als sie an einem Regal mit Hygieneartikeln vorbeikam, wäre sie beinahe in Tränen ausgebrochen – nie hatten sie so einladend ausgesehen. Würde sie jemals wieder Binden brauchen? Sie betete, dass es ihr vergönnt sein möge – in einer Woche.
Ihre Hände zitterten, als sie die Produkte in Augenschein nahm. Sie war in solchen Dingen völlig unerfahren – oder gewesen, bis Zeke kam – und hatte noch nicht einmal in ihrem Leben Tampons benutzt. Sollten sich die Schwangerschaftstests nicht gleich daneben befinden? Taten sie aber nicht. Sie suchte die Regale ab, arbeitete sich Schritt für Schritt zum hinteren Bereich der Apotheke vor, zum Verkaufstresen.
Mist.

Dort waren sie: Die kleinen länglichen Schachteln, hinter der Theke, zusammen mit Kondomen und Salben gegen Hefepilzinfektionen. Chloe hatte letztes Jahr eine gehabt und erinnerte sich, dass ihre Mutter den Apotheker um das Medikament bitten musste. O Gott. Wie peinlich. Was war, wenn sie einen Ausweis verlangten? Wenn die Tests nicht an Jugendliche unter achtzehn verkauft wurden?

Nachdem sie beim Familiengericht aufgeflogen war, weil sie sich als einundzwanzig und somit als volljährig ausgegeben hatte, waren Mona und sie auf die Idee gekommen, ein paar Ausweise zu fälschen. Einen bewahrte sie in ihrem Portmonee auf; da es sich als schwierig erwiesen hatte, aus der »8« in ihrem Geburtsjahr etwas anderes als eine »0« zu machen, hatte sie ihr Geburtsdatum auf 1980 vorverlegt – sie wäre also vierundzwanzig. Sie räusperte sich, bereitete sich darauf vor, reif zu klingen, falls erforderlich.

»Kann ich Ihnen helfen?«, fragte die Apothekerin, eine junge Frau.

»Ja, bitte.« Chloes Gedanken rasten, aber sie zwang sich, einen gelassenen Ton anzuschlagen. »Ich brauche einen Früh-Schwangerschaftstest.« Sie hatte ihren gefälschten Ausweis in der Tasche und eine Geschichte in petto, für den äußersten Notfall. Sie würde behaupten »Der ist für meine ältere Schwester, sie wartet draußen im Wagen« und sich anschicken, über den Tresen zu springen, um sich den Test einfach zu nehmen, sollten alle Stricke reißen.

Aber nichts davon war nötig. Die Apothekerin holte den Test aus dem Regal, legte ihn auf den Tresen, tippte den Betrag in die Kasse ein.

»Macht fünfzehn siebenunddreißig«, sagte sie.

Chloe reichte ihr einen Zwanziger – von dem Lohn, den Onkel Dylan ihr gezahlt hatte, ihre eiserne Reserve, eigentlich für Katzenfutter gedacht. Ihre Handflächen waren verschwitzt, vermutlich waren die Geldscheine klatschnass. Die Frau packte das Testset in eine Papiertüte und reichte Chloe das Wechselgeld. »Einen schönen …«, begann sie. Chloe wartete nicht auf das Ende des Satzes. Sie rannte in die Eingangshalle des Krankenhauses zurück, blickte sich suchend um. Wo war die Damentoilette? Sie sah ein Zeichen und lief nach links. Als sie um die Ecke bog, sah sie eine Reihe von Münzfernsprechern, die meisten besetzt. Ein Mann schob einen Eimer vor sich her, aus dem ein Mopp herausragte. Er hängte ein gelbes Plastik-Klappschild an die geöffnete Waschraumtür, mit der Aufschrift: *Wegen Reinigung geschlossen.*

»Nein!«, schrie Chloe. »Ich muss da rein.«

»Andere Waschräume oben!«, sagte er, und deutete auf die Treppe.

»Ich kann nicht warten!«, wimmerte sie.

Sie musste sofort den Urintest machen, sonst würde sie noch einen Herzanfall bekommen. In ihrer Not war sie unfähig, eine andere Damentoilette zu suchen – aber die Herrentoilette war gleich nebenan, ohne ein gelbes Schild an der Tür.

»Da nicht rein!«, sagte der Hausmeister, als sie mit der Hand auf die Türklinke drückte. »Männer drinnen …«

»Nein«, schluchzte Chloe.

Sie veranstaltete einen solchen Wirbel, dass sich die Leute an den Münzfernsprechern umdrehten und sie anstarrten. Sie hätte sich genauso einen Zettel auf die Stirn kleben können: *Bin vermutlich schwanger und einem Nervenzusammenbruch nahe*. Gott sei Dank kannte sie niemanden.

Aber sie täuschte sich. Jane war unter den Leuten am Münzfernsprecher.

Chloe hätte eigentlich einen Schrecken bekommen müssen, doch stattdessen fühlte sie sich unsäglich erleichtert. Sie war so froh, Jane zu sehen, das Gesicht der Frau in der schwimmenden Pastete, die sie in ihrem Traum gerettet hatte, dass sie schnurstracks zu ihr rannte.

»Chloe, was ist denn?«, fragte Jane, einen Vierteldollar in der Hand.

»Bitte leg auf«, flehte Chloe.

»Ich habe noch gar nicht telefoniert.« Janes Miene war bestürzt, als sie Chloes Hand nahm und sie sanft weg von den anderen außer Hörweite lotste. »Was machst du hier?«

»Mir ist etwas passiert.« Chloe schluckte, um das Schluchzen zu unterdrücken, das in ihr aufstieg und sie übermannte. »Etwas Schlimmes, mit Zeke auf der Plantage ...«

»Hat er dich verletzt?«

Janes Frage löste den Druck in ihrer Brust und Chloe brach in Tränen aus, fühlte sie heiß ihre Wangen hinabrinnen. Er hatte sie furchtbar verletzt ... Sie nickte; es gab so viel zu sagen, aber sie brachte nur ein Flüstern heraus, mit zittriger Stimme: »Es könnte sein, dass ich schwanger bin.«

19

Sie saßen in Janes Kombi, der auf dem Parkplatz des Krankenhauses stand. Sie wusste, Sylvie rechnete damit, dass sie umgehend in die Notaufnahme zurückkehrte, doch nichts auf der Welt hätte sie in diesem Augenblick von Chloe fern halten können. Sie saß auf dem Fahrersitz und wartete schweigend, bis Chloes Tränen versiegt waren.

»Alles in Ordnung?« Sie reichte ihr die nächste, mit Kaffeeflecken übersäte Papierserviette von Dunkin Donuts.

Chloe nickte, putzte sich geräuschvoll die Nase. »Ich denke schon. Aber ich muss trotzdem den Test machen. Vielleicht ist die Damentoilette inzwischen fertig geputzt.«

»Warte noch eine Sekunde. Chloe, was hast du damit gemeint, dir sei etwas Schlimmes passiert?«

»Nichts, ehrlich.«

»Das klang aber ganz und gar nicht so; du sagtest, dir sei etwas Schlimmes passiert, auf der Plantage, mit Zeke – wer ist das?«

»Nur ein Riesenblödmann, ein widerlicher Hai.«

»Dein Freund?«

Chloe schüttelte heftig den Kopf. Ihre Augen waren wachsam, ihre Wangenmuskeln angespannt. Doch plötzlich brach sie abermals in Tränen aus und verbarg ihr Gesicht in der durchweichten Serviette. Jane brach es das Herz, als Chloe zu schluchzen begann. Der Kummer schien aus tiefster Seele zu kommen; es klang, als sei sie am Boden zerstört. Jane ergriff ihre tränennasse Hand. Sie konnte ihren Schmerz nachfühlen, erinnerte sich, wie sie um Jeffrey geweint hatte.

»Ich … dachte … er wäre …«, schluchzte Chloe.

»Was hat er dir angetan?«
»Er … hat mich … Zoe genannt!«
»Statt Chloe?«
Chloe nickte. »Er hat so getan, als wäre das Absicht gewesen. Damit mein Name den gleichen Anfangsbuchstaben hat, mit ›Z‹ …«
»Ganz schön eingebildet.«
»Und außerdem noch verlogen. Ich glaube, er hat nur meinen Namen verwechselt und versucht, den Ausrutscher zu vertuschen.«
»So ein Ekel«, sagte Jane. Sie wartete. War das schon alles? Das war gemein, eine bodenlose Gemeinheit. Aber Chloe schluchzte immer noch herzzerreißend, als sollte es noch schlimmer kommen. Janes Magen verkrampfte sich, als Chloe ihre Hand drückte.
»Hast du ihn lieb gehabt?«
»Schon. Dachte ich zumindest …«
»Du hast ihm dein Herz geschenkt, Chloe.« Jane streichelte ihre Hand. »Du wolltest ihm nur zeigen, was du für ihn empfindest …«
»Aber *so eine* bin ich nicht. Ich mache nicht mit Jungen herum. Gegen die anderen bin ich ein richtiger Tugendbold. Ich dachte immer, mit mir stimmt etwas nicht, weil ich nicht einmal bis Stufe zwei gekommen bin.« Sie blickte mit tränenüberströmtem Gesicht hoch. »Weißt du, was das ist?«
Jane nickte.
»In einem Auto zu sitzen, mit einem Schwangerschaftstest in der Tasche, würden meine Mitschülerinnen mir am allerwenigsten zutrauen.«
»Das heißt nicht, dass du dich falsch verhalten hast oder leichtfertig bist. Du bist und bleibst für mich das netteste Mädchen, das kenne.«

Chloe versuchte zu lachen. »Du kennst mich doch kaum. Du kennst wahrscheinlich nicht viele nette Mädchen.«
Jane schluckte, bewahrte Ruhe. Dass sie Chloes Hand halten durfte, vermittelte ihr ein Gefühl der Verbundenheit. »Ich besitze ein ganz gutes Urteilsvermögen, was solche Dinge angeht.«
»Der Meinung wärst du vermutlich nicht mehr, wenn du wüsstest, was passiert ist.«
»Du kannst es mir erzählen, wenn du möchtest.«
Chloe schniefte laut. Jane hätte beinahe ihr Medaillon berührt. Chloe benutzte eine weitere Hand voll Papierservietten. »Ich … ich hatte Sex«, murmelte sie kaum hörbar.
»Aha.« Jane bemühte sich um einen neutralen Tonfall.
»Das hast du bestimmt schon vermutet in Anbetracht …« Chloe deutete auf ihren Ranzen.
»Ja, habe ich. Das ist in Ordnung, Chloe.«
»Ich bin keine Schlampe.«
»Natürlich nicht.«
»Die Sache ist die … ich bin mir nicht sicher, ob ich wirklich wollte.«
Jane starrte sie an. Chloe konnte sie nicht ansehen. Jane spürte, wie ihr Herz gegen die Rippen hämmerte. Es kostete sie ungeheure Kraft, Gleichmut zu bewahren. »Du bist nicht sicher, ob du … mit ihm schlafen wolltest?«
Chloe nickte.
»Hat er – dich gezwungen?«
»Das ist so eine Art Grauzone.«
»Aber du wolltest nicht?« Janes Puls beschleunigte sich.
»Es ist auf der Apfelplantage passiert. Oder vielmehr haben wir uns dort getroffen. Es war ein wunderbarer Abend. Der Abend, an dem du mit meinem Onkel ausgegangen bist. Er hat es mir erzählt.«

Jane biss sich auf die Lippe. Als Dylan und sie beim Ball auf dem Campus waren.

»*Überall* waren Sterne. Auch in den Bäumen.«

Jane nickte. »Ich erinnere mich.« Sie wartete.

»Er hielt meine Hand; er führte mich zwischen den Bäumen hindurch. Es war dunkel und still, und es roch herrlich frisch und grün, nach den neuen Blättern. Nachtvögel schrien; es war sehr romantisch.«

Jane dachte an einen Campus-Ball vor langer Zeit zurück, an die Nacht, als sie Chloe empfangen hatte. Die Nacht hatte ebenfalls nach Frühling gerochen.

»Er ging mit mir zum Bach, am Ende des Grundstücks, und brachte mich ans andere Ufer …« Sie schluchzte. »Wahrscheinlich dachte er, er würde mir einen Gefallen damit tun – dass er mich vom Anwesen meiner Familie weglotste, bevor er sein Vorhaben in die Tat umsetzte …«

»Was hat er getan?«, fragte Jane, und versuchte, sanft zu klingen.

»Er hat mich dazu gebracht, dass ich mich auf den Boden lege; und dann fing die Sache an.« Chloe schloss die Augen, presste sie fest zusammen.

Jane biss sich auf die Zunge. Vermutlich hatte gerade ein Schichtwechsel stattgefunden; Leute kamen aus dem Krankenhaus, im grünen OP-Kittel, weißer Schwesterntracht, marineblauer Arbeitskleidung. Autos kamen, andere fuhren weg. Chloe bekam nichts davon mit.

»Hast du laut und deutlich ›Nein‹ gesagt?«, erkundigte sich Jane nach einigen Minuten der Stille.

Chloe zuckte die Achseln, Tränen liefen aus ihren Augen, die sie noch immer geschlossen hielt. »Ich weiß nicht mehr.«

»War es das, ich meine das Schlimme, was dir passiert ist?«

Jane war am ganzen Körper heiß, ihr Blut geriet in Wallung.

Chloe nickte.
»Armes Kind …«
»Ich muss den Test machen«, sagte Chloe. »Ich muss Gewissheit haben. Gehst du mit mir hinein?« Sie öffnete die Augen, gerade in dem Moment, als eine wasserstoffblonde Frau am Wagen vorbeiging. Chloe schnappte nach Luft und duckte sich. Die Blonde nahm die Bewegung aus dem Augenwinkel wahr und sperrte den Mund auf; offenbar hatte sie Chloe erkannt.
»Fahr weg, fahr weg«, rief Chloe.
Jane zögerte, dann drehte sie den Zündschlüssel um.
Die Blonde klopfte an die Scheibe, konnte aber nur Chloes Scheitel erkennen. »Chloe, bist du das? Ich bin's – Betty Lou! Monas Mom.« Sie winkte Jane zu, versuchte, auf sich aufmerksam zu machen.
»Fahr los, bitte«, flehte Chloe.
Jane legte den Rückwärtsgang ein, fuhr Betty Lou beinahe über den Haufen und manövrierte den Wagen aus der Parklücke.
»Hat sie mich gesehen?« Chloe tauchte vorsichtig aus der Deckung auf und spähte über die Rückbank, als Jane mit Karacho den Parkplatz verließ.
»Sie hat deinen Namen gesagt …«
»Ich werde behaupten, dass sie mich verwechselt hat – mit einem Mädchen, das so ähnlich aussieht wie ich. Ich könnte – deine Tochter sein!«
Jane fuhr weiter, zwang sich, die Augen auf den weißen Mittelstreifen zu richten.
»Wir haben beide dunkle Haare. Wir wissen beide, wie romantisch es ist, die Sterne in den Bäumen zu betrachten. Das weiß schließlich nicht jeder. Meiner Mutter wäre es am liebsten, wenn die Plantage abgeholzt würde, damit dort Häuser gebaut werden können.«

Jane nickte stumm. Aber sie hatte die Worte »meine Mutter« registriert.
»Betty Lou ist nicht Monas richtige Mutter«, sagte Chloe, als sie sich zunehmend vom Parkplatz entfernten. »Auch wenn sie behauptet hat, sie wäre ›Monas Mom‹. Das ist sie nicht. Genauso wenig, wie meine Mom meine richtige Mutter ist.«
»Aha.« Jane fuhr nach Osten, rein zufällig, weil der Wagen in diese Richtung geparkt gewesen war.
»Ich bin adoptiert.«
»Wirklich?«
Chloe nickte. »Aber wenigstens liebt mich meine Adoptivmutter und behandelt mich gut – nicht wie Betty Lou und Mona. In dieser Hinsicht hatte ich Glück.«
»In welcher Hinsicht?«
»Dass ich geliebt werde. Von meiner Adoptivmutter. Eines weiß ich schon jetzt.« Sie hielt den Schwangerschaftstest hoch. »Wenn der positiv ist, behalte ich das Baby.«
Jane warf ihr einen raschen Blick zu.
»Ich wäre nie in der Lage, mich so zu verhalten wie meine leibliche Mutter.«
»Was hat sie getan?« Janes Mund war trocken.
»Mich zur Adoption freigegeben. Sie hat mich zur Welt gebracht ... mir einen Namen gegeben ... und dann hat sie mich einfach weggegeben. Sie ging noch zur Uni, musste ihre Ausbildung beenden. Das Studium war ihr wichtiger als ich.«
Im Wagen war es totenstill, bis auf das Geräusch der Reifen, die sich auf der Straße drehten. Jane brachte keinen Ton heraus. Ihre Haut brannte. Jede Handbreit ihres Körpers schmerzte, am liebsten hätte sie die Wahrheit herausgeschrien. Doch sie fuhr schweigend weiter. »Ich bin sicher, so einfach war das nicht«, sagte sie nach einer Weile.
Chloe antwortete nicht. Sie hatte die Packung mit dem Schwangerschaftstest geöffnet und las die Gebrauchsan-

weisung. Dann hob sie den Kopf und blickte sich suchend um. Sie befanden sich auf einer wenig befahrenen Landstraße, in der Mitte von Nirgendwo.

»Könntest du bitte anhalten?«, fragte sie, als hätte sie Janes Antwort nicht gehört.

»Hier?« Jane zitterte noch immer. »Hier ist doch weit und breit nichts. Wir sind gleich in Lambton – dort finden wir sicher eine Tankstelle …«

»Nein – hier. Ich mache den Test im Wald. Das wird ein gutes Omen sein.«

»Dein Onkel hat mir erzählt, dass du die Natur liebst.« Jane versuchte zu lachen und ihre Fassung wiederzugewinnen.

»Stimmt.« Kaum war Jane rechts rangefahren, auf den sandigen Rand der schattigen Landstraße, sprang Chloe auch schon zur Tür hinaus und stürzte sich ins Gebüsch. Die Gebrauchsanweisung für den Test lag auf dem Sitz, ein weißes Blatt Papier, vor lauter Eile weggeworfen. Janes Hände zitterten, als sie es ergriff und zu lesen begann.

Die gedruckten Worte verschwammen, genau wie ihre Gedanken. Sie dachte an ihre Mutter, die vermutlich gerade aus der Narkose erwachte. Sylvie würde außer sich sein, weil Jane nicht da war, gerade jetzt, wo ihre Mutter Beistand brauchte. Sie dachte an Chloes Familie – ihre Adoptiveltern –, die sich möglicherweise Sorgen machten, wo sie stecken mochte. Sie hoffte, Betty Lou hatte die Situation nicht missverstanden und gedacht, Chloe sei bedroht oder entführt worden, weil sie so geduckt auf dem Sitz gesessen hatte …

Vor allem aber dachte sie an Chloe. Sie stellte sich vor, wie es war, wenn man beim falschen Namen genannt und dazu verleitet wurde, einen Bach zu überqueren. Chloe hatte Nein sagen wollen, dessen war sie sich sicher. Sie war so jung und war überzeugt davon gewesen, ihn zu lieben.

Grauzone … Jane konnte gut nachfühlen, was sie durchgemacht hatte. Sie las die Gebrauchsanweisung, ihre Handflächen waren klamm. Die Fensterscheibe im Wagen war heruntergekurbelt; sie hörte einen Pirol in den Bäumen singen.

Gleich darauf vernahm sie Chloes Schritte. Die Autotür wurde geöffnet, dann geschlossen.

»Ich hätte Servietten mitnehmen sollen«, sagte Chloe, das weiße Stäbchen in der Hand.

»Ich wünschte, ich hätte Papiertücher dabei.«

»Ist schon in Ordnung.«

Jane holte tief Luft, schüttelte den Kopf.

»Rosa Ring für positiv, weißer Ring für negativ.« Chloe starrte das Stäbchen an.

»Wie lange dauert es?«, fragte Jane, obwohl sie die Gebrauchsanweisung gelesen hatte.

»Drei Minuten. Dann weiß ich, was los ist …«

Jane konnte nicht hinschauen. Sie saß wie auf heißen Kohlen. Die Jahre fielen von ihr ab. Sie erinnerte sich, wie sie in der Planned Parenthood Clinic in Providence gesessen und auf das Ergebnis der Urinprobe gewartet hatte, die sie gerade in einem Plastikbecher abgegeben hatte. Nun bohrte sie genau wie damals ihre Fingernägel in die Handflächen, so heftig, dass sie halbmondförmige Kerben in der Haut hinterließen.

Sie wusste, was sie sich wünschen sollte. Chloe war erst fünfzehn, fünf Jahre jünger als Jane damals. Sie hatte das Leben noch vor sich. Sie hatte Hoffnungen, Träume, ehrgeizige Ziele und Pläne, die der Verwirklichung harrten. Jane konnte sich nur wünschen, dass der weiße Ring erschien, dann würde sie Chloe nach Hause fahren und nicht mehr behelligen, damit sie ihr Leben ungehindert fortsetzen konnte.

Vielleicht war das alles eine Feuerprobe – wichtiger als die Frage, weißer Ring – rosa Ring. Ein Zeichen für Jane, dass

Chloe mit fünfzehn ein eigenes Leben und eine Familie hatte, dass es besser war, sie in Ruhe zu lassen und ein für alle Mal von der Bildfläche zu verschwinden.
»Egal was passiert«, sagte Chloe mit Blick auf das Stäbchen. »Ich werde nicht zulassen, dass aus dir ein Stern auf dem Dachboden wird.«
»Ein was?«
»Ein Stern auf dem Dachboden. Ein erloschener Stern – das Gegenteil von lebenden Sternen in den Bäumen. Neulich hatte ich einen schlimmen Traum. Ich war ein Stern, vom Himmel gefallen, und meine leibliche Mutter hat mich auf dem Dachboden verstaut, hat mich abgeschoben …«
»Warum hat sie das getan?«, flüsterte Jane entsetzt.
Chloe wandte den Blick von dem Stäbchen ab, blinzelte. »Weil ich ihr nichts bedeutet habe.«
»Das stimmt nicht«, sagte Jane. Als sie Chloes verwunderten Blick bemerkte, fügte sie hinzu: »Das kann ich mir nicht vorstellen.«
»Egal«, sagte Chloe. »Das ist schon lange her.«
Die Worte hingen in der Luft. Janes Nerven lagen blank. Sie hatte das dringende Bedürfnis, Chloe die Wahrheit zu sagen, auf der Stelle. Sie wollte ihr erklären, wie es wirklich gewesen war, dass sie mehr war als ein Stern auf dem Dachboden – sie bedeutete ihr mehr als eine Galaxie, als das ganze Firmament. Es fiel ihr unendlich schwer, ihre Zunge im Zaum zu halten, aber sie sagte sich, dass dies nicht der richtige Zeitpunkt war, dass Chloe zuerst die nächsten eineinhalb Minuten durchstehen musste.
Dann würde sie ihr die Wahrheit sagen.
Das würde die Atmosphäre bereinigen. Wenn sie Chloe die Wahrheit gesagt hatte, konnte sie auch Dylan ihre Identität offenbaren. Sie berührte das silberne Medaillon; es würde eine Erleichterung sein, der Heimlichtuerei ein Ende zu setzen. Sie

würde diese beiden Menschen nicht mehr belügen müssen, die sie endlich kennen – und lieben – gelernt hatte.
Denn Jane war nicht länger in das Bild vernarrt, das sie sich von Chloe gemacht hatte – von ihrer unbekannten Tochter –, sondern in das Mädchen aus Fleisch und Blut. Sie liebte ihre direkte Art, ihre wachen blauen Augen, ihre Schlagfertigkeit, ihren Humor, ihre Loyalität gegenüber Mona, ihr Engagement für die Natur und die Plantage, ihre Vorstellung von den Sternen. Jane betrachtete Chloes Hände – die gleiche Form wie ihre eigenen, die ihrer Schwester und ihrer Mutter – und wurde von einer Woge der Liebe erfasst, die nicht den geringsten Sinn und gleichzeitig allen Sinn der Welt machte.
»Oh!«, rief Chloe aufgeregt und hielt das Stäbchen näher vor die Augen.
»Was ist?« Jane ließ das Medaillon los.
»Es hat nicht einmal drei Minuten gedauert.« Die Aufregung in Chloes Stimme schwand und sie klang völlig erledigt.
»Was zeigt es an?« Jane packte Chloes Handgelenk und drehte es, damit sie das Testergebnis sehen konnte: der weiße Ring.

20

Die Schule war aus, der Sommer hatte offiziell Einzug gehalten und der Stand war geöffnet, hatte seine Geschäftstätigkeit aufgenommen – ohne das Delfin-Transparent. Chloe und Mona saßen auf Hockern, mit Sonnenhut und dunkler Sonnenbrille bewaffnet. Sie taten, als wären sie Filmstars, die Werbung für die Apfelbranche machten. Mona hatte eine Auswahl an Nagellacken aus Betty Lous Bestand mitgebracht, so dass sie die Zehennägel in verschiedenen Farben lackieren konnten.

»Die bringt dich um!«, sagte Chloe und fächelte sich den rechten Fuß, damit ihre Zehennägel in Braunrot, Blaurot, Scharlachrot, Weißer Tiger, Hyazinthe und Feuerrot trocknen konnten.

»Quatsch, die Farben sind veraltet. Sie ist immer auf den neuesten Schrei bedacht. Seit sie Dad auf Geschäftsreise nach Los Angeles begleiten durfte, benutzt sie nur Jessica Colours … so französisch, mit ›ou‹ geschrieben. Die hier hat sie ausgemustert.«

»Jessica Colours?«

»Oh, die Lacke stammen aus einem affenstarken Nagelstudio, das alle Stars aufsuchen. Sie natürlich auch, und dort hat sie Nancy Reagan gesehen. Man hätte meinen können, die beiden wären Busenfreundinnen. Aber genug davon, seit WOCHEN versuche ich, etwas aus dir herauszubringen, also spann mich nicht länger auf die FOLTER – warst du das, die sie im Krankenhaus gesehen hat?«

Chloe kniff die Augen zusammen, betrachtete ihre vielfarbigen Zehen im mit Schatten gesprenkelten Sonnenlicht.

»Jetzt mach endlich den Mund auf! Sonst verliere ich noch den Verstand.« Mona kippte ein geöffnetes Fläschchen Magic Mauve um, als sie sich vorbeugte, um Chloe zu umarmen. »Leidest du an einer tödlichen Krankheit? Meine Mutter hat mir nie erzählt, dass sie krank war, und solltest du mir das Gleiche antun, werde ich dir das niemals verzeihen.«
»Ach, Mona – es tut mir Leid«, sagte Chloe und erwiderte die Umarmung. Plötzlich hatte sie ein schlechtes Gewissen, weil sie Mona Kummer gemacht hatte. »Ich bin nicht krank. Es geht mir prima.«
»Aber du *warst* krank, oder?« Mona nahm ihre überdimensionale Sonnenbrille ab, unter der ihre normale Brille zum Vorschein kam. Ihr Haar, inzwischen noch kürzer geschnitten, hatte Millionen Stufen der unterschiedlichsten Länge. »Was hast du dort gemacht?«
»Ich möchte es dir ja sagen.« Chloe verspürte immer noch einen Anflug von Scham. »Aber irgendwie …«
»Was immer es auch sein mag, ich tratsche es nicht weiter.«
»Das weiß ich. Ich vertraue dir, Mona. Aber ich möchte nicht, dass du schlecht von mir denkst. Es geht um Zeke …«
»Er ist in Ungnade gefallen, stimmt's?«
»Stimmt. Er … und ich … ich dachte, ich wäre schwanger.«
»O Chloe!«
Sie sah die Bestürzung in Monas Augen, gefolgt von Sorge.
»Ich bin's nicht – keine Angst. Ich hätte es dir gesagt, aber irgendwie konnte ich nicht. Ich bin bis Twin Rivers gefahren, um niemandem zu begegnen, den ich kenne.«
»Mit wem warst du beisammen, als Betty Lou dich gesehen hat?«
»Mit Jane.«
»Der Kuchenlady?«
Chloe nickte. Es klang seltsam, wenn Mona sie so nannte. Ob-

wohl Jane anfangs für beide nur die Kuchenlady gewesen war – oder? Chloe hatte sie auf Anhieb gemocht, und nun würde sie nie mehr vergessen, wie sie in Janes Auto gesessen und mit klopfendem Herzen auf den weißen Ring gewartet hatte.

»Wieso mit ihr?«

»Sie hat jemanden in dem Krankenhaus besucht, in dem ich den Test gekauft habe. Und sie hat mich gesehen.«

»Twin Rivers ist nicht besonders weit entfernt«, schalt Mona sie. »Du musstest damit rechnen, Bekannten über den Weg zu laufen. Du hättest mir Bescheid sagen sollen – dann wären wir zusammen per Anhalter nach Providence gefahren.«

»Es hat ja auch so geklappt. Jane hat mich mit dem Auto mitgenommen. Sie ist wirklich nett ...«

»Ich weiß, aber hattest du keine Angst, dass sie dich bei deinem Onkel verpetzt?«

Chloe schüttelte den Kopf. Sie hätte nicht sagen können, warum, aber sie war fest davon überzeugt, dass sie Jane vertrauen konnte. Dass sie ihr Geheimnis bewahren würde, ungeachtet dessen, was sie mit Onkel Dylan verband.

»Betty Lou wollte schon deine Mutter anrufen. Sie war hin und weg vor lauter mütterlichem Pflichtgefühl – du weißt ja, wie gerne sie Mitglied im CSM wäre: im Club der Supermamis. Sie wollte deiner Mutter die Ohren voll jammern, wie schrecklich es ist, einen Teenager großzuziehen, nach dem Motto, geteiltes Leid ist halbes Leid. Ich habe dir natürlich aus der Patsche geholfen.«

»Was hast du gesagt?«

»Dass du wegen deiner Dialyse ins Krankenhaus musstest.«

»Mona!«

»Was hätte ich denn sonst sagen sollen? Sie war fest entschlossen, mit deiner Mutter zu telefonieren. Und glaube mir, das war keine leere Drohung. Sie war geladen und *wollte* dir

Scherereien machen. Der Hautarzt hat nämlich ihre Botox-Behandlung vermasselt.«
»O nein – wie das?«
»Das Zeug ist in die Augenlider gelaufen. Sie sah aus wie Marlon Brando in *Der Pate* – weißt du noch, bei dem waren die Augen so geschwollen, dass er sie kaum aufmachen konnte! Zum Glück hat der Doktor keinen bleibenden Schaden angerichtet. Ich kann nicht glauben, dass du mit Zeke geschlafen und mir kein Sterbenswort verraten hast. Wo habt ihr es gemacht und wie war es?«
Chloe schauderte.
»Kannst du es mir immer noch nicht erzählen?«
Chloe schüttelte den Kopf.
»Du meinst, ich bin von uns beiden als Einzige noch Jungfrau?«
Chloe versuchte sich ein Lächeln abzuringen, was ihr misslang.
»Hat es wehgetan?«
Chloe nickte. »Sehr.«
»Hast du deshalb mit ihm Schluss gemacht?«
»Das war nur ein Grund von vielen«, sagte Chloe. Dann berichtete sie Mona von dem Zoe-Chloe-Debakel, der Bachüberquerung und der Tatsache, dass sie nicht ganz freiwillig mitgemacht hatte, und Mona schnappte nach Luft, schrie auf und verstummte.
»Vergewaltiger«, sagte sie nach einer Weile.
»Ganz so war es nicht. Anfangs habe ich ihn gewähren lassen. Ich war unsicher, was den Zeitpunkt betraf. Ich habe mitgemacht, war aber nicht bereit, aufs Ganze zu gehen. Es war eine Art Grauzone.«
»Warum? Er verdient es, in den Knast zu wandern!«, rief Mona, und Chloe stellte sich das Adult Correctional Institute vor, eine »Besserungsanstalt« aus imposantem rotem Back-

stein, von mehreren Stacheldrahtzäunen umgeben, die über der Interstate 95 in Cranston aufragte.
»Nein«, erwiderte Chloe ruhig, aber sie erinnerte sich, wie die abgebrochenen Zweige ihren Rücken zerkratzt hatten, als sie auf der harten kalten Erde lag.
Kaum hatte sie das Wort ausgesprochen, sprang Mona von ihrem Hocker auf und kramte unter dem Regal mit den Pasteten. Gleich darauf zog sie das blaue Transparent hervor. Sie rollte es auseinander und betrachtete den schönen Delfin aus Filz, den Chloe aufgeklebt hatte. Mona schraubte den Verschluss von einer purpurroten Nagellackflasche und begann, das Transparent zu bemalen.
»Was machst du da?«
»Er hat behauptet, dass Delfine Haie fern halten«, sagte Mona und pinselte an der Schwanzflosse. »Aber ich würde Haus und Hof verwetten, dass der Hai Sieger bleibt.«
»Stimmt«, erwiderte Chloe angestachelt und öffnete einen knallroten Nagellack, mit dem sie messerscharfe Zähne malte. Sie liebte Tiere – alle Tiere gleichermaßen. Sie zuckte nie beim Anblick von Schlangen, Hundertfüßlern, Mäusen oder Spinnen zurück. Am Strand fand sie die Quallen genauso schön wie die niedlichen Elritzen. Und deshalb erkor sie mit Hilfe ihrer besten Freundin den von vielen verteufelten Hai als Schutzgeist, um Zeke und seine Delfine fern zu halten …
»Ich finde trotzdem, dass du auf mich hören und ihn anzeigen solltest«, sagte Mona.
»Mmmm.« Wenn Chloe das tat, würden alle davon erfahren. Ihre Eltern, Onkel Dylan, viele Leute. So waren nur Mona und Jane eingeweiht.
»Übrigens, weshalb war sie überhaupt dort?«
»Wer?«
»Jane. Wen hat sie an diesem Tag im Krankenhaus besucht?«

Chloe hatte eine Reihe Furcht erregender Zähne gemalt, doch plötzlich hielt sie inne, wobei Nagellack heruntertropfte. Sie bemerkte es nicht. Wie selbstsüchtig war sie gewesen! Da begegnete sie Jane im Twin Rivers Hospital, genau im richtigen Moment, als hätte der Himmel sie geschickt, und sie hatte sich nicht einmal erkundigt, was sie dort machte!
»Keine Ahnung.« Chloe sah Mona eindringlich an. »Ich habe vergessen, sie zu fragen.«

Andere Tests waren ebenfalls negativ verlaufen.
Jane und Sylvie saßen am Bett ihrer Mutter, umgeben von Blumen, die sie in ihrem Garten gepflückt hatten. Eine Flasche zuckerfreier Apfelwein stand geöffnet auf dem Serviertisch neben drei Sektgläsern, die Jane von zu Hause mitgebracht hatte, um zu feiern, dass die geschwollenen Lymphknoten von einer Infektion verursacht worden waren, die mit dem Diabetes in Zusammenhang stand.
»Ich bin dem Tod noch einmal von der Schippe gesprungen«, sagte Margaret.
»Du bist unverwüstlich.« Jane schenkte ihr ein Glas Apfelwein ein.
»Zart, aber oho.« Sylvie lächelte.
Die drei Frauen hoben ihre Gläser und stießen miteinander an. »Zum Wohl«, sagte Jane. »Auf Moms Gesundheit.«
»Auf unser aller Gesundheit«, fügte Margaret hinzu und nippte. »Schmeckt köstlich. Wenn es nur richtiger wäre ...«
»Richtiger Champagner?«, meinte Sylvie.
»Ja. Dein Vater hatte zu eurer Geburt jedes Mal eine Flasche Piper-Heidsieck in die Klinik geschmuggelt.«
Sylvie ließ das Glas sinken. Sie blickte Jane an, die eine Spur blasser geworden war.
»Was hat er sich denn dabei gedacht?«, fragte Jane.
Ihre Mutter lachte. Sie sah besser aus als seit Wochen: Die

Ärzte hatten die Medikamente neu eingestellt und die Physiotherapeutin war gekommen, um mit ihr zu arbeiten. Sie erhielt zusätzlich Elektrolyte und Vitamine, und durch das Interesse, das sie am Personal bezeugte – typisch Rektorin –, zog sie die jungen Krankenschwestern und Pfleger an wie ein Magnet. Sie widmeten ihr besonders viel Aufmerksamkeit.

»Du meinst, weil er damit gegen die Regeln der Klinik verstoßen hat?«, fragte sie.

»Nein. Ich meine, wieso er zuerst unsere Geburt gefeiert hat und dann wie vom Erdboden verschwunden war.«

»Jane«, sagte Sylvie warnend.

Margarets Lächeln verblasste. »Ach, Kind … ich wünschte, ich wüsste darauf eine Antwort. Ich habe mir diese Frage Millionen Mal gestellt.«

»Er muss doch glücklich gewesen sein, uns zu haben«, ließ sich Jane vernehmen. »Zumindest ein bisschen – schließlich hat er Champagner gekauft. Was ist geschehen?«

»Kind«, sagte ihre Mutter und nippte an ihrem Apfelwein. »Du weißt, dass manche Menschen keine Kinder haben sollten. Der Zeitpunkt ist nicht der richtige, oder sie sind damit überfordert. Dein Vater …«

Sylvie beobachtete Jane. Ihre Miene konnte nur als »bedrohlich« beschrieben werden. Ihr Blick war finster, die Augen verdunkelten sich, ein Sturm braute sich in ihrem Inneren zusammen, als ihr bewusst wurde, dass ihre Mutter sie mit ihrem Vater auf eine Stufe stellte. Doch dann runzelte sie lediglich die Stirn und schüttelte die Bedeutung der Worte ab, als fielen sie nicht länger ins Gewicht. Sie hatten schon so viele Gespräche über ihren Vater geführt, ohne dass etwas dabei herausgekommen war. Und daran würde sich auch in Zukunft nichts ändern.

In ebendiesem Augenblick betrat eine Gruppe von Ärzten den Raum. Dr. Becker machte Visite, mit Assistenzärzten und

Praktikanten von der Brown Medical School im Schlepptau, die sich um das Bett herum verteilten. Sie lächelten beim Anblick der kleinen Familienfeier, dann vertieften sie sich in eine Fachsimpelei über Diabetes und Hüftfrakturen und welche Glanzleistungen sie bei Margaret Porter vollbracht hatten.

Sylvie und Jane gingen auf den Flur hinaus. In der letzten Woche war so viel geschehen, dass Sylvie nahe daran war, den Überblick zu verlieren. Sie hatte in Zusammenarbeit mit der Reha-Abteilung versucht, einen vernünftigen Pflegeplan für die Zeit nach Margarets Entlassung aufzustellen. In der Zwischenzeit hatte sie das Schlafzimmer ihrer Mutter vom Fußboden bis zur Decke geputzt, das Bettzeug gelüftet und sämtliche Bücher abgestaubt.

John hatte ihr dabei geholfen. Er verbot Sylvie, schwer zu heben, und hatte allein die Sprungfedermatratze hochgehievt und umgedreht. Er war ihr auch beim Bohnern des Fußbodens zur Hand gegangen. Immer wieder hatte er die Sprache auf die Sommerferien gebracht. Er ging gerne zum Kajakfahren und Zelten, und er hatte Sylvie gefragt, ob sie ihn nicht nach Maine begleiten wollte. Er dachte, es würde ihr Spaß machen – dort kannte er ein entlegenes Fleckchen Erde, wo oft Elche und Weißkopf-Seeadler gesichtet wurden.

Sylvie hatte Anstalten gemacht, ihm zu erklären, dass sie nicht wegkonnte, dass sie bei ihrer Mutter bleiben musste. Aber sie hatte es sein lassen und einfach geantwortet: »Vielleicht.«

»Was sollen wir jetzt machen?«, fragte sie Jane, als sie nun im Gang warteten.

»Uns freuen.« Jane lächelte und küsste sie. »Wir sollten uns über alle Maßen freuen, dass Mom wieder gesund wird.«

Sylvie lächelte zurück, sah ihre Schwester an. Jane schien neuerdings vor Lebensfreude zu strotzen. Genauer gesagt, seit dem Tag im Krankenhaus, als Dr. Becker ihnen mit der

Möglichkeit einer bösartigen Lymphknotengeschwulst einen Schrecken eingejagt hatte. Jane war danach verschwunden – stundenlang –, ohne Erklärung.
Und nach ihrer Rückkehr schien sie ... glücklich zu sein, beschwingt, als wollte sie es mit der ganzen Welt aufnehmen.
Selbst jetzt sprühten ihre Augen, als sie Abby Goodheart beobachtete, die Sozialarbeiterin der Klinik, die sich ihnen näherte. Hoch gewachsen und leutselig, mit rundem Gesicht und einem langen graublonden Zopf begrüßte sie die Schwestern mit einem Lächeln.
»Wie geht es Ihnen beiden?«, erkundigte sie sich.
»Gut, Abby«, sagte Sylvie.
»Feiern Sie die gute Neuigkeit, die Ihre Mutter erhalten hat?«
»Ja. Wir sind ungemein erleichtert«, sagte Jane. »Vielen Dank für alles.«
»Keine Ursache.« Abbys Funkrufempfänger piepte; sie warf einen prüfenden Blick auf die Nummer, dann wandte sie sich wieder an Sylvie und Jane. »Ich dachte, wir könnten uns kurz unterhalten, wie es mit Ihrer Mutter nach der Entlassung aus der Klinik weitergehen soll.«
»Entlassung? Aber sie hat eine gebrochene Hüfte«, warf Jane ein. »Sie kann sich doch kaum bewegen ...«
»Und die Ärzte bekommen gerade erst ihren Diabetes unter Kontrolle«, fügte Sylvie hinzu, einer Panik nahe. Sie genoss die Befreiung von der häuslichen Pflege, auch wenn sie es nie zugegeben hätte. Das Wissen, dass sich Margaret in guten Händen befand, hatte Sylvie ein paar Nächte geschenkt, in denen sie ungestört durchschlafen konnte.
»Die Klinik kann sie nicht mehr lange behalten«, klärte Abby sie auf. »Da es für solche Fälle professionelle Pflegeheime gibt, sind uns die Hände gebunden. Wenn die Ergebnisse der ärztlichen Untersuchungen über ihren menta-

len Zustand vorliegen, muss eine Entscheidung über die weitere Unterbringung getroffen werden.«
Schweigen trat ein, und Sylvie traute sich kaum, Jane anzublicken. Sie hatte Angst, dass ihre Schwester ihr an den Augen ablesen konnte, dass sie in ihrem Entschluss wankend wurde. Sylvie war die Hüterin des Feuers gewesen. Während Jane in New York lebte, geflüchtet war vor der Vergangenheit und ihren Problemen, hatte sie in Rhode Island ausgeharrt, bei ihrer Mutter. Doch im Moment konnte Sylvie nur an eine kalte sternenklare Nacht, an ein Lagerfeuer und an John denken.
»Das ist hart«, sagte Abby. »Ich weiß. Viele Familien haben mit der Entscheidung gerungen, welche Lösung die beste ist … Sie könnten in Erwägung ziehen, Ihre Mutter zeitweilig in einem Pflegeheim unterzubringen. Nur damit sie fürs Erste eine zusätzliche medizinische Betreuung erhält und alle die Gelegenheit haben, sich über den nächsten Schritt klar zu werden.«
»Ich kann mir nicht vorstellen, dass sie mit einer zeitweiligen Unterbringung einverstanden wäre«, sagte Sylvie. »Sie wird Angst haben, dass sie nie wieder herauskommt.«
»Sie werden feststellen, dass es in solchen Heimen gar nicht so übel ist«, gab Abby zu bedenken. »Ich arbeite mit einigen zusammen und kann für alle meine Hand ins Feuer legen. Die Räume sind hell, tipptopp, modern, das Personal ist freundlich und jung, und es werden zahlreiche Aktivitäten geboten.«
»Wie in der Schule«, sagte Jane gedankenverloren.
»Die Ähnlichkeit ist groß. Es würde mich überraschen, wenn es Ihrer Mutter dort nicht gefällt. Sie ist gesellig, hilfsbereit – vielleicht haben Sie bemerkt, dass die Schwestern gerne auf einen Sprung bei ihr vorbeischauen, um mit ihr zu plaudern. Sie hat für alle ein offenes Ohr und hilft ihnen, Probleme zu erkennen und zu lösen.«

»Davon versteht sie etwas«, sagte Jane mit einem leisen Hauch Ironie. Doch als Sylvie sie anblickte, lächelte Jane, als sei der alte Groll vergessen oder vergeben, zumindest während dieser Krise.
»Ich würde Ihnen Cherry Vale oder Marsh Glen empfehlen«, sagte Abby und schrieb die Namen auf eine Karte.
»Unsere Großmutter war im Marsh Glen«, sagte Jane.
»Wie fanden Sie es?«
»Es war … sehr anstaltsmäßig. Und sie war viel älter als unsere Mutter, als sie ins Heim kam.«
»Sie werden feststellen, dass dort in der Zwischenzeit einiges verbessert wurde«, erklärte Abby. »Unsere Generation kommt selbst in die Jahre, und wir legen Wert auf eine optimale Betreuung für unsere Eltern.«
»Marsh Glen ist weit weg«, warf Sylvie ein. »Die Fahrt dauerte viel zu lange.« Addy nickte mitfühlend. »Sie müssen sich ja nicht gleich heute entscheiden, aber ich fürchte, wir brauchen bis Montag einen Pflegeplan.« Sie schüttelte den Schwestern zum Abschied die Hand und eilte davon, um sich auf dem Pieper zu melden.
»Cherry Vale und Marsh Glen«, sagte Jane. »Wie kommt es, dass die Namen dieser Heime alle gleich klingen? Idyllisch, heiter, wie ein unberührtes Fleckchen Erde in den Cotswolds.«
»Stimmt. Das gemütliche, kreuzfidele alte England, wie es leibt und lebt«, lachte Sylvie, erleichtert, dass Jane zum Scherzen aufgelegt war.
Janes Augen funkelten, als sie sich auf dem Gang nach rechts und links umsah, aber dann sah sie plötzlich wieder verunsichert und verletzlich aus. »Wir müssen eine Entscheidung treffen, was mit Mom geschehen soll. Auch wenn es nicht leicht fällt. Ich hasse den Gedanken, dass sie genau dort enden könnte, wo Granny war.«

»Ich dachte, du bist wild entschlossen, sie in ein Pflegeheim zu stecken.«

Jane schüttelte den Kopf. »Ins Marsh Vale oder Cherry Glen? Wie könnte ich? Ich denke, es ist am sinnvollsten und für Mom wahrscheinlich das Beste, aber der Gedanke fällt mir schwer. Wir könnten ein Krankenbett für zu Hause, für ihr Schlafzimmer anschaffen …«

»Und einen Rollstuhl und eine tragbare Toilette in ihrem Zimmer aufstellen. Aber wer soll sie heben? Mit ihrer gebrochenen Hüfte braucht sie allein schon zwei Leute, um sie aus dem Bett zu hieven.«

»Das schaffen wir schon. Wir sind stark.«

Waren die Rollen inzwischen vertauscht? Sylvie dachte an John, stellte sich vor, wie es sein würde, unter dem Sternenhimmel mit ihm zu zelten. Sie würden in einem Zelt schlafen, würden sich die ganze Nacht küssen. War es selbstsüchtig von ihr, wenn sie mehr vom Leben wollte?

»Was ist mit deinem Geschäft?«, fragte Sylvie. »Musst du nicht zurück?«

»Ich glaube nicht, Syl. Ich denke schon seit geraumer Zeit ziemlich oft darüber nach. Es gefällt mir hier. Ich habe Rhode Island vermisst. Was wäre, wenn ich hier eine Konditorei eröffne – vielleicht nicht in Twin Rivers, aber in Providence?«

»Das würdest du tun?«

Jane ergriff ihre Hände. Als Sylvie in ihre Augen blickte, sah sie, dass Janes Entschluss feststand. Sie würde bleiben. Sylvie hatte die Zeichen des Aufbruchs bei Jane zu erkennen gelernt: eine gewisse gefühlsmäßige Distanz, Abschottung. Doch in diesem Moment schien Jane fest verankert zu sein – mit Sylvies Händen, ihrer Heimat, ihrer Familie.

»Es ist mein größter Wunsch. Früher bin ich vor vielen Dingen davongelaufen, aber das ist jetzt nicht mehr nötig.«

»Du meinst es wirklich ernst? Dass wir beide zu Hause bleiben und uns Moms Pflege teilen sollen?«
Jane schüttelte den Kopf. Sie umarmte Sylvie, küsste ihre Wange. »Nein, ich glaube, das wäre nicht gut. Aber wir sollten beide in ihrer Nähe sein. Um sie sooft wie möglich zu besuchen, um sie abwechselnd in die Bibliothek oder zum Pädagogen-Dinner zu fahren und uns zu vergewissern, dass sie alles hat, was sie braucht.«
Sylvie klammerte sich an sie. Sie war so glücklich, dass Jane in Rhode Island bleiben wollte, dass sie beinahe, wenn auch nicht ganz, den Rest übersah. Tränen brannten in ihren Augen, Tränen der Freude und des Kummers zugleich.
»Sie wird dort todunglücklich sein«, sagte sie.
»Das wissen wir nicht. Wie Abby bereits sagte, hört es sich in beiden Heimen ähnlich an wie in der Schule.«
»Vielleicht könnten wir sie vorab in Augenschein nehmen … um zu sehen, ob sie besser sind als damals, zu Grannys Zeiten.«
»Genau«, pflichtete Jane ihr bei. »Wir sehen sie uns erst mal lediglich an.«
Sylvie nickte. Sie trocknete sich die Augen und lächelte. Schließlich gab es allen Grund zur Freude. Die Diagnose ihrer Mutter, die Rückkehr ihrer Schwester und der Urlaub mit John Dufour in Maine.
Wenn sich doch nur gewisse Dinge ändern und der Rest gleich bleiben könnten, dachte Sylvie. Wenn sich ihre Mutter doch nur selbst versorgen und in ihren eigenen vier Wänden bleiben könnte, dann wäre alles perfekt …

Cherry Vale und Marsh Glen befanden sich im Besitz ein und derselben Organisation, der Rainbow Healthcare, und waren sich in vieler Hinsicht ähnlich, wenn nicht gar austauschbar. Vom selben Architekten entworfen, lagen beide inmitten einer malerischen Landschaft, umgeben von einem erlesen gestalteten Garten mit Obstbäumen und gepflegten Blumenrabatten. Die Zimmer hatten große Fenster, die sich weit genug öffnen ließen, um frische Luft hereinzulassen, ohne dass die Insassen hinausfielen. Es waren in der Tat einige Verbesserungen vorgenommen worden und die Freizeitaktivitäten wurden generalstabsmäßig geplant, wie vom obersten Reiseleiter an Bord eines Kreuzfahrtschiffes. Die Ausstattung sah freundlicher aus.

»Wie Sie sehen, legen wir bei unseren Senioren großen Wert auf Individualität«, verkündete Rosalie Drance, die als Verwaltungsdirektorin im Cherry Vale für die Neuzugänge zuständig war, als sie Jane und Sylvie den Plan für die laufende Woche zeigte. »Wir bemühen uns, so weit wie möglich auf Hobbys und Interessen einzugehen. Wir haben ein breit gefächertes Freizeitprogramm, von ausländischen Filmen bis zum Line Dancing.«

»Tanzen?« Jane blickte sich in dem Aufenthaltsraum um, wo die meisten Heiminsassen in Rollstühlen saßen.

»Rollstühle sind für uns kein Hindernis«, lachte Rosalie. »Wir bringen die Leute dazu, sich zu bewegen, wie auch immer – wenn sie die Tanzschritte selbst ausführen können, prima. Wenn nicht, schieben wir sie im Rollstuhl.«

»Unsere Mutter ist nicht der Typ, der am Line Dancing Gefallen finden würde«, entgegnete Sylvie mit beherrschter Würde. »Sie war Schulleiterin; sie zieht stille Freizeitbeschäftigungen vor, wie Lesen oder Schreiben.«

Rosalie lächelte. »Wir zwingen niemanden … Kommen Sie, ich zeige Ihnen die Bibliothek.«

Jane folgte den beiden. Rosalie machte es einem schwer, die Vorzüge von Cherry Vale nicht zur Kenntnis zu nehmen, genau wie ihre Entsprechung im Marsh Glen. Das Sonnenlicht flimmerte auf den gewienerten Fußböden.

Kirschbäume wiegten sich im Wind. Im Schatten wurde Yoga-Unterricht erteilt; annähernd die Hälfte der Teilnehmer saß im Rollstuhl. Sie hätte gern gewusst, wie oft die Angehörigen zu Besuch kamen.
Die Bibliothek war nicht umfangreich, aber mehr als sorgfältig bestückt. Es gab Regale mit Romanen, sowohl klassische als auch moderne, Regale mit Sachbüchern, eine Auswahl von Nachschlagewerken.
»Sie sehen, wir haben sogar eine *Encyclopedia Britannica*«, sagte Rosalie.
»Mom hält Nachschlagewerke für einen Notbehelf, wenn man recherchieren muss«, sagte Sylvie. »Und als Bibliothekarin kann ich ihr nur beipflichten.«
»Wir begrüßen jeden individuellen Beitrag und versuchen, allen Bitten und Ansinnen gerecht zu werden. Gibt es bestimmte Bücher, die wir besorgen sollten?«
Sylvie verschränkte die Arme vor der Brust, die Augen fest geschlossen, als würde sie eine Bücherliste zusammenstellen und gleichzeitig versuchen, sich zurückzuhalten. Sowohl Jane als auch Rosalie beobachteten sie schweigend.
»Sylvie«, sagte Jane sanft nach einer Weile. »Mal ehrlich, was glaubst du, wie viele Recherchen Mom durchführen wird?«
»Es ist nur …« Sylvies Widerstand erlahmte. »Dieses Heim ist so behaglich, genau wie Cherry Vale …«
»Wir sind im Cherry Vale«, erinnerte Jane sie.
»Ich meinte, Marsh Glen; eigentlich sollte ich die beiden unterscheiden können, schließlich war Granny dort … aber hier geht es um unsere Mutter! Sie ist streng und brillant, und wie angenehm es hier auch sein mag, es ist nicht ihr Zuhause!«, schluchzte Sylvie.
Jane legte den Arm um sie, nickte Rosalie zu, die ungemein mitfühlend und keineswegs bestürzt wirkte. »Wir müssen darüber nachdenken«, sagte Jane.

»Natürlich«, erwiderte Rosalie. »Ich weiß, wie schwer eine Entscheidung letztlich ist, egal, wie oft ich Ortsbegehungen mit den Angehörigen durchführe.«
Die Schwestern gingen zum Auto und Sylvie sog die frische Luft ein, als könnte sie das erste Mal wieder frei durchatmen.
»Es tut mir Leid, dass ich die Fassung verloren habe«, sagte sie schniefend.
»Du hast es für uns beide getan.«
Sylvie trocknete sich die Augen und sah auf. »Du fühlst dich auch schlecht?«
Jane nickte. »Natürlich, was sonst.«
»Bist du sicher, dass du nicht den Wunsch hast, über ihr Leben zu bestimmen – so wie sie damals über dein Leben bestimmt hat?«
»So etwas zu sagen, ist schrecklich.«
Aber entsprach es nicht der Wahrheit? Und wenn auch nur ansatzweise? Nachdem Jane ein wenig Zeit mit Chloe verbracht hatte, war ihr klar geworden, wie sehr sie sich danach sehnte, häufiger, viel häufiger mit ihr zusammen zu sein.
»Ein Stern auf dem Dachboden«, sagte Jane und lehnte sich ans Auto, den Blick auf eine Frau gerichtet, die allein am Fenster des zweiten Stockwerks stand und die Kirschbäume betrachtete.
»Ein was?«
»Jemand, der niemandem mehr etwas bedeutet. Den man abschiebt – aus den Augen, aus dem Sinn …« Ihr Blick ruhte immer noch auf der Frau. Bekam sie jemals Besuch von ihrer Familie? Fühlte sie sich im Stich gelassen?
»Ob Mom es so sehen wird?«
Sylvie schien darüber nachzudenken, fand aber keine Antwort. Sie stiegen ein und Jane fuhr los. Von den beiden Heimen gefiel ihnen Cherry Vale besser, aber Jane hatte keine Lust, Sylvie ihren Grund zu erklären: Es befand sich am ande-

ren Ende von Crofton, und Chadwick Orchards lag auf dem Weg, wenn sie ihre Mutter besuchen wollte. Jane bog nun in ebendiesen Weg ein und Sylvie versteifte sich.

»Wohin fahren wir?«

Jane antwortete nicht. Die Äste in den Kronen der Ahornbäume waren miteinander verflochten, bildeten ein grünes schattiges Dach über der Straße. Hirsche grasten am Straßenrand, ungeachtet des Verkehrs. Hier begann die Plantage, Apfelbäume bedeckten die Hügel und Janes Herz schlug schneller. Als sie sich dem Stand näherten, sah Jane, dass Chloe neue Schilder hinzugefügt hatte. Wie Äpfel geformt und rot angestrichen, waren sie im Abstand von ungefähr fünfzehn Metern aufgestellt. Wenn man sie fortlaufend las, bildeten sie einen Werbespruch:

Ein Apfel
Am Tag
Ersetzt den Doktor
Genau wie
Apfelpasteten
Von Calamity Jane

Sylvie beugte sich vor, um die Schilder zu lesen.

»Großer Gott.«

»Sind sie nicht hübsch?«

»Wir sind dabei, die wichtigste Entscheidung im Leben unserer Mutter zu treffen und du hängst der *Vergangenheit* nach?«

»Sie gehört nicht zur Vergangenheit.«

»Tu es nicht«, sagte Sylvie, als der Stand in Sicht kam und Jane zu hupen begann. Chloe und Mona sprangen vom Hocker, winkten wie verrückt. Jane ging das Herz über vor Stolz, selbst als sich Sylvie an den Autositz klammerte – als befände sie sich auf dem höchsten Punkt einer Angst ein-

flößenden Achterbahnfahrt und könnte jeden Moment in die Tiefe stürzen.
»Zu spät«, sagte Jane. »Sie haben uns gesehen.«
Sylvie saß reglos da und starrte Chloe an, als wäre sie vom Scheinwerferlicht geblendet. »Sie sieht genauso aus wie du«, flüsterte sie. Einen Moment lang hatte Jane das Gefühl, dass ihre Schwester das Mädchen nicht zum ersten Mal sah.
»Komm, ich stell dir deine Nichte vor«, sagte Jane.
Chloe und Mona liefen um den Stand herum, lächelten strahlend wie ein Empfangskomitee.
»Hast du die neuen Schilder gesehen?«, fragte Chloe.
»Sie sind fantastisch«, sagte Jane. Sie blickte zu dem blauen Transparent mit dem verwandelten Delfin empor. »Und der Hai gefällt mir.«
»Du bist die Einzige, die weiß, was es damit auf sich hat – außer Mona natürlich.«
»Ja, Zeke ist ein Hai, der sich als Delfin getarnt hat«, lachte Mona.
»Ich würde ihn mir gerne vorknöpfen«, meinte Jane.
Sie standen dicht beisammen, ein eingeschworenes, lächelndes Trio. Jane drehte sich um, stolz und glücklich. Sylvie stand am Rand, betrachtete Chloe. Jane ergriff ihre Hand und zog sie in den Kreis.
»Mädels, das ist meine Schwester Sylvie. Sylvie, darf ich dir Chloe und Mona vorstellen?«
»Oh, deine Schwester macht die besten Apfelpasteten der Welt«, sagte Chloe.
Sylvie stand steif da, als sei sie dazu verurteilt, eine Rolle zu spielen, ohne den Text zu kennen. Sie lächelte schwach, während sie Jane einen flüchtigen Blick zuwarf. »Stimmt.«
»Bis zum Labor Day im September werden wir beide massiv übergewichtig sein«, sagte Mona und deutete auf eine leere Pastetenhülle auf dem Verkaufstresen.

»Ja, wir konnten nicht widerstehen«, meinte Chloe. »Jane, wir verschlingen den ganzen Gewinn.«
»Zerbrecht euch darüber nicht den Kopf. Bei der nächsten Lieferung bekommt ihr zwei zusätzliche Pasteten, mit euren Namen darauf.«
»Das kann sie wirklich«, erklärte Sylvie. »Den Namen der Kunden aus Pastenteig formen.«
»Oder Symbole finden, die perfekt passen und nur sie verstehen«, fügte Chloe hinzu. »Vor ein paar Wochen, als wir dachten, Zeke sei in Ordnung, hat sie eine Pastete mit einem Delfin verziert. Normalerweise besteht unsere Dekoration aus Äpfeln und Apfelblüten ... aber letzte Woche waren es plötzlich ein Haufen Sterne.«
»Am besten gefiel mir die Pastete mit dem Haus«, sagte Mona. »Und dem Stern im Giebelfenster.«
»Ein Stern auf dem Dachboden?«, fragte Sylvie.
Chloe schnappte nach Luft. »Woher kennst du meinen Traum?«
»Ich habe ihr davon erzählt«, gestand Jane.
Sie blickten sich an. Jane sah, wie Chloes kleine graue Zellen arbeiteten, als ihr bewusst wurde, dass die Bekanntschaft Jane genug bedeutete, um ihrer Schwester davon zu erzählen. Wenn Chloe wüsste, dass sie ihre Gefühle kaum zu zügeln vermochte, während sie verfolgte, wie sich ihre Schwester und ihre Tochter miteinander bekannt machten. Ihre Haut prickelte wie im Fieber. Sie brannte darauf, die Wahrheit zu sagen, Chloe wissen zu lassen, dass Sylvie ihre Tante war.
»Ein schönes Bild«, lobte Sylvie. »Sehr fantasievoll. Ich wette, deine Lehrer sind begeistert von dir.«
Chloe schnaubte. »Würde ich mir auch wünschen, aber Fehlanzeige. Meine Biologielehrerin kann mich nicht leiden, weil ich mich geweigert habe, Frösche zu zerlegen, und meine Englischlehrerin hält mich für geistig minderbemittelt, weil

ich mir Charles Dickens als Thema für meine Trimester-Hausarbeit ausgesucht und eine Studie durchgeführt habe: Die Waisenhäuser in England während des Viktorianischen Zeitalters, verglichen mit den so genannten »*Animal Control*«-Einrichtungen im modernen Amerika – beide sind barbarisch!«

»Ja, Chloe setzt sich für den Tierschutz ein und wir interessieren uns beide für Literatur über Waisenhäuser«, vertraute Mona ihnen an. Janes Magen verkrampfte sich.

»Wieso das?«, fragte Sylvie.

»Meine Mutter ist tot und Chloe wurde von ihrer leiblichen Mutter abgeschoben.«

Sylvie schwieg. Sie hatte die Hände vor dem Körper verschränkt, wie eine Lehrerin, die vor ihrer Klasse steht und mit dem Unterricht beginnen will. Jane hatte einen Kloß im Hals. Sie räusperte sich und wandte den Blick ab, wünschte sich, sie könnte Chloe erzählen, was sie wirklich empfunden hatte … aber das war unnötig. Sylvie nahm ihr die Aufgabe ab.

»Ich kenne eine Frau, die ihr Baby zur Adoption freigegeben hat«, sagte Sylvie ruhig. »Es war die schlimmste Entscheidung ihres ganzen Lebens. Und obwohl ich nicht in all ihre Gedanken eingeweiht war, weiß ich eines: Sie hätte ihr Kind nie *abgeschoben*. Niemals. Eines habe ich während meiner Zeit als Schulbibliothekarin gelernt: Es kommt oft vor, dass der Schein trügt. Die Literatur ist ein Mittel, um uns das vor Augen zu führen.«

»Der Schein trügt«, wiederholte Chloe. »Du meinst …«

»Ich meine, sie hat dich vielleicht nicht freiwillig hergegeben.«

»Sie könnte dazu gezwungen worden sein«, ergänzte Chloe.

Sylvie nickte. »Rein theoretisch wäre das möglich.« Jane hielt sich zurück. Sylvies Stimme war klar und unmissverständlich, wie die einer Schulleiterin. Beide Mädchen hörten aufmerksam zu und Jane spürte, wie Tränen in ihre Augen stiegen.

»Adoptionen sind immer mit so viel Geheimniskrämerei verbunden«, sagte Mona. »Keiner weiß, wer die leiblichen Eltern sind, warum sie die Entscheidung getroffen haben oder wo sie jetzt leben. Verglichen mit anderen Geschichten, meine ich. Mit meiner, zum Beispiel. Meine Mutter wurde krank; sie starb; mein Vater heiratete eine Hexe.«

»Es wäre schön für mich, zu wissen, dass sie mich nicht freiwillig weggegeben hat.« Chloe sah Sylvie an, als hätte Mona kein Wort gesagt.

»Du solltest die Möglichkeit in Betracht ziehen, dass sie lieber sterben würde, als dich in dem Glauben zu lassen, sie hätte dich ›auf den Dachboden abgeschoben‹«, sagte Sylvie mit derselben Stimme, die wie die eines Gelehrten klang. »Obwohl ich dir zu der literarischen Metapher gratulieren muss. Der Dachboden ist eine Rumpelkammer für Dinge, die man nicht mehr braucht. Ich glaube nicht, dass deine leibliche Mutter dich dorthin verbannt hätte.«

»Jane, du hast eine coole Schwester«, sagte Chloe. Jane hatte ihr den Rücken zugewandt, um zu verbergen, wie nahe ihr Sylvies Worte und Unterstützung gingen. »Sie versteht, was ich meine.«

»Ja, das tut sie«, sagte Jane, als sie wieder in der Lage war, sich umzudrehen. »Sie versteht alles.«

21

Sollen wir vor oder nach dem Besuch bei deiner Mutter essen gehen?«, fragte John Sylvie, als sie zum Krankenhaus fuhren.

Sie blickte gedankenverloren aus dem Fenster. Ihr Herz klopfte noch immer. Sie hatte die Tochter ihrer Schwester kennen gelernt – ihre Nichte! Sie sah zu John hinüber und überlegte, was er wohl von der ganzen Geschichte halten würde.

»Einen Penny für deine Gedanken«, sagte er.

»Ich dachte gerade an meine Schwester.«

»Jane. Das schwarze Schaf in deiner Familie.«

Sylvie sah ihn an. »So habe ich sie nie genannt.«

»Das war nicht nötig. Ich weiß es auch so. Du hast deine Stellung aufgegeben, um die Pflege deiner Mutter zu übernehmen; deine Schwester hat hin und wieder angerufen, ist aber nie nach Hause gekommen … Du hast immer von ihr erzählt, dass sie in New York wohnt, und es klang so, als würde sie dort ein aufregendes, risikoreiches, nachgerade gefährliches Leben führen.«

»Wirklich?«

»Ja. Wirklich. Als ich ihr zum ersten Mal begegnete, wurde mir alles klar.«

»Was wurde dir klar?« Sylvie war gespannt, welchen Eindruck er von Jane hatte.

»Nun, ihre schwarze Lederjacke und ihre distanzierte Art sprechen für sich; und ich sah ein gewisses Misstrauen in ihren Augen, als würde sie mich einer Musterung unterziehen und sich fragen, was ich von dir will.«

»Jane wurde einmal von einem Mann verletzt. Ich glaube, das hat sie bis heute nicht verwunden. Es tut mir Leid, wenn sie dir das Gefühl vermittelt hat, dass sie dir nicht über den Weg traut, ausgerechnet dir ...«
John ergriff ihre Hand. »Das hat mir an ihr gefallen«, sagte er. »Sie gibt auf ihre Schwester Acht. Will dich beschützen, was ich bewundernswert finde. Das würde ich ihr gerne abnehmen ...«
»Ich bin stark«, sagte Sylvie, als sie auf den Parkplatz des Krankenhauses abbogen. Ihre Augen wanderten zum vierten Stock des Gebäudes empor, fanden das Fenster ihrer Mutter. Sie hatte einen Kloß im Hals, als sie daran dachte, wie viel Stärke ihr das Leben abverlangt hatte: Sie musste den Weggang des Vaters verkraften, die Enttäuschung, dass ihre Schwester die Brown University verlassen hatte, als sie dort zu studieren begann, die Gerüchte auf dem Campus, den Anblick von Jeffrey Hayden mit seiner neuen Freundin ... und die unentwegten Sorgen, zuerst um ihre Mutter und später um ihre Schwester.
An den Wochenenden war sie nach Hause gefahren, wo sie hörte, wie Jane in der Dunkelheit der Nacht weinte und um Chloe trauerte; dann war Jane nach New York gegangen, weil der Aufenthalt in Rhode Island zu schmerzvoll für sie war: Sie befürchtete, hier ständig an ihre Tochter erinnert zu werden, was alles nur noch schlimmer gemacht hätte.
»Ich möchte, dass meine Schwester glücklich wird«, flüsterte Sylvie, das Fenster ihrer Mutter betrachtend.
»Ich weiß.« John drückte ihre Hand.
»Woher?«
»Weil ich dich liebe. Und ich es als meine Aufgabe betrachte, herauszufinden, was dich glücklich macht. Im Moment müssen wir dafür sorgen, dass deine Mutter eine professionelle Betreuung erhält. Dabei werde ich dir helfen ...«

»O John.«
»Und danach werde ich mit dir auf dem schönsten See in Maine Kajak fahren«, sagte John. »Und dir für jeden Buchstaben in deinem Namen einen Stern mit dem entsprechenden Anfangsbuchstaben nennen ...«
»Lebendige Sterne«, flüsterte Sylvie und dachte an Chloe, an ihre Vorstellung von verstaubten, vergessenen Sternen unter den Dächern.
»Das Leben voll auskosten«, sagte er. »Und das heißt, wenn du nicht in der Krankenhaus-Cafeteria hocken möchtest, gehen wir nach dem Besuch bei deiner Mutter essen.«
»Klingt gut.«
»Solange du mir am Tisch gegenübersitzt, ist mir alles recht.«
Sie umarmten sich, lange und innig. Jane würde bald in die Klinik kommen. Vielleicht konnten sie sich mit Abby Goodheart treffen und ihrer Mutter von dem Besuch in Cherry Vale erzählen. Niemand hatte das Recht, über das Leben eines anderen Menschen zu entscheiden, aber Sylvie hoffte, dass sie gemeinsam ihre Mutter beschwichtigen und sie überzeugen konnten, dass die Unterbringung in einem Heim die beste Lösung war, zumindest vorübergehend.
Oder etwa nicht?
John drückte sie noch fester an sich, gab ihr den Halt, den sie brauchte. Sie war innerlich aufgewühlt. Das Leben veränderte sich rasant. Manchmal hatte sie den Hang, am Status quo festzuhalten, nur weil er ihr vertraut war. Doch dann legte John seine Arme um ihre Taille und ging mit ihr in Richtung Eingang. In seiner Gegenwart fühlte sie sich sicher und geborgen, was sie daran erinnerte, dass manche Veränderungen einem kleinen Wunder gleichkamen.
Während sie auf dem Weg zu Margaret über den asphaltierten Parkplatz schlenderten, dachte Sylvie, wie herrlich es doch war, einen Menschen zu haben, der einem dermaßen

nahe stand; und sie wünschte sich von ganzem Herzen, dass Jane irgendwann das Gleiche fand.

»Wie ich hörte, hat Chloe deine Schwester kennen gelernt«, sagte Dylan.

»Ja.« Jane nickte. »Ich war mit ihr am Stand.«

Dylan nickte. »Hat er ihre Zustimmung gefunden?«

Jane schwieg. Sie standen in seiner Küche. Sie war auf einen Sprung vorbeigekommen, um die Pasteten für morgen vorbeizubringen, und er hatte ihr Limonade angeboten. Sie war herb, entsprach ganz ihrem Geschmack, und das Glas war eiskalt und beschlagen, fühlte sich gut in ihrer Hand an. Sie dachte über die Frage nach und wusste, dass ihre Schwester tausend Einwände gehabt, aber allen Bedenken zum Trotz ihr Herz an Chloe verloren hatte.

Es dämmerte und der blaue Himmel verblasste, nahm eine lavendelfarbene Schattierung an. Die Küchenfenster waren geöffnet, die Vögel brachten dem Tageslicht ein Abschiedsständchen dar. Der Abend auf dem Lande war friedvoll, idyllisch, Welten entfernt von der Geschäftigkeit der gelben Taxis in New York, denen Jane in den vergangenen fünfzehn Jahren ausgesetzt war.

Als sie auf die andere Seite des Raumes zu Dylan hinübersah – groß, bärtig, die grünen Augen so offen wie nie zuvor –, wurde ihr mit einem Mal bewusst, dass sie dabei war, sich in ihn zu verlieben. Und dass sie die Lüge nicht länger mit sich herumschleppen konnte. Sie war mit Sylvie im Krankenhaus verabredet, aber das würde warten müssen. Sie holte tief Luft und überlegte, wo sie anfangen sollte.

»Ich muss dir etwas sagen.«

»Ich auch.«

Sie standen an entgegengesetzen Enden des Raumes. Rauch stieg von seiner Zigarette empor. Er trank einen Schluck

Limonade. Sie ging zu ihm; er schlang seine Arme um ihre Taille. Sie blickten sich in die Augen. Er war ein Mann, der nach außen hin Stärke demonstrierte. Doch dahinter erkannte Jane die Untiefen seiner Verletzlichkeit, wie Stromschnellen eines Flusses, über die sie ihr Floß lenkte.
Sein Kuss schmeckte herb, nach Zitronen. Der Abend war lau; er trug ein T-Shirt und sie ein schwarzes, im Nacken gebundenes Top, ihre Arme waren heiß, als sie einander umklammerten. Janes Herz raste, sie wünschte sich, der Kuss möge niemals enden.
Ihre Körper waren wie füreinander geschaffen. Er war sehr groß, aber wenn sie sich auf die Zehenspitzen stellte, waren ihre Köpfe annähernd auf gleicher Höhe. Er umfing sie mit seinen Armen und hob sie hoch, so dass sie auf der Kuppe seiner Stiefel stand, barfuß und auf Zehenspitzen, und in dieser Stellung blieben sie, während sie sich in der Dämmerung küssten. Er hatte irgendwo ein Radio angelassen und je länger sie schwiegen, desto deutlicher war die Musik zu hören, und sie konnten nicht widerstehen und begannen zu tanzen, wobei sie auf den Spitzen seiner Stiefel balancierte.
»Du bist gut«, sagte er und hielt lange genug mit dem Kuss inne, um zu staunen, in welchem Einklang sie sich bewegten.
»Nein, bin ich nicht. Ich tanze nie.«
»Aber jetzt tanzt du.« Sein Blick war eindringlich und voller Humor.
»Scheint so.«
Sie tanzten weiter, und plötzlich wusste Jane, dass es nur eine Frage der Zeit war, bis sie miteinander schliefen. Sie spürte es bis in ihr tiefstes Inneres. Es verlängerte die Vorfreude, und das Warten war köstlich. Sie war bereit, ihm die ganze Geschichte zu erzählen, und fest davon überzeugt, dass alles gut werden würde. Die Frühlingsluft fächelte ihre nackten Arme und obwohl ihr alles andere als kalt war, erschauerte Jane.

In diesem Augenblick klopfte es an der Seitentür.
»Ju-hu!«
Chloe.
»Darf man reinkommen oder stören wir?«, rief Mona.
Ein Anflug von Ungeduld überschattete Dylans Miene und er lächelte Jane zu.
»Genau zur richtigen Zeit«, sagte sie, als sie hörten, wie die Mädchen durch das Haus liefen. Sie stürmten in die Küche, und blieben abrupt auf der Schwelle stehen.
»Habt ihr schon mal was davon gehört, dass man auch Licht machen kann?«, fragte Mona.
»So ist es viel romantischer«, sagte Chloe und stieß sie mit dem Ellenbogen an.
»Hallo, Mädels«, sagte Jane.
»Was verschafft uns das Vergnügen?«, ließ sich Dylan vernehmen.
»Wir würden so gerne Eis essen gehen«, meinte Mona. »Oder frittierte Muscheln.«
»Genau das Richtige im Sommer«, erklärte Jane.
»Ich weiß«, sagte Chloe. »Aber meine Eltern haben keine Lust. Sie haben ein Video ausgeliehen und Popcorn gemacht, und sie versuchen uns einzureden, Popcorn sei genauso gut wie Eis oder frittierte Muscheln. Eis für mich, Muscheln für Mona.«
»Aha, also beides. Eis und Muscheln. Hoffentlich nicht in dieser Reihenfolge«, sagte Dylan.
»Es gibt einen bestimmten Ort, an dem wir sie essen möchten. Und ein bestimmtes Paar, von dem wir hingefahren werden wollen«, meinte Chloe.
»Newport«, erklärte Mona feierlich. »Es wäre schön, wenn ihr mit uns nach Newport fahren würdet.«
»Damit du es genau weißt«, sagte Chloe und zeigte mit dem Finger auf Dylan. »Wir entführen dich; das ist ein Onkel-

Kidnapping, sozusagen. Und Jane muss mit. Ihr habt also keine andere Wahl.«
»Also, gehen wir, und keine Mätzchen!«, sagte Mona. »Ab nach draußen, zum Auto.«
Jane warf Dylan einen raschen Blick zu. Die Spannung, die sich zwischen ihnen aufgebaut hatte, war noch da, und sie sah sowohl Belustigung als auch Frustration in seinen Augen. Er erwiderte Janes Blick, gab ihr Gelegenheit, sich eine Ausrede einfallen zu lassen. Jane zögerte. Eigentlich war sie mit Sylvie in der Klinik verabredet. Sie konnte versuchen, ihre Schwester telefonisch zu erreichen, bevor sie das Haus verließ, ihr eine Nachricht hinterlassen. Nichts auf der Welt hätte sie davon abhalten können, mit Chloe nach Newport zu fahren: einen Familienausflug zu machen.
»Und?« Dylan sah sie fragend an.
»Ich plädiere für Eis und frittierte Muscheln«, antwortete sie. Sie rief umgehend zu Hause an, aber der Anrufbeantworter war eingeschaltet und sie hinterließ eine Nachricht. Sylvie würde sie verstehen.

Die Fahrt nach Newport war lang und kühl. Niemand legte Wert auf die Klimaanlage, und deshalb fuhr Dylan mit offenen Fenstern. Die Mädchen saßen zusammengedrängt auf der voll gestopften Rückbank des Pickup und sangen lauthals die Melodien im Radio mit. Falls sie bemerkten, dass Jane und er Händchen hielten, unten auf dem Sitz, ließen sie sich nichts anmerken.
Während er die Route 138 entlangfuhr, kehrte die Erinnerung an frühere Abstecher nach Newport zurück – als hinge sein Herz am Haken einer Angel, die Isabel einholte. Er folgte ihr bereitwillig. Sie war bei ihnen im Pickup, mit ihrer Cousine und deren Freundin auf der Rückbank zusammengequetscht. Das Gefühl war so real, dass er rasch nach hinten sah.

»Mein Vater pflegte diese Straße ›die alte Waschbrett-Route‹ zu nennen«, sagte Jane, als sie über das nächste Schlagloch holperten.
»Weil sie so uneben ist«, rief Chloe. »Juhu!«
Sie fuhren durch Narragansett, auf die Jamestown Bridge. Die Brücke, die im Westen die Bucht überspannte, schimmerte im schwindenden Licht des Tages wie dunkles Silber. Die alte, ausrangierte Brücke befand sich unmittelbar südlich der neuen; Dylan erinnerte sich, wie an einem Heiligen Abend bei eisiger Kälte ein Sattelschlepper über die Brüstung gekippt und in die Bucht gestürzt war. Das war Jahre her, damals war er ein kleiner Junge gewesen, aber er erinnerte sich noch heute, wie sehr ihm der Sohn des Fahrers Leid getan hatte.
Sie durchquerten Conanicut Island und gelangten auf die ausladende, anmutig geschwungene Newport Bridge. Die Stadt am Meer lag schimmernd unter ihnen: weiße Yachten im Hafen, Kirchtürme, die Blocks der Gebäude in der Innenstadt. Von der höchsten Stelle aus war Block Island verschwommen am Horizont sichtbar, wie ein Wal geformt. Dylan erinnerte sich an einen Fall, in dem er vor wenigen Jahren ermittelt hatte: Ein Straftäter hatte seinen Selbstmord vorgetäuscht, indem er seinen Wagen mit laufendem Motor auf der Brücke abgestellt hatte. Dylans Gedanken kamen nicht zur Ruhe, waren angefüllt mit Erinnerungen, doch keine war so stark wie die an Isabel.
Sie ergatterten einen der wenigen Parkplätze an der Thames Street und gingen zu Fuß zum Commander Paul, Dylans bevorzugter Imbissbude, die für ihre Muscheln bekannt war. Einen Häuserblock vom Wasser entfernt, war sie klein, gerammelt voll und stickig. Die Leute standen Schlange, bis draußen vor die Tür. Während sie sich anstellten und warteten, drang der Geruch des Essens herüber und das Wasser lief ih-

nen im Mund zusammen. Eingekeilt in der Menge, legte er den Arm um Janes Taille. Sie war sommerlich gekleidet mit Jeans und einem knappen schwarzen Top, und beim Anblick ihrer gut durchtrainierten Arme wünschte er sich, dass sie ihn später umfingen.
»Wir sind die Nächsten«, sagte Chloe. »Ich hoffe, ihr wisst, was ihr bestellen wollt.«
»Das weiß ich schon, seit wir von der Brücke runter sind«, lachte Jane.
»Viermal frittierte Muschelröllchen, viermal Pommes und vier Coke«, sagte Dylan zu dem College-Studenten am Fenster.
»Woher wusstest du das?«, fragte Mona.
»Weil das alles ist, was es bei Commander Paul gibt«, erwiderte Dylan und bezahlte.
Sie nahmen das Essen mit nach draußen, fanden ein freies Plätzchen an der niedrigen Mauer, die den Eingang umgab, und ließen es sich schmecken. Dylan war mit jeder Faser bewusst, dass Jane neben ihm saß. Ihre nackten Arme streiften ihn; ihre Hüfte war an seine Seite gepresst. Chloe gab ihm ihre Muscheln – sie klebten an den gebutterten Röllchen und den Pommes frites.
»Normalerweise bin ich Vegetarierin«, sagte Jane. »Aber bei diesen Muscheln kann ich einfach nicht widerstehen.«
»Das wusste ich ja gar nicht!«, rief Chloe mit glänzenden Augen. »Wir sind beide Tierfreunde! Zum Glück sind Muscheln Weichtiere und spüren nichts …«
»Das dachte ich mir auch gerade«, antwortete Jane.
»Warum hast du nichts gesagt?« Dylan sah sie an. »Wir wären in ein anderes Lokal gegangen, wo es Salat oder so gibt.«
»Paul's ist prima«, sagte Jane und stieß ihn mit der Schulter an. »Ich bin zum ersten Mal seit Jahren wieder hier …«
Dylan biss in sein Muschelröllchen; er wusste aus Erfahrung,

dass es genau richtig zubereitet war, goldbraun frittiert und nach Meer schmeckend, doch heute Abend schienen seine Sinne überfordert zu sein und nahmen kaum Notiz davon. Heute Abend drehte sich alles um Jane.

Sie überquerten den America's Cup Boulevard und gingen in Richtung Kai. Die Läden waren geöffnet für den Handel mit den Touristen, die im Sommer herkamen, und die Mädchen klapperten die Schmuck- und Sonnenbrillenläden ab, während Dylan und Jane das Kopfsteinpflaster auf Bowen's Wharf überquerten und sich durch das Menschengewimmel auf dem Bannister's schlängelten.

»Sommer in Newport.« Jane atmete tief die salzige Meeresluft ein.

»Der erste gemeinsame«, sagte Dylan.

Sie lachte. »Du bist süß.«

»Süß sind Häschen mit Schlappohren. Ich bin U.S.-Marshal im Ruhestand. Glaubst du, Commander Paul würde gerne als ›süß‹ bezeichnet werden?«

»Ich habe schon oft in seiner Imbissbude gegessen, aber ich habe keinen blassen Schimmer, wer Commander Paul war – du etwa?«

»Ein Held, der zur See fuhr. Er war Kommandant des Zerstörers USS *W.T. Crawford* und in Vietnam im Einsatz. Er war für seine Liebe zum Fischen bekannt und pflegte seinen Männern zu erzählen, dass er nach seinem Ausscheiden aus dem aktiven Dienst eine Muschel-Imbissbude in Newport eröffnen wollte, wo er am War College ausgebildet worden war.«

»Was ist aus ihm geworden?«

»Er rettete die ganze Mannschaft eines Schiffes, das im Südchinesischen Meer untergegangen war, just in dem Moment, als die Haie das Rettungsboot umkreisten. Die Männer versuchten, die Monster mit den Ruderblättern abzuwehren, als Commander Paul ihnen Volldampf voraus zu Hilfe eilte.«

»Woher weißt du das alles?«

»Er ist eine Legende in Newport. Ironischerweise war sein Schiff nach William Crawford benannt, dem Leiter des Marshal Service in den zwanziger Jahren. Deshalb fühlen wir Marshals uns zutiefst mit dem Commander verbunden. Er kam früher oft zum Abendessen …« Dylan verstummte.

Jane wartete. Sie kniff die Augen halb zu.

»… in das Haus meiner Schwiegereltern«, beendete Dylan den Satz. »Amandas Vater hatte im Zweiten Weltkrieg gedient. Obwohl seine große Liebe Segelschiffe waren und er im New York Yacht Club seine zweite Heimat sah, sehnte er sich nach der guten alten Zeit zurück, als Newport noch ein Marinestützpunkt war.«

»Ein interessanter Mann, wie mir scheint.«

»Für einen Räuberbaron schon«, erwiderte Dylan, ohne hinzuzufügen, dass er eine verwöhnte, hochnäsige Tochter großgezogen hatte. »Isabel liebte ihre Großeltern, aber dem Leben, das sie führten, konnte sie nichts abgewinnen. Ihre Mutter wäre lieber tot umgefallen, als eine Muschel-Imbissbude zu betreten. Isabel war begeistert, genau wie ich. Während sich der Rest der Familie am Bailey's Beach an einem schicken, von einem Partydienst angelieferten Picknick gütlich tat, stahlen wir beide uns davon, ins Paul's.«

»Solche Mädchen sind ganz nach meinem Geschmack.« Jane nickte beifällig.

»Sie hätte dich gemocht«, sagte Dylan.

»Jedes Mädchen, das Muschel-Imbissbuden zu schätzen weiß, hat vermutlich ein Faible für Apfelpasteten.«

»Das ist nicht der Grund.« Dylan legte den Arm um sie. Sie standen inmitten der hin und her wogenden Flut von Touristen, die auf dem Bannister Wharf die Yachten beäugten, doch das war ihm egal. Obwohl er seit Verlassen der Plantage nicht

mehr geraucht hatte, verspürte er kein Bedürfnis danach. Nichts sollte den heutigen Abend trüben. Die einzige Sucht, die er verspürte, war die Sehnsucht nach Jane. Es verlangte ihn mit jeder Faser seines Körpers nach ihr und er wusste, er konnte sie nicht mehr loslassen.
»Onkel Dylan!«, rief Chloe, sich einen Weg durch die Menschenmenge bahnend.
»Onkel Dylan!«, kam das Echo von Mona. »Wir brauchen einen Vorschuss!«
»Auf unsere Gehälter!«, erklärte Chloe und grinste, weil sie sich ihrem Onkel gerade in dem Moment näherten, als er Jane küssen wollte. Er bemühte sich, seinen frustrierten Gesichtsausdruck wegzuwischen.
»Warum?«, fragte er. »Ich habe euch doch erst letzten Freitag bezahlt.«
»Ich weiß.« Chloes Lächeln wurde noch breiter. »Du sollst uns das Geld ja nicht schenken, sondern nur bis nächste Woche vorstrecken. Weil wir gerade etwas entdeckt haben, was wir unbedingt kaufen müssen.«
»Es erinnert uns an Jane«, sagte Mona.
Jane errötete. »An mich?« Sie lächelte.
»Weil wir dein Fanclub sind«, vertraute Mona ihr an. »Du lieferst die Pasteten, so dass wir in den Sommermonaten einen Job haben.«
»Ohne dich wären wir arbeitslos«, fügte Chloe hinzu.
»Hey, was ist mit den Honigwaben und dem Ahornzucker, die ich zum Verkauf beigesteuert habe?«, warf Dylan ein. »Und was ist mit den Äpfeln, die auf meinen Bäumen wachsen, sogar jetzt, während wir uns unterhalten?«
Chloe und Mona lachten. »Machen wir uns doch nichts vor, Onkel Dylan«, klärte Chloe ihn auf. »Janes Pasteten haben einen ganz neuen Maßstab für die Verkaufsstände am Straßenrand gesetzt. Sie sind der einzige Grund, war-

um die Leute kommen. Von überall her, und alle sind Feuer und Flamme! Deshalb müssen wir die gleichen Medaillons tragen wie sie – um ihr einen Ehrenplatz in unserem Leben einzuräumen.«

»Mit Bild«, begann Mona und wurde ernst.

»Von Jane«, fuhr Chloe fort.

»Nein! Von ihren *Pasteten*«, berichtigte Mona sie und beide brachen in haltloses Gelächter aus. »Sie kommen in unsere Medaillons.«

»Was für ein Bild ist in deinem, Jane?«, fragte Chloe. »Ich würde es gerne anschauen.«

Jane lächelte, aber sie wirkte mit einem Mal in sich gekehrt. Sie stimmte nicht wie vorher in das ausgelassene Geplänkel der Mädchen ein. Sie hielt die Hand über das Medaillon, als wollte sie es schützen. Ihr Gesicht war sehr blass und ihr Lächeln verkrampft. Dylans Herz klopfte, während er sie beobachtete: Sie bewahrt das Bild eines Mannes darin auf, dachte er. Es gibt in New York jemanden, den sie liebt.

»In meinem ist das Bild eines kleinen Mädchens, das ich vor langer Zeit kannte«, erwiderte Jane.

»Lass uns doch mal sehen«, bat Mona.

»Oh, die Aufnahme ist so klein, dass man sie mit bloßem Auge kaum erkennen kann. Und sie ist nicht fest im Medaillon verankert. Ich habe Angst, dass sie weggeweht wird, bei dem starken Wind, der vom Meer herüberweht.«

»Das wollen wir natürlich nicht«, sagte Chloe. »Vielleicht zeigst du sie uns später einmal?«

»Einverstanden«, sagte Jane und sah in Chloes Augen. Dylan wusste den wohltuenden Einfluss zu schätzen, den Jane auf seine Nichte ausübte. Ihre Eltern waren ebenfalls sehr zufrieden mit dem bisherigen Verlauf der Sommerferien. Sharon hatte unlängst angerufen und gesagt, dass sie Jane gerne kennen lernen würde. Eli und sie waren ihr dankbar, dass sie so viel für Chloe tat – zuerst hatten sie Einwände gegen den Stand gehabt, doch nun waren sie erleichtert, wie gut sich der Sommer entwickelte. Weitere Protestaktionen wie im SaveRite waren unterblieben. Genauso wie ein zweiter Sturm auf die Adoptionsvermittlung im Vormundschaftsgericht, zwecks Informationsbeschaffung.

Abgesehen davon war Sharon noch aus einem anderen Grund neugierig auf Jane. Sie war die erste Frau, für die er sich nach dem Verlust seiner Familie ernsthaft interessierte. Er hatte sich lange abgekapselt. Sharon war eine einfühlsame Schwägerin; vermutlich hatte sie im Lauf der Jahre gespürt, welche Probleme zwischen ihm und Amanda bestanden.

»O, Scheiße«, sagte Mona plötzlich, den Blick auf das Menschengewühl gerichtet. »Entschuldigung, dass ich fluche.«

»Oh, verdammte Scheiße.« Chloe schrumpfte zusammen und presste sich an Jane.

»Ist er das?« Janes Augen waren eisig, durchdringend, von einem klaren Blau.

»Ah-ha.« Chloes Stimme versagte, sie hatte Tränen in den Augen.

»Wer?«, fragte Dylan. Als er Chloes und Janes Blicken folgte, erspähte er einen jungen Mann am *Black Pearl*-Hotdog-Stand. Er hatte lange, blonde, salzverkrustete Haare. Er wollte den Leuten weismachen, dass sie von der Sonne ausgebleicht waren, aber Dylan kannte diese Angeber zur Genüge und wusste, dass die Sonne aus der Flasche stammte. Er trug Shorts und ein T-Shirt mit dem Aufdruck eines Ladens für Surfbedarf. Auf seinem Arm hatte er eine Tätowierung, einen Delfin. Die Verbindung lag auf der Hand: Chloes Transparent.

»Was soll ich zu ihm sagen?«, fragte Chloe Jane.

»Gar nichts«, erwiderte sie.
»Aber ich muss direkt an ihm vorbei, wenn wir den Kai verlassen …«
»Was hat er angestellt?«, fragte Dylan.
»Das willst du nicht wirklich wissen«, murmelte Chloe.
»Sag's deinem Onkel«, drängte Mona. »Damit er dem Mistkerl eine Abreibung verpassen kann, die sich gewaschen hat.«
Dylans Blut geriet in Wallung, sein Beschützerinstinkt erwachte. Er wusste nicht, was der Bursche verbrochen hatte, aber er war ihm auf Anhieb unsympathisch. Seine grünen Augen wirkten kalt und leblos – er suchte die Menge mit einem Raubtierblick ab, wie ein Hai, der in einem Fischschwarm Ausschau nach Beute hält. Dylan konnte sich vorstellen, dass er zu denen gehörte, die mit dem Gesetz in Konflikt geraten: Drogen, Scheckbetrug, Unterschlagung, was auch immer, um sich das zu verschaffen, was sein Herz begehrte. Sex, Drogen, Geld, Mädchen.
Dylan sah Chloe an und strich die beiden mittleren Delikte. Er kochte vor Wut, war überzeugt, dass es um Sex und Mädchen ging, dass er seine Nichte benutzt hatte. Jane hatte den Arm um Chloes Schultern gelegt und Dylan sah die Anspannung in den Augen der beiden.
»Er surft in Newport«, erklärte Chloe. »Wahrscheinlich treibt er sich deshalb hier herum. Seht nur, wie blond und sonnengebräunt er ist.«
Dylan hätte sie gerne aufgeklärt, dass er eine Mogelpackung war, aber er hielt sich zurück. Am liebsten wäre er über den Kai marschiert, um dem Kerl die heißen Würstchen ins Maul zu stopfen, doch auch das verkniff er sich.
Mona berührte Dylans Handgelenk. »Das ist der Typ, der mit seinem Motorrad durch die Plantage gefahren ist. Und die Wurzeln herausgerissen hat!«

»Das ist der Typ?«, wiederholte Dylan. Als ob der Bursche die Energie spürte, die von der Gruppe ausging, sah er nun in ihre Richtung. Die Sicht auf Chloe wurde ihm durch Jane versperrt, aber er ertappte Dylan dabei, wie dieser ihn musterte. Im Lauf der Jahre hatte sich Dylan einen Bullenblick angewöhnt, den er meisterhaft beherrschte: seine Augen wirkten kälter und härter als die jedes Hais. Er sah, wie der Blonde zusammenzuckte.

»Sag nichts zu ihm«, flehte Chloe.

»Du solltest ihn festnehmen«, meinte Mona. »Ehrlich, Onkel Dylan – er ist eine miese Ratte. Er hat etwas wirklich Schlimmes getan ...«

»Mona«, sagte Jane warnend. »Überlass Chloe die Entscheidung, in Ordnung?«

»Ich hasse ihn einfach«, erwiderte Mona hitzig. »Weil er meine Freundin so gemein behandelt hat.«

»Chloe«, mischte sich Dylan ein. »Möchtest du, dass ich ihn mir vorknöpfe?«

Chloe schüttelte den Kopf. Als sie wieder hinüberblickten, hatte der Surfer seinen Platz auf Bannister's Wharf verlassen – einem der besten Flaniermeilen in Neuengland an einem lauen Sommerabend – und entfernte sich eilends. Dylan behielt ihn im Auge, mit gnadenlosem Blick.

»Wie heißt er?«, fragte er.

»Zeke«, sagte Mona, als Jane und Chloe stumm daneben standen.

Dylan wäre ihm gerne nachgegangen, um ihn wegen der Bäume, der Wurzeln und dem Verhalten gegenüber seiner Nichte zur Rede zu stellen. Aber an der Behutsamkeit, mit der Jane den Arm um Chloe legte, als wäre sie ein kleiner Vogel, den sie unter ihre Fittiche nahm, merkte er, dass er die Dinge für Chloe damit nur schlimmer gemacht hätte.

Dylan liebte Chloe und wollte sie behüten, genauso, wie er es mit seiner eigenen Tochter gemacht hätte.
Das Juweliergeschäft befand sich am anderen Ende des Kais. Janes Hand haltend, ging er den beiden Mädchen durch die Eingangstür voraus. Er deutete auf das Medaillon an Janes Hals und fragte die Verkäuferin, ob sie zwei genau gleiche habe. Seine Freude war groß, als er sah, wie glücklich Chloe und Mona waren. Und noch größer, als er die Zufriedenheit in Janes Augen entdeckte. Sein Blick fiel auf ihr eigenes Medaillon; er konnte nicht umhin, sich zu fragen, ob sich darin wirklich das Bild eines kleinen Mädchens befand oder das eines Mannes, den sie geliebt und noch nicht vergessen hatte.
Dylan betrachtete es als seine Aufgabe, Taugenichtse gleich welcher Art von seiner Nichte fern zu halten; er setzte sich gleichermaßen zum Ziel, dafür zu sorgen, dass Jane jeden Gedanken an gleich welchen Mann, den sie geliebt hatte, fahren ließ. Er hoffte, dass ihm dies heute Abend gelingen würde.
Als die Mädchen ihn baten, den Preis der Medaillons aus Sterlingsilber von ihrem nächsten Gehalt abzuziehen, schüttelte er nur lachend den Kopf.
»Das ist ein Geschenk«, sagte er. Er wusste, dass Isabel es so gewollt hätte.

22

Bevor sie Newport verließen, wollte Chloe an dem alten Haus von Isabels Großeltern vorbeifahren. Deshalb kauften sie Eis in der Newport Creamery, danach fuhren sie abermals den Hügel hinunter. Es ging die Thames Street entlang, um die Ecke, und geradeaus am Ida Lewis Yachtclub und Harbor Court vorbei – das Geräusch der hin und herschwingenden Fallleinen und Boote an ihren Vertäuungen im Hafen drang durch die geöffneten Fenster – vorbei an Hammersmith Farm …

»Der Regierungssitz im Sommer«, ließ sich Chloe vom Rücksitz vernehmen. »Als John F. Kennedy Präsident war.«

»Stimmt«, meinte Jane. »Als ich meinen Führerschein gemacht hatte, fuhr ich mit meiner Schwester nach Newport; wir versuchten jedes Mal, einen Blick in den Garten zu erhaschen – hielten nach Jacqueline Kennedy-Onassis Ausschau. Wir hofften, ihr auf der Straße zu begegnen, wenn sie nach Hause kam, um ihre Mutter zu besuchen.«

»Was hättet ihr gemacht?«

»Ihr angeboten, sie ein Stück mitzunehmen«, sagte Jane.

»Meine Mutter war immer stolz darauf, dass der erste katholische Präsident hier in Rhode Island geheiratet hat«, sagte Dylan.

Chloe schnaubte. »Grandma ist seltsam.«

Alle lachten. Dylan fuhr mit ihnen auf den Ocean Drive – die lange Uferpromenade, die magische Anziehungskraft besaß mit ihren Felsstränden und versteckten Buchten und dem gesamten Atlantischen Ozean zur Rechten. Der Geruch nach Salz und Seetang drang zu ihnen herüber und Nebelschleier hüllten sie ein; es war, als befänden sie sich an Bord eines Schiffes auf hoher See. Dylan deutete in die Dunkelheit, zu den schwarzen Wellen, die brachen und weiße Gischt versprühten.

»Früher stand dort hinten der Breton Tower«, sagte er. »Und noch vor wenigen Jahren wurden die America's-Cup-Regatten hier in Newport ausgetragen.«

»Zum Teufel mit Dennis«, sagte Jane, auf Dennis Connor anspielend, den Skipper, der den Cup verloren hatte. »Eine Zeit lang schien das der Wahlspruch unseres Staates zu sein.«

»Betty Lou erzählt immer von den Hochseeseglern, mit denen sie gevö – ich meine, sich getroffen hat«, sagte Mona. »Australier, die Champagner aus ihren Topsider-Schuhen tranken. Barbaren, wenn du mich fragst.«

»Immer noch besser als Surfer«, murmelte Chloe.

Jane drehte sich halb herum und sah sie an. Zekes Anblick hatte sie in einen Schockzustand versetzt. Jane war froh, dass sie zur Stelle gewesen war. Sie dachte an all die Jahre, die sie versäumt hatte – an die Bedrohungen und Gefahren, denen Chloe ausgesetzt war, ohne dass Jane sie beschützen konnte. Sie hatte sie gemeistert, erstaunlich gut. Ihre Adoptiveltern waren ihrer Aufgabe mehr als gerecht geworden. Dass Chloe behütet aufgewachsen war, konnte jedoch nicht die Sehnsucht stillen, die Jane empfand, die Sehnsucht, ihre halbwüchsige Tochter in die Arme zu schließen und sie für den Rest des Lebens vor allen Widrigkeiten des Schicksals zu bewahren.

»Alles in Ordnung?«, fragte Jane.

Chloe nickte, schleckte ihr Eis. Das Gefühl der Nähe war nicht zu Ende; es blieb wie ein unsichtbares Band zwischen ihnen bestehen. Chloe hatte das kleine Medaillon aus der Schachtel genommen und sich um den Hals gehängt. Jane sah es im Sternenlicht glitzern, das durch die Fenster des

Pickup schien, und ihr war, als würde sie in einem kleinen Segelboot an der Rückseite einer Meereswelle hinabgleiten.
»Das da ist der Bailey's Beach Club«, rief Chloe, auf den Strand deutend, als sie um die letzte Kurve auf der breiten Straße bogen.
»Snobville«, meinte Mona.
»Isabels Großeltern waren wie geschaffen für diesen Verein. Der richtige Name lautet ›Spouting Rock Beach Association‹. Irgendwo gibt es dort einen Felsen mit einem Wasserfall. Isabel und ich haben oft danach gesucht. Wir dachten, er müsse wie ein kleiner gestrandeter Wal aussehen, der Wasser durch die Nasenlöcher schnaubt.«
»Betty Lou würde ihre Seele verkaufen, um dorthin eingeladen zu werden«, sagte Mona. »Und sie wäre sicher ein Gewinn für den Saftladen.«
Chloe hatte den Kopf weggedreht und sah nach hinten, bis der Strandclub ihrem Blick entschwand. Sie fuhren an Rough Point vorüber, dem imposanten, aus Stein errichteten Herrenhaus der großen Gönnerin Doris Duke, und mehreren anderen abgeschirmten Anwesen, und schließlich hielten sie vor einer trutzigen Mauer. Penibel gestutzte Büsche und Kletterpflanzen schmiegten sich an das Gestein. Ein Eisentor stand einen Spalt offen, enthüllte einen von Flutlicht erhellten Hof und ein prachtvolles Kalkstein-Chateau, das an die Schlösser im Loire-Tal erinnerte.
»Das ist es«, sagte Chloe atemlos. »Maison du Soleil.«
»Haus der Sonne«, übersetzte Mona und beugte sich vor, um es genauer in Augenschein nehmen zu können.
»Wohnen sie noch dort?«, fragte Chloe.
»Die Familie deiner Tante? Ja«, erwiderte Dylan.
»Besuchst du sie manchmal?«
»Nein.«
»Aber du bist ihr Schwiegersohn«, sagte Chloe.

»War«, verbesserte er sie und Jane fragte sich, ob Chloe die subtile Betonung der Vergangenheitsform bemerkt hatte. Hier war der Wind, der vom Meer herüberwehte, weniger heftig, wurde durch das Haus, die Bäume und die Mauer abgeblockt. Aber Jane wusste, dass auf der anderen, meerwärts gelegenen Seite des Grundstücks der Cliff Walk vorbeiführte; früher war sie dort häufig mit Sylvie und ihrer Mutter spazieren gegangen. Bis jetzt war sie nicht sicher gewesen, welches der Herrenhäuser Amandas Familie gehörte; doch nun fiel ihr wieder ein, wie sie damals durch die Hecke gespäht und Frauen in weißen Kleidern gesehen hatte, die auf einer weitläufigen Terrasse saßen. War Dylans Frau darunter gewesen, als junges Mädchen?

»Können wir hineingehen?«, fragte Chloe.

»Ja!«, bettelte Mona. »Damit ich Betty Lou erzählen kann, dass ich auf vertrautem Fuß mit den oberen Zehntausend stehe.«

Im Wagen war es still; das einzige Geräusch stammte vom Verkehr, der auf der Bellevue Avenue vorbeirauschte. Jane spürte, dass Chloe und Dylan durch unausgesprochene Worte miteinander verbunden waren, die mit der Liebe und Erinnerung an Isabel zu tun hatten. Jane schloss die Augen, dachte an das Bild auf Dylans Kühlschrank – an die beiden lächelnden Mädchen, ihre Töchter.

»Besser nicht«, sagte Dylan nach einer Weile. »Wir würden sie nur an Dinge erinnern, über die sie lieber nicht nachdenken wollen.«

»Daran, was mit Isabel und Tante Amanda passiert ist?«

Dylan nickte, sah stumm durch das Tor. Obwohl es weit offen stand, wusste Jane, dass es Dylan wie eine unüberwindliche Barriere vorkam, die ihn ausschloss. Sie kannte dieses Gefühl zur Genüge, aus den Jahren in New York, die sie ohne das junge Mädchen auf dem Rücksitz verbracht hatte. Sie streckte die Hand aus und berührte seinen Oberschenkel.

Er legte seine Hand auf ihre. Jane spürte die Anwesenheit beider Töchter im Pickup. Denn Isabels Geist war genauso lebendig wie Chloes und Monas, obwohl sie seit vier Jahren tot war. Jane atmete tief ein und schloss das Mädchen in ihr Herz. Sie sah nach hinten, zu Chloe. Zu ihrer Verwunderung starrte Chloe auf ihren Hinterkopf, als hätte sie Jane auf telepathischem Weg veranlassen wollen, sich umzudrehen.

Janes Herz klopfte wie verrückt. Sie wünschte, dieser Abend, dieser Augenblick möge niemals enden. Die Lüge, die sie Dylan und Chloe aufgetischt hatte, kam ihr mit einem Mal ungeheuerlich vor, eine schier unerträgliche Last. Wäre Mona nicht dabei gewesen, hätte sie auf der Stelle die Wahrheit gesagt. Doch unter den gegebenen Umständen musste sie diese noch eine Weile für sich behalten.

Und deshalb schwieg sie.

Mona übernachtete bei Chloe, deshalb setzten sie die Mädchen in der Einfahrt ab. Müde und glücklich suchten sie ihre Siebensachen zusammen und winkten ihnen zum Abschied zu, bevor sie ins Haus gingen. Eine Frau lehnte sich aus der Hintertür, winkte.

»Sharon«, sagte Dylan, hupte leicht und winkte. »Die Frau meines Bruders.«

»Chloes ...« Jane brachte das Wort nicht über die Lippen: *Mutter.* Die Frau sah sympathisch aus, sanft, typisch Vorstadt. Was sollte das überhaupt heißen, fragte sich Jane. Dass sie nicht der Typ war, der ein hautenges schwarzes Tanktop trug?

»Erzähl mir von diesem Mistkerl Zeke«, bat Dylan, als sie die Viertelmeile bis zu seinem Haus zurücklegten.

e zitterte, nachdem sie sich fast von Angesicht zu Ange-cht der Frau gegenübergesehen hatte, bei der ihre Tochter aufgewachsen war. Sie versuchte, sich auf Dylans Frage zu konzentrieren, aber sie war zu aufgewühlt.

»Du willst ihr Vertrauen nicht missbrauchen?«, hakte er nach, als sie schwieg. »Du hast Recht. Es ist besser, wenn sie es mir oder ihren Eltern selbst erzählt, sofern sie es für richtig hält.«

»Erinnerst du dich, wie ich zu Beginn des Abends sagte, dass ich dir etwas erzählen muss?«, fragte Jane, als er den Pickup vor der roten Scheune parkte; ihr Herz klopfte zum Zerspringen.

»Ja. Und ich habe darauf erwidert, dass ich dir auch etwas sagen muss.«

»Ich muss mit dir reden.« Sie blickte ihn an.

Er nickte, dann stieg er aus. Er ging um die Vorderseite des Wagens herum und öffnete Jane die Tür, wobei er sie keine Sekunde aus den Augen ließ. Er legte den Arm um sie, zog sie an sich, Stirn an Stirn. Die Plantage ringsum war mit Leben erfüllt. Grillen zirpten und eine Eule rief in der Ferne.

»Glaubst du mir, dass ich alles hören will, jedes Wort, aber erst, wenn ich dich geküsst habe?«

Sie runzelte die Stirn und lächelte, schweren Herzens. Wenn sie die Worte nur über die Lippen bringen könnte! »Ich glaube dir«, sagte sie. »Weil ich genauso empfinde.«

Dann küsste er sie. Und alle ihre Pläne und Vorsätze, das Richtige zu tun und ihm die Wahrheit zu gestehen, mussten warten.

Sie gingen nach oben. Sie fanden den Augenblick weder peinlich noch verfrüht, weil sie ihm den ganzen Abend entgegengefiebert hatten, vielleicht sogar seit ihrer ersten Be-

gegnung. Jane versuchte, ihre Gedanken zum Schweigen zu bringen und die Worte zurückzuhalten, die ihr auf der Zunge lagen – weil ihr Körper den Sieg davontrug: Ihr war abwechselnd heiß und kalt. Sie musste mit ihm reden, daran führte kein Weg vorbei. Doch je mehr sie sich bemühte, abzuschalten, desto mehr Gedanken gingen ihr im Kopf herum. Sie fragte sich, wie oft er diese Stufen mit Amanda hinaufgestiegen sein mochte. Vielleicht waren solche Überlegungen nichts weiter als eine Verzögerungstaktik – weil sie Angst hatte, ihm die Wahrheit zu sagen.
Wie ein Automat registrierte sie alles, was sie sah: die alten sepiafarbenen Fotografien an der Wand, die neuen gerahmten Fotos auf der Spiegelkommode. Sie waren ausnahmslos von Isabel und Chloe, Eli und Sharon – von Amanda gab es keine. Sie musterte den Raum – bequem und altmodisch, sehr maskulin.
»Dylan?« Sie rang nach Worten.
»Ja?«
»Diese Sache, die ich dir erzählen muss. Sie ist wichtig.«
Er nickte. Und küsste sie abermals.
Ein großes Messingbett, schwere Ahornmöbel, ein Paar umgekippte schlammige Stiefel, ein Stapel Hemden auf einem Stuhl. Ein Erkerfenster mit Blick auf die Plantage; als Jane hinausblickte, sah sie, dass das Haus auf einer leichten Anhöhe errichtet worden war und die Obstbäume die Hänge säumten, sich bis zu einer sanften Talmulde erstreckten. Ein Bach floss durch das Anwesen; sie konnte das Plätschern des Wassers hören, sah es schwarz und silbern aufblitzen, die Sterne spiegelnd.
Dylan trat hinter sie, umschlang sie mit den Armen. Sie fühlten sich so stark an und sie lehnte sich an seine Brust. Sie wiegte sich einen Augenblick in seinen Armen, spürte die Spannung ihrer Körper, die sich aneinander pressten. Sie ver-

suchte, sich ihm zu entziehen, aber er ließ sie nicht los; sie lachten beide leise.

»Dylan?«

»Vergiss es«, murmelte er. »Was immer es auch sein mag. Vergiss es …«

Sie drehte sich um, küsste ihn auf die Lippen. Er schmeckte nach salziger Gischt und einem Hauch Tabak. Sie umspannte seinen Bizeps mit ihren Fingern. Er schob die dünnen Träger ihres schwarzen Tops nach unten. Die Bewegung fühlte sich erotisch an und ihre Knie wurden weich. Sie standen am offenen Fenster, entkleideten sich gegenseitig.

Jane sehnte sich danach, seine Hände auf jedem Zentimeter ihrer Haut zu spüren. Sie hatten Schwielen von der harten Arbeit auf der Plantage, dem Heilmittel für sein gebrochenes Herz. Die Arbeit in ihrer Küche war für sie das Gleiche. Ihre Hände wiesen zahlreiche Narben und Brandverletzungen auf, die von dem Bemühen zeugten, ihre Sehnsucht nach Chloe durch das Backen zu vergessen.

Er beugte sich vor, küsste ihr Medaillon – und sie erschrak, weil er nicht ahnen konnte, was es enthielt, aber er wusste, dass es ihr viel bedeutete. Er küsste ihre Brüste. Sie war lange nicht mehr auf diese Weise berührt worden und verspürte einen messerscharfen Stich in ihrem Herzen. Sie öffnete die Knöpfe seiner Jeans, streifte sie hinunter. Er trug keine Unterwäsche.

Sie lächelte, ohne ein Wort darüber zu verlieren. Hand in Hand gingen sie zum Bett hinüber, so selbstverständlich, als hätten sie ihr Leben lang nichts anderes getan. Dennoch war sie erfüllt von einer Leidenschaft, die sie wie ein Strudel mitzureißen drohte, ohne dass sie sicher sein konnte, das rettende Ufer zu erreichen.

»So etwas ist mir lange nicht mehr passiert«, sagte sie, als er sie, ihre Taille umfangend, auf das Bett sinken ließ.

»Mir auch nicht.«
Sie lagen Seite an Seite, die Köpfe auf demselben Kissen. Jane blinzelte. Sie wollte alles sehen und ihm jeden Gedanken an den Augen ablesen. Er küsste sie erneut und zog sie an sich; das dichte Haar auf seiner Brust kitzelte ihre Brustwarzen und weckte in ihr eine so unaussprechliche Sinnlichkeit, dass sie nicht umhin konnte zu lächeln.
»Wow«, sagte sie.
»Ebenfalls.« Seine Hand glitt langsam über die Rundung ihrer Hüfte, berührte ihre Beine. Sie erbebte, tat das Gleiche bei ihm. Als ihre Finger die Narbe ertasteten, stützte sie sich auf den Ellenbogen, um sie in Augenschein zu nehmen und anschließend zu küssen.
Sie fühlte sich hart und gezackt an, wie ein ausgefranstes Seil. Und zu beiden Seiten bis hinunter zum Knie befanden sich, ähnlich wie die Sprossen einer Leiter oder die Zähne eines Reißverschlusses, die Stiche der Naht, die Gewebe und Knochen zusammengehalten hatten.
»Das ist also die Schussverletzung«, sagte sie.
»Ja.«
»Gott sei Dank hast du überlebt.«
»In mancher Hinsicht war ich bereits tot, als es passierte«, erwiderte er und streichelte ihr Gesicht. »Ich hatte meinen Glauben an die Liebe schon lange vorher verloren. Und nie wieder gefunden, wenn ich mich recht erinnere, bis zu diesem Frühjahr.«
»Aber jetzt glaubst du daran?« Jane küsste seinen Hals.
»Ja.«
Und dann machte er Anstalten, sie zu diesem Glauben zu bekehren. Er liebkoste jede Stelle ihres Körpers. Sie spürte seine Lippen, heiß auf ihrer Haut. Sie hatte so viele Jahre in der großen, verruchten Stadt New York verbracht, und nun war sie zum ersten Mal der Leidenschaft begegnet, auf dem Lande,

wo sie ihre Jugend verbracht hatte. Sie wölbte sich seiner Berührung entgegen, brannte unter seinen Fingerspitzen, ihr ganzer Körper lechzte nach mehr.
Er berührte sie zwischen den Beinen, und sie fühlte sich heiß und nass an wie ein Garten; dann streckte sie die Hand aus und spürte seine unvorstellbare Härte. Ihre Blicke trafen sich, hielten einander fest, als er in sie eindrang.
Sie biss sich auf die Lippe. Ihre Augen füllten sich mit Tränen, weil sie sich eins mit ihm fühlte, untrennbar verbunden. Ihre Herzen berührten sich. Mit zitternden Fingern strich sie ihm über die Wange.
»Jane, du kannst dir nicht vorstellen …«, begann er. »Ich habe noch nie dergleichen empfunden …«
»Ich weiß.« Sie spürte ihn tief in sich. »Ich auch nicht …«
Ihre Körper waren hellwach, brannten vor Verlangen. Jane schloss die Augen, streckte die Arme über den Kopf und umklammerte die Messingstreben seines Bettes. Eine kühle Brise kam durch das Fenster herein, kühlte ihre Haut und sie wölbte sich ihm entgegen, nur um ihm nahe zu bleiben.
Die seit langem aufgestauten Gefühle übermannten sie – ein ganzes Leben voller Liebe, die sie zurückgehalten, unterdrückt hatte –, genau wie ihn, denn sie versuchten beide, den Höhepunkt hinauszuzögern und gleichzeitig loszulassen, während die Sterne in den Bäumen tanzten und vor dem Fenster funkelten, wo sich die weißen Vorhänge sanft im Abendwind hoben.
Erschöpft, aber rundum erfüllt ließ sich Jane auf das Kissen sinken. Es flimmerte hinter ihren Augenlidern. Waren das Sterne? Dylan war bei ihr, direkt neben ihr. Er berührte ihr Gesicht. Seine Lippen bewegten sich.
»Ich muss dir etwas beichten«, flüsterte er. »Ich habe mich in dich verliebt, Jane. Das wollte ich dir sagen … dir erzählen.«
Jane ergriff seine Hand, küsste seine Finger. Sie fühlte sich

benommen vor Glück, unfähig, einen klaren Gedanken zu fassen. Das Vertrauen, das Chloe ihr entgegenbrachte, war wie eine Meeresströmung unter der Oberfläche, die einen Schwimmer in die Tiefe zieht. Ihr Körper hatte sich verausgabt, aber ihrer Seele begannen Flügel zu wachsen.

Sie war vermutlich eingeschlafen.

Sie träumte. Sie sah die Plantage, die Sterne in den Bäumen, und ein offenes Fenster in Chloes Mansarde, weitere Sterne, die drinnen auf Regalen lagen ... und die Sterne erwachten zum Leben ... und es waren Mädchen, die tanzten ... Chloe und Isabel ... und Jane sah sie alle zusammen, eine Familie bei Tisch, Jane und Dylan und Chloe und Isabel ... und sie spürte seine Küsse auf ihren Lippen und seine Berührung an ihrem Schlüsselbein ... und sie träumte von dem Blick in seinen Augen, den sie aufgefangen hatte, als er glaubte, sie habe nichts bemerkt, vorhin im Wagen, als die Mädchen sie nach ihrem Medaillon fragten ... ein Blick, der seine Besorgnis enthüllt hatte, dass sie das Bild eines anderen Mannes darin trug, der ihrem Herzen nahe war ... aber es ist kein Mann ... beileibe kein Mann: Das ist es, was ich dir sagen wollte ... es ist meine Tochter ... es ist ...

»Chloe!«, sagte er.

Jane wachte auf, in Dylan Chadwicks Bett, fand ihn an ihrer Seite; die Kette hing noch um ihren Hals, aber er hielt das Medaillon in der Hand, das offen war, und starrte das Bild an, das sich seit beinahe sechzehn Jahren darin befand.

23

Dylan«, sagte Jane und löste sich von ihm, umklammerte das geöffnete Medaillon.
»Ich möchte wissen, wie du an Chloes Babyfoto kommst?«, fragte er brüsk.
Jane brachte keinen Ton heraus. Sie war noch im Halbschlaf, benommen vom Liebe machen. Er hatte ihr ein T-Shirt geliehen, das nach ihnen beiden roch, nach ihren Körpern. O Gott, warum hatte sie sich darauf eingelassen, mit ihrem Geständnis zu warten? Er hatte sich auf seine Ellenbogen gestützt und setzte sich nun auf, starrte sie an. Seine grünen Augen funkelten in der Dunkelheit; auf der Plantage schrie eine Eule, stieß offenbar auf ihre Beute herab.
Sie wickelte das Laken um ihren Körper, rappelte sich hoch und wollte seine Hand ergreifen. Er lehnte sich zurück, entzog sie ihr.
»Ich habe das gleiche Bild«, sagte er. »Oder ein ähnliches.« Er stand auf und ging zur Spiegelkommode. Er nahm eines der gerahmten Fotos aus der Bildergalerie und kehrte damit zum Bett zurück; es zeigte Chloe, als Säugling, nur wenige Tage alt. Mit einer Schleife im Haar: der kleinen gelben Schleife, die ihr die Kinderschwester gegeben hatte, die sie von allen anderen Babys unterschied.
Jane gab einen bewundernden Laut von sich, nur um das Foto genauer betrachten zu können. Es war viel größer als ihr Bild im Medaillon. Chloes kleine Hände waren unter dem Kinn zu Fäusten geballt; sie hatte Apfelbäckchen und einen dichten schwarzen Haarschopf. Ihre Augen waren fest geschlossen, als wollte sie an einem Traum festhalten.

Und die gelbe Schleife mutete wie ein Schmetterling an. Dieselbe Schleife auf beiden Bildern.
»Chloe«, sagte Jane.
»Das ist sie, in deinem Medaillon, Jane. Ihr Haar, ihre Schleife – unverkennbar. Wie kommst du an ihr Bild?«
»Sie ist meine Tochter«, antwortete Jane.
Endlich waren die Worte heraus. Die Fenster standen offen und ein leichter Wind blähte die Vorhänge. Er griff Janes Worte auf, wirbelte sie umher. Sie hallten in ihren Ohren nach. Sie bewirkten auch, dass Dylan einen Schritt von ihr zurückwich, und dass sein Gesicht sich mit Zornesröte überzog.
»Deine *Tochter*?«
»Ich war zwanzig, als sie geboren wurde. Während ich auf der Uni war … ihretwegen habe ich das Studium abgebrochen.«
Dylan schwieg. Er stand in der Mitte des Raumes, zur Salzsäule erstarrt, und starrte Jane an. Erkannte er die Ähnlichkeit, die blauen Augen seiner Nichte, das dunkle Haar? Die Grübchen beim Lächeln? Die Sorgenfalte zwischen den Augenbrauen? Die zarten Wangenknochen? Oder sah er in ihr nur die Frau, die sein Vertrauen gebrochen hatte? Jane zitterte, wusste es nicht.
»Ich habe sie geliebt«, sagte Jane. »Ich habe sie in den Armen gehalten. Auch auf diesem Bild.« Sie tippte an das Medaillon. »Die Kinderschwester gab mir die Schleife und ich flehte sie an, ein Foto von Chloe zu machen, versprach ihr, es niemandem zu zeigen, das Medaillon niemals abzunehmen. Das habe ich auch nicht, kein einziges Mal.«
»Aber was hat dich bewogen …« Dylan verstummte, als wäre die Frage unermesslich.
»Meine Mutter überzeugte mich, dass es für alle das Beste sei. Dass ich zu jung sei. Dass ich meine Ausbildung beenden

müsse. Dass es besser für das Kind sei, in einer richtigen Familie aufzuwachsen – mit Mutter und Vater.«

»Mein Bruder und Sharon …«

Jane nickte, umschlang ihre Knie. »Deine Mutter und meine Mutter kennen sich. Sie wusste, wie sehr sich dein Bruder ein Kind wünschte … alles schien perfekt zu passen.«

»So war es auch. Ist es noch heute.« Dylans Augen waren unerbittlich.

»Ich wollte sie behalten«, flüsterte Jane. Sie fühlte sich am Boden zerstört. Die Vergangenheit hatte sie eingeholt, es gab keine Zukunft mehr für sie. Sie konnte es an Dylans Augen ablesen: Er hasste sie. Vermutlich nicht, weil sie ihre Tochter weggegeben hatte, sondern weil sie ihretwegen zurückgekommen war. Weil sie ungebeten in ihr Leben eingedrungen war.

»Du hast die richtige Entscheidung getroffen. Ihr ein besseres Leben ermöglicht.«

Jane schwieg. Sie war nicht seiner Meinung. Sie dachte an die enge Bindung, die sich zwischen Chloe und ihr entwickelt hatte, und trauerte den verlorenen fünfzehn Jahren Gemeinsamkeit nach.

»Es ist besser, wenn ich jetzt gehe«, sagte sie schließlich. Noch vor wenigen Minuten war sie unendlich glücklich gewesen, hatte in Dylans Armen Erfüllung gefunden, doch nun fühlte sie sich nackt und preisgegeben, wickelte sich in das Laken, während sie sich anzuziehen begann.

Dylan stand noch immer reglos da – wie eine Statue in der blauen, von Sternen erhellten Dunkelheit, bärtig und voller Narben, unfähig, sich zu rühren oder zu sprechen. Er starrte aus dem geöffneten Fenster, vermied es, Jane anzusehen. Er machte keine Anstalten, sie aufzuhalten. Es war, als hätte sie den Raum bereits verlassen. Das Herz schlug ihr bis zum Hals, als sie versuchte, Worte zu finden, um alles richtig zu stellen, alles ungeschehen zu machen. Doch das war unmöglich: Die Vergangenheit ließ sich nicht ungeschehen machen, und nun musste sie den Preis dafür zahlen.

»Sag mir nur noch eines«, ließ sich Dylan vernehmen, als sie dastand und ihn ansah, nach einer Möglichkeit suchte, Lebewohl zu sagen.

»Ja, natürlich.«

»Ihr Name. Er war Teil der Adoptionsvereinbarung – du hast verlangt, dass sie den Namen Chloe behält. Warum war das so wichtig?«

Jane schloss die Augen, erinnerte sich an die letzten Augenblicke mit ihrem Baby. Sie hatte Chloe an ihre Brust gedrückt, ihr ein Versprechen gegeben. Es war ein Geheimnis, zwischen Mutter und Kind, ebenso tiefgründig wie einfach.

»Das kann ich dir nicht sagen«, flüsterte sie.

Er nickte, mit hartem Blick. Sie sah, dass er sie abgeschrieben hatte.

»Ich weiß, du denkst, ich hätte sie nie mehr behelligen sollen. Aber …«

Dylan schüttelte den Kopf. »Das glaubst du?«, donnerte er.

»Ja.«

»Du irrst, Jane.« Er erwachte aus seiner Erstarrung. Er stapfte im Raum umher, gebärdete sich wie rasend. Sie spürte, dass er am liebsten mit der Faust gegen die Wand gehämmert hätte, und schnappte nach Luft. »Ich weiß, dass du so handeln musstest. Vermutlich hat Chloe sich sogar gewünscht, dass du Kontakt zu ihr aufnimmst – sie ist neugierig auf ihre leibliche Mutter. Was ich nicht verstehe, ist die Art, *wie* du dabei vorgegangen bist. Wie du mich verdammt noch mal belogen hast. Du hast seelenruhig zugelassen, dass ich mich in dich verliebe …«

»Dylan.« Sie trat einen Schritt auf ihn zu. Er stoppte sie mit einem mörderischen Blick.

»Du hast dir mein Vertrauen erschlichen, mir die ganze Zeit etwas verheimlicht. Und beileibe keine Bagatelle. Daran könnte meine Familie zerbrechen.«

»Ich weiß. Es tut mir Leid …« Wenigstens redete er mit ihr, offenbarte seine Gefühle, und eine Sekunde lang dachte sie, dass es für sie beide doch noch eine Chance gab. Sie hatten Zeit, würden es dieses Mal richtig angehen. Sie würde ihm alles erklären, vielleicht konnte er ihr vergeben. Konnte versuchen, sie zu verstehen. Sie würde ihm von der Bürde erzählen, die sie die ganze Zeit mit sich herumgeschleppt hatte, ihr ganzes Erwachsenenleben: diese schreckliche, schwere, furchtbare Bürde der Liebe.

»Nein.« Er hob abwehrend die Hand.

»O Dylan.« Sie wollte ihm erklären, was ein solches Übermaß an Liebe zu einem neugeborenen kleinen Mädchen, die ein Leben lang währte, geheim gehalten und unterdrückt werden musste, bei einem Menschen anrichten konnte. Sie hatte Jane in eine Einsiedlerin verwandelt. In die Bäckerin aus den Märchen oder Fabeln, über ihre Rührschüssel gebeugt, die nicht nur Mehl und Zucker, sondern auch magische Zutaten enthielt: ihre Liebe, Gebete, Umarmungen, guten Wünsche … für das Baby Chloe. Für Chloe im Krabbelalter. Für das kleine Mädchen Chloe. Und nun für Chloe, den Teenager …

»Du hattest Recht«, erwiderte er kalt. »Es ist besser, wenn du jetzt gehst.«

»Ich wusste nicht, was mir entgangen ist«, erwiderte sie angespannt. »Bis jetzt …«

»Nun, wenigstens hast du ja jetzt, was du wolltest. Du hast ein wenig Zeit mit deiner Tochter verbracht.«

»Ich rede auch von dir«, sagte sie aufschluchzend.

»Seltsam, ich dachte gerade das Gleiche.«

Und dann schrie die Eule abermals, unmittelbar vor dem

Fenster, schwang sich in die Lüfte, ihre zappelnde Beute in den Fängen; der große geflügelte Schatten verhüllte die Sterne, verdunkelte das Fenster. Jane schauderte. Dylan schwieg, gab ihr zu verstehen, dass es nichts mehr zu sagen gab.

Als sie das Haus des Mannes verließ, den sie liebte, bemühte sich Jane, einen Rest Würde und Haltung zu bewahren. Es gelang ihr, bis auf die Tränen, die ihr über die Wangen liefen. Die Fliegengittertür fiel leise hinter ihr ins Schloss. Als sie ihr Auto erreicht hatte, blickte sie zu seinem Schlafzimmerfenster empor. Er stand da und sah ihr nach, eingerahmt vom Fenster, stark wie ein Riese, der ihren Träumen soeben ein Ende gesetzt hatte.

Doch das war ein Trugschluss: Er war nicht derjenige gewesen.

Dass sie zunichte waren, hatte sie sich selbst zuzuschreiben.

Chloe und Mona tauchten am nächsten Tag zeitig zur Arbeit auf. Die Sonne schien, doch überall war noch Morgentau auf dem Stand. Chloe wischte ihn weg und schloss den kleinen Schrank auf, holte Wimpel, Transparente und Schilder heraus. Sie arbeiteten schweigend in der frühmorgendlichen Stille – Chloe war ein Morgenmensch, Mona ein Morgenmuffel –, bereiteten alles für den Tag vor.

Chloe war übel und sie wünschte sich, sie hätte ein kaltes Sodawasser. Ihr Verdauungssystem war an eine rein vegetarische Kost gewöhnt und sie befürchtete, es könnte Muschelsaft auf ihr Röllchen geraten sein. Wieso maßte sie sich auch das Recht an, einen Unterschied zwischen großen Kühen mit Fell und glitschigen kleinen Muscheln zu machen? Gleich, ob Säugetiere oder Schalentiere, Tier war Tier, und vielleicht war das die gerechte Strafe dafür, dass sie den Umsatz einer Muschel-Imbissbude gefördert hatte.

Onkel Dylan brachte mit grimmiger Miene die Pasteten auf seinem Traktor vorbei. Die tiefen Furchen zu beiden Seiten des Mundes und die Sorgenfalten auf der Stirn veranlassten Chloe zu der Schlussfolgerung, dass er wieder wie früher aussah, in der Zeit nach Isabels Tod, bevor Jane seinen Weg gekreuzt hatte. Sie dachte eine Weile darüber nach, hätte gerne gewusst, was passiert war, fühlte sich aber zu elend, um zu fragen.

»Meine Güte, welche Laus ist denn heute der Familie Chadwick über die Leber gelaufen?«, fragte Mona. »Du siehst zum Gotterbarmen und dein Onkel zum Fürchten aus.«

»Was heißt hier Gotterbarmen? Mir ist schlecht, von den Muscheln.«

»Was?«

»Das ist die Rache der kleinen Schleimscheißer. Sie wollen mir unter die Nase reiben, dass es besser gewesen wäre, keine Muschelröllchen zu essen.«

»Sie waren mausetot. In siedendem Öl frittiert.« Mona zwirbelte ihre Haare. »Außerdem haben sie keine Stimme. Und du hast keine einzige gegessen – schlimmstenfalls ein Röllchen, in dem eine Muschel *zerquetscht* wurde.«

Chloe blickte sie an.

»Na gut, ich habe jedenfalls keine Lust, mir den herrlichen, sonnigen Morgen mit der Vorstellung zu verderben, dass ich von den Geistern toter frittierter Muscheln heimgesucht werden könnte. Und was für ein Problem hat *er?*«

»Onkel Dylan? Keine Ahnung.« Chloe sah dem Traktor nach, der auf der Plantage verschwand. »Ich habe mir gerade die gleiche Frage gestellt.«

»Glaubst du, er hat's mit Jane getan?«

»Was ist los mit dir, Mona?«, lachte Chloe. »Du bist heute wirklich ekelhaft.«

»Was ist ekelhaft an Sex? Es sei denn, mit einem Fiesling na-

mens Zeke? Hey, ich habe eine tolle Idee! Wir lassen uns ein Hai-Tattoo machen. Meines umwickle ich mit einem Band, ebenfalls tätowiert, auf dem steht: ›Jungfrau und Luder‹.«
Chloe hob gedankenverloren den Kopf. »Genial. Ich kann direkt vor mir sehen, wie meine Eltern darauf abfahren!«
»Im Ernst. Nur um der Körpermalerei dieses Delfin-Knaben entgegenzuwirken. Wir zermalmen ihn mit unseren Zähnen.«
Chloe lachte. Sie hatte sich schon immer eine Tätowierung gewünscht, obwohl ihr eher das Konterfei eines Schafes oder einer Kuh vorgeschwebt war, als Bekräftigung ihrer Liebe zu den Tieren, die auf einer Farm lebten. Andererseits wurde der Hai von vielen verteufelt und konnte ein wenig Unterstützung gebrauchen.
»Er verscheucht Zeke, garantiert«, sagte Mona verlockend.
»Ich glaube nicht, dass er jemals wiederkommt.« Chloe hielt sich den Bauch.
»Es sei denn …«, Mona hob warnend die Augenbrauen, »du hast keine Muschelvergiftung, sondern die morgendliche Übelkeit.«
»Mona!« Chloe kreuzte geschwind ihre beiden Zeigefinger, um Unheil abzuwehren.
»Denk mal nach …«
»Nein – ich will nicht.«
»Chloe …«
Chloe schloss die Augen, zählte die Tage. Was war, wenn sie den Test zu früh gemacht hatte? Wann war ihre Periode überhaupt fällig? Sie rechnete nach: vor sechs Tagen.
»Nein …«, stöhnte sie auf.
Monas Miene war besorgt, als hätte sie gerade einen Witz erzählt, der sich als blutiger Ernst erwies. »Sag mir nicht, dass du überfällig bist.«

»Sechs Tage.« Chloes Augen waren weit aufgerissen.
»Ich habe doch nur Spaß gemacht, obwohl …«
»Aber was ist, wenn es wirklich die morgendliche Übelkeit ist?«
»Das kann nicht sein. Du hast es doch nur ein einziges Mal gemacht. Du bist praktisch noch Jungfrau.«
»›Praktisch‹ gibt es bei so was nicht.«
»Das mit der Jungfrau und dem Luder war nicht so gemeint. Es sollte ein Witz sein. Ich werde mich bessern.«
»Lass nur«, sagte Chloe liebevoll, wenngleich mit zunehmender Panik. »Auf dich trifft die Beschreibung Luder am allerwenigsten zu. Und ich bin auf der Luderliste zweitletzte.«
»Was willst du jetzt tun?«
»Noch einen Test machen«, sagte Chloe. »Aber dabei habe ich die gleichen Probleme wie vorher – ich will nicht, dass mich jemand aus dem Ort sieht, wenn ich ihn besorge.«
»Du könntest Jane anrufen und sie bitten, ihn für dich zu kaufen. Oder sie gleich bitten, mit dir hinzufahren …«
Chloe nickte. Ihr Magen rebellierte. Genau das war's.
»Das tue ich; ich rufe Jane an und wiederhole den Test …«

Dylan fuhr mit seinem Traktor querfeldein. Seine Hände hielten das Lenkrad fest umklammert, als fürchtete er, herunterzufallen und unter die Räder zu geraten. Seine Gedanken drehten sich fortwährend im Kreis, während sein Herz wie versteinert war. Er hatte den fragenden Blick in Chloes Augen wahrgenommen: *Was ist los mit ihm*?
Gute Frage. Eine wirklich gute Frage.
Eines war sicher: Er fühlte sich wie Ikarus, war in seinem Höhenrausch der Sonne zu nahe gekommen, und nun war er am Boden zerstört. Er kannte das Geschwafel vom emotionalen Schutzpanzer – das war der springende Punkt bei jeder Sucht. Jeder, der zu viel rauchte oder trank, ständig

Kekse in sich hineinstopfte oder stundenlang wie angenagelt vor dem Fernseher saß, legte sich einen emotionalen Panzer zu, um zu vermeiden, dass er Kummer oder Schmerz empfand.

Das konnte einem jeder Pop-Psychologe sagen. Wie zum Beweis besserte sich Dylans Stimmung schlagartig. Zum ersten Mal seit mehr als vierundzwanzig Stunden. Er hatte einen emotionalen Panzer. Eine riesige harte Schale, verteufelt schwer, undurchdringlich. Er war selbst ein Panzer, imstande, alles niederzuwalzen, was sich ihm im Leben in den Weg stellte. Als Marshal hatte er eine Waffe getragen. Mehrere, genauer gesagt.

Er war ein guter Schütze, hatte auf dem Schießplatz immer ins Schwarze getroffen. Einmal hatte ein mit Drogen vollgepumpter Amokläufer versucht, ihn mit einer Machete niederzumetzeln, um seine verflossene Ehefrau in die Finger zu bekommen, die Kronzeugin, die unter Dylans Schutz stand, und er hatte ihn erschossen. Nicht in Notwehr, um ihn aufzuhalten oder durch einen Schuss außer Gefecht zu setzen, sondern vorsätzlich – er hatte kaltblütig in die Mitte der Körperfülle gezielt. Man brauchte einen emotionalen Panzer, um einen Menschen auf diese Weise zu töten, und paradoxerweise hatte der Akt des Tötens zur Folge, dass der bestehende Panzer dicker wurde.

Eine gut aussehende Ehefrau, von der man nicht geliebt wurde, ermöglichte und beschleunigte gleichermaßen das Wachstum des Panzers. Dass er von ihr mit einem reichen Polospieler betrogen worden war, hatte ihn nicht gerade ermutigt, sein Herz zu öffnen, sich von seiner verletzlichen Seite zu zeigen. Und die Eröffnung, dass sie ihn verlassen wollte – genauer gesagt, dass er die gemeinsame Wohnung zu verlassen hatte, in die sie aus der Klinik nach der Entbindung mit ihrer kleinen Tochter heimgekehrt waren –, hatte einen gewaltigen

Wachstumsschub des Panzers zur Folge, wie bei dem Düngemittel Semiramis.
Als sie dann in seinen Armen starb, zusammen mit der inzwischen elfjährigen kleinen Tochter, wurde der emotionale Panzer, den er sich bereits zugelegt hatte, hermetisch verschlossen, mit einer eisernen Plombe versiegelt, zubetoniert.
Und dann war Jane aufgetaucht …
Dylan sann darüber nach. Er fuhr durch die Reihen der Apfelbäume, sprühte Düngemittel. Er hatte Bodenproben entnommen, um zu bestimmen, wie viel Kalk, Kalium und Magnesium gebraucht wurde. Da das Gros seiner Bäume ausgelichtet und somit auf natürliche Weise gestärkt worden war, hatte er mit Stickstoff gespart. Chemikalien ständig im Blick zu behalten, war so gut wie unmöglich, und deshalb hielt er im Schatten eines halb abgestorbenen Baumes und stellte den Motor aus.
Er humpelte hinüber, lehnte seinen Rücken gegen den Stamm. Die Rinde fühlte sich gut an, bot ihm einen festen Halt. Er hatte schon vor Jahren erkannt, dass man sich auf Bäume verlassen konnte. Ihre Reaktion auf das richtige Maß an Zuwendung und Pflege war vorhersehbar. Ein Apfelbaum würde einem Menschen niemals Grund geben, seinen emotionalen Panzer zu erhärten.
Jane.
Dylan versuchte, tief durchzuatmen.
Stimmen drangen zu ihm herüber, trugen weit in der Plantage. Er hörte Chloe und Mona reden, offenbar mit jemandem, der angehalten hatte, um eine Pastete zu kaufen. Die Worte waren unverständlich, aber der Tonfall ihrer Stimmen beruhigte ihn.
Chloe hatte keine Ahnung. Genau wie Eli und Sharon. Dylan war als Einziger in das große Geheimnis eingeweiht. Jane war Chloes leibliche Mutter. Und die Frau, die zu lieben er sich,

nach reiflicher Überlegung, gestattet hatte. Sie hatte ihn geküsst, ihn umarmt, sein Herz geöffnet. Er hatte seinen Panzer abgelegt. Es sollte nichts Trennendes zwischen ihnen geben. Er hatte ihr mehr über Isabel und seine Gefühle seit dem tragischen Geschehen erzählt als jedem anderen Menschen auf der Welt.

Sein Beruf hatte ihn genötigt, eine Therapie bei einem Seelenklempner zu machen. Auf Staatskosten. Sie bestand darin, dass er unbezahlten Urlaub nahm und sich einmal in der Woche auf die Couch begab. Um der Wahrheit die Ehre zu geben, der Seelenklempner hatte keine Couch und war eine Sie. Die Dame hatte ein gemütliches Sprechzimmer mit Schreibtisch und zwei Stühlen, die sich gegenüberstanden, und ein Fenster mit Blick auf die Kirche gegenüber auf der anderen Straßenseite.

Dylan hatte sechsmal in Folge auf diesem Stuhl gesessen. Er hatte die Kirche betrachtet und überlegt, was er sagen sollte. Einmal hatte er eine solche Wut auf Gott verspürt, dass er die Ärztin gebeten hatte, die Jalousien herunterzulassen. Sie hatte gedacht, die Sonne blende ihn.

Am Ende der Therapie – als er der Forderung seines Arbeitgebers nachgekommen war, sich professionelle Hilfe zu beschaffen – hatte ihn die Ärztin betrübt angelächelt. Sie war hübsch und klug. Außerdem war sie sympathisch, und wenn es ihm möglich gewesen wäre, jemandem sein Herz auszuschütten, dann ihr. Sie hatte gesagt:

»Ist Ihnen aufgefallen, dass Sie nur zweimal ihren Namen erwähnt haben?«

»Wie bitte?«

»Während all unserer Sitzungen haben Sie nur zweimal Isabels Namen ausgesprochen.«

»Isabel.«

»Dreimal. Warum haben Sie ihn jetzt gesagt?«

»Weil mir der Klang gefällt.« Er blinzelte in dem grellen Licht, das von dem Rosettenfenster auf der gegenüberliegenden Straßenseite reflektiert wurde. Aber er wusste, das war eine Lüge. Er hatte ihren Namen nur erwähnt, um zu beweisen, dass er dazu imstande war.

Bei Jane hatte er nichts beweisen müssen.

Er hätte ihr alles erzählt, und mehr. Und er hätte im Gegenzug ihre Geschichte angehört, von Anfang bis Ende, wie immer sie auch geartet sein mochte. Er hätte aufmerksam zugehört. Er hätte sie nicht verurteilt, sondern ihr geholfen, einen Weg zu finden – aber welchen?

An dieser Stelle musste er sich zur Ordnung rufen. Weil die Geschichte so oder so kein glückliches Ende nehmen konnte. Wenn der Kontakt zwischen Jane und Chloe zu eng wurde, würden Eli und Sharon leiden. Wenn Dylan die Familie seines Bruders zu schützen versuchte, würde Jane ausgeklammert sein. Er starrte die Biene an, die von einer Wiesenblume zur nächsten flog. Das Summen hallte laut in seinen Ohren wider.

Sie hätte ihn nicht belügen, hätte ihm nicht verheimlichen dürfen, welches Ziel sie in Wirklichkeit verfolgte. Sie hatte sich bei Chloe und ihm eingeschmeichelt; enthielten ihre Gefühle oder Beweggründe überhaupt ein Körnchen Wahrheit?

Die Biene flog kreisend wie in einem Trichter in die Zweige des Baumes empor. Er sah zu, wie sie Achter in den blauen Himmel beschrieb. Ihre Flügel waren ein schwarzer, verschwommener Fleck. Ohne die Bienen war die Apfelplantage zum Sterben verurteilt. Genau wie Menschen ohne Liebe starben. Dylan hatte gespürt, wie sein Leben nach und nach erlosch, bevor Jane auf der Bildfläche erschienen war. Er runzelte die Stirn, beobachtete die Biene und dachte, dass manche Dinge im Leben unmöglich sind. Die meisten Dinge, genauer gesagt.

Diese Plantage beispielsweise.
Eine Sisyphusarbeit. Eine einzige, kosmische Unmöglichkeit.
Dylan saß unter dem Baum, sah der Biene zu und grübelte. Äpfel waren nicht in der Lage, sich selbst oder Blüten derselben Sorte zu befruchten. Um Obst von hoher Qualität zu züchten, war eine Fremdbestäubung unabdingbar, was voraussetzte, dass man verschiedene Apfelsorten auf engstem Raum anpflanzte. Die Blüte musste bei allen Sorten zeitgleich erfolgen.
Wie sollte es einem menschlichen Wesen – noch dazu einem Gesetzeshüter im Ruhestand – gelingen, die Blütezeiten zu koordinieren? Schließlich galt es auch noch andere Faktoren zu berücksichtigen. Manche Apfelsorten, wie Jonagold, Stayman, Winesap und Mutsu, konnten aufgrund ihrer unfruchtbaren Pollen nicht als Bestäuber dienen. Man brauchte Pollen von anderen Sorten, um Bäume mit unfruchtbaren Pollen zu befruchten.
Um ehrlich zu sein: die Biene erledigte die ganze Arbeit.
Dylan saß auf der warmen Erde, beobachtete die Biene. Er dachte an Jane, die mehr als fünfzehn Jahre lang Chloes Bild in ihrem Medaillon mit sich herumgetragen hatte. Er dachte an Chloe, die ihren Ausweis frisiert hatte, um die Sachbearbeiterin im Familiengericht hinters Licht zu führen und Einblick in ihre Adoptionsunterlagen zu erhalten.
Zwei Menschen, die dasselbe Ziel anstrebten: Verbindung miteinander aufzunehmen.
Das alles schien völlig richtig. Doch warum kam es Dylan, der unter dem halb abgestorbenen Apfelbaum saß, so falsch vor?

24

Jane verließ Dylans Plantage wie in Trance und schlug den Heimweg ein, doch dann lenkte sie den Wagen in Richtung Stadt, zum Krankenhaus. Sie brauchte ihre Mutter. Es war ein unvermitteltes, spontanes, urwüchsiges Bedürfnis. Sie parkte unweit des Eingangs, eilte den Gehsteig entlang und drückte auf den Fahrstuhlknopf; sie fühlte sich wie betäubt.

Als sie das Zimmer betrat, fand sie ihre Mutter im Bett sitzend vor; der Fernseher war eingeschaltet, es lief eine *Gameshow.* Jane blieb wie angewurzelt auf der Schwelle stehen, zutiefst erschüttert, aus hundert verschiedenen Gründen. An allererster Stelle auf der Liste stand die Tatsache, dass ihre brillante, gebildete Mutter sich eine Sendung ansah, in der eine gebräunte, blonde Moderatorin den Gewinnern aus dem Publikum Mikrowellenöfen als Preis überreichte.

»Hallo, Mom«, sagte Jane.

»Oh, nein.« Ihre Mutter tastete nach der Fernbedienung und stellte den Ton leise. »Jetzt hast du mich ertappt.«

»Dich ertappt?«

Ihre Mutter errötete. »Mir war derart langweilig, dass ich meinen Schwur gebrochen habe – niemals am helllichten Tag fernzusehen. Aber die Medikamente machen mich so müde, dass ich mich auf nichts konzentrieren kann. Wenn ich mir ein Buch vornehme, schaffe ich gerade eine halbe Seite, bevor mir die Augen zufallen.«

»Das muss frustrierend sein.« Jane zog sich einen Stuhl heran. »Wo du immer so gerne gelesen hast.«

»Bücher haben mir das Leben gerettet«, sagte ihre Mutter, vollkommen ernst. »In all den harten Zeiten …«

»Ich weiß.« Jane dachte daran, wie oft sie sich selbst im Lauf der Jahre in die Welt der Bücher versenkt hatte, wie ihr die Charaktere und Autoren ans Herz gewachsen waren, und wie sie ihr zeitweilig sogar das Gefühl vermittelten, über die Schwierigkeiten in ihrem eigenen Leben hinauszuwachsen.

Ihre Mutter deutete auf den Bildschirm. »Solche Sendungen sind … wie Zuckerwatte. Leichte Kost, und sie macht süchtig. Doch sie können den Hunger nicht stillen, man fühlt sich hinterher ein bisschen … leer.«

Jane lauschte mit geschlossenen Augen. Dylans Worte und der Ausdruck in seinen Augen klangen noch immer in ihr nach, hallten in ihrem ganzen Körper wider. Sie musste die Arme um sich schlingen, um das Zittern einzudämmen.

»Bücher haben die entgegengesetzte Wirkung. Wie unterhaltsam, spannend oder romantisch sie auch sein mögen, sie sind eine gehaltvolle Kost. Ein nahrhaftes Mahl für Leib und Seele …« Ihre Stimme brach und sie barg den Kopf in den Händen.

»Was ist, Mom?« Jane beugte sich vor.

»Ich vermisse meine Bücher!«, schluchzte ihre Mutter.

»O, Mom … es dauert nicht mehr lange, bis du sie wiederhast. Die Sozialarbeiterin meinte, dass du bald entlassen wirst.«

»In ein …« Ihre Mutter schluckte. »… Pflegeheim.«

Jane nahm Margarets Hand. Teil einer Familie zu sein, war eine rätselhafte Sache: Es gab immer jemanden, dem es noch schlechter ging als einem selbst. Wie hatte ihre Mutter von dem Vorhaben erfahren? Sylvie und sie waren übereingekommen, gemeinsam mit ihr darüber zu sprechen.

»Wer hat es dir gesagt?«, fragte Jane.

»Sylvie«, erwiderte ihre Mutter schniefend. »Gestern Abend.«

Jane nickte schuldbewusst. Ihr war nicht klar gewesen, dass Sylvie das Thema wie einen Punkt auf der Tagesordnung betrachtete, den es strikt nach Plan in Angriff zu nehmen galt. Oder vielleicht hatte Abby sie dort gesehen und die Gelegenheit beim Schopf ergriffen.

Jane hatte Dylan die Pasteten geliefert und Chloe und Mona bei ihrem Abstecher nach Newport begleitet. Wäre sie nur, wie verabredet, zu Sylvie ins Krankenhaus gefahren! Sie hätte ihre Schwester und Mutter unterstützen können und Dylan keine Gelegenheit gegeben, das Bild in ihrem Medaillon zu entdecken. Bei dem Gedanken zitterte sie von Kopf bis Fuß: es war ein Gefühlsaufruhr wie ein Erdbeben.

»Seid ihr der Meinung, dass ich in ein Pflegeheim gehöre?«, fragte ihre Mutter nun, als hätte sie dieselbe Frage in den vergangenen Wochen nicht schon mehrmals gestellt.

»Du bist gestürzt«, erwiderte Jane, als hätte sie dieselbe Antwort in den vergangenen Wochen nicht schon mehrmals gegeben.

»Und ich werde langsam vergesslich.« Ihre Mutter schlug die Hände vor die Augen. »Das ist das Allerschlimmste; ich habe vorhin geschwindelt, als ich sagte, die Medikamente wären Schuld daran, dass ich mir nicht merken kann, was ich lese. Das ist nicht der wahre Grund – es passiert ganz einfach. Es ist mein Verstand ... und dabei war ich früher ... so auf Zack!«

»O Mom, das bist du heute noch.«

Ihre Mutter schüttelte den Kopf, schluchzte leise. »Ich kann kaum dieser Spielschau im Fernsehen folgen. Ich vergesse alles. Meine Bücher, meine Bücher ...«

Jane schloss die Augen, spürte die knochige Hand ihrer Mutter. Sie dachte an das Blut in den Adern ihrer Mutter, ein Fluss der Zeit und Liebe, der an Jane und Sylvie und an Chloe weitergegeben worden war. Sie dachte an die Liebe ihrer Mutter zu Büchern und Geschichten, ein Fluss der Worte, der Symbole und Bedeutungen mit sich führte, der sie alle miteinan-

der verband. Bücher und Mütter und Kinder, heiß geliebt von Margaret, heiß geliebt von Jane.
»Ach, Sylvie, ach, Jane«, seufzte ihre Mutter, brachte die Namen ihrer Töchter durcheinander, und hob ihre verschränkten Hände an ihre Lippen. Sie küsste Janes Hände, dann trocknete sie damit ihre Tränen. »Du siehst so traurig aus ... es tut mir Leid, dass ich dich auch noch mit meinen Problemen belaste.«
Jane versuchte zu lächeln, aber es misslang. Sie war tief bekümmert über den Gedächtnisschwund und die Unfähigkeit ihrer Mutter, zu lesen. Der Kummer und die Erkenntnis, dass niemand an dem festzuhalten vermochte, was man liebte, setzte ihr hart zu.
»Was ist, Kind?« Ihre Mutter sah sie forschend an. »Was ist passiert?«
»Ich habe Sehnsucht nach meinem Baby«, flüsterte Jane.
Ihre Mutter antwortete nicht, umklammerte nur Janes Hand. Sie saß stumm und reglos in ihrem Krankenhausbett, sah ihre Tochter an. Ihre Haut war zart, bemerkenswert faltenlos, ihre lebenslange Liebe zu Büchern hatte sie bewogen, sich mehr im Schatten aufzuhalten als in der Sonne.
Worte konnten nicht schildern, was in diesem Augenblick in Jane vorging. Das Bedürfnis, ihre Mutter zu sehen, ihr eigen Fleisch und Blut, war wie ein Sog, der sie von Dylans Schlafzimmer in dieses Zimmer des Krankenhauses gezogen hatte; ein gleich starker Sog zog sie in die entgegengesetzte Richtung. Das hatte nichts mit Vernunft oder Logik zu tun; das Gefühl kam aus dem Herzen.
Ihre Mutter schwieg. Aber Jane konnte an ihren Augen erkennen, dass sie verstand. Margaret Porter, Schulleiterin, hatte endlich begriffen. Eine erstaunliche Tatsache. Es schien, als hätte sie durch den Verlust bestimmter Verknüpfungen im Gehirn das Bindeglied in ihrem Herzen gefunden.

»Ich wollte nur dein Bestes«, sagte ihre Mutter schließlich.

Jane versuchte zu nicken.

»Euer Vater hatte uns sitzen lassen. Ich war verbittert. Er hatte mir die alleinige Verantwortung überlassen, zwei empfindsame, blitzgescheite Töchter großzuziehen. Als dieser Junge dich ...«

»Mich schwängerte.«

Ihre Mutter zuckte zusammen, aber sie nickte. »Ich hasste ihn. Ich verachtete ihn, weil er dich um eine große Chance im Leben gebracht hatte. Ich ließ mich bei der Entscheidungsfindung von meinen eigenen Gefühlen für deinen Vater beeinflussen. Deine Schwangerschaft war in meinen Augen etwas, das dir *angetan* wurde – dabei vergaß ich, dass noch jemand einbezogen war.«

Jane kniff ihre Augen fest zusammen, überwältigt von Schmerz.

»Chloe«, sagte ihre Mutter.

Jane starrte sie an. Margaret hatte den Namen nie ausgesprochen. Als weigerte sie sich, dem Kind eine eigene Persönlichkeit zuzugestehen, sie als Teil der Familie zu betrachten, indem sie zur Kenntnis nahm, dass Jane ihr einen Namen gegeben hatte.

»Ich habe euch beiden keinen guten Dienst damit erwiesen«, flüsterte ihre Mutter.

»Was meinst du?«

»Mein Augenmerk war ausschließlich auf dein Studium gerichtet, du solltest Spitzenleistungen in Englisch erbringen und irgendwann einmal Professorin an einer Universität werden; ich wusste aus eigener Erfahrung, wie schwer es eine allein erziehende Mutter hat. Und dennoch ... ich möchte keine Minute missen. Das ist mir inzwischen klar ...«

Jane hörte das kummervolle Bedauern in der Stimme ihrer Mutter und beugte sich über das Bett, um sie zu umarmen.

»Ich hatte damals schwer zu kämpfen, um meinen Magister zu machen«, fuhr sie fort. »Ich versuchte, mich gegen jüngere Studenten zu behaupten, die allein stehend waren, ohne eine Familie, für die sie sorgen mussten. Du warst damals noch sehr jung, hattest hochfliegende Pläne, wolltest die Welt erobern – die Elite überflügeln! Ich hielt es für meine Pflicht als Mutter, einzuschreiten. Aber was habe ich dir dadurch alles vorenthalten!«

»Es war nicht dein Fehler, Mom. Ich habe dir die Schuld gegeben, das stimmt. Aber tief in meinem Inneren weiß ich, dass ich Angst vor der Verantwortung hatte, ein Kind großzuziehen. Erst als ich sie zur Adoption freigegeben hatte, wurde mir klar, welche Auswirkungen dieser Schritt auf mich hatte.«

»Und welche?«, fragte ihre Mutter, den Kopf an Janes Schulter verborgen, als fürchte sie sich vor der Antwort.

»Er hat mein Innerstes nach außen gekehrt«, erwiderte Jane und hörte die kleine Chloe immer noch weinen, als sie den Armen ihrer Mutter entrissen und weggebracht worden war. Sie hielten sich für eine Weile umschlungen. Abby Goodheart schaute kurz herein, doch als sie die beiden in inniger Umarmung sah, ging sie lautlos davon. Jane hatte sich lange danach gesehnt, diese Dinge von ihrer Mutter zu hören. Sie dachte an Dylan, an den gestrigen Abend und den Ausdruck in seinen Augen.

»Ich weiß, dass du sie triffst, auch wenn du kein Wort darüber verloren hast«, sagte ihre Mutter. »Es war nicht schwer zu erraten, dass sie der Grund für deine Spritztouren ist.«

»Sie ist ein wunderbares Mädchen.«

»Ich habe nichts anderes von deiner Tochter erwartet.«

»Ich wünschte …«

Ihre Mutter neigte den Kopf, wartete.

Jane blickte aus dem Fenster. Von den abgestellten Autos auf

dem Parkplatz der Klinik stieg flirrende Hitze auf. »Ihr Onkel weiß, wer ich bin. Er hat es gestern Abend herausgefunden. Jetzt ist alles aus.«
»Was ist aus?«
»Ich habe die Chance vertan, einen Platz in Chloes Leben zu finden.«
»Was soll das heißen?«
»Er hat mich bei einer Unwahrheit ertappt; ich habe mir unter Vorspiegelung falscher Tatsachen Zutritt zu ihrer Welt verschafft. Er hält mich für eine infame Lügnerin, und das wird er ihr sagen.«
Ein Lächeln breitete sich auf den zarten Wangen ihrer Mutter aus.
»Wieso lächelst du?«
»Weil du, mein Schatz, eigentlich, wenn schon nichts anderes, etwas aus meiner kolossalen Dummheit gelernt haben solltest.«
»Was denn?«
»Dass Familienangehörige keine Ahnung haben, wovon sie reden, auch wenn sie es noch so gut meinen.«
»Aber er ist ihr Onkel – sie liegt ihm sehr am Herzen.«
»Genau wie es damals bei mir war. Als ich dein Bestes wollte …«
Janes Herz schlug schneller. Sie sah Dylan wieder vor sich, der drohend über ihr aufragte und Chloes Bild im Medaillon anstarrte. Dann hatte er ihr sein Foto von Chloe in die Hände gedrückt. Menschen, die sich ein Duell mit ihrer Liebe lieferten, dachte sie.
»Ich liebe sie«, sagte Jane.
»Dann musst du dich von dieser Liebe leiten lassen.«
»Er liebt sie auch.«
»Liebe schließt sich nicht gegenseitig aus … lass dich von ihr iten.«

Jane nickte, stand auf. Dabei spürte sie, wie das Handy, d
sie auf stumm geschaltet hatte, an ihrer Hüfte vibrierte. Si
zog es hervor, sah eine unbekannte Nummer aus Rhode Island und beschloss, der Sache später auf den Grund zu gehen, wenn sie die Klinik verlassen hatte.

»Das hat sie immer getan; ich war mir vorher nur nicht mehr sicher, wie es weitergehen soll.«

»Aber jetzt bist du es?«

»Ja.«

Ihre Mutter küsste sie. In dem Moment kam Sylvie zur Tür herein und die Schwestern sahen sich an. Sylvies Blick war vorwurfsvoll.

»Du wollest gestern Abend herkommen«, sagte sie.

»Ich weiß. Es tut mir Leid; ich wusste nicht, dass du ein Treffen mit Abby geplant hattest.«

»Das war nicht geplant – sie hatte zufällig Zeit und kam an Moms Zimmer vorbei. John und ich waren da, deshalb setzte sie sich zu uns ... und wir sind ins Gespräch gekommen.« Sie warf ihrer Mutter einen raschen Blick zu, die sich mit geschlossenen Augen und einem leichten Lächeln in die Kissen zurückgelehnt hatte, als erinnerte sie sich an den letzten Teil der Unterhaltung mit Jane. Der Fernseher war eingeschaltet, lieferte Bilder ohne Ton. Ihre Mutter war eingeschlummert. Vermutlich schlief sie nicht sehr tief – nur ein kleines Nickerchen, eines von vielen, die sie jeden Tag machte. Doch ihre Augen blieben geschlossen und ihr Kopf sackte nach vorn, ihr Kinn ruhte auf der Brust. »Wie geht es ihr heute?«, fragte Sylvie.

»Sie ist traurig wegen ihrer Bücher.«

Sylvie spähte zum Bett hinüber. Die Haut ihrer Mutter war bleich, aber auf ihren Wangen zeichneten sich zwei rote Flecken ab.

»Sie sieht nicht traurig aus.«

ir haben uns über Chloe unterhalten«, sagte Jane.
ylvies Augen weiteten sich.

»Sie hat sie beim Namen genannt. Zum ersten Mal …«

Sylvie schüttelte den Kopf.

»Das hat sie oft getan, in meiner Gegenwart. Mom wollte Chloes Existenz nicht totschweigen – sie konnte es nur nicht ertragen, dich leiden zu sehen. Sie meinte, dass du sie nicht so schrecklich vermissen würdest, wenn niemand sie erwähnt.«

»Wie denn? Wie könnte ich das?«

Sylvie nickte. Sie sah glücklicher aus, irgendwie reifer. Die Liebe zu John hatte sie offensichtlich verändert, hatte sie gewärmt, erfüllt, ihr das Gefühl gegeben, in Harmonie mit sich selbst und der Welt zu sein. Jane war es mit Dylan ähnlich ergangen. Sie zwang sich, ihn aus ihren Gedanken zu verbannen. Sie musste sich jetzt auf Chloe konzentrieren, auf die Chance, mit ihr ins Reine zu kommen. »Wenigstens hast du sie gesehen, sie kennen gelernt«, sagte Jane.

»Ach, Janey.« Sylvie schloss sie in die Arme. »Glaubst du, das war das erste Mal, dass ich sie zu Gesicht bekommen habe? Mom pflegte ihrer Schule jedes Jahr einen Besuch abzustatten. Unter einem Vorwand – eine Rektorin, die sich informiert, was sich in anderen Schulen tut. Später nahm sie mich immer mit.«

»Und was hielt Mom von ihr?«, flüsterte Jane und betrachtete ihre Mutter.

»Das Gleiche wie ich. Sie ist ausnehmend hübsch. Und hat deinen wachen Verstand.«

»Danke, dass du es mir erzählt hast.«

»Warst du gestern Abend bei den beiden?«

Jane musterte ihre Hände – die Chloe von ihr geerbt hatte. Sie dachte an die Fahrt durch Newport, und wie sich die salzhaltige Luft angefühlt hatte, die durch die geöffneten Fenster in die Fahrerkabine von Dylans Pickup gedrungen war. Sie dachte an die Kränkung, an den Ausdruck eiskalter Wut in seinen Augen. Sie sah Sylvie an, ihre Blicke trafen sich. Früher, vor Chloes Geburt, hatten sie sich sehr nahe gestanden. Bis Jane Mutter geworden war.

Eine Phantommutter.

Mit der gleichen Liebe zu ihrem Kind wie jede Mutter auf der Welt, aber ohne ein Kind, dem sie ihre Liebe schenken konnte. Mit dem Kind hatte sie auch ihre Herzenswärme verloren. Danach war nichts mehr so wie früher gewesen. Doch nun musste Jane, als sie Sylvie erzählen wollte, was sich gestern Abend zugetragen hatte, die Tränen zurückhalten.

»Was ist, Jane?« Sylvie trat näher.

Jane biss sich auf die Lippe. Liebe bewirkte seltsame Dinge. Sie gab Menschen einen Grund zu leben. Sie war Ursache für Herzeleid und Verrat. Sie brachte Familien zusammen und auseinander – bisweilen gleichzeitig. Und nun brachte sie Jane dazu zu schweigen, bis sich die Gelegenheit bot, Chloe reinen Wein einzuschenken.

»Später, ja?«, sagte Jane. »Ich werde dir alles erzählen, aber nicht jetzt ...«

»Natürlich.« Sylvies Miene war besorgt.

In diesem Moment wachte ihre Mutter auf.

»Hallo, Mädels.« Sie hielt sich die Hand vor den Mund und gähnte. »Wo habt ihr den ganzen Tag gesteckt? Ich habe mich so einsam gefühlt und darauf gewartet, dass ihr kommt!«

»Mom – ich war doch da.« Jane verspürte einen Anflug von Panik bei dem Gedanken, ihre Mutter könnte ihr Gespräch vergessen haben; sie hätte ihr gern Fragen über den heimlichen Besuch in Chloes Schule gestellt. »Erinnerst du dich? Wir haben uns über Chloe unterhalten ...«

»Pssst.« Ihre Mutter blinzelte schlaftrunken und hob den Finger an die Lippen. »Pssst ... du sollst ihren Namen nicht er-

wähnen. Jane könnte dich hören, und dann wäre sie traurig … sehr traurig …«
»Wir reden später«, sagte Sylvie und umarmte Jane.
Jane nickte und küsste ihre Schwester. Das war in Ordnung, fürs Erste war alles gesagt. Sie musste hinaus, an die frische Luft, und überlegen, wie sie es ihrer Tochter beibringen sollte.

Wie sich herausstellte, musste sie nicht lange warten. Bei der Überprüfung der eingegangenen Nachrichten hörte sie Chloes Stimme, die darum bat, sie auf Monas Handy zurückzurufen. Was sie umgehend tat.
»Hallo?«
»Hallo, Mona. Jane hier …«
»Oh, hallo! Chloe steht direkt neben mir!«
Jane wartete und hörte, wie Chloe am Stand eine Pastete verkaufte. Eine Minute später war sie am Apparat.
»Jane?«
»Ja, Chloe, ich bin's.« Jane versuchte, tief durchzuatmen, hoffte, dass Dylan noch nicht mit ihr gesprochen hatte.
»Jane – könntest du mich abholen? Am Stand? Ich muss den … du-weißt-schon-Test … wiederholen«, sagte Chloe, während Mona im Hintergrund kreischte: »Du dumme Nuss! Wozu denn die Geheimsprache! Hier ist doch kein Mensch weit und breit außer mir, und ich bin eingeweiht!«
Jane stand auf dem Gehweg des Krankenhauses, das Ohr an das Telefon gepresst. »Ich bin gleich da«, antwortete sie. Sie steckte das Handy ein, dann stand sie einen Moment reglos da, durchdrungen von Chloes Stimme, der Tatsache, dass ihre Tochter *sie* angerufen und um Hilfe gebeten hatte, und allem, was geschehen war.

25

Chloe wartete am Straßenrand. Mona würde bis zu ihrer Rückkehr die Stellung halten. Es war kurz vor zwölf und ein heißer Tag. Dampf stieg von dem Asphalt auf. Sich im Fluss abzukühlen, wäre eine Wohltat gewesen. Chloe hob den Blick, spähte durch die Apfelbäume, an der Scheune vorbei. Sie wünschte, sie wäre wieder ein kleines Mädchen, könnte den Sommertag unbeschwert genießen.

»Wann kommt sie?«, fragte Mona.

»Jede Minute.« Chloe beobachtete wieder die Straße. Ihr Magen rumorte.

»Du musst positiv denken. Sag deinem Körper, dass er nicht schwanger sein kann. Er wird auf dich hören.«

»Sex ist furchtbar«, erwiderte Chloe zähneknirschend.

»Findest du?«

Chloe nickte. Sie hätte gerne gewusst, ob sie genauso elend aussah, wie sie sich fühlte. Schweißperlen hatten sich über ihrer Oberlippe gebildet. Einmal war sie mit ihren Eltern während der Überfahrt nach Block Island in einen Sturm geraten und die Fähre hatte wie wild geschaukelt und geschlingert. Chloe war seekrank geworden. So ähnlich fühlte sie sich jetzt.

»Du wirst sehen, alles wird gut«, sagte Mona.

»Hoffentlich.«

Mona kicherte, dann schlug sie die Hände vor den Mund, um sich das Lachen zu verkneifen.

»Was ist?«

»O Gott, ich kann nicht aufhören.« Mona sah sich um. »Wir haben eine musikalische Untermalung, die zum Thema Sex passt. »Piep-piep, summ-summ.«

»Die Vögel und die Bienen.« Chloe lachte, obwohl ihr speiübel war.
Vögel zwitscherten in den Bäumen: Kardinalvögel, Eichelhäher, Finken, Sperlinge. Schwalben, die in der Scheune nisteten, erhoben sich blitzschnell in die Lüfte, fingen Insekten im Flug. Honigbienen summten in den Zweigen der Apfelbäume und in den Wiesenblumen.
»Ich glaube, ich bin nicht ganz bei Trost«, sagte Mona. »In einer solchen Situation Witze zu machen.«
»Du kannst nichts dafür«, sagte Chloe, froh darüber, dass sie gelacht hatten.
»Abgesehen davon war es eigentlich kein Witz. Sondern eine tiefgründige Beobachtung. Und davon habe ich noch eine auf Lager. Seit ich dich hier am Straßenrand stehen sehe, muss ich ständig an das Stickbild denken, das bei euch in der Diele hängt.«
Chloe wusste, dass es von ihrer Mutter stammte; sie hatte es gemacht, als sie ihren Vater geheiratet hatte und auf die Plantage gezogen war. Es zeigte das kleine weiße Haus, in dem sie lebten, den Zaun, die Apfelbäume und die rote Scheune auf der Anhöhe. Ihre Mutter hatte ein Spruchband an den oberen Rand gestickt.
Mona zitierte die Worte: »›Gib mir Freunde und ein Heim, um glücklich zu sein‹.«
»Das trifft voll auf mich zu. Vor allem, was die männlichen Exemplare angeht!«, sagte Chloe ironisch.
»So habe ich das nicht gemeint.«
»Ich auch nicht«, erwiderte Chloe und fühlte sich sterbenskrank.
»Ich meinte nur, du siehst so aus, als könntest du kein Wässerchen trüben, wie du da am Straßenrand stehst und auf Jane wartest. Vielleicht können wir deine Mutter dazu bringen, ihr Stickbild zu überarbeiten. Freund*innen* statt Freunde.«

Chloe nickte. Sie stellte sich ihre Mutter vor, wie sie an dem Stickmustertuch arbeitete. Damals war sie eine junge Frau gewesen. Wie mochte es gewesen sein, auf die Apfelplantage zu ziehen? Ihr Großvater hatte zu der Zeit noch gelebt; ihre Mutter hatte ihn zusammen mit ihrem Vater gepflegt und sich dabei fortwährend ein Baby gewünscht. Hatte sie, während sie im Schaukelstuhl saß und das anheimelnde Motiv stickte, von einem eigenen, leiblichen Kind geträumt?
Bei dem Gedanken kniff Chloe die Augen zusammen. Wie kam es, dass ihrer Mutter ein Kind versagt blieb, obwohl eine Schwangerschaft doch das Normalste auf der Welt war – schließlich war bei jedem der Millionen und Abermillionen Menschen, die auf der Erde lebten, eine vorausgegangen! Es stimmte Chloe traurig, sich ihre Mutter vorzustellen, wie sie an ihrem Stickmusterbild arbeitete.
In diesem Augenblick näherte sich Onkel Dylan auf seinem Traktor.
»Wieso stehst du an der Straße?«, rief er.
»Ich warte auf jemanden«, rief sie zurück, das Rumpeln des Motors übertönend.
Onkel Dylan stellte den Motor ab. »Ich muss mit dir reden.«
»Ähm«, sagte Chloe nervös. Einerseits wollte sie keinen Argwohn bei ihrem Onkel erregen, doch andererseits wusste sie, dass sie sich nicht auf das konzentrieren konnte, was er ihr zu sagen hatte, bis sie mit Jane losgefahren war, um den Schwangerschaftstest zu wiederholen.
»Du kannst mit mir reden«, eilte ihr Mona kokett zu Hilfe, und Chloe hätte sie dafür am liebsten umarmt.
Onkel Dylan verzog keine Miene. Allem Anschein nach hatte er sich wieder in den alten Griesgram verwandelt, der er früher gewesen war – v. J. – vor Jane.
»Was ist los, Onkel Dylan?«, fragte Mona. »Du siehst ziemlich mitgenommen aus.«

»Nichts ist los. Chloe, lass uns eine Runde spazieren gehen. Mona kann sich so lange um den Stand kümmern …«
In diesem Moment tauchte Janes Wagen auf. Chloe blickte ihren Onkel an, in der Erwartung, dass er wie Eis in der Sonne dahinschmelzen würde. Doch zu ihrem Erstaunen wirkte er mit einem Mal erst richtig versteinert. Die Linien in seinem Gesicht vertieften sich noch. Sein Blick wurde finster, als zöge ein Sturm herauf.
»Was soll das?«, herrschte er Jane an, als Chloe die Wagentür öffnete.
»Wir sind gleich wieder da«, erwiderte Jane, als Chloe einstieg, und Chloe war froh, dass sie ihr Geheimnis bewahrte.
»Schluss damit«, befahl er, die Hände an der Autotür.
Jane schwieg. Sie sah ihn lange an, blinzelte. Chloe wusste, in der Katzensprache war das eine versöhnliche Botschaft. Ein Zeichen, dass die blinzelnde Katze nicht angriffslustig, sondern friedlich und freundlich gestimmt war, und Chloe liebte sie dafür. Falls Onkel Dylan das Signal zu deuten wusste, ließ er sich nichts anmerken. Sein Blick war nach wie vor düster und verhieß nichts Gutes.
»Jane, ich sagte Schluss.«
Jane gab Gas, ohne ein weiteres Wort zu verlieren.
Chloe drehte sich zu ihr um, wollte fragen, was das Ganze sollte, doch in Janes Miene zeichnete sich ein ähnliches Muster ab: ein Unwetter mit Wolken, Blitz und Regen. Ihre Augen funkelten, als sie Chloe ansah.
»Alles in Ordnung?«
Chloe wollte schon nicken, dann schüttelte sie den Kopf. »Nein, ich fühle mich hundeelend.«
»Befürchtest du, es könnte die morgendliche Übelkeit sein?«
»Ja. Vielleicht ist es ja nur schlechtes Karma, aber …«
»Was ist mit deiner Periode?«

»Verspätet.« Chloe vergaß Onkel Dylan, konnte nur noch an die Zwangslage denken, in der sie sich befand. »Eine ganze Woche. Könnte es sein, dass ich den letzten Test zu früh gemacht habe?«
»Möglich wäre es«, erwiderte Jane leise. Doch der Sturm in ihren Augen hatte sich verzogen und sie lächelte Chloe warmherzig zu.
Chloes Angst steigerte sich immer mehr während der Fahrt. Sie berührte ihren Bauch. Was war, wenn ein Baby darin wuchs? Sie schluckte, hatte ein seltsames Gefühl. Der Gedanke, dass die Autofahrt bis zum Twin Rivers Hospital eine Viertelstunde dauern würde, kam ihr plötzlich unerträglich vor. Sie wandte sich Jane zu.
»Lass uns den Test in Crofton besorgen. Wenn du ihn kaufst, schöpft niemand Verdacht«, schlug sie vor.
»In Ordnung.« Jane spürte, dass Chloe einer Panik nahe war. Sie bog in die Mall ein, parkte unweit des Eingangs zum Food Court. Gemeinsam betraten sie das Einkaufszentrum. Direkt hinter dem Orange-Blossom-Brautgeschäft befand sich eine Good-Health-Apotheke; Chloe wartete draußen, als Jane hineinging. Sie stand in der Hauptpassage des Einkaufsparadieses und sah den Menschen zu, die Besorgungen machten, in aller Eile, damit sie bei den sommerlichen Temperaturen möglichst schnell an den Strand kamen. Plötzlich hörte sie, wie jemand sie rief.
»Chloe?«
Sie fuhr herum. Ihre Mutter steuerte auf sie zu, eine Tüte von Langtry's in der Hand – Chloes Lieblingsladen.
»Mom!«, rief Chloe.
»Wieso arbeitest du nicht, mein Schatz?«
»Oh.« Chloe wurde es heiß und sie spürte, wie sie errötete. Sie biss sich auf die Lippe. Sie würde zu einer Notlüge greifen müssen. Es gab keine andere Möglichkeit, sich aus der Affäre

zu ziehen. »Ähm, ich habe eine Freundin begleitet, bei einer Besorgung …«
In diesem Moment wurde ihrer Mutter bewusst, dass sie vor der Apotheke standen, genau gegenüber Rhode Island Pets, Inc., einer Zoohandlung. Ihr Gesicht fiel zusammen, als hätte sie gerade erfahren, dass Chloe die Schule schwänzte. Sie erbleichte.
»Chloe. Du hast doch nicht etwa … eine Aktion geplant, oder?«
»Eine was?«
»Gegen den Tierladen. Ich bin nicht von gestern, Miss Chloe Chadwick. Wogegen richtet sich dein Protest?«
»Mom, gegen nichts – ich schwöre!« Chloe blickte zum Schaufenster der Zoohandlung hinüber. Ein bunter Keilschwanzsittich war an eine Sitzstange gekettet. Mehrere niedliche Welpen tollten in Käfigen umher, die mit Zeitungspapier ausgelegt waren. Bei ihrem Anblick füllten sich Chloes Augen mit Tränen. Was war sie nur für ein Mensch? So eingesponnen in ihre eigenen Probleme, dass sie die Tiere nicht einmal bemerkt hatte?
»Was ist es dieses Mal? Welpenaufzucht wie am Fließband? Papageien, die vom Amazonas gestohlen wurden?«
»Das ist kein Papagei«, verbesserte Chloe, dem Blick ihrer Mutter zum Schaufenster folgend, »sondern ein Keilschwanzsittich, der zur Gattung der Ara gehört.«
»Chloe – das ist mir egal, selbst wenn es das Wappentier unseres Landes, ein Weißkopf-Seeadler, wäre.« Ihre Mutter packte sie am Handgelenk und sah sie flehentlich an. Der Ausdruck in ihren Augen war so besorgt und liebevoll, dass Chloe ihren Augen nicht trauen wollte. »Kind, dein Vater musste Ace Fontaine beknien, wegen der Geschichte im Supermarkt auf eine Anzeige zu verzichten. Wenn du hier im Einkaufszentrum etwas anstellst, musst du damit rechnen,

dass dich die Polizei *in Gewahrsam* nimmt. Ich weiß, dass du Tiere über alles liebst, aber bitte, bitte, Chloe, mach keine Dumm…«
Sie wurde von Chloe unterbrochen, die sich ihr an den Hals warf und sie mit aller Kraft umarmte. Chloe fehlten die Worte. Da war sie in geheimer Ludermission unterwegs und ihre arme Mutter zerbrach sich den Kopf über ihren Tierschutz-Aktivismus.
»Ich verspreche es, Mom. Ich verspreche es hoch und heilig«, gelang es ihr schließlich zu sagen. Sie war kurz davor, in Tränen auszubrechen und alles zu gestehen. Ihre Mutter erwiderte die Umarmung, hielt sie fest. Chloe liebte den Duft ihrer Haare – sie rochen nach Lavendel, nach Chloes Kindheit. Sie liebte ihre Pölsterchen und Rundungen, die sich behaglich anfühlten. Sie war keine Frau, die nur aus aufgeblasenen Muskeln bestand wie Betty Lou, die praktisch ihr ganzes Leben auf dem StairMaster verbrachte.
Chloes Mutter brauchte keine Fitnessgeräte: Sie marschierte stramm über die Landstraßen rund um die Plantage. Sie tanzte zu den alten Videos auf VH-1, wenn sie sich unbeobachtet glaubte. Einmal hatte Chloe sie dabei ertappt, wie sie zu »Into the Groove« eine heiße Nummer hinlegte, als wäre sie Madonna höchstpersönlich. Chloe hatte mitgemacht, und gemeinsam waren sie durch den Raum gewirbelt. Ihre Mutter bewegte sich gerne, schielte dabei aber nicht mit einem Auge zum Spiegel hinüber.
»Wenn du es hoch und heilig versprichst, glaube ich dir«, sagte ihre Mutter und löste sich von ihr. »Wo ist Mona?«
»Am Stand.«
»Mit wem bist du denn hier?«
In dem Augenblick kam Jane aus der Apotheke. Sie hielt die weiße Tüte hoch, wie die Fackel der Freiheitsstatue, ließ jedoch den Arm rasch sinken, als sie Chloes Mutter entdeckte.

Chloe war haarscharf davon entfernt, sich auf den blank polierten Boden des Einkaufszentrums zu übergeben.
»Hallo.« Jane trat näher.
»Hallo.« Chloes Mutter lächelte verwirrt.
»Mom, das ist Jane. Die Konditorin. Jane, das ist meine Mom.«
»Sharon Chadwick.« Die beiden Frauen reichten sich zur Begrüßung die Hände. »Ich habe viel von Ihnen gehört. Und Ihre Pasteten sind köstlich.«
»Danke.« Janes Augen waren weit aufgerissen, sie sah alarmiert aus. Sie stand reglos da und hielt die Tüte umklammert. Chloe wurde bewusst, dass sie ganz anders als ihre Mutter aussah – als jede Mutter aus der Gegend, nebenbei bemerkt: Sie trug ein schwarzes, im Nacken gebundenes Top mit der silbernen Aufschrift »Om«. Auf der Rückseite hieß es: »Shanti Yoga, Perry Street.« Ihre Frisur wirkte chic und jung. Die dunklen Haare fielen ihr schräg über das rechte Auge. Die Hüfthose im Tarnanzug-Stil enthüllte den Bund eines Calvin-Klein-Slips und ein winziges, tätowiertes »C« auf der Hüfte. Seltsamerweise war sie genauso gekleidet wie in Newport. Das galt auch für die Schuhe: schwarz und klobig, wirkten sie wie eine gefährliche Waffe.
Chloes Mutter trug dagegen ein langes Sommerkleid aus ihrem Lieblingskatalog – fließend, kühl und gelb mit rundum verstreuten Sonnenblumen – und einen Strohhut. An den Füßen hatte sie bequeme Sandalen. Ihre Ohrringe waren mit Perlen und Sonnensymbolen geschmückt. Unter ihren Fingernägeln waren schwarze Trauerränder von der Erde im Garten. Sie besaß eine warme, hoffnungsvolle New-Age-Ausstrahlung, die besänftigend wirkte.
»Chloe hat mich nur schnell bei einer Besorgung begleitet«, sagte Jane, obwohl Chloes Mutter nicht danach gefragt hatte.

»Das ist typisch für sie«, erwiderte ihre Mutter und drückte ihre Schultern. »Immer hilfsbereit.«
Chloe versuchte, sich ein Lächeln oder eine Bemerkung abzuringen, doch vergebens. Sie hatte das Gefühl, innerlich zu schrumpfen. Ihre Mutter zu belügen, war schrecklich. So war es immer gewesen, aber es war ihr nie schmerzlicher bewusst als jetzt. Denn heute stand eine Menge auf dem Spiel: Diese Lüge hatte mit anderen Lügen zu tun. Mit dem heimlichen Rendezvous unter dem Sternenhimmel, mit Sex und möglicherweise mit einer Schwangerschaft.
Chloe schluckte krampfhaft. Sie blickte Jane an. Beim direkten Vergleich mit ihrer Mutter schnitt Jane nicht mehr so gut ab. Sie hatte ihre Mutter gerade angeschwindelt. Obwohl Chloe wusste, dass sie ihr damit nur helfen wollte, hatte sie dabei kein gutes Gefühl.
»Ich muss zur Plantage zurück«, sagte Chloe.
»Soll ich dich mitnehmen?«, fragte ihre Mutter. »Ich habe nur kurz Halt gemacht, um Flip-Flops für uns beide zu kaufen, und fahre jetzt nach Hause.«
Chloe schüttelte den Kopf. Die Worte »Flip-Flops« schnitten ihr wie ein Messer ins Herz. Sie hatten einen so leichten, wohltönenden Klang inmitten von so viel Lug und Betrug. Sie schämte sich. Sie blickte Jane an und sah, wie sie den Mund aufmachte – vielleicht, um ihrer Mutter eine weitere Lüge aufzutischen. Chloe kam ihr zuvor.
»Jane fährt mich zurück. Wir haben Pasteten im Auto …«
»Natürlich.« Chloes Mutter lächelte. »Also dann, es war nett, Sie kennen zu lernen. Mein Mann und ich würden uns freuen, wenn Dylan und Sie bald einmal zu uns zum Abendessen kämen.«
»Danke«, sagte Jane. Sie lächelte schwach – als sei sie nicht im Geringsten interessiert.
Während Chloe ihrer Mutter nachsah, verspürte sie mit ei-

nem Mal das Bedürfnis, ihr hinterherzulaufen. Jane repräsentierte die Welt der Erwachsenen, Unabhängigkeit, die Großstadt. Chloes Mutter repräsentierte die Welt ihrer Kindheit, Geborgenheit, ländliche Idylle. Chloe hatte einen Kloß im Hals. Jane sah sie besorgt an.

»Sollen wir eine Toilette suchen?«

Chloe nickte – aber sie schaffte es nicht mehr. Sie erbrach sich auf ihre eigenen Füße und die Janes, mitten im Einkaufszentrum.

Jane brachte sie zum Auto. Chloe war verwirrt und weinte. Jane wusste, dass es ihr ein Gräuel gewesen war, ihre Adoptivmutter zu belügen. Sie wünschte, sie könnte den Moment rückgängig machen, die Wogen glätten. Aber wie? Chloe befand sich in einer Krise – eine Situation, an die sich Jane nur zu gut erinnerte. Sharon Chadwick würde bald genug einbezogen sein … es war Jane ungeheuer schwer gefallen, sich der Begegnung mit ihr zu stellen. Die beiden Frauen hatten sich angeschaut und Jane war sicher, dass Sharon über kurz oder lang zwei und zwei zusammenzählen und die Wahrheit entdecken würde.

Die Ähnlichkeit war ja auch nicht zu übersehen. Sie hatte die gleichen Augen wie Chloe. Und die Liebe zu dem Mädchen, das sie beide als ihre Tochter betrachteten, war ihr ins Gesicht geschrieben.

Langsam fuhr sie vom Parkplatz herunter. Chloe wollte nicht an einer Tankstelle oder einem Restaurant anhalten. Sie bestand darauf, dorthin zurückzukehren, wo sie schon einmal gewesen waren – auf die schattige Landstraße, wo sie im Gebüsch den Urintest gemacht hatte. Jane fuhr also in Richtung Osten, zutiefst aufgewühlt. Sie kamen an der Schnellstraße vorbei, die nach Cherry Vale führte. Sie kamen an einem Wegweiser vorbei, auf dem PROVIDENCE – 10 MEILEN stand.

Anfang und Ende. Providence, wo Chloe gezeugt worden war, und Cherry Vale, wo Janes Mutter den Rest ihres Lebens verbringen würde. Der Kombi, in dem sie saßen, kam ihr wie eine Zeitmaschine vor. Sie dachte an Dylan – seinen durchdringenden Blick, als er sich dem Wagen genähert und Chloe daran zu hindern versucht hatte, mit Jane wegzufahren. Einen Moment lang, als sie Sharon Chadwick mit Chloe im Einkaufszentrum entdeckte, hatte Jane gedacht, Dylan hätte ihnen seine Schwägerin nachgeschickt.

Die Fahrt verlief schweigend, sowohl Jane als auch Chloe waren in Gedanken versunken. Dem Augenblick haftete eine Aura der Unehrlichkeit an. Vielleicht hatte die Lüge, die sie Sharon Chadwick erzählt hatte, alles verschlimmert. Chloe war bei der Behauptung zusammengezuckt, sie habe eine Besorgung für sich selbst gemacht. Sie wusste nun, wie leicht es ihr fiel, zu lügen.

Und nicht nur zu lügen – sondern auch zu betrügen.

»O Chloe«, entfuhr es ihr.

Chloe blickte sie verstohlen an – was Jane nicht entging. Die Fahrt unterschied sich merklich von der letzten. Beim ersten Mal hatte Jane das Gefühl gehabt, dass Chloe sie als rettenden Engel betrachtete. Inzwischen hatten sie sich beide in ein falsches Spiel verstrickt.

Jane fuhr an den Straßenrand, das Herz klopfte ihr bis zum Hals. Dylan kannte die Wahrheit; es war nur eine Frage der Zeit, bis er damit herausrückte. Sie blickte in den Rückspiegel, in ihre eigenen hellblauen Augen. Sie schluckte, sah zu Chloe hinüber – die gleichen hellblauen Augen.

»Warum halten wir an?«, fragte Chloe.

Jane holte tief Luft. »Schau mich an.«

»Was?«

»Siehst du es nicht?«, fragte Jane mit brüchiger Stimme.

»Was soll ich sehen?«

»Wer ich bin.«
»Du bist Jane. Du backst unsere Pasteten.« Sie versuchte zu lachen, aber sie spürte, dass der Spaß nun vorbei war. »Du bist die Pastetenlady.«
Jane schloss die Augen, grub ihre Fingernägel in die Handflächen. Sie hätte am liebsten geschwiegen, aber es gab kein Zurück mehr. Die Wahrheit musste ans Licht.
»Ich bin noch etwas anderes«, sagte Jane leise. Die Sommerluft war drückend heiß, kein Lüftchen regte sich. Die Fenster des Wagens standen offen und irgendwo in unmittelbarer Nähe, hinter den Bäumen, fuhr ein Eiswagen vorbei; die Glocke bimmelte beharrlich.
Chloe musterte sie, hielt die weiße Papiertüte in der Hand. Ihr Blick war intensiv, durchdringend; eine senkrechte Falte bildete sich zwischen ihren dunklen, fein gezeichneten Brauen. Ein Laserblick, den Jane geradezu spürte, als sich die Teile des Puzzlespiels mit einem Mal zusammenfügten und ein klares Bild ergaben.
»Du bist …« Chloe schlug die Hand vor den Mund.
»Ich bin deine Mutter.«
»Meine …«
»Ich bin deine Mutter«, sagte Jane abermals, als erhielte das Bekenntnis durch die Wiederholung doppeltes Gewicht.
Chloe starrte sie an, als redete Jane in einer fremden, unverständlichen Sprache. Ihre Augen weiteten sich. Sie nahm die Farbe und Form von Janes Augen wahr, die Konturen ihres Mundes, die ausgeprägten Wangenknochen.
»Ich habe von dir geträumt«, flüsterte Chloe.
»O Chloe … und ich von dir.« Janes Stimme brach.
»Warum?«, fragte Chloe. »Warum hast du mich weggegeben?«
»Ich war sehr jung. Nicht viel älter als du.«
»Das spielt keine Rolle.« Chloe berührte ihren eigenen Bauch.

»Ich würde mein Kind nie im Leben weggeben. Warum hast du das getan?«, stöhnte sie.
Jane schloss die Augen. »Ich dachte, es sei das Beste für dich. Aber ich habe es bitter bereut, es war der größte Fehler meines Lebens …«
»Meine Eltern lieben mich.«
»Ich weiß.«
»Du hast mich abgeschoben. Ich war unerwünscht. Du hast mich verleugnet …«
Chloe begann zu weinen. Die weiße Tüte fiel ihr aus der Hand. Sie zog die Knie hoch, barg den Kopf in den Armen, von lautlosem Schluchzen geschüttelt. In den vergangenen fünfzehn Jahren hatte Jane die Stunde der Wahrheit oft in Gedanken durchgespielt. Sie hatte sich eine von Nachsicht und Vergebung geprägte Situation ausgemalt. Oder ein ernstes Gespräch über die Ähnlichkeiten zwischen ihnen und die Möglichkeiten, zueinander zu finden, am Leben der anderen teilzuhaben. Nichts hatte sie auf die gutturalen Laute aus dem Mund ihrer Tochter vorbereitet, die an ein verletztes Tier erinnerten. Und auf ihre eigene Reaktion, den Schmerz, der tief in ihrem Körper verankert war, als wären sie immer noch durch die Nabelschnur miteinander verbunden.
»Chloe?« Tränen liefen über ihre Wangen.
Aber Chloe hörte sie nicht. Der Tag war ein einziger Albtraum gewesen. Die Lüge, die Wahrheit, die Angst – verkörpert durch die weiße Papiertüte mit dem Schwangerschaftstest –, dass sich die Geschichte wiederholte. Sie saß auf ihrem Sitz, zusammengerollt wie ein Kind im Mutterleib, und weinte herzzerreißend.
Eines war Jane klar geworden: Die Chadwicks liebten Chloe. Und Chloe hatte sie als ihre Eltern bezeichnet – und das waren sie gewesen, ihr ganzes Leben lang. Und deshalb wusste Jane, wohin Chloe in ebendiesem Augenblick gehörte. Sie

wendete den Wagen und fuhr denselben Weg zurück, den sie gekommen waren. An Cherry Vale vorbei, am Einkaufszentrum vorbei.
Die Plantage tauchte auf. Kleine Äpfel hingen an den Zweigen, noch grün und unreif. Diejenigen, die in der prallen Sonne hingen, glänzten leuchtend grün, von Licht erfüllt. Sie folgte dem Staketenzaun und fuhr am Apfelstand vorbei, ohne anzuhalten. Mona winkte. Jane winkte zurück, aber Chloe schien nichts wahrzunehmen.
Jane setzte den Blinker und bog in den Barn Swallow Way 114 ein. Sie hielt hinter dem Minivan der Familie. Dylan war da, sein Traktor parkte müßig am Straßenrand. Sharon Chadwick war gerade nach Hause gekommen; sie stand in der Einfahrt, die Einkaufstüten achtlos zu ihren Füßen, die Flip-Flops verstreut auf dem Asphalt. Sie blickten zu ihr hinüber; Dylans Augen waren hart und anklagend, Sharons verdunkelt von Schock und Schmerz.
Die beiden Chadwicks eilten zum Wagen, und Jane sah die Missbilligung und den Beschützerinstinkt in Dylans dunkelgrünen Augen – er wollte Chloe aus dem Wagen holen, auf der Stelle. Er trug Jeans und ein blaues Hemd, seine Hände waren gebräunt, mit schönen langen Fingern; Jane erinnerte sich, wie sie sie gestern Nacht liebevoll betrachtet hatte, doch nun hatte sich das Blatt gewendet und er sah eine Feindin in ihr, die es auf seine Familie abgesehen hatte. Und vielleicht war sie das wirklich … Sharon war direkt hinter ihm, die Lippen waren zu einem harten Strich zusammengepresst.
Chloe schien ihre Umgebung kaum wahrzunehmen. Ihr Onkel rief ihren Namen, doch sie schenkte ihm keine Beachtung. Sie drehte unendlich langsam den Kopf und sah Jane an, als sei sie soeben aus dem Tiefschlaf erwacht. Jane erschrak über den Schmerz in ihrem Gesicht, eine Reaktion, die sich nicht nur auf die Lüge bezog, die in diesem Sommer in ihre Welt

eingedrungen war: Sie entsprang einem lebenslangen Gefühl, verlassen worden zu sein.
»Ich wollte dich nicht verletzen, Chloe«, flüsterte Jane, erschüttert über den abgrundtiefen Kummer in Chloes Augen.
»Mein Name«, erwiderte Chloe heiser.
»Ja, was ist damit?«
Zornige Gesichter pressten sich gegen die Fensterscheibe; Dylan rüttelte am Türgriff. Jane hatte die Tür ohne darüber nachzudenken automatisch verriegelt, so dass er sie nicht aufbekam.
»Sie – meine Eltern – wollten mich Emily nennen. Aber das ging nicht … wegen deiner Verfügung …«
Jane schloss die Augen, erinnerte sich an die Bedingung, die sie bei der Adoption gestellt hatte: dass ihr Kind den Namen behielt, den sie ihm gegeben hatte.
»Es tut mir Leid. Hättest du gerne Emily geheißen?«
Chloe schüttelte den Kopf und die Bewegung brachte die Tränen zum Überlaufen. Sie rannen ihr über das Gesicht in den Mund. »Ich bin Chloe. Das ist mein Name …«
Jane brachte kein Wort über die Lippen. Chloe entriegelte die Tür und Dylan riss sie auf. Er packte Chloes Hand, zog sie aus dem Wagen, als hätte er sie soeben aus den Fängen ihres Entführers gerettet. Sharon schloss Chloe in die Arme und Jane hörte, wie beide schluchzten.
Janes und Dylans Blicke trafen sich einen Moment. Sein Blick schien zu besagen, sie sei es nicht wert, dass man ihr auch nur eine Träne nachweinte. Das Gefühl, verraten worden zu sein, spiegelte sich in seinen Augen, aber das war nichts im Vergleich zu dem Schmerz in denen Chloes. Wortlos legte sie den Rückwärtsgang ein, fuhr die Einfahrt hinunter.
Erst als sie am Apfelstand vorbei war, vorbei an dem verwitterten Zaun, der die Grenze der Plantage markierte, vorbei an der alten roten Scheune auf dem sanften Hügel

inmitten der Apfelbäume, bemerkte Jane, dass Chloe zwei Dinge hinterlassen hatte: die weiße Papiertüte mit dem Schwangerschaftstest, und einen Blutfleck auf dem Autositz.

Chloe hatte ihre Periode bekommen.

Ein Lächeln zuckte um Janes Lippen. Ein flüchtiges, als ihr klar wurde, dass es letztlich doch am schlechten Karma gelegen haben musste. Dann erstarb das Lächeln.

DRITTER TEIL

Das Licht des Silbermondes

26

Die Zeit verstrich unendlich langsam. Margaret fragte sich, warum es in Cherry Vale überhaupt Uhren gab. Als sie heute Morgen auf die Uhr gesehen hatte, war es Punkt neun gewesen. Als sie abermals einen Blick darauf warf, waren erst zehn Minuten vergangen. Gleichzeitig vergingen die Tage wie im Flug. Der Montag ging nahtlos in den Dienstag über, der wiederum mit dem Beginn der nächsten Woche zu verschmelzen schien. Der längste Tag des Jahres kam und ging. Das galt auch für den 4. Juli, der mit einem Festmahl im Freien und Liedern zum Mitsingen begangen wurde.
Es gab auch einen Kalender. Ein sehr großes Rechteck aus Papier mit einem Verzeichnis der Tage im Monat, die darauf warteten, angekreuzt oder durchgestrichen zu werden. Daneben hing eine Pinnwand aus Pappe mit rechteckigen Informationsblättern aus Packpapier, die täglich ausgewechselt wurden, um den Heiminsassen zu helfen, den Lauf der Zeit einzuordnen. Darauf hieß es.

Hallo! Heute ist:	Sonntag, der 30. Juli
Das Wetter ist:	SONNIG (Bild von einer Sonne mit lächelndem Gesicht)
Die Temperatur beträgt:	29 Grad Celsius
Der nächste Feiertag ist:	der 1. Montag im September, Labor Day

Während sie vor dem Stationszimmer in ihrem Rollstuhl saß, starrte Margaret das Informationsblatt an. Sie bildete gemeinsam mit sieben anderen Insassen eine Schlange, die darauf wartete, zum Mittagessen geschoben zu werden. Der Mann zu ihrer Linken döste und schnarchte laut vor sich hin. Ein wenig appetitlicher Speichelfaden rann ihm dabei über das Kinn. Er war kahlköpfig, trug eine goldgeränderte Brille und hatte ein aufgeschlagenes Exemplar des *Wall Street Journal* auf seinem Schoß.

Der Mann zu ihrer Rechten kratzte eine schuppige Stelle auf seinem Handrücken. Er kratzte so heftig, dass Margaret fürchtete, er würde gleich zu bluten beginnen. Doch sie hielt ihre Zunge im Zaum, dachte daran, wie oft sie Schüler auf dem Flur abgefangen und ermahnt hatte, Mückenstiche oder Hautausschläge, hervorgerufen durch die Berührung von Efeu, nicht aufzukratzen. Der Mann, der volles weißes Haar hatte und eine dicke Hornbrille trug, war alt genug, um zu wissen, dass es besser war, mit dem Kratzen aufzuhören.

Margarets Augen füllten sich mit Tränen. Ihre Füße schmerzten, sie hatte Magnete in den Schuhen. Die gebrochene Hüfte heilte; die Krankengymnastik verschlang so viel Zeit, dass sie noch keine Gelegenheit gehabt hatte, sich anderen Aktivitäten zu widmen oder sich mit den übrigen Insassen bekannt zu machen. Zumal der Uringeruch, der von einigen inkontinenten Mitbewohnern ausging, zutiefst entmutigend war. Die Betreuerinnen eilten geschäftig hin und her, lächelten und riefen laut »Hallo, Jack«, »Hallo, Sam«, »Hallo, Dorothy«, als wäre jedermann taub.

Margaret begrüßten sie nicht. Zumindest nicht mit Namen. Sie war mittlerweile seit dreißig Tagen hier. Das Pflegepersonal, das während der Woche seinen Dienst versah, kannte sie, aber heute war Sonntag und die Wochenend- und Urlaubsvertretungen wechselten häufig – die Ferienzeit im Sommer wirkte sich verheerend auf die Schichtarbeit aus. Margaret wusste aus eigener Erfahrung um die Schwierigkeiten, eine große Institution mit Personal zu besetzen, und war um Nachsicht bemüht. Die Pflegerinnen nickten ihr lächelnd zu, aber keine begrüßte sie mit »Hallo, Margaret« – ob laut oder leise.

Schniefend zog sie ein Taschentuch aus dem Ärmel und trocknete ihre Augen. Dann setzte sie wieder eine freundliche Miene auf. Sie hatte ihren Töchtern immer gepredigt, und nicht nur ihnen, sondern auch ganzen Scharen von Schülern, dass Optimismus anziehend wirkt und stets ein guter Nährboden für den Erfolg in der Welt ist. Margaret wusste, dass sie ihren Optimismus bewahren musste, koste es, was es wolle. Während sie die Sonne mit dem lächelnden Gesicht betrachtete, versuchte sie vergeblich, das Lächeln zu erwidern; sie schüttelte den Kopf. Wahrscheinlich war ihr ein Seufzer entschlüpft. Denn der kratzende Mann wandte sich zu ihr um.

»Die tun so, als wären wir zwölf«, sagte er.

»Entschuldigung?«

»Das Pflegepersonal. Verwendet Zeichen, als wären wir Kinder. Was bilden die sich denn ein? Dass wir unser Gehirn an der Garderobe abgegeben haben?«

Margaret schmunzelte, wider Willen. »Ich weiß, was Sie meinen. Ich habe fünfundvierzig Jahre lang in einer Schule unterrichtet; man kann erwarten, solche Zeichen in der ersten Klasse zu sehen. Zwölf wäre also zu alt.«

»Sie haben Recht. Sie tun so, als wären wir fünf. Sie sind also Lehrerin?«

»Zuletzt Rektorin an einer Highschool.«

»Sehr erfreut, Sie kennen zu lernen. Ich war Richter an einem Nachlassgericht. Hier ist es üblich, sich mit seinem früheren Beruf vorzustellen. Damit niemand auf die Idee kommt, wir wären nichts als ein weißhaariger Klotz am Bein, der den ganzen Tag vor sich hin dämmert. So wissen sie, dass wir früher anders waren. Mein Name ist Ralph Bingham.«

»Hallo, und ich bin Margaret Porter.«
»Es ist mir ein Vergnügen, Sie endlich kennen zu lernen. Ich habe Sie an meiner Tür vorbeifahren sehen, aber bis heute Morgen war ich bettlägerig, zwei Wochen lang. Hatte Probleme mit dem grünen Star. Kommen Sie … oft hierher?«
Sie lächelte über den Scherz, doch gleichzeitig spürte sie, wie eine Flutwelle der Empfindungen in ihr aufstieg und ihre Augen sich erneut mit Tränen füllten. »Leider«, antwortete sie.
»Ach, so schlecht ist es hier gar nicht. Ein Ort, der Cherry Vale heißt, kann doch nicht zum Davonlaufen sein.«
Sie versuchte zu lächeln, musste aber ein Schluchzen unterdrücken. »Meine Töchter haben das Heim ausgesucht. Ich habe zwei wunderbare Töchter.«
»Ich habe drei Töchter«, sagte Ralph. »Und einen Sohn.«
»Wie schön.«
»Ich weiß nicht«, grollte Ralph. »Heute ist Sonntag und sie haben versprochen, mich abzuholen und mit mir eine Spazierfahrt zu unternehmen. Wenn sie Wort halten, freue ich mich. Andernfalls bleibt mir immer noch Zeit, mein Testament zu ändern. Was ist mit Ihnen? Kommen Ihre Töchter Sie heute besuchen?«
»Sylvie schon.« Margaret verstummte. »Meine ältere Tochter Jane ist nach New York zurückgekehrt.«
»New York? In den Big Apple?«
»Ja. Sie hat den größten Teil des Frühjahrs hier verbracht und bei der Heimunterbringung geholfen. Aber sie ist Geschäftsfrau … leitet eine namhafte Orei…«
»Eine was?«
»Korei«, verbesserte sich Margaret. Sie wusste, dass ihr gerade das Wort entfallen war … sie runzelte die Stirn und versuchte, den Faden wiederzufinden. »Konditorei«, fiel es ihr endlich ein. »Jane hat eine eigene, namhafte Konditorei.«
»Aha«, sagte Ralph.

»Sie …« Margarets Stimme verklang. Sie hatte Jane weinen sehen. Am letzten Tag ihres Aufenthalts hatte sie Margaret besucht und sie von ihrer Rückkehr nach New York in Kenntnis gesetzt. Margaret hatte ihr für alles gedankt und sie ermutigt, sich mit ihrer Tochter zu treffen – aber Jane hatte gemeint, der Zeitpunkt sei ungünstig und sie werde nach New York zurückkehren.
Margaret hatte nichts tun können, um sie aufzuhalten.
»New York ist nicht weit weg«, sagte Ralph. »Sie kann jederzeit zu Besuch kommen.«
»Das hoffe ich«, erwiderte Margaret traurig; sie wusste, Rhode Island besaß ein Kraftfeld, das ihre Tochter fern hielt.
Ralph kratzte abermals seine Hand. Margaret musterte sein Gesicht. Ihm fehlten mehrere Backenzähne und die Haut auf seinen Wangen war schuppig. Seine weißen Haare konnten eine Kopfwäsche vertragen – Schuppen waren überall auf sein dunkelkariertes Hemd gerieselt. Früher schien er ein gut aussehender, stattlicher Mann gewesen zu sein. Seine Augen, getrübt vom grünen Star, strahlten Intelligenz und Einfühlungsvermögen aus. Sie war froh, dass er ihr erzählt hatte, dass er Richter gewesen sei. Er lächelte sie an, als wüsste er, dass der Gedanke an Jane sie traurig stimmte.
»Ich möchte Ihnen gerne meinen Freund vorstellen«, sagte er und lehnte sich über sie hinweg, um den schnarchenden Mann zu ihrer Linken am Arm zu zupfen. »Bill – hey, Bill! Maggie, würden Sie so nett sein und ihn aufwecken?«
Margaret hielt nach einer speichelfreien Stelle am Arm Ausschau, wo sie ihn antippen konnte; es war seltsam zu hören, dass er sie bei einem Spitznamen nannte. Sie stupste ihn an der Schulter. »Entschuldigen Sie. Bill, richtig? Bill, Ralph möchte, dass Sie aufwachen …«
»Rhahhnk?« Bill schüttelte sich, wurde wach. »Schlussglocke?«

»Nein, wir sind hier nicht an der Börse, sondern in Cherry Vale, Billy«, sagte Ralph. »Wach auf – darf ich dir Maggie vorstellen?«
»Margaret«, korrigierte sie ihn, obwohl ihr der Spitzname nicht unangenehm war.
»Das klingt so förmlich«, meinte Ralph.
»Nun, ich bin ein ziemlich förmlicher Mensch.«
»Rektorin an einer Highschool.« Ralph nickte, zu Bill hinübergebeugt, so dass er mithören konnte.
»Äh?«, fragte Bill.
»Margaret war Rektorin!«, brüllte Ralph.
»Sagtest du nicht, ihr Name sei MAGGIE?«, brüllte Bill zurück.
»Beides ist in Ordnung«, sagte Margaret, um Würde bemüht, als die beiden alten Männer die Köpfe zusammensteckten, die sich knapp über ihrer Brust trafen.
»Bill war Börsenmakler«, sagte Ralph.
»Hatte einen Sitz auf dem Börsenparkett der New York Stock Exchange«, erklärte Bill stolz.
»Alle Achtung«, meinte Margaret.
»Besitzen Sie Aktien und Anleihen?«, fragte Bill mit peinlich lauter Stimme.
»Nicht viele. Die Bezüge im Schuldienst, wissen Sie …«
»Was ist mit Ihrem Mann? Hat er in Wertpapiere investiert?«, erkundigte sich Bill in voller Lautstärke.
»Warum bittest du sie nicht, dir ihr Sparbuch zu zeigen, damit endlich Ruhe ist?«, herrschte Ralph ihn an. »Du meine Güte. Beachten Sie ihn nicht, Meg.«
»Meg?«
»Oder Peggy, von mir aus. Peggy ist ein schöner Name.«
»Mein Name lautet Margaret«, erwiderte sie eisig; sie kam sich langsam vor, als sei sie in ein absurdes Bühnenstück von Ionesco geraten.

»Er ist die reinste Nervensäge.« Bill berührte Margarets Hand. »Er kann es nicht leiden, wenn jemand keinen Spitznamen hat. Mich nennt er Billy, seit ich hier bin, und das ist der Gipfel – seit dem Tod meiner Mutter hat mich niemand mehr Billy genannt.«
»Hat er auch einen Spitznamen?«, fragte Margaret.
»Nein«, erwiderte Ralph. »Und genau das ist mein Problem. Mit Ralph kann ich nicht viel anfangen. Ich wollte immer Chip oder Skip oder Terry oder weiß der Kuckuck wie heißen, aber nichts blieb hängen. Verflixt, hätte ich doch bloß einen Namen wie Margaret oder Bill ...«
Margaret konnte nicht umhin, ihn sich genauer anzusehen, und mit einem Mal sah sie ihn als Fünftklässler vor sich. Ein Bücherwurm, klein, vielleicht übergewichtig. Die Brille, die er trug, mochte einem Juristen ein distinguiertes Aussehen verleihen, wirkte bei einem kleinen Jungen gleichwohl unvorteilhaft. Sie lächelte. Im selben Moment begann Bill zu brabbeln, vorübergehend unfähig, der Sprache einen Sinn zu verleihen, dann brach er in Tränen aus. Margaret griff in ihren Ärmel, wie früher bei ungezählten Schülern, und trocknete ihm mit dem Taschentuch die Augen.
»So«, sagte sie.
»Schannen Tank«, erwiderte er.
»Gern geschehen«, antwortete Margaret, die auch so verstanden hatte, was er meinte. Im Lauf der Jahre hatte sie vielen Einwandererkindern geholfen, sich anzupassen. Sie hatte ein Lernprogramm für Hörgeschädigte ins Leben gerufen. Auch wenn sie die Sprache eines Menschen nicht verstand, begriff sie mit dem Herzen. Als sie Bill nun ansah, der sich nicht einmal mehr bei ihr zu bedanken vermochte, trauerte sie ihren eigenen Verlusten nach, war aber gleichzeitig dankbar für das, was sie noch hatte. Ganz oben auf der Liste standen ihre beiden Töchter.

»Sie sind ein Pfundskerl, Margaret«, sagte Ralph.
»Danke«, flüsterte Margaret und dachte daran, wie erschreckend vergänglich das Leben war.
»Keine Ursache«, sagte Ralph. »Wir werden uns prächtig verstehen, das weiß ich. Du auch, Billy? Ist sie nicht eine große Bereicherung?«
Bill nickte. Und fügte, als er der Sprache wieder mächtig war, hinzu: »Und ob. Sie ist eine Rose zwischen zwei Dornen.«
Dann kamen die fleißigen Helferinnen, um sie zum Mittagessen in den Speisesaal zu schieben.

27

Zelten war der Himmel auf Erden.

John besaß ein orangefarbenes Zelt mit einer blauen Falttür aus hauchdünnem Material, ein Hightech-Produkt, das sowohl die Wüstenhitze als auch den Frost von Maine abzuhalten vermochte. Während Rhode Island im August unter einer Hitzewelle litt, kam Maine in den Genuss herbstlicher Kühle – wolkenlose, sonnige Tage, gefolgt von kalten klaren Nächten.

Sylvie und John saßen am Lagerfeuer und blickten zum Firmament empor. Sie hatten sich in einen Schlafsack gewickelt, die Arme umeinander geschlungen, während sie dem Prasseln der Holzscheite lauschten und nach Sternschnuppen Ausschau hielten. Flammen züngelten empor und Funken flogen, aber sie saßen weit genug entfernt, um dem Lichtschein zu entgehen und die Sterne zu betrachten.

Sie hatten ihre Reise verschieben müssen, um Margaret im Heim unterzubringen. John hatte wundervoll reagiert – im Grunde war es seine Idee gewesen, erst später zu fahren. Er kannte Sylvie und wusste, dass sie den Urlaub nicht genießen konnte, wenn sie sich Sorgen um ihre Familie machen musste. Ihre Mutter befand sich im Cherry Vale in guten Händen. Was Jane anging …

Der Gedanke an Jane bewirkte, dass Sylvie automatisch die Schultern einzog. Sie schützte damit ihr eigenes Herz, wünschte sich jedoch, sie könnte Janes schützen. Sie kannte nicht alle Einzelheiten, wusste aber, dass Dylan Chadwick die Beziehung zu ihrer Schwester abgebrochen hatte. Und Chloe hatte Jane zu verstehen gegeben, dass sie auf jeden weiteren Kontakt verzichte. Jane hatte begriffen und war nach New York zurückgekehrt. Sylvie hatte sie zum Bahnhof gefahren. Der Anblick ihrer Schwester, als sie in den Zug stieg, stocksteif, mit zusammengebissenen Zähnen und leerem, in weite Ferne gerichtetem Blick, hatte Sylvie das Herz zerrissen.

»Ich bin froh, dass wir das Datum verschoben haben«, flüsterte John ihr ins Ohr.

»Das Datum?«, sagte sie, in Gedanken versunken.

»Das Datum der Reise. Denk doch nur an die herrlichen Dinge, die wir in dieser Woche entdeckt haben; im Juli wäre es dafür vielleicht zu früh gewesen.«

Gestern Abend hatten sie das Nordlicht gesehen. Heute hatten sie den Mount Katahdin erklommen und eine Bärin mit ihrem Jungen erspäht. Und heute Abend betrachteten sie, eng umschlungen, den Meteoritenschauer, der vom Sternbild des Perseus ausging.

»Danke, dass du es so siehst«, sagte Sylvie.

»Wie sollte ich es denn sonst sehen?«

Sylvie drückte seinen Arm, der sie von hinten umfing. Sie war dankbar, dass John das Wohl ihrer Mutter am Herzen lag und anpassungsfähig war, dass er das Auf und Ab im Leben nicht persönlich nahm.

»Ist das herrlich!« Sylvie blickte zum Firmament empor. »Ich hätte mir nie träumen lassen …«

»Was?« John küsste ihren Nacken.

»Dass es etwas so unsäglich Schönes gibt. Trotz aller Bücher und Beschreibungen, wie wunderbar es ist, unter dem Sternenzelt zu schlafen und einsame Bergpfade zu erklimmen, verblassen die Worte im Vergleich zur Wirklichkeit.«

Sylvie lächelte; John spürte, wie sie zitterte, und drückte sie an sich. Sylvie war kein Mensch, der an der freien Natur oder an sportlichen Aktivitäten gleich welcher Art

Gefallen fand. Die Sommermonate hatte sie mit Lesen verbracht – für sie ein Hochgenuss. Doch nach und nach dämmerte ihr, dass ihre Mutter, verletzt durch die Liebe zu ihrem Vater, der Welt den Rücken gekehrt und sich den Büchern zugewandt hatte, mit ihren Töchtern. Das sollte kein Vorwurf sein – Sylvie vergötterte ihre Mutter, bewunderte sie, weil sie die Liebe zur Literatur und zum Lernen gefördert hatte. Doch das Beisammensein mit John, die kalte Luft zu spüren, den Schlafsack zu teilen, den Rufen der Seetaucher auf dem dunklen See zu lauschen – das waren wertvolle Erfahrungen, die sie nicht missen mochte.

Nur eines fehlte, dann wäre ihr Glück vollkommen gewesen.

Jane.

Wie konnte Sylvie glücklich sein, wenn ihre Schwester litt? Sie blickte zum Himmel empor. John hielt sie in den Armen. Zum ersten Mal in ihrem Leben hatte sich Sylvie verliebt. Sie hatte sich immer mit einem Schutzwall umgeben, jeden Versuch abgeblockt, einen Mann zu lieben und Gefahr zu laufen, von ihm verlassen zu werden. Ihre Teenagerzeit hatte sie damit verbracht, zu lernen, um auf die Brown zu kommen. Und an der Brown hatte sie büffeln müssen, um ihre Spitzennoten zu halten. Janes tragische Geschichte war ein anschauliches Beispiel dafür, was Liebe anrichten konnte.

Und so hatte Sylvie mit ihren Gefühlen hinter dem Berg gehalten. Sie hatte zu Hause gewohnt, den Beruf einer Bibliothekarin ergriffen – an der gleichen Schule, an der ihre Mutter Rektorin war, so dass sie gemeinsam zur Arbeit fuhren – und die Liebe an sich vorüberziehen lassen.

Und dann war John in ihr Leben getreten. Wenn er nicht gewesen wäre, hätte sie ihr Herz vielleicht niemals geöffnet. Aus der erhabenen Höhe der akademisch Gebildeten hatte sie auf ihre Schwester hinabgeblickt. Tief in ihrem Inneren war sie überzeugt gewesen, dass Jane sich ihr Schicksal selbst zuzuschreiben, sich die Probleme ganz allein aufgehalst hatte. Und es war ihr nie gelungen, sie so weit zu verarbeiten, um mit sich ins Reine zu kommen und regelmäßig nach Hause zurückzukehren. Weil Sylvie sie vermisst hatte.

»Kann ich dir etwas sagen?«, sagte sie nun zu John.

»Alles.«

»Es geht um meine Schwester. Ich war ihr gegenüber unfair.«

»In welcher Hinsicht?«

»All die Jahre, als sie in New York lebte und nie nach Hause kommen wollte ... ich war so wütend auf sie. Ich war der Meinung, ihr Leben sei verkorkst. Sie hatte einem Augenblick der Schwäche nachgegeben – mit ihrem Freund von der Brown – und ihr Leben ruiniert.«

John hörte schweigend zu.

»Ich fühlte mich ihr haushoch überlegen«, gestand Sylvie, die Kehle wie zugeschnürt. »Jahrelang.«

»Jetzt nicht mehr?«

Sylvie schüttelte den Kopf, unterdrückte ein Schluchzen. »Nein.«

»Was hat sich geändert?«

»Du bist in mein Leben getreten. Bis dahin wusste ich nicht, was Liebe ist. Dass sie einen Menschen völlig verwandelt.«

»Mich hat sie auch verwandelt.« John drückte sie zärtlich an sich.

Plötzlich drang der Schrei eines Seetauchers vom See herüber. Markerschütternd, leidenschaftlich, außer Kontrolle. Sylvie schloss die Augen. Der Schrei erinnerte sie an Janes herzzerreißendes Klagen, nachdem sie Chloe zur Adoption freigegeben hatte. Sylvie war hilflos gewesen, hatte nichts tun können.

»Ich wünschte, ich könnte Jane helfen«, seufzte sie.

»Sei einfach für sie da. Mehr kannst du nicht tun«, meinte John.
»Wie kommt es, dass du so viel über die Liebe weißt?« Sylvie wandte sich halb um und sah ihn an. Seine großen braunen Augen, die hohe Stirn und die sanfte Miene waren ein tröstlicher Anblick und sie lächelte.
»Meine Eltern waren die Ersten, die mir zeigten, was es damit auf sich hat. Und dann bin ich dir begegnet.«
»Ich wünschte, ich hätte deine Eltern kennen gelernt«, sagte Sylvie. John hatte ihr erzählt, dass sie vor fünf Jahren gestorben waren, im Abstand von sechs Monaten.
»Sie hätten dich ins Herz geschlossen.«
»Danke. Meine Mutter hat dich ebenfalls in ihr Herz geschlossen. Obwohl mein Vater ...«
»Dein Vater verdient diesen Namen nicht.« John drückte sie an sich. »Wie er deine Familie im Stich lassen konnte, ist mir unbegreiflich.«
»Mir auch.«
»Kinder müssen spüren, dass sie von ihren Eltern geliebt werden«, sagte John. »Bedingungslos, ohne Wenn und Aber.«
Sylvie blickte zum Himmel empor, ihr Herz war schwer. Er hatte Recht. Sylvie – und Jane – waren der lebendige Beweis, zwei Mädchen, die ohne die Liebe ihres Vaters aufgewachsen waren. Doch dann dachte sie an Jane und ihre Tochter. In Chloes bisherigem Leben war Jane nicht vorhanden gewesen. Aber niemand hatte sie mehr geliebt als Jane.
»Du denkst an deine Schwester«, sagte John, dem Sylvie die ganze Geschichte anvertraut hatte.
Sie nickte, unfähig, zu sprechen.
»Die nächste Sternschnuppe gehört ihr.«
»Sternschnuppe?«
»Ja. Bei der nächsten Sternschnuppe, die wir sehen, wün-

schen wir uns etwas für sie – dass sich für Chloe und sie doch noch alles zum Guten wendet.«
»Jane und Chloe«, flüsterte Sylvie und blickte angestrengt zum Himmel empor.
Es verging einige Zeit. Obwohl sie den ganzen Abend lang jede Minute zwei oder drei Sternschnuppen gesichtet hatten, war es mit einem Mal ruhig am Himmel. Die Sterne leuchteten hell, die Milchstraße zeichnete sich im dunkelsten Teil des Firmaments ab, aber es tauchte keine einzige Sternschnuppe mehr auf.
Sylvie dachte an Jane. Als sie ein kleines Mädchen gewesen war, aber immer noch ihre ältere Schwester, mit Zöpfen und eindringlichem Blick. Oder an die Teenagerzeit, als sie per Anhalter nach Hartford gefahren war, Sylvie im Schlepptau, um ihren Vater zu suchen. Oder wie sie um ihr Kind geweint hatte, als wäre sie von Sinnen. Und dann dachte sie daran, wie sie in diesem Frühjahr aufgeblüht war – als sie Verbindung mit Chloe aufgenommen und sich in Dylan verliebt hatte.
»Jane«, seufzte sie.
In diesem Augenblick fiel eine Sternschnuppe vom Himmel. Wie ein Feuerball, eine silberne Scheibe gleich Janes Medaillon, ließ sie einen Feuerschweif am Himmel zurück. Sylvie löste sich aus Johns Armen und sprang auf, stand reglos da und verfolgte ihren Lauf. Sie hätte schwören mögen, dass sie direkten Kurs auf den See nahm, während sie die Schwärze der Nacht zerriss.
Es geschehen noch Zeichen und Wunder, dachte Sylvie. *Einfach so, aus dem Nichts …*
»Gib die Hoffnung nicht auf«, flüsterte sie und grub die Fingernägel in ihre Handflächen. Die Worte waren an ihre Schwester gerichtet, aber auch an sich selbst: Liebe und Sternschnuppen tauchten bisweilen aus der Dunkel-

heit auf und veränderten die Welt, vor allem dann, wenn man es am wenigsten erwartete.
Die Sternschnuppe verschwand. Sie hinterließ einen weißblauen Streifen am Himmel, wie eine Narbe; während Sylvie zusah, verblasste sie, wurde zuerst silbrig, dann schwarz, so dass sie sich einen Moment später fragte, ob sie wirklich eine Sternschnuppe gesehen hatte. Doch dann kam John zu ihr, nahm sie in die Arme und küsste sie.
Sein Kuss war glühend und verlieh der Sternschnuppe neues Leben.

»Hast du das gesehen?«, fragte Eli Chadwick, drei Staaten entfernt auf der hinteren Veranda seines Hauses in Rhode Island.
»Habe ich«, sagte Sharon, die neben ihm auf der Treppenstufe saß. »Ein regelrechter Feuerball.«
»Chloe!«, rief Eli. »Komm heraus und schau dir die Sternschnuppen an!«
Keine Antwort.
Sharon blickte zum Fenster von Chloes Zimmer empor. Das Licht brannte, das Fenster stand offen. Einige der Plantagenkatzen waren an der Regenrinne hochgeklettert und saßen auf der Fensterbank. Eine stieß einen Laut aus, der wie ein Juchzer klang, als freute sie sich unbändig über die Sommernacht.
»Was treibt sie da drinnen?«, fragte Eli.
»Keine Ahnung.«
»Sie hat mich um meine alten Zeitschriften gebeten. Und als ich das letzte Mal an ihrem Zimmer vorbeikam, war sie gerade dabei, alle möglichen Sachen daraus auszuschneiden.«
»Für eine Collage. Das haben Mona und sie früher oft gemacht. Ich dachte, damit sei jetzt Schluss.«

In der Stille, die folgte, hörte sie – da sie nun wusste, worauf sie achten musste – das Schnipp-Schnipp der Schere.
»Sie ist ganz schön kompliziert«, sagte Eli. »Zuerst bettelt sie, an Dylans Verkaufsstand arbeiten zu dürfen, und jetzt will sie offensichtlich nichts mehr damit zu tun haben. Seit die Pastetenquelle versiegt ist und er bei einem Großhändler kauft, hat sie das Interesse daran verloren.«
»Wir wissen, warum sie nicht mehr am Stand arbeiten will. Und es hat nichts mit den Pasteten aus dem Großhandel zu tun.«
»Diese Frau. Ich hätte sie liebend gerne verhaften lassen, wenn ich eine Handhabe gegen sie gehabt hätte.«
Sharon biss die Zähne zusammen. Sie schüttelte den Kopf, blickte zu Chloes Licht hinauf. »Das hätte nichts gebracht.«
»Sie hatte kein Recht, hierher zu kommen. Sich sozusagen durch die Hintertür, unter Vorspiegelung falscher Tatsachen in Chloes Leben zu schleichen. Und in Dylans!«
»Dylan kann ganz gut auf sich selbst aufpassen«, entgegnete Sharon. »Er machte einen glücklichen Eindruck in diesem Sommer – zum ersten Mal seit Jahren. Seit er Isabel verloren hat.«
»Nun sag mir jetzt aber bitte nicht, dass du sie in Schutz nimmst!«
Sharon antwortete nicht gleich. Erinnerungen gingen ihr durch den Kopf, jagten sich, viele davon verstörender als alles, was sich in diesem Sommer zugetragen hatte. Sie erinnerte sich an das Jahr, in dem Isabel ums Leben gekommen war, als Chloe verstummt war. Wie sie versucht hatte, ihre Tochter zu wiegen, in die Arme zu nehmen und zu trösten, und wie untröstlich Chloe gewesen war. Nur Dylan war an sie herangekommen, und Sharon hatte gespürt – auf einer Ebene verstanden, die zu tief war für

Worte –, dass Chloe sich durch den Verlust mit ihm verbunden fühlte.

Durch den Verlust ihrer leiblichen Mutter.

Adoption war eine wunderbare Sache, leidvoll und freudvoll zugleich. Chloe war in Elis und Sharons Leben getreten, hatte die Ödnis in einen Garten verwandelt. Sie war ein Geschenk des Himmels. Sie hatten um Kinder gebetet und Chloe erhalten. Im Lauf der Jahre hatten sie Freud und Leid der Kindererziehung kennen gelernt. In guten Zeiten beglückwünschten sie sich. In schwierigen Zeiten fragten sie sich – wie Sharon nun beschämt dachte –, ob es mit einem eigenen Kind anders gelaufen wäre. Ob Chloes Ungestüm, ihr leidenschaftliches, ungezähmtes Naturell das Resultat ihres genetischen Erbes waren.

Sie hatten versucht, sie zu formen, eine Chadwick aus ihr zu machen, sie nach bestem Wissen erzogen, aber tief in ihrem Inneren verbargen sich die Erbanlagen ihrer leiblichen Eltern. Und da sie von Emotionen geprägt war, weit stärker als Sharon und Eli, hatte sich in jeder Zelle ihres Seins eine wahrhaftige, unzerstörbare Liebe zu der Frau verankert, die ihr das Leben geschenkt hatte.

»Ich glaube, ich habe falsch reagiert«, sagte Sharon und starrte zu Chloes Licht hinauf.

»Was soll das heißen?«

»Als Dylan mich über die wahre Identität von Jane Porter aufklärte … und sie mit Chloe in die Einfahrt bog …«

»Wie hättest du sonst reagieren sollen? Sie hatte praktisch unsere Tochter entführt.«

»Nein, hat sie nicht«, erwiderte Sharon sanft. Sie schloss die Augen. Obwohl sie nie ein Kind geboren hatte, wusste sie mit jeder Faser ihres Herzens, was es bedeutete, ein Kind zu lieben. Sie hatte Chloe die ganze Zeit gehabt; Jane hatte sie Tag für Tag vermisst. Und obwohl der Gedanke schmerzlich war, wusste Sharon, dass Chloe Jane vermisst hatte.

»Weißt du noch, wie Chloe mit meinen hochhackigen Schuhen und einem unechten Ehering zum Familiengericht gefahren ist, um sich Einblick in ihre Akten zu verschaffen?«

»Erinnere mich bloß nicht daran!«, sagte Eli.

»Das war sehr mutig von ihr.«

»Sharon.« Eli ergriff ihre Hand. »Es war töricht. Sie hat den Ärger geradezu herausgefordert, schließlich war sie ja noch nicht volljährig. Und schau dir doch an, was in diesem Sommer passiert ist! Hat es Chloe glücklich gemacht, ihre leibliche Mutter *kennen zu lernen*? Nein, hat es nicht. Es war eine traumatische Erfahrung. Sie hat geweint und drei Tage kein Wort über die Lippen gebracht. Erst jetzt geht es ihr allmählich besser.«

»Sie war schockiert, das ist alles.«

»Schockiert von den Lügen.«

»Was hätte Jane denn tun sollen? Hier hereinspazieren und lauthals verkünden, wer sie ist? Glaubst du, wir hätten sie mit offenen Armen empfangen?«

»Sie hätte sich unserer Familie fern halten sollen. Statt herzukommen und Ärger zu machen. Sie hätte Chloes Wohl über ihr eigenes selbstsüchtiges Bedürfnis stellen sollen, Mutter zu sein – eine Rabenmutter, nebenbei bemerkt. Sie wollte ihr Kind nicht – sie hat diese Wahl vor annähernd sechzehn Jahren getroffen. Sie hat der Adoption zugestimmt!«

Sharon hielt Elis Hand und sah, wie sich sein Gesicht zunehmend rötete. Sie liebte ihn für den Eifer, den er an den Tag legte. Er steigerte sich in einen Wutanfall hinein, fühlte sich wie Papa Bär. Er versuchte seine Familie zu beschützen. Ob er sich daran erinnerte, dass er gegen die Adoption gewesen

war? Er war der Auffassung gewesen, dass sie nicht an Gottes weisem Ratschluss zweifeln sollten, wenn er ihnen den Kindersegen versagte …
Offenbar hatte er das vergessen. Ein Leben ohne Chloe war für sie nicht mehr vorstellbar. Sie gehörte untrennbar zu ihnen. Die Plantagenkatzen umringten sie, miauten auf den Zaunpfosten, im Gebüsch, tief im Inneren der Apfelplantage. Die Plantagenkatzen verdankten ihr Leben Chloe. Sharon sah Eli an, der unerwünschten Tieren gegenüber die nüchterne Einstellung eines Menschen hatte, der auf einer Farm aufgewachsen war.
Chloe war Bestandteil ihres Lebens, morgens, mittags und abends. Sie war Bestandteil aller Pläne, die sie schmiedeten, aller Träume, die sie hatten, aller Wünsche, die sie beim Anblick einer Sternschnuppe hegten. Alles, was sie taten, war für sie. Jane Porter hatte sie zur Welt gebracht, und sie war ihre Tochter geworden. Dafür war ihr Sharon auf ewig dankbar.
Als sie zu Chloes Fenster hinaufsah, plagte sie die Erinnerung an das, was sich vor kurzem in dieser Einfahrt abgespielt hatte. Sharon war wütend gewesen – wütender als je zuvor in ihrem Leben. Dylans Anblick hatte sie aus der Bahn geworfen. Sie würde nie den Schmerz in seinen Augen und seine brüchige Stimme vergessen, als er ihr eröffnete, was er über Jane herausgefunden hatte.
Rückblickend war Sharon inzwischen klar, warum er dermaßen aufgewühlt gewesen war. Nicht nur, weil eine Frau den Wunsch hatte, das Kind kennen zu lernen, dem sie das Leben geschenkt hatte; ja nicht einmal, weil sie sich dazu eines Vorwands bedient hatte.
Nein, der wahre Grund war das Gefühl des Verrats. Nach all den Jahren mit Amanda, die er zu lieben versucht hatte, ohne wiedergeliebt zu werden, und die – genau wie Isabel – der

Gewalt in seinem Beruf zum Opfer gefallen war, hatte Dylan endlich die wahre Liebe gefunden. Jane.

Wahre Liebe …

Über dieses Gefühl sann Sharon nun nach. Sie empfand es für Eli Chadwick – daran hatte sie niemals, auch nicht einen einzigen Augenblick, gezweifelt. Er war ihr Liebster, ihr bester Freund, ihr Gefährte. Ihr Kamerad.

Und Sharon empfand dieses Gefühl für Chloe. Biologische Faktoren spielten dabei keine Rolle; Sharon wusste, dass sie immer für Chloe da sein würde, sie bis ans Ende ihrer Tage lieben und mit Freuden ihr Leben hingeben würde, um ihr Kind vor jeder Bedrohung zu schützen. Und dieser wahren, wahrhaftigen Liebe wegen war Sharon froh, dass der Sommer noch nicht vorüber war, dass noch Zeit blieb.

Weil sie dieses Gefühl auch für ihren Schwager empfand. Er war Teil ihrer Familie, in gleichem Maß wie ihr Mann und ihre Tochter. Dylan brauchte sie, auch wenn er sich dessen nicht bewusst war. Er war wieder in seine alte Einsiedlerrolle zurückgefallen – distanziert, einsilbig, von einem Panzer umgeben. Und deshalb stand Sharon nun auf, während ein Meteorschauer, wie so oft im August, das Firmament über der Plantage durchpflügte, und klopfte den Schmutz von der Rückseite ihres Kleides.

»Machst du mit mir einen kleinen Spaziergang?«, fragte sie Eli.

»Wohin?«

»Auf die andere Seite der Plantage.«

Eli schüttelte den Kopf. »Nein, danke. Ich warte immer noch darauf, dass Dylan endlich zur Vernunft kommt und dieses unnütze Land mit seinem Wildwuchs verkauft. Unsere Familie sitzt auf einer Goldmine und er klammert sich an ein paar alte gestutzte Bäume, die man eigentlich mit einem Bulldozer

dem Erdboden gleichmachen sollte. Um hübsche neue Häuser für junge Familien zu bauen ...«
»Schon gut, mein Lieber.« Sharon küsste ihn auf die Stirn. »Dann wartest du eben; ich bin bald zurück.«
»Falls du meinen Herrn Bruder siehst, kannst du ja versuchen, ihn zur Vernunft zu bringen.«
»Genau das habe ich vor. Falls ich ihn sehe.«

28

Dylan saß am Küchentisch im Lichtkreis der alten Lampe, die über ihm hing. In der einen Hand hielt er ein Messer, in der anderen einen Apfel. Es war ein rotbackiger Empire, der erste in dieser Saison. Er schnitt eine Scheibe ab und aß. Dann benutzte er die Messerspitze, um die fünf Kerne herauszuklauben.

Sie lagen auf dem Eichentisch. Dylan dachte an John Chapman, der in Lumpen durch das ganze Land gestreift war und Apfelkerne in einem Hirschlederbeutel bei sich getragen hatte. Johnny Appleseed wurde er genannt. Er schlief in den Bäumen mit Opossums. Statt Hut oder Mütze trug er ein Kochgeschirr aus Blech auf dem Kopf. Die Leute hielten ihn für verrückt, aber sie liebten ihn für sein Vermächtnis.

Dylan schob die Kerne auf dem Tisch hin und her und sann über Hinterlassenschaften nach. Die Plantage war ein Lobgesang auf seine Familie, auf den Nachlass seines Vaters. Als sie klein waren, pflegten die anderen Kinder Dylan und Eli zu hänseln – der Name Chadwick klang ähnlich wie »Chapman«. Dylan Appleseed, Eli Appleseed … Sie ertrugen den Spott. Dylan machten die Sticheleien weniger aus als Eli; während all der Jahre, die er in Großstädten wie Washington und New York verbracht hatte, hatte er nur darauf gewartet, hierher zurückzukehren, auf die Plantage, auf das Anwesen, das sein Vater hinterlassen hatte.

Durch den blauen Dunst seiner Zigarette betrachtete er Isabels Bild auf dem Kühlschrank. Sie wirkte so lebendig, als würde sie jeden Moment aus ihrem Dornröschenschlaf erwa-

chen und ihn umarmen. Ihr war nur wenig Lebenszeit vergönnt gewesen, aber Dylan spürte ihre Gegenwart jede Sekunde, Tag für Tag.
Diese Apfelkerne bargen die Geheimnisse vergangener und künftiger Apfelbäume: Sie wirkten hart, dunkel, leblos. Doch wenn Dylan hinausgehen und sie heute Abend einpflanzen würde, konnten sie sich im Bruchteil von Sekunden in Bäume verwandeln und selber Äpfel tragen.
Das war rätselhaft und romantisch, die ureigene Art des Lebens, für den eigenen Erhalt zu sorgen. Apfelbäume, Menschen. Aus Apfelkernen entstanden Apfelbäume. Menschen zeugten Nachkommen, setzten die Abstammungslinie fort. Manche blieben kinderlos, oder die Kinder starben und die Abstammungslinie versandete mit ihnen. War die Abstammung überhaupt von Bedeutung? Als Dylan nun am Tisch saß, war er sich dessen nicht mehr so sicher.
Er hörte Schritte auf dem Weg vor dem Haus. Ohne vom Tisch aufzustehen, lauschte er, hörte, wie jemand die Veranda betrat. Seine Augen verengten sich. Wer mochte das sein? Er hatte das Licht auf der Veranda aus gutem Grund ausgeschaltet.
»Dylan?«, drang eine Stimme durch die Fliegengittertür.
Es war Sharon. Sie stand draußen, schirmte mit den Händen ihre Augen ab, um besser sehen zu können. Dylan zögerte. Er hätte sie am liebsten gebeten, wieder zu gehen, aber das brachte er nicht übers Herz.
»Komm rein«, sagte er.
Sie durchquerte die Küche. Die Sommerbräune stand ihr gut. Ihr langes Kleid war schwarz, was ihn an Jane erinnerte. Jane trug immer Schwarz. Er hob den Kopf, sah ihr in die Augen.
»Was führt dich hierher?«
»Du«, erwiderte sie mit Nachdruck.

Seine Welt drohte ins Wanken zu geraten. Er spürte ein Kribbeln im Bauch, aber er sorgte dafür, dass seine Augen hart und ungerührt blieben. Er konnte auf ihre Ratschläge verzichten. Was immer sie zu sagen hatte, er wollte es nicht hören. Deshalb richtete er seinen abschreckendsten Killerblick auf seine Schwägerin – eine Frau, die er liebte und bewunderte. Er verengte seine Augen zu Schlitzen, gab ihr die volle Breitseite.

»Gib dir keine Mühe.«

»Sag mir nicht, was ich zu tun und zu lassen habe, Dylan Chadwick. Du hast uns die Suppe eingebrockt. Also sieh zu, dass du sie auch auslöffelst.«

»Was für eine Suppe?« Er war sichtlich irritiert.

»Diesen Sommer. Die Arbeit am Stand, die du Chloe gegeben hast.«

»Sie kann jederzeit arbeiten, wenn sie möchte. Aber wir haben August, da verliert sich das Interesse – das ist ganz natürlich in ihrem Alter.«

»Sie hasst die Pasteten, die du verkaufst.«

Dylans Blick verhärtete sich, als wäre er der schlimmste Drogenhändler im ganzen Land. »An den Pasteten gibt es nichts auszusetzen.«

»Sie werden am Fließband hergestellt. Sie schmecken wie Pappe.«

Dylan nahm einen langen Zug aus seiner Zigarette und blickte sie durch den Rauch drohend an. Sie streckte ihre Hand aus.

»Was ist?«

»Gib mir einen Zug.«

Dylan lehnte sich in seinem Stuhl zurück. Er erinnerte sich, wie Sharon und er in jungen Jahren heimlich geraucht hatten, vor seiner Heirat. Eli hatte dieses Laster nie gebilligt. Deshalb war sie Dylan nach dem Abendessen hinter die Scheune gefolgt und hatte eine Zigarette geschnorrt, Rauchkringel geübt und ihn dazu gebracht, ihr Geschichten aus der Kindheit ihres Mannes zu erzählen; danach waren sie ins Haus zurückgekehrt. Jetzt reichte er ihr die Zigarette.

Sharon nahm einen tiefen Lungenzug, blies drei perfekte, konzentrische Kringel in die Luft und lächelte. »Ich habe es nicht verlernt.«

»Ja, du kannst es noch …«, sagte Dylan, und als sie mit einem Mal die Zigarette im Aschenbecher ausdrückte: »Hey!«

»Es reicht.«

»Was reicht?«

»Deine Selbstzerstörung, dein Eremitendasein, dein Selbstmitleid – um nur einige wenige zu nennen! Und du willst ein Vorbild sein? Qualmst wie ein Schlot im Beisein deiner Nichte!«

»Von meiner Nichte ist im Moment weit und breit nichts zu entdecken.«

»Dann denk an Isabel.«

»Geh zum Teufel!«, entfuhr es Dylan. Schmerz und Wut tobten in seiner Brust, schäumten über. Doch dann ergriff er ihre Hand, da er seine Schwägerin liebte und es ihm fern lag, sie zu verletzen. »Es tut mir Leid.«

Ihr Blick war gelassen. Sie hatte sich nicht provozieren lassen.

»Ich kann gut einstecken«, sagte sie sanft.

»Ich nicht.«

»Das weiß ich.«

Er blieb ihr die Antwort schuldig. Überall, wohin sein Blick fiel, entdeckte er Hinterlassenschaften. Isabels Bild, Chloes Bild, die Backschüsseln seiner Mutter, der Spazierstock seines Vaters, die lausigen Pasteten vom Fließband … sie erinnerten ihn im umgekehrten Sinn an Jane.

»In diesem Sommer hat sich etwas verändert«, sagte Sharon ruhig.

Dylan starrte auf den Tisch, auf die fünf Apfelkerne.
»Es hat mir nicht immer gefallen und bisweilen höllisch wehgetan. Aber jetzt bin ich froh darüber.«
»Froh?«
Sharon nickte. »O ja.«
»Wie kannst du so etwas sagen? Chloe war aufgewühlt. Genauso wie nach Isabels Tod.«
»Findest du das so furchtbar?«
Dylan betrachtete sie kopfschüttelnd; sie brachte ihn noch um den Verstand. »Ja. Du etwa nicht?«
»Nein«, erwiderte Sharon fest. »Es beweist nur, dass sie tiefe Gefühle hat. Dass sie lebendig ist. Wir haben das schon mehrmals erlebt; denk nur an das Familiengericht. Und ihren Plan, sich Einsicht in das Adoptionsregister zu verschaffen. Eli und ich hatten die Zustimmung verweigert – wir waren der Ansicht, sie sei viel zu jung.«
»Das ist sie, ganz offensichtlich. Sie hat das Geschehen nicht verkraftet, wie man sieht; die Begegnung mit …«
»Ihrer Mutter. Nur zu, Dylan. Sprich es ruhig aus. Du hattest kein Problem damit, die beiden Worte in meiner Einfahrt auszusprechen – und das rechne ich dir hoch an. Und ich rechne es dir hoch an, dass du uns zu beschützen versuchst. Also, mein herzliebster Schwager …«
Ihre Stimme versagte, und als Dylan aufblickte, sah er Tränen in ihren Augen schimmern. Nun war es an ihm, den harten unerbittlichen Blick eines Polizisten über sich ergehen zu lassen. Seine Schwägerin brachte es darin zu wahrer Meisterschaft: zusammengekniffene Augen, zusammengekniffene Lippen.
»Mein herzliebster Schwager«, wiederholte sie unerschütterlich. »Das Blatt hat sich gewendet. Jetzt bin ich an der Reihe, um dich vor dir selbst zu schützen.« Sie nahm seine Zigaretten vom Tisch und warf sie in hohem Bogen in den Müll.

»Was soll das? Ich hole sie ja doch wieder raus, sobald du weg bist.«
»Zeugt von großer Reife.«
»Und ich kaufe mir wieder welche.«
»Herzlichen Glückwunsch – du hast offenbar eine dicke Brieftasche. Aber die wichtigere Frage, Dylan, lautet: Hast du auch ein Herz?«
»Sharon, hör auf damit.«
»Antworte. Das bist du mir schuldig.«
»*Schuldig*?«
»Du hast dich in all den Jahren um uns gekümmert. Jetzt lass wenigstens zu, dass ich mich revanchiere. Also: Hast du ein Herz?«
Dylan schwieg. Sein Puls raste. Seine Augen funkelten beim Anblick der nach Pappe schmeckenden Pasteten und sein Brustkorb schmerzte, als reiße er entzwei.
»Dann werde ich die Frage an deiner Stelle beantworten.« Sharon beugte sich vor. »Du hast ein großes Herz, das größte weit und breit. Es hat deine Berufswahl beeinflusst und dich dazu bewogen, es als deine persönliche Aufgabe zu betrachten, Menschen zu beschützen, die du nicht einmal kanntest. Es hat dich zu einem fantastischen Ehemann gemacht ...«
Dylan schüttelte heftig den Kopf und Sharon ergriff seine Hand.
»Doch, Dylan. Fantastisch. Sie hätte nur Gebrauch von deinem Angebot machen müssen. Und du warst ein wunderbarer Vater, einsame Spitze. Das schwöre ich dir, wirklich und wahrhaftig. Das konnte nicht einmal sie leugnen – das war offenkundig, wenn du mit Isabel zusammen warst.«
»Sharon.«
Sie fuhr fort, als hätte sie ihn nicht gehört. »Du bist der beste Bruder auf der ganzen Welt. Der beste – für Eli und mich. Wir

lieben dich für die Art, wie du mit Chloe umgehst. Sie könnte keinen besseren Onkel haben … egal, was passiert …«
Dylan hätte sich gerne bedankt, brachte aber kein Wort über die Lippen.
»Jetzt weißt du alles über dein Herz«, fuhr Sharon fort. »Du musst nichts sagen. Aber du musst zuhören. Du musst, Dylan. Es ist wichtig für mich … ich habe das Bedürfnis, zur Abwechslung einmal etwas für dich zu tun, dir alles zu vergelten, was du für uns getan hast. In all den Jahren bist du ein großartiger Bruder und Onkel gewesen. Und deshalb rate ich dir dringend: Fahre nach New York.«
»Was?«
»New York, Dylan.«
»Wovon redest du?«
»Du warst eine Zeit lang so glücklich«, flüsterte Sharon. Dylan schloss die Augen. Er hörte Nachtvögel in den Apfelbäumen rufen. Eine frische Brise kündigte Septemberwetter an und die Luft duftete nach Äpfeln. In weiter Ferne hörte er das Heulen von Motorrädern: Geländemaschinen.
»Im Frühjahr, zu Beginn des Sommers, als sie noch hier war.«
»Sie?«
»Du weißt, wen ich meine.« Natürlich wusste Dylan es. Es war ihm nie gelungen, Sharon gegenüber den Lässigen zu spielen; sie durchschaute ihn.
»Jane«, sagte er.
»Du solltest zu ihr fahren.«
»Wie kommst du auf die Idee? Nach all dem Wirbel, den sie veranstaltet hat? Und den Lügengeschichten – auf die wir alle hereingefallen sind?«
»Wir nehmen es alle mit der Wahrheit nicht so genau, Dylan. Nur einige Lügen sind schwerwiegender als andere. Ich habe Eli früher belogen, wenn ich mit dir zum Rauchen hinter die

Scheune gegangen bin. Ich habe ihm vorgeflunkert, dass ich frische Luft schnappen wollte.«

»Das kann man nicht vergleichen.«

»Richtig. Lügen sind immer unterschiedlich, und erstrebenswert sind sie auch nicht. Aber manche entspringen weniger verwerflichen Motiven. Amandas Lügen wurzelten in reiner Selbstsucht. In der Bereitschaft, dich zu hintergehen.«

»Es reicht!«

»Du sagst es. Amanda ist tot. Du kannst nicht jeden Menschen danach beurteilen, was sie dir angetan hat. Jane ist anders. Sie hat aus Liebe gelogen.«

»Das sagst ausgerechnet du? Sie kommt nach Rhode Island, um dir deine Tochter wegzunehmen, und du nimmst sie in Schutz?«

Sharon schüttelte den Kopf. »Sie hat nicht versucht, mir Chloe wegzunehmen. Sie wollte sie nur ein wenig kennen lernen. Weil sie ihre Tochter liebt.«

Dylan lief bei ihren Worten ein Schauer über den Rücken.

»Du müsstest doch wissen, was für ein Gefühl das ist«, fuhr Sharon fort. »Und was du für Jane empfindest. Ich glaube, sie war genau das, was du gebraucht hast.«

»Und wenn schon? Es ist vorbei.«

»Mit dem ›vorbei sein‹ hat es eine sonderbare Bewandtnis. Dieses kleine Wort hat allem Anschein nach seine eigenen Regeln.«

»Wovon redest du? Ich war der Meinung, du würdest nichts mehr mit ihr zu tun haben wollen. Gerade du müsstest sie doch eigentlich hassen für das, was sie in diesem Sommer angerichtet hat.«

»Dylan – gerade ich verstehe sie. Ich bin schließlich auch Mutter.«

Das Blut rauschte in Dylans Ohren. Er dachte daran, wie er Jane das letzte Mal in den Armen gehalten hatte. Er dachte an ihren Blick, als sie mit Chloe in die Einfahrt fuhr und ihn mit Sharon reden sah. Der Verrat lastete immer noch schwer auf ihm: Das Schlimmste war nicht das, was sie ihm, sondern was er ihr damit angetan hatte. Sharon war richtig informiert: Jane lebte wieder in New York. Dylan hatte eine Postkarte von ihr erhalten. Nur eine Ansichtskarte von Greenwich Village, mit den Worten »Es tut mir so Leid« auf der Rückseite.

Die Geländemaschinen wurden lauter. Auf der Veranda brannte kein Licht, so dass die Motorradfahrer offenbar glaubten, Dylan habe sich zur Ruhe begeben. Wut staute sich in ihm auf. Er dachte an sein Terrain, in das die Rowdys widerrechtlich eindrangen, dachte an alles, was er verloren hatte. Was Sharon nicht wusste, war, dass es zu spät war. Bisweilen war der Schaden zu groß, um ihn wieder gutzumachen. Er ging zum Schrank neben der Tür und holte sein Gewehr heraus.

»Was hast du vor?« Sharon packte seinen Arm.

»Das ist Hausfriedensbruch«, erwiderte er kalt. Eine Waffe in der Hand zu halten, war ihm in Fleisch und Blut übergegangen. Die Verbrecherjagd fiel ihm hundertmal leichter als ein Gespräch mit Sharon über sein Herz. Er war sogar froh über die Gelegenheit, zu handeln, den Stier bei den Hörnern zu packen.

»Tu nichts Unbedachtes«, warnte ihn Sharon.

»Keine Bange«, sagte er, von dem Gefühl überwältigt, dass er ohnehin nichts mehr zu verlieren hatte.

Chloe war in ihre Collage vertieft. Ihr Vater hatte ihr einen Stapel alter Zeitschriften überlassen. Schere, ein Bainbridge-Brett als Bastelunterlage und doppelseitiges Klebeband lagen in Griffweite. Sie hatte Fotos und einzelne Wörter ausgeschnitten, die sie nun zu einer Traumbild-Collage zusammenstellte.

Chloe wusste, manche Gefühle waren so groß, dass ihr die Worte fehlten. Sie entflohen ihrem Gedächtnis, ließen sie in einem Zustand stummer Verwirrung zurück. Die Empfindungen beschworen eine Meuterei in ihrem Inneren herauf und sie fürchtete, das jüngste weibliche Todesopfer einer Herzattacke zu werden, ohne eine vorausgehende Erkrankung, der man die Schuld daran anlasten könnte.

Durch die geöffneten Fenster strömte die kühle Plantagenluft herein, die ihre Papierschnitzel kräuselte. Die Katzen hatten sich klammheimlich ins Zimmer geschlichen und Besitz von den ungelegensten Plätzen ergriffen: Sie machten sich, alle viere von sich gestreckt, auf den Zeitschriften breit, spielten mit dem Klebefilm-Abroller, rieben sich an Chloes Bein. Normalerweise hätte Chloe alles stehen und liegen lassen, sich auf den Boden gekniet und selbst eine Katze gemimt. Doch im Moment war es wichtiger, die Collage fertig zu machen.

Das Telefon läutete. Und läutete, und läutete.

»Hallo!«, rief Chloe ihren Eltern zu. »Würde bitte endlich jemand RANGEHEN?«

Da niemand ihrer Aufforderung Folge leistete, saßen die beiden vermutlich immer noch auf der Hintertreppe, deshalb spurtete sie los, schnappte den Hörer und sagte »Hallo«. Es war natürlich Mona, wer sonst.

»Heiliger Bimbam. Ich bin beschäftigt.«

»Wie schön für dich. Ich langweile mich zu Tode. Betty Lou und Dad sind heute Abend essen gegangen, um zu testen, wo sie nächste Woche speisen wollen – am Schwarzen Samstag.«

Chloe kicherte. »Ihr Hochzeitstag?«

»*Bien sûr.* Am Sonntag findet eine große Party statt, aber für den Abend vorher brauchen sie ein lauschiges Plätzchen – damit er ihr den Schmuck schenken kann, den er für sie gekauft hat.«

»Damit sie ihn zur Party tragen kann.«
»Widerlich, die zwei. Und womit bist du beschäftigt?«
Chloe zögerte. Ihre Sprachprobleme erstreckten sich sogar auf die Fähigkeit, sich Mona anzuvertrauen. Sie hatte ihr kein Sterbenswort von der Collage verraten – weder, dass sie überhaupt eine machte, noch über den Inhalt. Sie betrachtete ihr Kunstwerk: Bilder, die für Chloe und vielleicht auch für eine bestimmte andere Person wichtig waren, schmückten das schwere Bainbridge-Brett.
Ein Apfelbaum. Eine Pastete. Eine Mutter, die ihr Neugeborenes in den Armen hält. Eine Werbeanzeige für einen Früh-Schwangerschaftstest. Ein Delfin und ein Hai. Das Wort »Calamity«.
»Ach, nichts Besonderes«, erwiderte Chloe.
»Ausflüchte. Kann mir ja auch piepegal sein.«
»Ich habe meine Tage«, sagte Chloe, bewusst das Thema wechselnd.
»Aha, dann bist du also bombensicher nicht schwanger.«
»Richtig. Meine zweite Periode in Folge seit der ganzen Aufregung.«
»Gut zu wissen, dass du wieder fit bist.«
»Du kannst dir nicht vorstellen, wie elend ich mich gefühlt habe«, gestand Chloe. Durch das offene Fenster drang ein vertrautes Geräusch, das ihr durch Mark und Bein ging. Zuerst dachte sie, es sei eine Kettensäge, doch dann wurde ihr bewusst: Es waren Geländemaschinen.
»Vielleicht solltest du es Jane erzählen.«
»Nein«, sagte Chloe.
»Das wäre ein Gebot der Höflichkeit.«
Chloe betrachtete abermals ihre Collage, gedankenverloren, in unausgesprochene Worte versunken. Das Dröhnen der Geländemaschinen wurde lauter. Sie steckte den Kopf aus dem Fenster. Ihre Eltern saßen nicht mehr auf der Treppe. Sie wa-

ren wohl ins Haus gegangen. Sie schauderte, aber sie wusste, es gab keine andere Möglichkeit: Sie musste Zeke gegenübertreten.
»Hörst du das?« Chloe hielt den Hörer ans Fenster.
»Das Böse existiert.«
»Auf unserer Plantage.«
»Ruf Onkel Dylan, um den Teufel auszutreiben.«
»Warum einen Mann mit Frauenarbeit beauftragen?« Chloe steckte ihre Schere in den Bund ihrer Shorts. »Das ist *meine* Sache.«
»Sei vorsichtig.« Mona klang besorgt.
»Bin ich«, versprach Chloe und legte auf. Sie dachte an ihr Wortproblem. Nach Isabels Tod war sie verstummt. Dann hatte sie wieder angefangen zu sprechen, bis zu diesem Sommer. Und nun war sie, obwohl die Veränderung nicht besonders schwerwiegend oder extrem war – ein Durchschnittsmensch würde es kaum bemerken –, innerlich wortkarg geworden.
Sie wusste, dass es mit Jane zu tun hatte, und mit Zeke. Es gab Dinge, die sie den beiden sagen musste, Worte, die in ihrer Brust gefangen waren. Wie lebendige Wesen, die sie innerlich auffraßen. Sie musste einen Weg finden, sie herauszulassen. Die Collage war eine Möglichkeit.
Die Schere in ihrem Hosenbund eine andere.
Chloe kletterte auf das Dach hinaus, rutschte an der Regenrinne herunter. Die Katzen, die sie in ihrem Zimmer zurückgelassen hatte, miauten und jammerten. Ich bin bald wieder da, dachte sie, und schickte ihnen einen stummen Abschiedsgruß. Sternschnuppen schossen pfeilschnell durch den Himmel, beleuchteten ihren Weg. Sie stieg über den Staketenzaun und rannte barfuß zu den Bäumen hinüber.
Die Motoren röhrten und heulten. Chloe kannte Zekes bevorzugte Rennstrecke. Sie erinnerte sich an seinen Rundkurs, der

über den Hügel, um die Scheune herum und zurück zum Bach führte. Gebückt, um zu vermeiden, dass sie mit den Ästen der Apfelbäume zusammenprallte, lief Chloe durch die Plantage.
Sie sah die Scheinwerfer. Sie hüpften auf und ab wie illuminierte Luftballons, wie Silbermonde. Sie versteckte sich im Gebüsch, das Herz schlug ihr bis zum Halse. Das Knacken der Zweige und Äste unter den Reifen verriet, dass sie näher kamen. Sie dachte an den Abend, als sie voller Spannung auf Zeke gewartet hatte. Die Erinnerung trieb ihr die Tränen in die Augen, sie trauerte um das unbedarfte junge Mädchen, das sie gewesen war.
Genau in dem Moment, als die Motorräder wendeten und den Gipfel der Anhöhe hinunterrasten, zerrte sie die Schere aus ihrem Hosenbund und sprang aus dem Gebüsch. Sie stand in der Mitte des Pfades, vom Scheinwerferlicht übergossen.
»Was zum Teufel …«, brüllte der erste Fahrer und riss die Maschine herum, um ihr auszuweichen. Er geriet ins Schleudern, landete auf dem schmalen Grasstreifen zwischen den Baumreihen und es gelang ihm mit knapper Mühe, das Motorrad aufzurichten und einen Sturz zu verhindern. Der zweite Fahrer, Zeke, brachte seine Maschine unmittelbar vor Chloe zum Stillstand.
»Hey.« Seine Augen waren ausdruckslos, aber er lächelte.
»Hey. Falls du es vergessen haben solltest: ich bin's, Zoe.«
»Haha.« Er lachte.
»Zeke, Mann, fahr weiter«, sagte der andere Fahrer.
Aber Chloe versperrte ihnen den Weg. Sie kamen nicht um sie herum. Sie stand wie angenagelt da, die Schere in der ausgestreckten Hand. »Ihr fahrt nirgendwohin.«
»Ich sage es dir nicht gerne, Chloe, aber du kannst uns nicht aufhalten«, meinte Zeke. »Klar?«

»Wenn du dich da mal nicht täuschst«, flüsterte sie.
Sein Kumpel lachte. »Ist sie das?«
»Das ist Chloe«, sagte Zeke. Wie auf ein Stichwort lachte sein Freund und schob sein Motorrad näher, um sie genauer in Augenschein zu nehmen.
»Süß«, sagte er. »Die würde ich gerne vernaschen.«
Die Nacht war stockfinster. Ein Baldachin aus Zweigen wölbte sich über ihnen, schirmte noch den kleinsten Lichtschein der Sterne ab. Chloe empfand keine Angst. Sie würdigte den anderen keines Blickes; ihr Augenmerk, ihr Hohn waren ausschließlich auf Zeke gerichtet.
»Ich verachte dich.«
»Das Gefühl hatte ich im Juni aber nicht«, sagte er.
»Rede dir das ruhig ein.«
»Ich muss mir nichts einreden.« Sein Tonfall ließ Ungeduld und die ersten Anzeichen von Wut erkennen.
»Du bist jämmerlich, wenn du das wirklich glaubst.«
»Ich glaube nur, was ich sehe.«
»Wir haben dich in Newport gesehen.« Chloe erinnerte sich, wie sie mit Jane und den anderen auf dem Bannister's Wharf gestanden und ihn entdeckt hatte, als er gerade einen Hotdog aß. »Und da hast du dich aus dem Staub gemacht.«
»Wieso sollte ich den Wunsch haben, deine Eltern kennen zu lernen? Die Mädchen, mit denen ich normalerweise ausgehe, verbringen ihre Abende an den Wochenenden nicht am Rockzipfel von Mama und Papa.«
Chloe fand es seltsam zu hören, dass Jane für ihre Mutter gehalten wurde, was letztlich ja stimmte. Doch sie ließ sich nicht von solchen Gedankengängen ablenken, und maß ihn mit Blicken, die ihn aus der Fassung brachten.
»Du bist ein Feigling. Mir kannst du nichts vormachen.«
»Schnapp sie dir, sie will es doch, sieh sie bloß an«, mischte

sich sein Freund ein. Chloe ging langsam zu ihm hinüber. Sie sah ihm in die Augen. Dann hob sie die Schere hoch über ihren Kopf. Sie dachte an die Bilder von Babys, Müttern und Äpfeln, die sie gerade aus der Zeitschrift ihres Vaters ausgeschnitten hatte. Sie dachte an sich, an Jane und an den Schmerz, den Frauen erdulden mussten, weil es herzlose Männer gab. Dann stach sie die Schere mit voller Wucht in sein Vorderrad.

»Verdammtes Miststück!«, brüllte der Freund und sprang von seinem Motorrad, als die Luft zischend aus dem Reifen wich.

»Du hast dir gerade einen Reifen gekauft, Chloe«, sagte Zeke spöttisch. Sie blickte ihn an, dann stach sie in seinen Vorderreifen.

»Zwei«, sagte sie. »Und du bist und bleibst ein Feigling.«

»Du miese Fotze!« Die Adern an Zekes Hals schwollen an, als er sich mit einem Satz von seinem Motorrad schwang und Anstalten machte, sich auf Chloe zu stürzen. Sie hatte die Schere in der Hand, doch in der halben Sekunde, die ihr zum Nachdenken blieb, wurde ihr klar, dass es nicht in Frage kam, sie zu benutzen. Die Reifen waren eine Sache, aber sie war von Natur aus unfähig, einem Lebewesen ein Leid zuzufügen – nicht einmal einer Muschel, nicht einmal Zeke.

Da sie schnell war und die Plantage besser kannte als jeder andere, blieb ihr nur die Flucht. Sie rannte den Hügel hinauf, von wo die Motorräder gekommen waren. Sie schlüpfte zwischen den Apfelbäumen durch, hörte die Jungen hinter ihr herjagen, alles zermalmend, was sich ihnen in den Weg stellte. Sie holten auf, aber sie fühlte sich, als besäße sie übermenschliche Kräfte.

Sie hatte die Initiative ergriffen. Sie hatte Zeke die Meinung gesagt, die Atmosphäre bereinigt, die Plantage von unguten

Erinnerungen befreit. Ihre Collage war ihr Gedicht, ihr Lied, das sie nur noch singen musste, sobald ihr Werk vollendet war. Der Mut verlieh ihr Flügel. Sie flog gleichsam durch die Bäume. Sie gelangte an eine weitläufige Wiese – und dort, auf der anderen Seite, stand die Scheune.
Die malerische rote Scheune mit dem Kuppeldach. Chloe musste sie erreichen, sie bot eine sichere Zuflucht. Auf der Wiese gab es keine Möglichkeit sich zu verstecken, doch wenn es ihr gelang, sie zu überqueren, würde sie es bis zur Scheune schaffen. Sie konnte die Tür hinter sich absperren und es würde ihnen niemals gelingen, sich Zutritt zu verschaffen. Onkel Dylans Haus befand sich unmittelbar hinter der nächsten Anhöhe und sie würde bis zur Kuppel hinaufsteigen und so laut schreien, dass er sie hörte.
Die Kuppel. Als sie die Kuppel vor sich sah und hörte, wie die beiden Jungen zu ihr aufschlossen, ging ihr ein Gedanke durch den Kopf, eine alte Erinnerung. Früher hatte sie geglaubt, sie besäße Augen. Sie war davon überzeugt gewesen, dass die Kuppel eine Heimstätte für Engel, Eulen und Schutzgeister sei.
Eine Heimstatt für ihre leibliche Mutter.
Die Erinnerung ließ sie aufschluchzen. Sie beschleunigte ihren Schritt und rannte in die Wiese. Das hohe Gras kitzelte an ihren Beinen, reichte ihr bis zur Taille hinauf. Sie rannte aus Leibeskräften, ruderte mit den Armen, um noch schneller zu werden. Noch dreißig Meter, zwanzig Meter. Sie hätte gern einen Blick über die Schulter auf ihre Verfolger geworfen, wagte es aber nicht.
Sie lief blind drauflos. Chloe hatte das Gefühl, dass es jemanden gab, der sie beschützte, über sie wachte. Sie hatte diesen Sommer erkennen müssen, dass der Schein trügen und das Offensichtliche unvorstellbare Geheimnisse bergen konnte. Der Himmel war mit Leben erfüllt, voller Sternschnuppen,

die durch die Dunkelheit flirrten, einen Feuerschweif hinter sich herziehend.
»Hilfe«, schrie sie, während sie lief.
Tapp, tapp, tapp: Ihre eigenen Füße, die Füße ihrer Verfolger. Sie holten auf. Sie spürte, wie jemand an der Rückseite ihres T-Shirts zerrte; sie riss sich los, versuchte noch schneller zu rennen.
»Hilfe!«, schrie sie abermals, atemlos.
Wie sollte sie in die Scheune gelangen, ohne dass sie ihrer habhaft wurden? Und was war, wenn das Tor zugesperrt war? Würde es ihr gelingen, unter Aufbietung ihrer letzten Kräfte, den offenen Heuboden zu erklimmen? Sie war daran gewöhnt, die Regenrinne hinauf in ihr Zimmer zu klettern …
Endlich, geschafft. Die rote Scheune war bisher nur ein Schatten im Licht der Sterne gewesen, doch nun zeichneten sich ihre Umrisse klar ab, tauchte direkt vor ihr auf. Sie warf sich gegen das Tor, rüttelte an der alten rostigen Klinke, stöhnte, als sie feststellen musste, dass sie verschlossen war.
»Dachtest du etwa, du könntest davonlaufen?«, höhnte Zeke.
»Miststück!«, zischte sein Freund.
Chloe sah den beiden ins Gesicht, den Rücken an der Wand. Zekes Haare waren ungepflegt und lang; wie hatte sie dieses grausame Gesicht jemals schön finden können? Sein Freund grinste heimtückisch – er hatte einen kahl rasierten Schädel und eine Stacheldraht-Tätowierung rund um den Hals. Chloe schauderte, aber ihr Blick war fest und sie schwor, sich keine Blöße zu geben und Angst zu zeigen.
»Wer uns davonläuft, muss erst noch geboren werden«, sagte Zeke, der näher gekommen war und sie an den Haaren packte. Chloe konnte seinen Bieratem riechen. Sein Freund stand neben ihm und japste.

In diesem Moment hörte sie ein Klicken, als ob der Hahn eines Gewehrs gespannt würde.
»Warum sollte sie davonlaufen?«, sagte Onkel Dylan, das Gewehr im Anschlag, auf Zekes Kopf gerichtet. »Sie ist hier zu Hause.«
»Scheiße«, sagte der Freund und zuckte zurück.
»Nur weiter so«, sagte Onkel Dylan zu dem Freund, immer noch auf Zeke zielend. »Ich warte nur auf eine Gelegenheit, euch beide abzuknallen. Und du lässt Chloe los, auf der Stelle«, sagte er und bohrte Zeke den Lauf des Gewehrs in den Kopf.
Zeke ließ von ihren Haaren ab und Chloe sprang beiseite, stellte sich neben ihren Onkel.
»Na, was ist das für ein Gefühl, erniedrigt zu werden?«, fuhr Onkel Dylan fort, noch immer mit der Waffe auf Zeke zielend. »Macht das Spaß?«
»Nein«, erwiderte Zeke mit schriller Stimme.
»Das macht niemandem Spaß.« Onkel Dylans Stimme klang ganz vernünftig, strafte die Tatsache Lügen, dass er eine Winchester in der Hand hielt und jeder Muskel in seinem Körper angespannt und bereit war, abzudrücken.
»Onkel Dylan«, sagte Chloe beunruhigt. Sie hatte noch nie einen so unerbittlichen Ausdruck in seinen Augen gesehen.
»Dürfen wir jetzt gehen?«, fragte der Freund. »Bitte lassen Sie uns gehen, ja?«
Onkel Dylan rührte sich weder vom Fleck noch antwortete er. Er hielt die Waffe so fest umklammert, dass sie spürte, wie gerne er abgedrückt hätte. Sie hatte mit einem Mal Angst, nicht nur wegen der beiden Jungen, der Waffe und der drohenden Gefahr, sondern weil sie wusste – aus eigener leidvoller Erfahrung –, wie weit ein gebrochenes Herz einen Menschen treiben konnte.

Es hatte Chloe auf die Plantage getrieben, mit nichts als einer Schere, um sich zur Wehr zu setzen. Und es hatte Onkel Dylan von Isabel zu Jane und in diese Situation getrieben, mit einer Waffe in der Hand und dem Wunsch, zu schießen.

»Onkel Dyl«, flüsterte sie.

»Brieftaschen raus«, befahl er. »Aber langsam.«

»Wollen Sie uns umbringen?«, fragte Zeke. Schleierwolken waren am Himmel aufgezogen und dahinter blitzten Sternschnuppen auf.

»Habt ihr einen Ausweis in der Brieftasche?«

»Ja«, antwortete Zeke.

»Und du?«, fragte Onkel Dylan seinen Freund.

»Nein – aber meinen Führerschein.«

»Werft sie auf den Boden. Ich werde dafür sorgen, dass ihr nie wieder auf meinem Land Motorrad fahrt«, sagte Onkel Dylan eiskalt und mit Nachdruck. »Und dass ihr nie, nie wieder meiner Nichte zu nahe tretet.«

»Sie hat mir erzählt, dass Sie Marshal sind«, sagte Zeke. »Damals ... ich hätte auf sie hören sollen. Tut mir Leid!«

»Er erschießt uns!«, jammerte sein Freund.

»Bitte, Onkel Dylan«, bat Chloe flehentlich, weil sie befürchtete, der Freund könnte Recht haben. »Isabel, Isabel ...«

Seine Augen flackerten. Aber nur kurz, dann waren sie wieder ausdruckslos.

»Entschuldigt euch bei Chloe«, verlangte ihr Onkel.

»Es tut mir Leid«, sagten die zwei wie aus einem Mund.

»Und jetzt lauft, lauft um euer Leben!« Onkel Dylan schoss in die Luft.

Die Jungen rannten quer durch die Wiese, doppelt so schnell wie vorher. Chloe blickte ihnen nach, dann sah sie, wie ihr Onkel die Brieftaschen aufhob. Sie lächelte ihm zu, aber er verzog keine Miene, runzelte nicht einmal die Stirn. »Die

brauche ich«, erklärte er. »Ich werde dafür sorgen, dass die beiden eine Lektion erhalten, die sie nie mehr vergessen. Ich benachrichtige die Polizei, sobald wir im Haus sind. Alles in Ordnung mit dir?«
Chloe versuchte zu nicken. »Mit dir auch?«
Er versuchte zu nicken.
Chloe umarmte ihn. »Danke.«
Er schwieg, ließ sie aber nicht los. »Sie wollten dich verletzen, Chloe«, sagte er schließlich. »Weißt du, was ich getan hätte, wenn es dazu gekommen wäre? Ich könnte es nicht ertragen, dich auch noch zu verlieren ...«
»Ich weiß.«
»Was ist nur in dich gefahren, so spät am Abend auf der Plantage herumzulaufen ...«
»Ich hatte noch etwas zu erledigen«, erwiderte sie abwehrend. »Etwas Wichtiges, was Mut erfordert.«
»Das kann auch ins Auge gehen«, erwiderte er barsch. »Ich habe versucht, Mut zu beweisen, für Isabel und Amanda, habe mich für etwas stark gemacht, was mir wichtig war – und was hat es gebracht?«
»Du warst bei ihnen«, flüsterte Chloe. »Du hast es versucht. Du hast Isabels Hand gehalten, als sie starb. Denk nur, wie ihr zumute gewesen wäre, wenn du nicht da gewesen wärst ... du warst bei ihr, Onkel Dylan.«
»Und was ist dabei herausgekommen?« Hinter den harten Linien in seinem Gesicht und dem Zorn in seinen Augen sah sie Tränen schimmern. »Wenn man solche Tragödien ohnehin nicht verhindern kann?«
Chloe schloss die Augen. Sie sah Janes Gesicht vor sich. Ihr schwarzes Haar und die blauen Augen, das breite Lächeln, ihre Art, immer genau das Richtige zu sagen. Jane, die mit den Pasteten in ihr Leben getreten war, die die Hand ihres am Boden zerstörten Onkels gehalten und ihn wieder zum La-

chen gebracht hatte, die mit Chloe den Schwangerschaftstest besorgt, still neben ihr gesessen und gemeinsam mit ihr auf das Ergebnis gewartet hatte …

Mit einem Mal wusste sie, dass es Jane zeitlebens schwer gefallen war, sich von ihr fern zu halten. Jane hatte sie genug geliebt, um ihr gleich nach der Geburt einen Namen zu geben, hatte sich gezwungen, auf jeden Kontakt zu verzichten, bis zu diesem Sommer, als sie auf die Plantage gekommen war. Und sie hatte Chloes Bild in ihrem Medaillon getragen – Tag und Nacht.

Trotz der Entfernung war sie Chloe immer nahe gewesen, hatte sie auf Schritt und Tritt begleitet. Ihre Eltern und Onkel Dylan hatten sie tagein, tagaus geliebt, hatten sie mit mehr Liebe großgezogen als jedes andere Kind, das sie kannte, aber Jane hatte sie ebenfalls geliebt …

»Eines verstehe ich trotzdem nicht«, sagte Chloe. »Es hat damit zu tun, dass zwei Menschen sich nahe sein können, ohne dass sie sich in unmittelbarer Nähe befinden.«

»Nahe?«

»Wie bei dir und Isabel.«

Onkel Dylan hörte schweigend zu. »Du warst in ihrer Nähe – bei ihrem ersten und bei ihrem letzten Atemzug. Du bist auch jetzt bei ihr, stimmt's?«

»Ich denke, sie ist bei mir … ja.«

»Das ist ein und dasselbe. Die Menschen tun ihr Bestes, um sich nahe zu sein.«

»Manchmal ist es nicht gut genug.«

»Ich finde schon. Schau dir Jane an.«

»Komm«, sagte ihr Onkel, entsicherte sein Gewehr, legte es über die Schulter und schickte sich zum Gehen an. »Es reicht. Ab nach Hause.«

»Ich möchte sie besuchen.« Chloe stand wie angewurzelt da. Sie dachte an ihre Collage. Hoffentlich würde sie damit ihre

Eltern nicht kränken; irgendwie hatte sie das Gefühl, dass ihre Mutter nicht aufgebracht sein würde.
Sie hatte sogar seit einiger Zeit den Verdacht, dass ihre Mutter wollte, dass sie Jane anrief. Neulich war sie zum Frühstück heruntergekommen und hatte die *New York Times* auf dem Tisch vorgefunden – ihre Mutter hatte sie abonniert, wegen der Rubriken Essen und Trinken, Haus und Garten, die jeden Mittwoch und Donnerstag erschienen –, aufgeschlagen auf einer Seite mit einer kleinen Meldung »Calamity Jane zurück!«
Es gab auch ein Foto von Jane mit weißer Bäckermütze; sie stand vor ihrer Konditorei auf einer von Bäumen gesäumten Straße. Chloe hatte es lange betrachtet. Janes Miene war verschlossen. Sie versuchte zu lächeln, aber es schien ihr nicht zu gelingen. In dem Artikel hieß es, dass sie eine Menge Apfelpasteten für den Herbst zu backen habe. Ihre Mutter hatte die Zeitung wortlos liegen lassen.
»Du willst sie besuchen? Das ist nicht dein Ernst«, sagte ihr Onkel.
»Doch.«
»Das ist eine schlechte Idee, Chloe.«
»Sie ist nicht deine Mutter.«
»Wohl wahr. Aber sie hat dich nicht großgezogen – das waren mein Bruder und Sharon. Sie lieben dich.«
Chloe gab einen Laut von sich, halb lachen oder weinen. Konnte ihr Onkel dermaßen vernagelt sein? Sie sah sich um. Die Wiese war lebendig, angefüllt mit hohen Gräsern, Grillen und Füchsen. Rotwild äste auf der anderen Seite. Eine Eule hauste auf dem Heuboden, ernährte sich von den Mäusen, die es im Überfluss gab. Überall standen Apfelbäume, mit Früchten beladen. Der Mond ging im Osten auf, hüllte die Plantage in seinen Schein. Die Katzen tanzten.

»Was ist daran so komisch?«, fragte Onkel Dylan.
»Das musst du schon selbst herausfinden.« Chloe streckte die Hand aus, nahm alles in sich auf.
»Chloe, wovon redest du?«
»Erinnerst du dich an den Tanz auf dem Heuboden? Zu Moms und Dads Hochzeitstag?«
»Ja. Was ist damit?«
»Wir brauchen wieder ein Fest, Onkel Dylan. Und zwar schnell. Bevor du noch weiter dahinsiechst.«
»Ich sieche nicht dahin. Ich bringe dich jetzt nach Hause und dann rufe ich die Polizei an und erstatte Anzeige gegen die beiden …«
»Du sagtest, Mom und Dad lieben mich.« Chloe ergriff die raue Hand ihres Onkels.
»Richtig, das tun sie.«
»Das weiß ich. Sie haben mir so viel Liebe gegeben, dass ich noch eine Menge übrig habe …«
»Chloe.«
»Für dich, für Isabel, für Mona, für die Katzen … für meine leibliche Mutter.«
Er antwortete nicht. Er stand reglos da, das Gewehr über der Schulter, als wäre er unter dem Licht des aufgehenden Mondes zur Salzsäule erstarrt.
»Jane«, sagte er nach einer Weile.
»Gib es zu, Onkel Dylan – du liebst sie auch.«
Abermals erstarrte er. Der Mond stieg höher, bewirkte, dass ein dunkles Feuer in seinen Augen glomm. Chloe sah, dass er an Jane dachte.
»Ich vermisse ihre Pasteten«, sagte er.
»Die Pasteten, die wir am Stand verkaufen, sind Schrott.«
»Ich weiß.«
»Sie backt in New York. Ich habe einen Artikel in der Zeitung gelesen. Mom hat ihn so hingelegt, dass ich ihn gar nicht

übersehen konnte. Ich werde hinfahren und sie suchen. Ich fahre nach New York, und ich werde Jane suchen, basta.«
Onkel Dylan starrte Chloe an, versuchte, sie mit seinem harten Bullen-Blick einzuschüchtern. Die Augenbrauen und Wangenknochen waren schon richtig, konnten ihre Wirkung nicht verfehlen. Aber das höhnische Grinsen war wie weggewischt – es hatte bemerkenswerte Ähnlichkeit mit einem Lächeln.
»Nur über meine Leiche«, sagte er.
»Du kannst mich nicht daran hindern.«
»Dann werde ich dich hinfahren müssen. Ich kann dich nicht allein reisen lassen. Das heißt, falls deine Eltern einwilligen.«
»Das werden sie.«
Er lachte, schüttelte den Kopf. »Wie ich dich kenne, Miss Chadwick, wirst du wohl Recht haben.«
»Wir holen Pasteten«, sagte Chloe und hakte sich bei ihrem Onkel unter, als sie sich den Weg den Hügel hinab durch die Apfelplantage hinter der Scheune bahnten. »Und überbringen Jane eine Einladung.«
»Zu was?«
»Zum Tanz auf dem Heuboden. Keine Bange – Mona und ich kümmern uns um die Planung und Vorbereitung.«
»Das habe ich schon befürchtet«, sagte er, hinkend.
Chloe blickte zum Mond empor. Er sah aus wie eine leuchtende silberne Scheibe, die Ränder verwischt durch die restliche Sommerhitze. Sie streckte den Arm aus, als wollte sie ihn vom Himmel holen. In diesem Augenblick war sie überzeugt, dass sie dazu imstande wäre. Sie würde ihn in ihrer Tasche verwahren und Jane schenken, als wäre er ein silberner Apfel.
»Ich hoffe nur, dass er bei unserem Tanz auf dem Heuboden mitspielt«, sagte sie und blickte zu dem magischen

Nachthimmel empor. »Alles, was wir brauchen, ist ein Silbermond.«
Ihr Onkel lachte. Er antwortete nicht, aber er lachte. Und als sie Chloes Garten erreichten, standen ihre Eltern in der Einfahrt, warteten auf das Eintreffen des Streifenwagens. Sie hatten den Schuss gehört und die Polizei alarmiert. Als sie Chloe sahen, stieß ihre Mutter einen Schrei aus. Sie breitete die Arme aus und Chloe lief zu ihr, ließ sich umfangen.

29

Als Jane mit der Zubereitung des Teigs für die bestellte Hochzeitstorte begann, merkte sie, dass sie nicht mit dem Herzen bei der Sache war. Sie rührte und wog ab, wog ab und rührte. Sie vergewisserte sich, dass sich sämtliche Zutaten in Griffweite befanden, und in der richtigen Menge. Die Torte sollte ein Gaumenschmaus und eine Augenweide werden, unberührt von ihrer emotionalen Verfassung.

Doch sie sann darüber nach, was sich verändert hatte, während sie die Rührschüssel in der einen und den überdimensionalen Holzlöffel in der anderen Hand hielt. Sie fühlte sich neuerdings lustlos und ausgepumpt, eindimensional, als sei die Luft aus ihr heraus. Vorher hatte sie bei der Herstellung von Hochzeitstorten – aber auch Geburtstagstorten, Napfkuchen für Premierenfeiern, Pasteten für Thanksgiving oder Keksen für eine Bar Mitzvah – dem Anlass entsprechend eine besondere Zutat hinzugefügt, die nicht im Rezept stand.

Sie hatte ihre ganze Liebe wachgerufen – oft dadurch, dass sie an Chloe dachte, wo sie gerade sein mochte, was sie gerade tat – und in ihre Arbeit gesteckt. Eine solche Anleitung fand sich in keinem Backbuch, aber Jane war fest davon überzeugt, dass diese Liebe ihre Geheimwaffe als Konditorin war. Deshalb waren ihre Backwaren so begehrt. Wie es in der *New York Times* hieß: »Backwaren von Calamity Jane sind mit professioneller Kunstfertigkeit und mütterlichem Herzen gebacken.«

Doch jetzt bemühte sich Jane nicht besonders. Diese Woche

würde es keine geheime Zutat geben. Sie hoffte, dass ihre Kunden nichts merkten, aber sie verrichtete ihre Arbeit wie ein Automat: Die Küche kam ihr vor wie ein Labor, und sie folgte den Mengenangaben bis aufs i-Tüpfelchen, aus Angst, sich zu vertun und der Teigmischung zu viel oder zu wenig von einer Zutat beizugeben.

Genau das schien auch in anderen Lebensbereichen ein Problem zu sein. Zu viel oder zu wenig, immer zum falschen Zeitpunkt. Sie verteilte den Teig in drei runde Backformen und musste ihn prompt wieder herausnehmen – sie hatte vergessen, die Böden der Formen zu fetten und mit Mehl zu bestäuben.

Sobald sich die Tortenböden im Ofen befanden, war sie reif für eine Pause. Sie trug eine Baseballkappe mit dem Schirm im Nacken, um die Haare aus den Augen zu halten, aber ein paar Strähnen hatten sich gelöst, die sie mit dem Handrücken aus dem Gesicht strich. Sie schenkte sich ein Glas Saft ein und setzte sich an den Tisch. Der Backofen, eine Spezialanfertigung für Profis, verbreitete Hitze in der ganzen Küche, worüber sie froh war. Denn ihr war kalt.

Ihre Aushilfe war unterwegs, um die bestellten Backwaren auszuliefern. Es war eine neue Kraft, die sich auf Janes Anzeige im *Village Voice* beworben hatte. So weit, so gut. Ihre frühere Mitarbeiterin war gegangen, als Jane ihren verlängerten Urlaub genommen hatte – obwohl sie gut mit ihr ausgekommen war, hatte sie gewusst, dass sie einen Preis für ihren Frühling in Rhode Island zahlen musste.

Für den Frühling und einen Teil des Sommers …

An der Wand hing ein Kalender, eine Erinnerung an ihren Heimatstaat mit Fotos von Newport und Providence; sie nahm ihn ab, legte ihn auf den Tisch und tat etwas Verrücktes: Sie zählte die Tage.

Sechzehn Tage im März, dreißig im April, einunddreißig im

Mai, vierzehn im Juni. Dann addierte sie die Zahlen: einundneunzig insgesamt.

Einundneunzig Tage mit Chloe …

Jane legte die Hand auf den Kalender, als sei sie dadurch imstande, sich diese Tage einzuverleiben, mit Haut und Haaren, sie für immer zu bewahren. Doch die Zeit hatte ihre eigenen Gesetze. Zeit hatte ausschließlich mit der Gegenwart zu tun. Damit, wo man war und was man gerade tat, in einem x-beliebigen Augenblick; das verlieh dem Leben seine Bedeutung. Jetzt war August, und es waren einige Wochen vergangen seit der Zeit auf der Plantage, die ihr so heilig war …

Jane zwang sich, ruhig durchzuatmen. Jeder Atemzug schmerzte ein wenig, weil er den Abstand zu der mit Chloe verbrachten Zeit vergrößerte. Die Trennung war anfangs genauso qualvoll gewesen wie in den Tagen unmittelbar nach der Entbindung. Jane hatte nur noch an den Schock und den Kummer in Chloes Augen gedacht, vermischt mit der Angst vor einer Schwangerschaft und der Verwirrung eines jungen Mädchens, das erfahren musste, dass die Frau, die sie für ihre Freundin gehalten hatte, in Wirklichkeit ihre Mutter war.

Sie hatte es falsch angefangen. Es gab wahrscheinlich hundert Möglichkeiten, es besser zu machen. Was wäre gewesen, wenn sie von Anfang an mit offenen Karten gespielt hätte? Wenn sie zu Chloe an den Obststand gefahren wäre und gesagt hätte: »Hallo. Ich weiß, es klingt seltsam, aber ich bin deine Mutter.« Oder wenn sie Dylan beim Pädagogen-Dinner die Hand gegeben und sich mit den Worten vorgestellt hätte: »Sie kennen mich nicht, aber ich bin die leibliche Mutter Ihrer Nichte und brauche Ihre Hilfe …«

Dylan …

Sie wagte immer noch nicht, an ihn zu denken. Der kalte Blick des Gesetzeshüters, mit dem er sie gemustert hatte, als sei sie die größte Schwerverbrecherin aller Zeiten, war wie ein Eiszapfen, der ihr Herz durchbohrte. Sie hatte von ihm geträumt – möglicherweise jede Nacht, seit sie sich geliebt hatten, überwältigt von dem Gefühl der Zusammengehörigkeit. Das war das Wort, das ihr nicht mehr aus dem Kopf ging: Zusammengehörigkeit. Bei Dylan hatte sie gespürt, dass es einen Menschen gab, zu dem sie gehörte, war sich nicht wie herrenloses Gut vorgekommen.

Liebe bewirkte, dass sich ein Mensch zugehörig fühlte. Das war Jane inzwischen klar. Nicht die hilflose, bedürftige Variante der Liebe, die sie die meiste Zeit ihres Lebens empfunden hatte – die nicht. Nicht die Liebe, die mit schmerzhafter Sehnsucht und der Angst gepaart war, ins Bodenlose zu stürzen, wenn man mitten in der Nacht aufwachte. Nicht die Liebe, die ständig fragt: *Wo ist Daddy, wann kommt er nach Hause*? Und nicht die Liebe, die einen Menschen dazu trieb, einem Phantom nachzujagen und ständig zu überlegen *Liebt er mich denn nicht*?, also nicht die Art von Liebe, die sie letztlich mit ihrem Vater und mit Chloes Vater verbunden hatte.

Jeffrey Hayden.

Nachdem sie nach New York zurückgekehrt war – sie hatte ihre Mutter der Obhut von Sylvie und John überlassen und sich aus der Verantwortung geschlichen, weil sie dies nach allem, was passiert war, nicht auch noch ertragen konnte, weil es zu viel war für eine einzelne Person –, hatte Jane im Internet die Website der Brown University und Jeffreys Namen angeklickt – zum ersten Mal seit Jahren.

Er hatte seine berufliche Laufbahn als Assistent an der Brown begonnen. Und danach eine Anstellung als Dozent in der Englisch-Abteilung erhalten. Das war noch in der Zeit vor dem Internet gewesen: Sie hatte es in der Sparte der Klassen-

notizen der Ehemaligen-Zeitschrift der Brown gelesen und beim Anblick seines Namens war ihr jedes Mal der kalte Schweiß ausgebrochen.
Sie hatte mit Hilfe des Internets eine Zeit lang seinen Lebensweg verfolgt. Er war nach Harvard gegangen und Professor geworden. Er war auf der akademischen Schnellspur unterwegs, veröffentlichte in Fachjournalen, wie *The New Yorker, Harper's* und *Atlantic.* Er hatte mehrere Bücher geschrieben, von denen eines die Grenzen der Universitätsbuchhandlungen sprengte und auf den überregionalen Bestseller-Listen landete: *Die Literatur des Herzens.* Das Werk war, laut Rezensionen, eine Kreuzung aus Postmoderne und Romantik; es analysierte, wie die Literatur den Autor veranlasste, in sein eigenes Herz zu schauen und sich unbarmherzig mit den eigenen Verlusten auseinander zu setzen.
Jane war nicht in der Lage gewesen, das Buch zu lesen. Und sie hatte aufgehört, Jeffreys Werdegang im Internet zu verfolgen. Bis zu diesem Sommer.
Eines Tages, Ende Juli, als einige Stadtteile von New York im Dunkel lagen – eine Folge der Überlastung des Stromnetzes durch die Klimaanlagen –, hatte sich Jane schweißgebadet das Gesicht mit schmelzenden Eiswürfeln abgerieben, um sich ein wenig Abkühlung zu verschaffen, sich auf der Brown-Website eingeloggt und die noch immer vorhandenen Informationen über Jeffrey gefunden.
Sein Büro befand sich in Harvard. Er wohnte, laut Eintrag, in der Trapelo Road in Belmont. Jane wählte die Nummer seines Büros, obwohl keine Sprechzeit mehr war. Mit klopfendem Herzen lauschte sie seiner Stimme auf Band – derselbe Tonfall, derselbe leise Humor hinter seinen Worten. Sie war gerüstet. Sie rief bei ihm zu Hause an.
Ein Kind war am Apparat.

»Ist dein Daddy zu Hause?«, fragte Jane.
»Daddy!«, rief das Kind.
»Hallo?« Das war Jeffreys Stimme.
Jane biss sich auf die Lippen, als der Eiswürfel aus ihren Fingern glitt. »Hallo, Jeffrey. Hier ist Jane.« Sie ließ ihren Familiennamen weg.
Er wusste auch so Bescheid.
»Jane!« Schnappte er nach Luft? Er schwieg einen Moment. Und dann: »Wie geht es dir?«
»Ich habe sie gesehen. Ich habe Kontakt zu ihr aufgenommen.«
Wieder herrschte Schweigen. Ein langes Schweigen.
»Wo?«, fragte er schließlich.
»In Rhode Island. Sie lebt dort. Am Rande einer Apfelplantage in Crofton. Sie ist bildhübsch, Jeffrey. Und klug und humorvoll … originell, ausgefallen, zauberhaft … leidenschaftlich … die intelligenteste …«
»Jane«, unterbrach er sie.
»Ich …« Warum hatte sie überhaupt angerufen? Sie hätte es gleich wissen müssen. Ihr Herz war gebrochen, Tränen liefen über ihr Gesicht. Sie hatte den Verstand verloren, ohne Zweifel. Sie leckte die Tränen in ihren Mundwinkeln ab. Der Mann am anderen Ende der Leitung war Chloes Vater. Sie hatten sie gemeinsam gezeugt.
»Ich bin inzwischen verheiratet«, sagte er. »Ich habe drei Kinder.«
»Ich weiß.« Sie riss sich zusammen. »Ich habe es in der Ehemaligen-Zeitschrift gelesen.«
»Man sollte die Vergangenheit ruhen lassen.«
Als wäre sie eine Gruft – mit Wänden, die innen verbleit waren. Die Dinge hineinließen, aber nicht mehr hinaus. Jane umklammerte zitternd das Telefon. Es war heiß, ein Schweißfilm bedeckte ihre Haut und sie trug nichts weiter als ihre -

Unterwäsche. Es war, als müsste sie nackt sein, um mit ihm reden zu können. Nackt und vor Liebe wie von Sinnen – nicht zu ihm, sondern zu ihrer Tochter.
»Denkst du nie an sie?«, flüsterte Jane.
»Ich gebe mir Mühe.«
»Träumst du nicht auch von ihr?«
Wieder trat ein langes Schweigen ein. »Doch«, flüsterte er. »Auch von dir. Deshalb habe ich das Buch geschrieben.« Er verstummte, dann hörte sie eine junge Stimme im Hintergrund, die ihm eine Frage stellte. Jane schluckte, wartete darauf, dass er weitersprach, aber nichts dergleichen geschah. Er legte einfach auf.
An jenem Abend war sie zu Barnes and Noble an der Sixth Avenue Ecke 22nd Street gegangen, um das Buch zu besorgen. Sie hatte es gekauft und nach Hause getragen. Beim Lesen hatte sie versucht, nach Anhaltspunkten Ausschau zu halten: Irgendwie war Chloe verantwortlich für diesen dicken, von den Kritikern mit Lob überschütteten Wälzer. Als sie den Einband am Ende des Buches aufschlug, fiel ihr Blick auf Jeffreys Foto. Sie betrachtete ihn nicht wirklich, wie sie feststellte, sondern suchte vielmehr nach Ähnlichkeiten mit Chloe: die Form seiner Augenbrauen, die Angewohnheit, den linken Mundwinkel beim Lächeln hochzuziehen …
Chloe sah ihm ähnlich.
Sie war seine Tochter, so oder so, war ein Teil von ihm. Als Jane von der Schwangerschaft erfuhr, hatte sie gedacht, sie wären eine Familie. Die Liebe hatte wie der Blitz eingeschlagen, hatte sie zusammengeschweißt. Eine Trennung wäre für sie unvorstellbar gewesen.
Mit dem Buch in der Hand, erinnerte sie sich an den Tag, als sie es ihm gesagt hatte. Sie war mit dem Zug nach New York City gefahren, hatte sich an der Penn Station mit ihm getrof-

fen. Er hatte unter der Anzeigentafel mit den Ankunfts- und Abfahrtszeiten der Züge auf sie gewartet. Als sie ihn sah, rannte sie auf ihn zu. Sie ließ ihre Tasche auf den Boden fallen und schlang die Arme um ihn; er hatte gespürt, wie sie zitterte.

»Du hast es geschafft, das ist toll«, sagte er. »Die Long Island Railroad ist unten und wir haben ungefähr vierzig Minuten Zeit bis zur Abfahrt des Zuges – meine Eltern freuen sich sehr, dass du kommst, und sie haben uns für heute Abend zum Essen eingeladen, aber morgen findet ein Konzert am Jones Beach statt und ...«

»O Jeffrey ...«

Sie presste ihr Gesicht an seine Brust, formulierte lautlos die Worte, bevor sie den Mut fand, sie auszusprechen. Sie kamen ihr so fremd vor, wenn sie daran dachte: *Ich bin schwanger.* College-Studentinnen sagten solche Worte nicht. Das galt auch für intelligente Mädchen, die Englisch im Hauptfach studierten. Oder für Mädchen aus einer katholischen Familie. Und für Mädchen, die von Rhode Island nach New York gereist waren, um sich mit ihrer großen Liebe aus der College-Zeit zu treffen ... Sie errötete. Ihr Herz schlug schneller und ihre Knie waren weich, als sie in Windeseile überlegte: Die Worte würden Jeffrey mit ziemlicher Sicherheit einen Schock versetzen, aber seine Liebe und Anständigkeit würden ihm helfen, zu ihr zu stehen, was auch immer geschah.

»Was ist?«, hörte sie ihn fragen ... Es kam selten vor, dass sie um eine Antwort verlegen war. Sie studierten beide Englisch als Hauptfach, liebten Sprache und Literatur, hatten Spaß daran, zu reden, zu argumentieren, zu diskutieren, zu interpretieren, und sie hatten sich drei Wochen nicht gesehen. Doch jetzt fühlte sie sich befangen, hatte ihr Gesicht in seinem Revers vergraben, unfähig, die richtigen Worte zu finden.

»Ich ...«, begann sie. Doch dann änderten sich die Worte,

die sie sich zurechtgelegt hatte, und sie verbesserte sich: »Wir …«

»Wir?«

»Wir bekommen ein Kind.«

Sie hatte nicht gewusst, wie er reagieren würde. Sie hatte Erschrecken, Schweigen – alles Mögliche erwartet, aber nicht das, was nun kam. »Guter Witz, Jay«, lachte er.

»Das ist kein Witz.« Sie trat einen Schritt zurück, damit er sich überzeugen konnte, dass sie es ernst meinte.

Ihre Blicke trafen sich. Er lächelte, erstaunlicherweise, weil sie eigentlich nicht zu den Menschen gehörten, die viel scherzten oder sich gegenseitig neckten. Doch als ihm klar wurde, dass sie keinen Scherz machte, wurde sein Blick eindringlich.

»Jane«, sagte er, als würde ihn ihr Name beruhigen. »Bist du dir sicher?«

»Bin ich. Ich war bei der Familienplanung, Planned Parenthood …«

Er nahm sie in die Arme, wiegte sie. Seine Lippen streiften ihren Mund. Die Erleichterung, dass sie es ihm gesagt hatte, war so groß und er hielt sie so fest, dass sie mit einem Mal das Gefühl hatte, alles würde gut werden. Sie würden es durchstehen: *gemeinsam*. Sie beide …

»Ich glaube … es wird … ein Mädchen«, sagte Jane. »Ich weiß, es klingt verrückt, aber ich habe es einfach im Gespür …«

»Tu dir das nicht an«, erwiderte er, sie noch immer wiegend.

»Was?«

»Mädchen, Junge … Lass das lieber, Jane. Du solltest keine Bindung entwickeln.«

Jane sah ihm lachend in die Augen. »Aber ich habe nun mal eine Bindung zu ihm, und mehr! Das ungeborene Kind – gleich ob Mädchen oder Junge – wächst in mir heran. In meinem Körper!«

»Hör auf damit!« Seine Augen waren noch härter als seine Stimme.
»Aufhören …«
»Wir müssen überlegen, was jetzt zu tun ist.«
»Tun?«
»Jane! Du weißt, wovon ich rede. Hör zu. Ich werde meine Eltern anrufen und ihnen sagen, dass wir mit einem späteren Zug kommen. Ich werde ihnen sagen … keine Ahnung – ach ja, ich sage ihnen, dass dein Zug Verspätung hat und wir den Anschluss nicht schaffen. Ich habe keine Lust, den ganzen Abend am Tisch zu sitzen und über Belanglosigkeiten zu plaudern, während du und ich …«
Sie versuchte, tief durchzuatmen. *Während du und ich uns Gedanken über die Zukunft machen. Während du und ich uns umarmen. Während …*
»Während du und ich uns darüber klar werden, wie zum Teufel es jetzt weitergehen soll. Auf meiner Etage im Studentenheim wohnte ein Kommilitone aus dem letzten Semester, der seine Freundin geschwängert hatte …«
Jane riss die Augen auf.
»Planned Parenthood – die sind in Ordnung. Ich glaube, dort waren sie. Oder vielmehr, sie war dort. Er hat sich geweigert, sie zu begleiten. Ich werde dich natürlich nicht allein gehen lassen.«
»Wohin gehen?«
»Zum Schwangerschaftsabbruch.«
Jane kniff die Augen zusammen. Sie war der Meinung, dass jede Frau das Recht hatte, über ihren Körper zu bestimmen. Sie berührte ihren Bauch. Sagte Hallo. Und das Baby erwiderte den Gruß, mitten in der Penn Station. Sie schüttelte den Kopf.
»Eine Abtreibung kommt nicht in Frage.«
»Jane …«

»Jeffrey …«
»Wir haben noch zwei Jahre an der Brown vor uns! Und dann das Graduiertenstudium, die Dissertation …«
»Ich weiß.«
»Du denkst doch wohl nicht daran, das Kind zu behalten!«
»Genau das denke ich.«
»Ich liebe dich, Jane. Ich weiß, dass wir eines Tages heiraten werden. Aber das können wir nicht machen.«
»*Wir* können nicht? Oder du kannst nicht?«
»Pssst. Jane.«
»Ich werde keine Abtreibung vornehmen lassen. Ich will … ich will das Baby behalten. Oder vielleicht kann ich sie, oder ihn, zur Adoption freigeben. Wenn wir die richtige Familie finden. Ich sehe es realistisch! Ich weiß, dass wir jung sind. Ich verstehe deine Argumente, Jeffrey.« Ihre Stimme wurde lauter, weil andere Reisende sie anblickten. »Ich verstehe sie durchaus! Aber ich habe Gefühle! Sie wurde beim Campus-Ball gezeugt, wir lieben uns, sie ist ein Teil von uns …«
»Pssst, Jane …«
»Ich weiß, es tut mir Leid. Ich werde das nächste Semester sausen lassen. Ich werde zu Hause wohnen. Ich werde zu Hause lernen! Oder wir mieten uns ein Apartment! Außerhalb des Campus …«
Er schüttelte den Kopf, presste die Lippen zusammen, und mit einem Mal wurde ihr klar: Das Thema war für ihn erledigt. Er würde sich auf keine Diskussion mehr einlassen. Er würde bestenfalls zuhören und ihr Rede und Antwort stehen, aber er hatte nicht die gleichen Vorstellungen vom Leben wie sie. Das erkannte Jane in diesem Moment, und ihr Herz erhielt einen Schlag.
»Das würde mich ablenken«, sagte er. »Die Brown ist eine

Elite-Universität. Wir können uns nicht mit einem Mindestmaß an Anstrengung durchmogeln, wenn wir ein Baby haben …«
»Ich schon.«
»Nein. Das glaube ich nicht. Mit einem Kind kannst du das vorletzte Studienjahr abschreiben. Du verpasst ein ganzes Jahr.«
»Na und?«
»Das ist unsere Berufsausbildung!«
»Und unser Leben.«
Die Worte »unser Leben« hingen in der Luft, wehten davon, schienen die ganze Penn Station auszufüllen. Die Reisenden und Pendler, die zu den Zügen eilten, Gepäckträger, Fahrkartenverkäufer, Eltern, die ihre Kleinkinder fest an der Hand hielten, College-Studenten, die sich auf dem Heimweg oder auf dem Weg zu Freunden befanden, Halbwüchsige, die ins Sommerlager fuhren … sie alle lebten ihr Leben. Ein Leben, das sich von allen anderen unterschied: ihr ureigenes Leben.
Jeffrey runzelte die Stirn, sein Blick war zornig. Seine Augen füllten sich mit Tränen, wie bei einem enttäuschten kleinen Jungen.
In dem Augenblick wurde Jane klar: »Unser Leben« hatte für Jeffrey eine völlig andere Bedeutung als für sie.
»Oh«, war alles, was sie über die Lippen brachte.
»Dafür bist du zu gescheit«, sagte er.
»Offenbar nicht.« Sie versuchte zu lächeln. »Sonst wäre das gar nicht erst passiert.«
»Nein, ich meine, dafür. Was immer jetzt geschieht. Wofür du dich entscheidest …«
Du, hörte sie. Nicht *wir* …
»Was soll das heißen?«
»Du bist schließlich kein Landei.«

Jane schloss die Augen. Wie sah eine Landei nach seiner Ansicht aus? Nicht wie eine Kandidatin für Elite-Universitäten wie die Brown? Sie wusste, dass seine Familie gut situiert war. Sie lebten in einer adretten Vorstadt. Sein Vater war Radiologe. Seine Mutter arbeitete ehrenamtlich in der Klinik. Jane hatte sich gefreut, sie kennen zu lernen, wenngleich sie ein wenig nervös gewesen war. Sie wusste, dass ihre eigene Familie einer anderen gesellschaftlichen Schicht angehörte.

»Das ist kein Film«, meinte er.

»Was du nicht sagst.«

»Du tust so, als wäre das Ganze romantisch. Aber du solltest dich an der Literatur orientieren, nicht an billigen Dreigroschenromanen.«

Jane entfuhr ein Ächzen. Ihre Mutter hatte Sylvie und ihr beigebracht, alle Bücher und Geschichten zu lieben, und sie war bestürzt, fühlte sich aufs Neue verletzt. In ihrem Kopf drehte sich alles. Hier ging es um ihre persönliche Geschichte: nicht um einen Kinofilm, einen Roman von Thackeray oder Fielding oder *sonst einem* Schriftsteller. Er war derjenige, der in solchen Begriffen dachte, nicht Jane. Sie dachte an den Literaturunterricht, an den Aufbau einer Geschichte, *Anfang – Mitte – Ende.* Mit einem Mal erkannte sie, dass ihre gemeinsame Geschichte für Jeffrey zu Ende war.

»Das darf nicht passieren, weil es unser Leben zerstören würde«, sagte er.

»Du bist nicht derjenige, für den ich dich gehalten habe«, erwiderte sie langsam.

»Jane …« Er trat einen Schritt auf sie zu, ohne sie zu berühren.

Ihre Augen füllten sich mit Tränen. »Du tust mir Leid, Jeffrey. Ich wünschte, du könntest spüren, was ich spüre – sie oder ihn in mir. Sie ist ein Kind der Liebe … was du dir offensichtlich nicht klargemacht hast, denn sonst wärst du nicht fähig, solche Dinge zu sagen.«

»Darf ich mir keine Zukunft wünschen? Nicht nur für mich, Jane – sondern auch für dich?«

»Unsere Zukunft währt *ewig*.« Tränen liefen über ihre Wangen. »Und darin gibt es ein Kind. Egal, ob sie bei uns aufwächst oder nicht, sie wird auf die Welt kommen. Wir haben sie gezeugt.«

»Ohne mich.« Er hob abwehrend die Hände. »Ich kann nicht glauben, was ich da von dir höre. Ich wiederhole es noch einmal, Jane – ohne mich. Ich will es nicht.«

»Dann will ich dich auch nicht.«

Ihre Blicke trafen sich. Sie wurde von einer Welle der Gefühle erfasst, liebevoller Gefühle. Und dann erkalteten sie, wie ein Fluss im Winter, wie der geschmolzene Schnee auf dem Gipfel der Berge im Norden des Landes. Sie erstarrte zu Eis und hasste Jeffrey, weil er das Kind im Stich ließ, das Produkt ihrer Liebe.

In diesem Moment löste sie sich von ihm. Sie starrte ihn an. Ihr Blick war klar, ihre Augen trocken. Sie trat einen weiteren Schritt zurück. Und noch einen. Seine Gestalt wurde zusehends kleiner. Sie küsste ihn nicht, winkte nicht zum Abschied.

Er hatte seine Entscheidung getroffen und sie ihre. Jane kehrte noch am selben Abend nach Rhode Island zurück. Sie schlief im Zug, während der ganzen Fahrt. Die Schwangerschaft machte sie müde.

Ihr war nach Weinen zumute. Jeffrey hatte die Erinnerung an ihren Vater geweckt, sie erlebte alles noch einmal. Sie hatte ihn geliebt und er hatte sie enttäuscht. Zugegeben, es bestand die Möglichkeit, dass er es sich anders überlegte, aber das war unwahrscheinlich. Und es spielte auch keine Rolle mehr,

wie sie während der Zugfahrt erkannte. Sie hatte ihre Tochter. Von Anfang an hatte sie das Gefühl gehabt, es würde ein Mädchen werden.
In jener Nacht war sie sicher. Sie wiegte sich und das Baby, und der Zug wiegte sie beide in den Schlaf. Im Traum hatte Chloe ihr Dinge erzählt, die nur Mutter und Tochter wissen konnten … Jane hatte die ganze Zugfahrt mit ihrem Baby verbracht.
Jane dachte an Jeffrey, der von »Berufsausbildung« gesprochen hatte. Sie bedauerte ihn, bemühte sich, ihn nicht zu hassen. Weil sie auch an ihre Mutter dachte. Die Bildung als das höchste Gut schätzte, aber nicht um ihrer selbst willen, sondern weil sie den Menschen Wissen vermittelte.
Wissen über sich selbst, über die Welt.
Und über die Liebe.
Jeffrey musste noch viel über die Liebe lernen, und keine Universität der Welt, nicht einmal die Brown, konnte ihm dieses Wissen vermitteln.

Jane verstaute das Buch auf der obersten Ablage des Regals und ließ es dort liegen.
Der August verging. Die Tage wurden kühler, dann wieder heiß. Jane ertappte sich dabei, wie sie andere Namen in die Google-Suchmaschine eingab: den Namen ihres Vaters, beispielweise. Thomas J. Porter.
Sie verbrachte eine ganze Nacht damit, die Einträge zu lesen, auf der Suche nach einem Kandidaten, der in das Raster passte. Zuletzt hatte er sich, soweit bekannt war, in Glastonbury, Connecticut aufgehalten, aber dort hatte er seine Zelte schon vor langer Zeit abgebrochen. Niemand wusste, wo er steckte, er konnte überall und nirgends sein. Sie erinnerte sich, wie oft Sylvie und sie »Ramblin'Man« von den Allman

Brothers gesungen hatten, ein Song, der ebenfalls von einem Vagabunden handelte.
Sie hatten das Lied mit Wut und Verachtung gesungen. Was waren das für Lenden, denen sie entsprungen waren? Was war das für ein Mann, der seine Familie einfach so verließ?
Vielleicht war das der schlimmste Aspekt dieses langen, heißen Sommers gewesen, dachte Jane, als die Hochzeitstorte im Ofen war: dass Chloe das Gleiche für sie empfand – Wut und Verachtung. Als sie den Schock und den tief verwurzelten Widerwillen in Chloes Augen sah, hatte Jane gespürt, welche Botschaft darin geschrieben stand, und gedacht: *So ein Mensch bist du, das hält sie von dir.*
Die Bürde war in vieler Hinsicht schwer zu tragen. Deshalb buk Jane fantasievolle Hochzeitstorten für andere Leute. Sie versüßte die Feiertage im Leben anderer Familien. Manchmal, wenn ihre Mitarbeiterin unterwegs war, hatte sie ihre Backwaren persönlich ausgeliefert, hatte das Fest mit eigenen Augen gesehen.
Bei Hochzeiten kamen ihr immer die Tränen. Auch bei Geburtstagspartys und Bar Mitzvahs. Bei allen Zeremonien oder festlichen Anlässen. Sie waren stets mit Hoffnungen und guten Wünschen erfüllt, repräsentierten die Entfernungen, die Menschen überwanden, um zueinander zu gelangen. Manchmal kamen Angehörige aus Europa, Asien, Ohio oder New Jersey zur Familienfeier. Tanten und Onkel, Ehemänner und Ehefrauen, Großeltern, Nichten, Neffen, Cousins und Cousinen ersten und zweiten Grades, entfernte Verwandte, Brüder, Schwestern, Mütter – alle versammelten sich in der Halle, posierten für Fotos, erzählten Geschichten von früher, schufen neue Erinnerungen, aßen Janes Torten …
Sie hatten gelacht, als sie Janes Tränen sahen. Aber auf nette, liebevolle Weise.

»O mein Gott, Sie weinen bei der Graduierungsfeier meiner Tochter und dabei kennen Sie uns nicht einmal!«
»Ich wünsche ihr alles Gute«, hatte Jane gesagt. »Es ist ein Geschenk des Himmels, dass sie alle beisammen sein dürfen.«
»Oh, das wissen wir. Danke.«
Zum Glück nahte der Herbst. Eines hatte Jane nach der ersten Trennung von Chloe vor fünfzehn Jahren gelernt: dass die Zeit alle Wunden heilt. Nun, nicht vollständig. Aber auf ihre eigene Weise. Sie deckte sie zu, mit einem großen Pflaster. Damit das Leben weitergehen konnte.
Jane wusste, dass ihre Mithilfe beim Genesungsprozess unabdingbar war. Sie würde einen großen Bogen um Äpfel machen müssen. Sie würde sich hüten, in der Obstabteilung die schönsten roten Empires oder goldgelben Delicious herauszusuchen. Und es würde keine Pasteten mit Teigverzierungen in Form von Äpfeln, Scheunen oder Obstbäumen welcher Art auch immer mehr geben. Den September zu überstehen, ohne eine einzige Apfelpastete zu backen, würde schwer sein – aber unerlässlich.
Und sie würde sich dem Internet fern halten. Sie musste die Versuchung meiden, Namen in die Google-Suchmaschine einzugeben. Chloes zum Beispiel. Oder Dylans. Wie gestern Abend.
Dylan Chadwick: neuntausend Treffer.
Bei den meisten Einträgen ging es um Dylan Thomas oder Rufus Chadwick, den Komponisten. Aber ein paar bezogen sich auf ihren Dylan. In einem Augenblick der Schwäche, das heißt die meiste Zeit, war er das noch für sie.
Sie las Artikel über seine Dienstzeit bei den U.S.-Marshals. Offenbar war er heldenhaft und todesmutig gewesen. Er hatte Drogenbarone und Spielhöllenzaren zur Strecke gebracht. Er hatte Geschworene in Manhattan und Brooklyn

geschützt, die sich zur Beratung zurückgezogen hatten. Er hatte einen Kidnapper quer durchs ganze Land verfolgt und in Wyoming dingfest gemacht. Da ein Großteil seiner Arbeit streng geheim war, gelangten nur wenige Informationen ins Internet.

Die Geschichte von Amanda und Isabel war dort verzeichnet. Jane las den Bericht, der in der *New York Times* erschienen war. Die Schlagzeile lautete: »Mutter und Tochter bei Schießerei in Midtown getötet.« Im Anschluss daran wurde der Tathergang geschildert. Ein Auto ohne Kennzeichen hatte in der Seventh Avenue vor der Penn Station gehalten, Dylan Chadwick hatte Frau und Tochter ins Bahnhofsgebäude begleiten wollen, dann hatte ein Schusswechsel stattgefunden – Amanda Chadwick, 33, und Isabel Chadwick, 11, waren noch vor der Ankunft im St. Vincent Hospital ihren Verletzungen erlegen; Dylan Chadwick schwebte in Lebensgefahr.

Weiter hieß es, dass Chadwick, Marshal im Southern District von New York, in einer Drogensache ermittelte, in einem Fall, der weite Kreise zog und Heroin, Beeinflussung von Geschworenen und einen Mord beinhaltete, der einer Hinrichtung glich. Ein Fall, der in die Kategorie des organisierten Verbrechens fiel, und Chadwick hatte versucht, seine Familie aus der Stadt in Sicherheit zu bringen.

Während Jane den Artikel las, fühlte sie sich in Dylans Küche zurückversetzt. Sie konnte die Zweige der Apfelbäume im Wind rascheln hören, konnte Isabels Bild auf dem Kühlschrank sehen. Zwei elfjährige Cousinen, die ihre Köpfe zusammensteckten und in die Kamera lächelten. Die Ecken der Fotografien waren eingerollt, eine Folge der jahrelangen Feuchtigkeit. Bei dem Gedanken, dass dieses Foto Isabel um Jahre überdauert hatte, erschauerte sie innerlich. Sie wusste, dass es Dylan ähnlich ging.

Wenn sie an Dylan dachte, musste sie die Augen schließen.

Während sie mit geschlossenen Augen am Tisch saß und der köstliche Duft der Hochzeitstorte ihre Sinne erfüllte, hätte sie beinahe die Türglocke überhört. Das Geräusch war sehr schwach, als wäre die Tür zur Konditorei von einem Geist geöffnet worden, der sich von den Straßen in Chelsea hereingeschlichen hatte.

Weg mit dir, dachte sie.

Sie wollte nicht mehr backen. Nicht heute – nie mehr. Ein weiteres Fest würde ihr Herz nicht verkraften. Vielleicht würde der Kunde, der auf leisen Sohlen hereingeschlichen war, genauso unbemerkt wieder gehen, wenn sie keinen Laut von sich gab. Der Duft des Kuchenteigs im Ofen war gleichwohl ein verräterisches Indiz ihrer Anwesenheit. Sie wusste, dass derjenige, der ihren Laden betreten hatte, zu Recht annehmen würde, dass Kuchen sich nicht von allein backten.

Die Sache war die, dass sie dieser Erinnerung an Dylan noch ein Weilchen nachhängen wollte. Dylan in seiner Küche, bärtig und ein wenig zerlumpt in seiner Arbeitskleidung, mit schweren Stiefeln, rauen Händen, grünen Augen. Jane hätte schwören mögen, dass sie in der Lage gewesen wäre, für immer und ewig in seine Augen zu schauen. Sie verfolgten sie Tag und Nacht.

Die Türglocke läutete abermals.

Gut, dachte sie. *Sie sind weg.*

Doch plötzlich überkam sie eine instinktive Ahnung, traf sie wie der Blitz. Verschlug ihr den Atem. Sie sprang auf und stieß mit dem Schienbein gegen den Stuhl, als sie ihn zu umrunden versuchte. Ein stechender Schmerz durchfuhr sie bis zum Knie, doch sie schenkte ihm keine Beachtung. Sie rannte durch die Küche in den kleinen Vorraum, der als Büro diente – und nichts weiter enthielt als einen Schreibtisch und zwei Stühle, um Bestellungen aufzunehmen.

Dort war niemand. Sie blickte aus dem Schaufenster – Glas, mit dem Firmennamen »Calamity Jane« auf der Vorderseite, die Buchstaben von drinnen spiegelverkehrt. Ihr Blick huschte an den Buchstaben vorbei, zur Straße. Eine ruhige Straße in Chelsea, gesäumt von Calley-Birnbäumen, die schwer an ihren grünen Blättern und dem Staub einer Großstadt gegen Ende August trugen. Autos parkten auf beiden Straßenseiten. Drüben stand ein roter Pickup.

Ein roter Pickup.

Der Anblick traf sie ins Herz. Vierradgetriebe, ein rotes Fahrerhaus, eine offene Ladefläche, die etwas Grünes enthielt. Ein Pickup wie Dylans, der Grünpflanzen transportierte. Sie beugte sich vor, mit der Stirn die Fensterscheibe berührend, um das Nummernschild zu erkennen.

Ein Nummernschild aus Rhode Island. Weiß mit blauen Zahlen, ein Segelboot hart am Wind, die Worte *Ocean State*. Sie war dermaßen in die Zahlen, Buchstaben und die Abbildung des Schiffes vertieft, dass sie kaum einen Blick für die Insassen übrig hatte.

Sie sah ihre Füße: weiße Laufschuhe, Stiefel mit Schlammkruste.

Und ihre Beine: Jeans. Sie trugen beide Jeans.

Und ihre Gesichter: Sie lächelten nicht, waren aber auch nicht ernst. Sie wirkten aufgeregt und ein wenig hoffnungsvoll, wie zwei Menschen, die soeben zwei Bundesstaaten durchquert hatten, um einer alten Freundin einen Überraschungsbesuch abzustatten, sich aber nicht ganz sicher waren, wie man sie empfangen würde. Sie sahen Jane durch die Fensterscheibe an, und sie erwiderte den Blick.

Dann öffnete sie die Eingangstür. Hitze stieg vom Gehsteig auf, schlug ihr ins Gesicht. Sie wankte beinahe unter dem Ansturm von Hitze, Geistern, Liebe und Angst. Ihr Herz klopfte wie verrückt, verschlug ihr die Sprache.

Chloe ergriff die Initiative. Sie trat einen Schritt vor.
»Ich habe dich vermisst«, sagte sie.
Jane sah in ihre Augen, von ihrem Anblick gebannt, unfähig, sich zu bewegen. Dylan ragte hinter ihrer Schulter auf und nickte, als gäbe er Jane die Erlaubnis, das zu tun, was sie sich am meisten wünschte – was ihr ein dringendes Bedürfnis war. Und da sie immer noch keinen Ton herausbrachte und Worte ohnehin unzulänglich gewesen wären, beugte sie sich stumm vor, mit ausgebreiteten Armen, um ihre Tochter an ihr Herz zu drücken.

EPILOG

Das ist der Erntemond.«

»Nein, der kommt erst im Oktober. Dieser hier hat einen anderen Namen. Wie nennt man den Vollmond im September?«

»Ferienende-Mond?«

»Mal den Teufel nicht an die Wand.« Chloe kreuzte die Finger, wie um Vampire zu vertreiben. »Du darfst den vermaledeiten Labor Day verwünschen, weil er das Ende des Sommers einläutet.«

»Du bist ja richtig poetisch!«, erwiderte Mona. »Du solltest dir überlegen, ob du dein täglich Brot nicht mit Sinnsprüchen für Glückskekse verdienen willst.«

»Vielleicht ist das ja der Glückskekse-Mond«, sagte Chloe, während sie in der Kuppel der Scheune saßen und zusahen, wie der Vollmond aufging; atemberaubend, riesig und orange-gelb erhob er sich über den Wipfeln der Bäume und verbreitete sein Licht über der Plantage wie eine von Janes Totenglasuren.

»Möglich. Also, sage mir, weise Frau: Was verheißt uns das Schicksal?«

Chloe überlegte. Da saß sie mit ihrer besten Freundin in der Kuppel von Onkel Dylans Scheune, während sich unten die Gäste versammelten. Die Idee vom Tanz auf dem Heuboden war auf Chloes Mist gewachsen, und sie hatte tatsächlich gefruchtet. Jane war dort unten mit Onkel Dylan – sie unterhielten sich mit Chloes Eltern. Janes Schwester und ihr zukünftiger Schwager waren ebenfalls gekommen. Sogar Janes Mutter hatte zugesagt – das Pflegeheim wollte sie in einem Van

vorbeibringen. Damit wäre die Familie komplett. Chloes Eltern hatten das seltsamerweise für eine gute Idee gehalten.
»Lass mich raten«, fuhr Mona fort. »Wahrsagerinnen würden sagen ›Hüte dich vor Haien im Delfinpelz‹, oder so.«
Chloe kicherte. Mona hatte Recht. Sich an das Fenster der Kuppel lehnend, blickte sie auf die Erde hinunter, auf die Stelle, an der Onkel Dylan die beiden Marodeure geschnappt hatte. Er hatte seine Drohung wahr gemacht und die Polizei benachrichtigt, und sowohl Zeke als auch sein Freund Brad waren festgenommen worden.
»Ich würde gerne wissen, ob Zeke typische Gefängnis-Tätowierungen mitbringt«, sagte Mona nachdenklich. »Er wird seinen Delfin als Schutz brauchen …«
Chloe nickte. Schaudernd dachte sie daran, dass sie noch einmal mit einem blauen Auge davongekommen war. Doch nun begannen die Musiker, ihre Instrumente zu stimmen – Gitarre, Bass und Fiedel –, und die Klänge waren zu schön, um unheilvollen Erinnerungen nachzuhängen. Sie schwebten durch die Dachsparren und das Heu empor.
»Früher dachte ich, dass hier oben Engel leben«, gestand Chloe. »In der Kuppel.«
»Ist das dein Schicksal?«, Mona kicherte.
Chloes Augen weiteten sich. Weil es in gewisser Hinsicht so war … Sie war von guten Geistern geliebt und behütet worden. Von Isabel, den Plantagenkatzen, der Hirschkuh, von Jane, ihrer leiblichen Mutter.
»Könnte durchaus sein, dass es Engel in der Kuppel gibt«, sagte sie.
»Und was fällt dir zu meinem Schicksal ein?«
»Beste Freunde sind Gold wert.«
»Nein, ich möchte etwas Tiefschürfendes hören.« Chloe warf ihr einen ungehaltenen Blick zu, als würde sie Monas unersättliche Forderungen an ihr Herz und ihren Verstand

als Plage empfinden. In Wahrheit liebte Chloe sie wie eine Schwester und hätte sie am liebsten umarmt. Aber das wollte nichts heißen, denn heute Abend hätte sie die ganze Welt umarmen können.

»Wie wäre es damit«, schlug Chloe vor. »In Ermangelung von Schwestern finden wir Schwestern. In Ermangelung von Müttern finden wir Mütter. In Ermangelung einer Familie bist du meine Familie.«

»Das ist die Weissagung für mein Schicksal?«, fragte Mona, als der Mond höher stieg und die Musiker richtig zu spielen begannen.

»Ja.«

»Gefällt mir«, erwiderte Mona schlicht. Und dann nahm sie Chloe die Bürde der Umarmungen ab, indem sie ihre Beste-Freundin-Schwester-Familie so stürmisch umarmte, wie es die beengte Kuppel erlaubte.

Der Tanz auf dem Heuboden war im vollen Schwang. Sylvie und John wagten gleich den ersten Tanz, den »Kentucky Waltz«. Sylvie trug einen weiten türkisfarbenen Rock und eine weiße Bauernbluse. Die Bluse war bunt bestickt und stammte aus ihrer Highschool-Zeit. Sie musste sie zu diesem Anlass aus einer Truhe auf dem Dachboden ausgraben. Ihre Mutter würde, falls sie kommen sollte, missbilligend mit der Zunge schnalzen – sie war immer der Meinung gewesen, die Bluse sei etwas zu durchsichtig, um sie in der Öffentlichkeit zu tragen. Vielleicht wäre es besser gewesen, wenn John und sie ihre Mutter abgeholt und selber hergebracht hätten.

Wahrscheinlich zitterte sie, denn John drückte sie fester an sich. »Alles in Ordnung?«, fragte er, die Musik übertönend.

»Ich bin nervös. Ich habe Angst, dass etwas Schreckliches passiert.«

»Was denn?«
»Dass Chloes Mutter – Adoptivmutter – einen Streit mit Jane vom Zaun bricht.«
»Aber ich dachte, dass sie selbst Jane eingeladen hat«, erwiderte John und drehte sich mit Sylvie im Kreis. »Hast du mir das nicht erzählt?«
»Doch, aber kommt dir das nicht merkwürdig vor? So viel Großmut – beinahe zu schön, um wahr zu sein?«
»Ich finde es bewundernswert. Es zeigt nur, dass sie das Beste für Chloe möchte.«
Sylvie verstummte, während sie tanzten. Als Schulbibliothekarin und Tochter einer Highschool-Rektorin wusste sie, dass das Wohl der Kinder oft weit unten auf dem Totempfahl des Lebens rangierte. Hier wurde ihr allem Anschein nach eine Bilderbuchfamilie vor Augen geführt.
»Ich finde es unglaublich; schön, aber beinahe unwirklich.«
Sylvie runzelte die Stirn. John küsste sie mitten zwischen die Augen und sie lehnte sich verwundert zurück. »Was war denn das?«
»Als dein Verlobter habe ich mir zum Ziel gesetzt, dir das Vertrauen in die Welt zurückzugeben.«
Sylvie runzelte abermals die Stirn. »Findest du, dass es mir an Vertrauen in die Welt mangelt?«
John schmunzelte, die Wange an ihren Scheitel geschmiegt.
»Sag schon!«
»Na gut. Im Moment denkst du, dass es besser gewesen wäre, wenn wir beide deine Mutter abgeholt und hergebracht hätten. Richtig?«
Sylvie lächelte.
»Sylvie?« Er zog sie noch enger an sich. »Stimmt's?«
»Nun, ja.«
Lachend schwenkte er sie über die Tanzfläche. Sylvie erhaschte einen flüchtigen Blick auf Jane, die mit Dylan, seinem

Bruder und seiner Schwägerin beisammenstand. Jane wirkte so schön und verletzlich, so strahlend vor Glück, dass es Sylvie schier das Herz zeriss – wie so viele Male, wenn es um ihre große Schwester ging. Doch Jane war wieder zu Hause und das war das Einzige, was zählte …

»Wenn wir erst verheiratet sind«, sagte John, »werde ich dafür sorgen, dass du dich sicher und geborgen fühlst, dir nie wieder Sorgen machen musst. Das verspreche ich dir hoch und heilig.«

»Ach, John.« Sie blickte auf ihren Arm, den sie um seinen Hals geschlungen hatte, auf den herrlichen Diamantring, den er ihr in jener Sternennacht in Maine an den Finger gesteckt hatte. »Das ist unmöglich.«

»Ist es nicht«, entgegnete er mit Nachdruck und küsste sie. »Du wirst schon sehen. Das ist ein Versprechen. Und ich pflege Versprechen niemals zu brechen.«

Sie erwiderte seinen Kuss, aber mit einem Auge schielte sie zum Scheunentor hinüber und hielt nach einem Zeichen für die Ankunft des Vans von Cherry Vale Ausschau.

Sharon hielt Elis Hand. Er hatte ernsthafte Vorbehalte gegen diesen Abend gehabt, doch da sie die Gästeliste mit dem gesamten Rotary-Club aufgefüllt und er alle Hände voll zu tun hatte, die Neuankömmlinge zu begrüßen, kam er nicht dazu, sich seinen Zweifeln zu widmen.

»Gelungenes Fest«, lobte Ace Fontaine und gesellte sich mit seiner Frau Dubonnet zu ihnen.

»Danke, Ace«, sagte Eli.

»Hab gar nicht gewusst, dass Sie Plantagenbesitzer sind.«

»Sie gehört meinem Bruder. Dylan hat sie nach dem Tod unseres Vaters übernommen.«

»Sie gehört ihm genauso«, erklärte Dylan. »Die Plantage befindet sich im Besitz der Familie Chadwick, und er ist …«

»Die Familie Chadwick.« Eli grinste und sah seinen Bruder an, nicht ohne einen kurzen Seitenblick auf Jane. Sharon drückte seine Hand, hielt ihn in Schach.

»Fantastische Äpfel«, sagte Ace und musterte mit dem kundigen Blick des Lebensmittelhändlers das kalte Büfett: Chloe und Mona hatten sich selbst übertroffen und Körbe mit Äpfeln, kalte Platten mit Käse und Weintrauben und Janes Pasteten und Obsttörtchen auf einer langen rot karierten Tischdecke kunstvoll arrangiert. »Vielleicht sollte ich welche ins Sortiment nehmen, für die Ecke mit den Produkten aus der Region.«

»Natürlich«, sagte Dylan. »Geben Sie einfach Ihre Bestellung bei Eli auf.«

»Gerne.« Eli schüttelte Ace die Hand. »Wir beide machen das schon.«

»Klar«, sagte Ace und führte Dubonnet auf die Tanzfläche. Sharon, Eli, Jane und Dylan waren wieder allein. Die beiden Brüder standen Seite an Seite, bemüht, sich gegenseitig mit Harte-Burschen-Blicken den Rang abzulaufen.

»Ich freue mich sehr, dass Sie kommen konnten«, sagte Sharon und lächelte Jane an.

»Danke, dass ich kommen durfte. Wir«, verbesserte sich Jane, die sehr hübsch und furchtbar nervös aussah. Sharon fiel auf, dass Dylan und sie noch nicht getanzt hatten. Es kam ihr so vor, als wahrten die beiden sogar eine gewisse Distanz zueinander.

»Ich hoffe, dass Ihre Mutter kommen kann ...«

»Danke. Das Pflegeheim hat sich erboten, sie zu fahren; sie müsste jeden Moment hier sein.«

»Sie ist im Cherry Vale?«, fragte Eli und Sharon hätte ihm am liebsten einen Kuss gegeben – weil er sich an der Unterhaltung beteiligte.

»Ja«, erwiderte Jane. »Sie scheint glücklich dort zu sein. Was

für meine Schwester und mich eine ungeheure Erleichterung ist.«
»Die Entscheidung fällt niemandem leicht«, bestätigte Sharon. »Wir mussten meine Mutter im März im Marsh Glen unterbringen, kurz vor ihrem Tod …«
»Hatte sie sich gut eingelebt?«, fragte Jane.
»Nun, sie hatte Alzheimer … da weiß man das nie so genau.«
Jane nickte. »Meine Mutter auch, im Anfangsstadium. Sie bekommt alles noch voll mit, was es in mancher Hinsicht schlimmer macht.«
Sharon lächelte mitfühlend. Es war einfacher für Jane und sie, über die ältere Generation zu sprechen als über die künftige. Doch Dylan schien der Ansicht zu sein, dass es an der Zeit für einen Themenwechsel war.
»Chloe hat ganze Arbeit geleistet, damit das Fest stattfinden konnte«, sagte er. »Findest du nicht, Eli?«
»Sie ist ein gutes Kind.«
»O ja, das ist sie.« Sharon sah Jane in die Augen. »Sie ist so intelligent, liebevoll …«
»Und selbstständig«, warf Eli ein.
»Das sieht man«, erwiderte Jane leise. »Sie ist ausnehmend gut erzogen. Dan…« Sie biss sich auf die Zunge, bevor ihr ein Danke herausrutschte, und Sharon war froh darüber. Warum sollte Jane ihnen für etwas danken, was ihnen vom Schicksal vorherbestimmt war? Ein Kind zu lieben und großzuziehen, war eine Gnade Gottes, die bis in alle Ewigkeit währte, und Sharon war zu der Überzeugung gelangt, dass sie genauso viel wog wie ein Kind zu gebären.
»Sie hat viel von Ihnen«, sagte Sharon.
Jane nickte. »Danke, dass Sie das sagen. Das ist ein großes Geschenk für mich.«
»Zum Beispiel Ihre Augen«, sagte Eli barsch. »Von mir oder Sharon hat sie diese babyblauen Augen jedenfalls nicht. We-

der die Farbe, noch … die Schönheit. Augen, die einem das Herz zerreißen.«

»In meiner Familie gibt es auch ein paar, die solche Augen haben«, sagte Sharon und blickte Dylan lächelnd an.

»Erinnere ihn bloß nicht daran«, warnte Eli. »Sonst kommt er noch auf die Idee, dir schöne Augen zu machen.«

Alle lachten. Sharon war ungeheuer stolz auf Eli, weil er heute Abend über seine eigenen Unsicherheiten und Komplexe hinauswuchs. Sie lächelte Jane noch herzlicher zu.

»Chloe wollte immer etwas über Sie erfahren«, gestand sie.

»Typisch für Kinder, diese Neugierde«, erklärte Eli mäßigend.

»Es tut mir Leid, dass ich mich im letzten Frühjahr auf diese Weise in Ihr Leben gedrängt habe«, sagte Jane.

»Die Situation war schwierig«, erwiderte Sharon. »Wir wussten einfach nicht, was wir tun sollten.«

»Wie wir damit umgehen sollten«, ergänzte Eli.

»Ihr habt das Problem hervorragend gelöst«, erklärte Dylan. »Ihr seid heute Abend alle zusammengekommen, Chloe zuliebe.«

»Die Frage ist, wie es jetzt weitergehen soll«, meinte Eli.

Dylan nickte ernst. Die beiden Männer runzelten die Stirn, schienen zu überlegen. Sharon lächelte Jane zu, und Jane erwiderte das Lächeln. Sie wussten, dass es nichts zu überlegen gab. Es gab keine schlüssige Antwort auf Elis Frage. Sie würden einfach abwarten. Und sehen, wie es weiterging.

Sharon, die jahrelang um ein Kind gebetet hatte, gebetet und gewartet, während die Monate ins Land gingen, eine scheinbar endlose Abfolge kinderloser Tage, wusste, dass das Leben *nichts anderes* als eine Frage war. Antworten besaßen nur vorübergehend Gültigkeit; allein die Fragen waren von Dauer. Frauen wussten besser über solche Dinge Bescheid als Männer. Vielleicht hatte es damit zu tun, wie der Mond Besitz von ihren Körpern ergriff, sie in seinen Bann zog wie die Gezeiten … Auf diese Weise lernten Frauen, dass das Leben ein Geheimnis war und dass eine höhere Macht darüber bestimmte. Jane dachte vielleicht genau das Gleiche: Ihr Lächeln wurde breiter, genau wie Sharons.

»Wir werden sehen«, sagte Sharon.

»Ja«, sagte Jane. »Wir werden sehen …«

Die Kapelle ging nahtlos zu »Newport Blues« über und Sharon ergriff die Hand ihres Mannes. Nach so vielen Jahren, in denen sie gemeinsam neben Tanzflächen gestanden hatten, waren Worte überflüssig. Sie hob fragend die Brauen und er nickte.

»Ich hoffe, dass Ihre Mutter bald da ist«, sagte Sharon.

»Kommt Virginia auch?«, wollte Jane wissen und erkundigte sich nach Elis und Dylans Mutter.

»Nein«, erklärte Sharon. »Wir fürchteten, das sei ein bisschen zu viel für sie, die Begegnung mit so vielen Menschen und die Erkenntnis, was da vor sich geht. Ihr Gesundheitszustand ist seit einiger Zeit ziemlich schlecht. Sie gehört zu der Generation, die denkt, man müsse aus allem ein Geheimnis machen.«

»Genau wie meine Mutter«, sagte Jane.

Sharon schluckte. Sie wusste, dass die beiden Frauen maßgeblich dafür verantwortlich waren, dass Eli und sie Chloe adoptieren konnten. Und so dankbar Sharon ihnen dafür auch war, sie wusste, dass die Erinnerung daran zwiespältige Gefühle in Jane hervorrufen musste. Heute war indes ein Abend, an dem man sich näher kommen wollte, ohne Schuldzuweisungen oder Fluchtgedanken, so dass sie erleichtert war, als Jane lächelte.

»Ich freue mich, Ihre Mutter kennen zu lernen«, sagte Sharon. »Und sie freut sich auf Sie. Und –« Wieder biss sie sich auf die Zunge.

»Auf Chloe«, sagte Eli an ihrer Stelle, was Sharon wieder einmal vor Augen führte, warum sie ihn so sehr liebte. »Verständlich, dass sie den Wunsch hat, ihre Enkelin kennen zu lernen.«
»Ja«, erwiderte Jane. »Den hat sie.«
Erfüllt von Lebensfreude und Dankbarkeit für die harmonische Stimmung legte Sharon die Arme um ihren Mann und ließ sich von ihm zum Tanz führen.

Jane und Dylan blieben allein zurück. Sie trug ein weißes Kleid mit einer silbernen Gürtelschnalle, er ein schwarzes Hemd mit einer schmalen Krawatte. Sie fühlte sich noch immer befangen in seiner Gegenwart, seit jenem Tag, als er in New York auf der Straße gestanden hatte. Sie hatten, nach und nach, über das Vorgefallene geredet. Er hatte ihr verziehen oder zumindest beschlossen, ihr zu verzeihen; es war ihm schwer gefallen, ihr seine Gefühle zu offenbaren, dass er geglaubt hatte, sie stünden sich nahe, und die Enttäuschung über den Verrat. Jane konnte es ihm nicht verdenken. Sie versuchte ihm begreiflich zu machen, wie groß ihr Bedürfnis gewesen war, Kontakt zu Chloe aufzunehmen: Es hatte sie ergriffen wie eine Flutwelle, so dass sie nicht anders konnte. Seither war das beidseitige Verständnis gewachsen, aber die Vertrautheit, die sie früher empfunden hatten, hatte sich noch nicht wieder eingestellt.
Als er nun seine Finger mit ihren verschränkte, schmolz sie dahin, hatte Angst, ihre Beine würden ihr den Dienst versagen.
»Komm mit.« Er zog sie mit sich.
»Was? Wohin?«
»Komm einfach mit.«
Die Kapelle spielte eine langsame romantische Weise, und Dylan führte sie aus dem Menschengewimmel heraus zu ei-

ner Leiter, die an der Scheunenwand befestigt war. Sie führte zu einer Luke in der Decke. Er bedeutete ihr, hinaufzuklettern. Sie tat wie geheißen – stieg Sprosse für Sprosse die Leiter hoch auf den Heuboden. Oben angekommen, forderte er sie mit einer Geste auf, im Heu Platz zu nehmen. Sie zögerte. Also legte er seinen Arm um sie und zog sie hinunter.
»Wir müssen reden«, sagte er und legte sich neben sie ins Heu.
»Ja.« Sie war überrascht, dass er im Liegen mit ihr reden wollte, ihre Gesichter kaum mehr als eine Handbreit voneinander entfernt.
»Ich habe dich gefragt warum und du hast es mir gesagt.«
»So gut ich konnte«, erwiderte Jane still und sah in seine grünen Augen. Sie hatte diese Augen vermisst …
»Ich habe Antworten satt«, sagte er.
»Ich weiß. Und ich habe es satt, sie zu geben.«
»Jane.«
»Dylan«, flüsterte sie. Zärtlich berührte sie seine Wangen und er die ihren. Ihre Finger streiften seinen Bart. Sie dachte an die Artikel im Internet, die sie über ihn gelesen hatte, an Isabels Foto in der Küche und wusste, dass sie ihm durch die gemeinsam empfundene Trauer immer verbunden geblieben war. »Ich wünschte …«, begann sie.
»Was?«
»Ich wünschte, wir könnten noch einmal von vorn anfangen. Ich wünschte, ich hätte umsichtiger gehandelt. Ich wünschte …«
»Du hast alles richtig gemacht. Ich war auf dem Holzweg.«
»Nein.«
»Doch. Du wolltest nur – Chloe kennen lernen.«
Ihre Hände ruhten auf seinem Gesicht, sie wartete, dass er weitersprach.
»Du wolltest deine Tochter kennen lernen. Sie ist ein wunder-

bares Mädchen, eine ungeheure Bereicherung. Sie ist der gute Geist der Plantage, schweißt uns alle zusammen. Und weißt du was, Jane?«
»Was, Dylan?«
»Ich glaube, ich war eifersüchtig. Bin ich auch jetzt noch, gewissermaßen.«
»Auf was denn?«
»Dass du deine Tochter kennen lernen darfst. Und ich meine nicht.«
Janes Herz öffnete sich weit. Sie hörte die Fiedel spielen, die Dylan Tränen in die Augen trieb, und Jane küsste sie weg. Sie schmeckte das salzige Nass und dachte an die Gezeiten in der Narragansett Bay, an die meterhohen Wellen des mächtigen Atlantiks auf den Klippen vor dem Maison du Soleil.
»Aber du kannst sie kennen lernen«, flüsterte Jane. »Du kennst sie bereits ...«
Dylan schwieg.
»Ich kannte Chloe, schon bevor ich ihr im Frühjahr begegnete. Sie ist mir durch und durch vertraut; sie ist mein Fleisch und Blut, Dylan. Genau wie Isabel dein Fleisch und Blut ist ... Und bei dir ist. Ich weiß, dass sie bei dir ist. Immerzu.«
Er schloss sie in seine Arme und presste sie an sich. Sie spürte seine starke Brust und seine muskulösen Schultern, die sie umfingen, als wünschte er sich, er möge ein Teil von ihr und sie ein Teil von ihm werden. Ihre Lippen fanden sich zu einem Kuss, so langsam, zärtlich und anhaltend, dass Jane mit geschlossenen Augen nicht mehr gewusst hätte, was ihre Körper voneinander trennte, wo der eine begann und der andere endete.
»Das Wort gefällt mir.«
»Welches?«
»Immerzu. Es gefällt mir sehr.«
»Ein gutes Wort«, pflichtete sie ihm bei.

Die Musik wurde schneller, ein schottischer Volkstanz. Dylan öffnete den Mund, um etwas zu sagen, doch dann lächelte er nur und küsste Jane abermals. Sie lagen im Heu, Herz an Herz, während der Tanz auf dem Heuboden seinen Fortgang nahm und der Mond hoch am Himmel stand. Plötzlich hörten sie einen dumpfen Aufprall. Und danach einen weiteren.
»Jemand wirft mit Äpfeln nach uns«, sagte Dylan.
»Lass mich raten, wer.« Jane spähte nach oben ins Gebälk und schmunzelte, als sie Chloe entdeckte, die sich gemeinsam mit Mona aus der Kuppel zu ihnen hinunterbeugte.

Margaret war angekleidet und startbereit. Sie trug ihren besten Herbstmantel – einen wunderbaren braunen Kaschmirmantel, den sie bei Gladdings gekauft hatte, unmittelbar vor ihrer Pensionierung. Da sie nicht wusste, wie gut es sich mit den Ruhestandsbezügen einer Schulleiterin leben ließ, hatte sie beschlossen, sich noch etwas zu gönnen. Und wie sich herausstellte, hatte sie klug investiert: Zehn Jahre später war der Mantel noch genauso schön wie an dem Tag, als sie ihn gekauft hatte.
Der Van fuhr langsam in Dunkelheit gehüllt über die unbeleuchteten Landstraßen. Margaret hatte den Fahrer gebeten, das Fenster einen Spalt breit zu öffnen, und der Geruch nach verrottendem Laub, typisch für den Herbst, drang in den Wagen. Margaret war festgeschnallt, angebunden, gewissermaßen, doch als sie die Blätter und die Herbstluft ihres geliebten Rhode Island roch, fühlte sie sich jung und frei.
»Ich bin zu einer Tanzveranstaltung eingeladen«, sagte sie laut.
»Ich weiß, Margaret«, rief der Fahrer zurück.
»Meine Töchter werden dort sein.«
»Ich weiß. Wie schön für Sie.«
»Ich werde meine Enkelin kennen lernen.«

»Sie sind bestimmt aufgeregt.«
»Und ob. Sie heißt Clove.«
»Clove ist ein ungewöhnlicher Name.«
»Was rede ich denn da: nicht Clove. Rosie.«
»Hübsch.«
»Nein, warten Sie. Auch nicht Rosie ... Sie heißt ... anders ...«
Margaret schloss die Augen. Der Wagen holperte die Straße entlang. Die beiden anderen schliefen. Sie schliefen die ganze Zeit. Die Insassen im Heim waren dauernd müde. Vielleicht lag es an der Anstrengung, ein ganzes Leben hinter sich zu bringen. Mit so vielen Erinnerungen, jede randvoll mit Freud und Leid. Das war eine der Lektionen, die Margaret gelernt hatte ...
Die Lektionen des Herzens, die vielleicht noch wichtiger als Mathematik, Geschichte, Naturwissenschaft oder sogar Englisch, ihr Lieblingsfach, waren. Margaret, die Rektorin, fand es unfassbar, dass ihr derart ketzerische Gedanken kamen. Aber eines hatte das Leben auf dieser Erde sie gelehrt: dass am Ende nur eines zählt, nämlich die Liebe. Gleich, ob Freunde, Verwandte, Verehrer, Ehemänner: Sie alle waren Balsam für die Seele.
Hätte sie doch ihren Töchtern dieses Wissen von Anfang an mit auf den Weg gegeben. Sie fürchtete, dass sie zu streng mit ihnen gewesen war. Viel zu besonnen, was die Liebe betraf, viel zu distanziert. Verletzt vom Vater ihrer Töchter, hatte sie ihnen beigebracht, dass man allen Männern misstrauen sollte.
Wenn sie nach links und rechts sah, verspürte sie eine Mischung aus Traurigkeit und Freude angesichts der Erkenntnis, dass sie erst in hohem Alter eines Besseren belehrt worden war.
»Ralph.« Sie tippte ihn behutsam am rechten Arm an. Dann

drehte sie sich zur anderen Seite und zupfte an Billys Ärmel.
»Billy – aufwachen! Wir sind gleich da.«
»Arrch«, schnaufte Ralph. »Sind wir schon da?«
»Fast«, sagte Margaret.
»Hast du Billy aufgeweckt?«
»Ich gebe mir Mühe. Er schläft ziemlich fest.«
»Ein trauriger Tag«, sagte Ralph. »Wenn zwei erwachsene Männer nicht einmal die fünfzehn Meilen wach bleiben können, um ihre Herzdame zum Tanz zu begleiten.«
»Bin ich deine Herzdame?«, Margaret lächelte.
»Ja.« Ralph drückte ihre Hand. »Aber verrat Billy nichts. Und jetzt versuch noch einmal, ihn aufzuwecken. Schließlich soll er ja voll da sein, wenn wir unseren großen Auftritt haben. Das Wort ›Auftritt‹ solltest du allerdings nicht wörtlich nehmen. Meine Dame …«
Lächelnd beugte sie sich vor und knuffte Bills Arm. »Mein Lieber, wir sind FAST DA!«, sagte sie sehr laut.
»Trannk«, brabbelte Billy, während ein wenig Speichel auf sein elegantes blaues Tweedjackett rann. Margaret hielt ihr Taschentuch bereit; er begann zu weinen. »Freniiii. Laxitag. Grennwill!«
»Ich weiß, Billy«, beschwichtigte sie ihn und trocknete ihm die Augen. »Ich weiß.«
»Reiß dich am Riemen, Mann«, befahl Ralph. »Wir werden darum kämpfen, wer als Erster mit Margaret tanzen darf, und ich lege Wert auf ein faires Duell. Sieh zu, dass du gut gerüstet bist, bevor du gegen mich antrittst.«
»Alles klar«, sagte Billy. »Sehr gut. Wir sind gleich da?«
»Sind wir«, bestätigte Margaret, als sich der Van plötzlich wie von Zauberhand mit dem Duft von Äpfeln füllte. Würzig, scharf, süß … es war, als hätten sie beim Passieren des Staketenzauns, der die Grenze von Chadwick Orchards markierte, den Garten Eden betreten.

»Der erste Tanz gehört mir«, sagte Ralph und küsste ihre linke Wange.
»Nein, mir«, entgegnete Billy und küsste ihre rechte Wange.
Margaret schloss die Augen, doch der Mond war so voll und hell, dass sie Bilder, Gesichter und Szenen aus ihrem Leben sehen konnte. Sie erinnerte sich daran, wie gerne sie mit dem Vater ihrer Töchter getanzt hatte. Thomas war ein wunderbarer Tänzer gewesen. Er hatte ihr viele unvergessliche Augenblicke auf dem Tanzboden geschenkt. Er hatte ihr die beiden Töchter geschenkt.
Töchter, dachte Margaret. *Heute werde ich Janes Tochter kennen lernen, in aller Form.*
Der Fahrer parkte den Van. Musik erfüllte die Luft. Margaret rückte Billys Hörgerät zurecht, damit er sie hören konnte. Ralph drückte ihren Arm. Margaret roch die Äpfel. Der Fahrer öffnete die Schiebetür des Wagens. Ein netter junger Mann – sein Name war Ernest. Margaret lächelte ihn an.
»Sind Sie bereit, Margaret?«, fragte er.
Sie nickte. Und dann erinnerte sie sich.
»Chloe«, sagte sie. »Meine Enkelin heißt Chloe.«

Alle beobachteten die Ankunft des Wagens aus der Kuppel: Chloe, Mona, Dylan und Jane. Er fuhr die Anhöhe hinauf, an den Apfelbäumen vorbei, langsam und geschickt, als enthielte er eine kostbare Fracht, hohe Würdenträger, die sich die Ehre gaben. Jane spürte Chloes mit Lampenfieber gepaarte Vorfreude.
»Was ist, wenn sie mich nicht mag?«, fragte Chloe.
»Sie wird dich in ihr Herz schließen«, versicherte Jane.
»Vielleicht ist sie böse auf mich.«
»Wieso sollte sie?«
»Weil ich beinahe dein Leben zerstört hätte.«
Jane schluckte. Die anderen standen eng zusammengedrängt

in dem winzigen Raum, aber sie hatte nur Augen für Chloe. Das Mädchen sah sie an, ihre Augen waren so blau und klar wie ein Gebirgsbach. Sie enthielten unergründliche Geheimnisse, Fragen und alle Antworten, die sich Jane je erträumt hatte.

»Leben zerstören? Das könntest du nicht, niemals.«

»Ich fürchte doch«, sagte Chloe. »Ich war nahe daran … ich weiß es.«

Jane blickte sie an.

»Du weißt es auch, weil du dabei warst. Der Gedanke ist mir gekommen, nicht lange – mit Sicherheit hätte er mich nicht die ganzen neun Monate geplagt – aber eine kleine Weile, im Juni, als ich dachte, als ich dachte …«

Dylan holte tief Luft. Hatte sie ihm das Geheimnis anvertraut? Jane wusste es nicht, aber sie fand es sehr mutig von Chloe, das Thema anzusprechen.

»Als ich dachte, ich wäre schwanger«, fuhr Chloe fort.

»Aber du warst es nicht«, erinnerte Jane sie.

Chloe nickte. »Aber in der Zeit, als ich befürchtete, ich sei es … ist es mir genauso gegangen wie dir. Damals war mir das nicht klar. Ich wusste nur, dass ich Angst hatte, einer Panik nahe war. Ich stellte mir vor, wie meine Eltern darauf reagieren würden, wie sich mein Leben ein für alle Mal verändern würde. Mit der Schule wäre es aus und vorbei gewesen; alle hätten es gesehen … alle hätten es gewusst.«

»Ach, Chloe.« Jane schloss die Augen, berührte unwillkürlich ihren eigenen Bauch, dachte daran, wie es gewesen war, als die Schwangerschaft nicht mehr zu übersehen war, als sie bis zur Niederkunft ins St. Joseph geschickt wurde.

»Ich konnte nur daran denken, dass mein Leben zerstört war … wie deines.«

Jane riss die Augen auf. »Aber mein Leben war nicht zerstört! Nicht im Mindesten! Ich hatte ja dich …«

»Aber du musstest mich hergeben«, sagte Chloe. »Als ich dachte, ich sei schwanger, grübelte ich darüber nach, was ich tun sollte. Das Schlimmste, Unerträglichste war die Vorstellung, mein Baby in fremde Hände zu geben … dann hätte ich auf das einzig Gute verzichtet, das bei so schlimmen, Leben zerstörenden Erfahrungen herauskommt. Das Baby.«
»Du warst das einzig Gute daran«, sagte Jane mit leuchtenden Augen und voller Ehrfurcht vor dem Einfühlungsvermögen ihrer Tochter.
»Aber du musstest mich weggeben«, sagte Chloe.
Jane nickte. »Aber ich durfte dich in den Armen halten. Nur für kurze Zeit, aber …« Sie hielt inne, schluckte. »Es reichte aus. Für ein ganzes Leben.«
»Wie?«, fragte Chloe. »Wie kann das sein? Mir hat es nicht ausgereicht …« Sie ergriff Janes Hand.
»Sie ist jetzt bei dir«, sagte Dylan und trat einen Schritt vor, als wüsste er, dass die beiden kurz davor waren, zu weinen und nie wieder aufzuhören.
»Ihr habt euch wiedergefunden«, meinte Mona.
»Als hätten wir uns gegenseitig wie mit einem Radar geortet«, erklärte Chloe lächelnd. »Ja, genauso war's.«
»Radar«, sagte Jane. »Kann ich mir gut vorstellen.«
»Darf ich dich etwas fragen? Bevor wir alle nach unten gehen und wieder am Fest teilnehmen?«, sagte Chloe.
»Am Schwof«, verbesserte Mona sie.
»Natürlich«, sagte Jane. »Frag nur.«
»Warum hast du mich Chloe genannt?« Sie war blass geworden. Sogar ihre Lippen waren bleich, als wäre sie zu der Schlussfolgerung gelangt, das Geheimnis ihrer Existenz hinge von Janes Antwort ab. Sie ergriff Monas Arm, als bedürfte sie einer körperlichen Stütze.
»Brauchen wir einen Trommelwirbel für die Ankündigung?«, erkundigte sich Mona.

Dylan lachte, aber seine Augen blickten gespannt.
Jane errötete. Sie hatte nie darüber gesprochen. Die Geschichte, die sich um Chloes Namen rankte, war ein Geheimnis zwischen ihr und … Chloe.
Sie lachte, als sie ihre halbwüchsige Tochter ansah.
»Was ist daran so komisch?«, wollte Chloe wissen.
»Es ist komisch, weil du ihn mir selbst genannt hast.«
»Ich habe dir meinen *Namen* genannt?«
Jane nickte. Sie spürte, wie sich die Zeiger der Uhr zurückdrehten, so schnell, dass ihr beinahe schwindelte; sie befand sich wieder im Zug, auf der Heimfahrt von der Pennsylvania Station, wo sie sich mit Jeffrey getroffen hatte. Sie war todmüde gewesen und eingenickt. Sie hatte geträumt … von Chloe.
»Ich war im Zug«, sagte sie. »Ich war völlig erschöpft … schlief während der ganzen Fahrt …« Sie beschloss, ihre Gefühle für Jeffrey auszuklammern. Sie würde sich genau überlegen müssen, was sie von ihm erzählen wollte, falls überhaupt. »Der Zug fuhr die ganze Zeit am Meer entlang, an dem Teil der Küste von Connecticut, wo man überall Wasser sieht. Häfen und Strände, der Long Island Sound …«
Chloe hob fragend eine Braue. »Mit wem warst du unterwegs?«
»Ich war allein, mit dir.«
Chloe hörte schweigend zu.
»Nur wir beide. Es fällt mir schwer, es zu erklären, aber genau so habe ich es damals empfunden. Ich spürte, dass du bei mir warst, im Zug. Obwohl ich gerade erst herausgefunden hatte, dass ich schwanger war. Und ich nicht wissen konnte, ob mit einem Jungen oder einem Mädchen. Aber ich hatte so eine Ahnung, eine Art intuitives Wissen, genauer gesagt.«
»Dass ich ein Mädchen war?«
Jane nickte. »Und ich hatte einen Traum.« Sie schloss die Au-

gen, nur zwei Sekunden lang, und schon war ihr, als träumte sie noch immer. Was in gewisser Hinsicht stimmte, das wurde ihr bewusst, als sie in die Augen ihrer Tochter blickte.

»Ich träumte von dir. Du warst hübsch, und noch klein, vielleicht drei oder vier Jahre alt. Mit rabenschwarzem Haar und strahlend blauen Augen. Und du sprachst schon in ganzen Sätzen – wie eine Erwachsene.«

»Das konnte sie wirklich, als sie in dem Alter war«, sagte Dylan.

Jane nickte, nicht im Mindesten überrascht. »Ich sagte zu dir, ›Was wollen wir unternehmen?‹ Und du sagtest, ›Ich möchte an den Strand.‹ Und ich sagte, ›Aber was ist, wenn ich dich aus den Augen verliere?‹ Und du sagtest, ›Dann rufst du mich.‹ Und ich sagte, ›Wie denn? Wie heißt du?‹ Ich musste dir diese Frage stellen, weil ich es nicht wusste.«

»Und ich erwiderte ›Chloe‹«, sagte Chloe ruhig.

Jane nickte.

Sie blickten sich lange an. Jane wagte nicht zu sprechen. Weil sich das Mädchen aus ihrem Traum gerade erst in dieses Mädchen aus Fleisch und Blut verwandelt hatte und sie mit einem Mal erschüttert erkannte, dass ihr Traum wahr geworden war.

Die Musik war mitreißend. Die Gitarre spielte den Refrain, und dann fiel die Fiedel ein, trug die Melodie zu den Sternen empor. Jane hatte das Gefühl, als stünden sie auf einer Plattform hoch droben am Firmament. Sie konnte den Blick nicht von Chloe abwenden.

»Das ist also die Geschichte, die mit deinem Namen verbunden ist«, sagte Mona seufzend.

»Sie ist noch besser, als ich dachte«, meinte Chloe.

Jane nickte. Sie war besser, weil sie endlich die Gelegenheit gehabt hatte, sie zu erzählen. Die Musik veränderte sich und Jane hörte Applaus.

»Der gilt den alten Leuten«, erklärte Chloe.
»Wirklich?«, fragte Jane.
»Das ist eine Tradition beim Tanz auf dem Heuboden«, sagte Dylan. »Wir spenden den Mitgliedern der älteren Generation Beifall.«
»Weil sie so weise sind«, sagte Chloe.
Jane und Dylan wechselten einen skeptischen Blick. Die Mädchen klaubten die restlichen Äpfel auf, verstauten sie in den geschürzten Röcken, bündelten sie auf den Hüften wie in Säcken mit Zugband, und kletterten die Leiter hinunter. Jane stand in der Kuppel, sah auf den glänzenden, rabenschwarzen Scheitel ihrer Tochter hinab. Sie fühlte sich wie ein schmelzender Eiswürfel.
Dylan berührte ihre Hand. »Schau«, sagte er und deutete aus dem Fenster.
Ein Rudel Hirsche graste im silbernen Mondlicht. Ihr Fell war dicht und braun. Die Jungen waren gesprenkelt, beinahe unsichtbar in dem hohen weizenfarbenen Gras. Eine einsame Eule kurvte zwischen den Bäumen umher. Rote Äpfel hingen schwer an den Ästen.
»Das ist das Schönste, was ich je gesehen habe«, sagte Jane.
»Finde ich auch.«
Die Kapelle stimmte gerade einen Walzer an. Der Weg nach unten war lang, und Dylan würde mit seiner Verletzung nur langsam vorankommen. Jane dachte an ihre Mutter, die unten wartete. Sie dachte an Chloe, die aus dem Heuboden auftauchte und die Tanzfläche überquerte, um sie kennen zu lernen – vielleicht in Begleitung von Sylvie und John, oder von Sharon und Eli. Oder von allen vieren. Chloe hatte eine große Familie.
Jane wäre in diesem Moment gerne dabei gewesen. Doch sie hörte die Walzerklänge, und eines hatte sie an jenem heißen Tag in New York gelernt: dass man den Augenblick nutzen

sollte, soweit es das Leben und die Liebe betraf. Und deshalb streckte sie die Arme aus.
Tanzen wir?, schienen ihre Augen zu fragen.
Dylan wusste, was sie meinte. Und so nahmen sie einander in die Arme, hoch droben in der Kuppel, während unten die Fiedel zum Tanz aufspielte, und ließen sich von den Klängen davontragen.